Theresa Breslin • Das Medici-Siegel

©John Wilson

DIE AUTORIN

Theresa Breslin, geboren in Schottland, arbeitete viele Jahre lang als Bibliothekarin mit einem speziellen Interesse an Kinder- und Jugendliteratur, bevor sie sich ganz aufs Bücherschreiben verlegte. Ihre Kinder- und Jugendbücher gewannen zahlreiche Preise und Auszeichnungen, u.a. die begehrte »Carnegie Medal«. Theresa Breslin hat vier Kinder und lebt mit ihrem Mann bei Glasgow.

Theresa Breslin

Das Medici-Siegel

Aus dem Englischen von
Petra Koob-Pawis

cbt – C. Bertelsmann Taschenbuch
Der Taschenbuchverlag für Jugendliche
Verlagsgruppe Random House

Mix
Produktgruppe aus vorbildlich
bewirtschafteten Wäldern und
anderen kontrollierten Herkünften

Zert.-Nr. SGS-COC-1940
www.fsc.org

Verlagsgruppe Random House FSC-DEU-0100
Das für dieses Buch verwendeteFSC-zertifizierte Papier
München Super liefert Mochenwangen

Dieses Buch ist für Laura

1. Auflage
Erstmals als cbt Taschenbuch April 2009
Gesetzt nach den Regeln der Rechtschreibreform

Die englische Originalausgabe erschien 2006 unter
dem Titel »The Medici Seal« bei Doubleday, an imprint of Random House Children's Books, London

Übersetzung: Petra Koob-Pawis
Umschlaggestaltung: Büro Süd, München nach
einem Entwurf von www.blacksheep-uk.com
Umschlagfoto: © GettyImages/ John Wilson
IM • Herstellung: ReD
Satz: Uhl + Massopust, Aalen
Druck: GGP Media GmbH, Pößneck
ISBN: 978-3-570-30550-8
Printed in Germany

www.cbt-jugendbuch.de

ANMERKUNG DER AUTORIN

Das Italien der Renaissance

Zur Zeit der Renaissance war Italien kein einheitliches Staatsgebilde. Vielmehr wurden die einzelnen Regionen der italienischen Halbinsel von verschiedenen Stadtstaaten regiert. Den Süden beherrschte das Königreich Neapel, auf das sowohl Frankreich wie auch Spanien Besitzansprüche erhoben. Deshalb hatten Armeen dieser beiden Länder Teile Italiens besetzt. Im Norden war die mächtige Republik Venedig auf der Suche nach neuen Eroberungen. Der Papst verfügte damals über geistliche und weltliche Macht und herrschte über weite Gebiete Mittelitaliens einschließlich der Romagna.

In den italienischen Stadtstaaten herrschten wohlhabende und einflussreiche Familien. Eine der berühmtesten waren die Medici in Florenz. Zur Zeit der Medici, besonders unter der Regierung von Lorenzo dem Prächtigen, erlebten Kunst und Kultur eine Hochblüte. Aber schon 1494, nur wenige Jahre nach Lorenzos Tod, wurden die Medici aus Florenz verbannt.

TEIL I

Der Mord

Italien, Romagna, im Sommer 1502

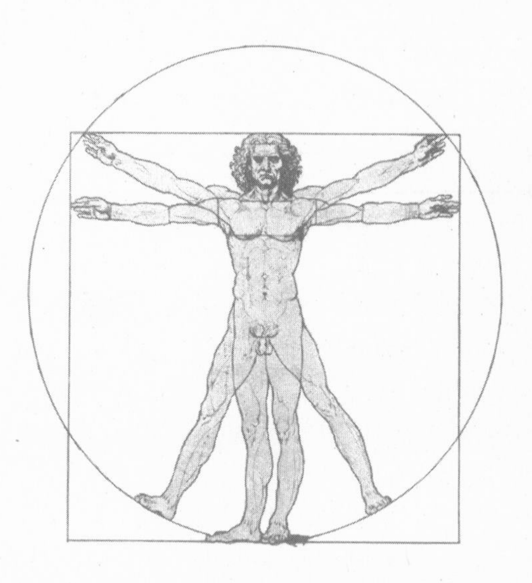

KAPITEL 1

Der erste Schlag trifft mich seitlich am Kopf. Ich taumle, stürze beinahe zu Boden.

Sandino macht ein paar Schritte vorwärts, steigt über den Mann, der tot zu seinen Füßen liegt. Den Mann, den er vor meinen Augen ermordet hat.

Jetzt will er mich töten.

Ich weiche zurück. Er packt seinen Knüppel fester, schlägt damit gegen meinen Magen.

Schmerzgekrümmt krieche ich auf die Felsen. Weg, nur weg von ihm.

Er knurrt ärgerlich und folgt mir.

Verzweifelt schaue ich mich um. Unter mir und hinter mir nichts als der Fluss, der reißendes Hochwasser führt.

Sandino grinst. »Hier kommst du nicht mehr weg, Junge.« Er hebt den Arm. Holt wieder mit seinem Knüppel aus.

Schnell drehe ich den Kopf zur Seite, um seinem Schlag auszuweichen, aber auf den nassen Steinen verliere ich den Halt.

Er stößt einen Fluch aus.

Ich stürze.

Ich spüre das eiskalte Wasser bis ins Mark. Sofort reißt der Fluss mich mit sich fort.

Die Strömung zerrt an mir, reißt an meinen Kleidern, zieht an meinen Beinen. Ich schlucke Unmengen von Wasser, aber ich kämpfe, um den Kopf über der Oberfläche zu halten, und versuche zu schwimmen. Mein Zappeln richtet nichts aus gegen die Gewalt der Strömung, die mich in ihrem gierigen Griff gefangen hält. Ich muss das Ufer erreichen. Ich muss.

Meine Kräfte schwinden. Ich kann den Kopf nicht mehr über Wasser halten.

Dann ein entsetzliches Brausen.

Ein Wasserfall!

Das Brausen wird lauter, die Strömung nimmt zu. Nur noch Sekunden trennen mich vom Tod. Mit allerletzter Kraft reiße ich die Arme nach oben und schreie um Hilfe. Ich werde über den Rand des Wasserfalls geschleudert und taumle hinab in die schäumende, kochende Gischt.

Brodelnde Wassermassen donnern auf mich herab und ziehen mich in die Tiefe. Ich bin in dem Strudel gefangen, kann mich nicht aus seinem tödlichen Wirbel befreien. Noch treibe ich mit dem Gesicht nach oben, schnappe mit weit aufgerissenem Mund nach Luft. Das herabstürzende Wasser nimmt mir die Sicht. Da, ein Regenbogen aus tausend Facetten! Über ihm ist Licht und Leben. Dann verschwimmt wieder alles und das Blut tost in meinem Kopf.

Mir ist, als betrachte ich mich selbst aus großer Höhe. So als ob mein Geist meinen Körper von einer anderen Ebene aus beobachtet. Von der Erde an einen anderen Ort entrückt, schaue ich dem verzweifelten Todeskampf eines zehnjährigen Jungen zu.

Ein Atemzug. Und dann nichts mehr.

Berstendes Licht.

Tiefste Dunkelheit.

KAPITEL 2

Zwei Hände packen mich am Kopf. Ich sehe nichts. Höre keinen Ton. Kein Geruch dringt in meine Nase. Aber eine Berührung, ja, die spüre ich. Kräftige Finger unter meinem Kinn und auf meiner Stirn. Ein Mund auf meinem, sachte. Lippen auf meinen Lippen. Sie bedecken sie ganz. Hauchen mir Leben ein mit ihrem Kuss.

Ich schlage die Augen auf. Ich sehe das Gesicht eines Mannes.

»Ich bin Leonardo da Vinci«, sagt er. »Meine Gefährten haben dich aus dem Fluss gezogen.« Er deckt mich mit einem weiten Mantel zu.

Ich blinzle. Der Himmel tut meinen Augen weh, seine Farbe ist kalt und sein Blau schmerzhaft.

»Wie heißt du?«, fragt mich der Mann.

»Matteo«, flüstere ich.

»Matteo.« Seine Stimme betont jede einzelne Silbe. »Ein schöner Name.«

Die Umrisse seines Gesichts verschwimmen wieder vor meinen Augen. Ich huste, spucke Wasser und Blut. »Ich sterbe«, sage ich und fange an zu weinen.

Er wischt mir die Tränen aus dem Gesicht. »Nein. Du wirst leben, Matteo.«

KAPITEL 3

Er nennt mich Matteo.

Das kommt daher, dass ich, als er mich damals halb tot aus dem Wasserfall gezogen hat, noch geistesgegenwärtig genug war, meinen richtigen Namen zu verschweigen. Matteo war der erste Name, der mir einfiel.

So wie der Name war beinahe alles, was ich ihm danach über mich erzählt habe, gelogen.

An dem Tag, an dem sie mich retteten, haben er und seine Begleiter neben dem Wasserfall ein kleines Lagerfeuer angezündet, damit meine Kleider trocknen konnten. Ich selbst wäre liebend gerne gleich so weit wie irgend möglich von diesem Ort geflohen, aber ich hatte keine Wahl. Mein Schädel brummte noch von Sandinos Schlag und ich konnte mich kaum auf den Beinen halten, geschweige denn weglaufen. Sie wickelten mich in einen pelzgefütterten Mantel und legten mich in die Nähe des Feuers. Es war Spätsommer, noch nicht sehr kalt, aber die Tage waren schon kürzer geworden und die Sonne stand nicht mehr so hoch am Himmel.

»Zingaro?«

Der dickere der beiden Begleiter sprach das Wort »Zigeuner« in ihrer Sprache aus, während er das Feuer anfachte.

Als der Mann, der sich Leonardo nannte, mich prüfend ansah, schloss ich rasch die Augen. »Er sieht aus wie diese Leute, und doch …«

Der Dritte, in dessen Mantel man mich gehüllt hatte, schüttelte den Kopf. »Möglicherweise gehört er zu einer

Gruppe, die nach Süden zieht. Dem fahrenden Volk ist es neuerdings verboten, Mailand zu betreten, und man beschuldigt sie aller möglichen Diebstähle und Betrügereien.«

»Bei Bologna haben sie ein Lager aufgeschlagen«, sagte der Dicke. »Das ist nicht weit von hier.«

In mir verkrampfte sich alles, als ich das hörte. Meine Leute wollten in Bologna den Winter verbringen. Wenn mich diese Männer für einen Zigeuner hielten, kamen sie vielleicht auf die Idee, mich bei ihnen abzuliefern. Im Lager würde man mich erkennen, mich willkommen heißen und gerne aufnehmen. Aber ich wollte nicht nach Bologna. Dort würde mich der Brigant Sandino zuallererst suchen – falls er Zweifel daran hatte, dass ich umgekommen war. Vielleicht hatte er sogar schon ein paar seiner Schurken vorausgeschickt, um mich auf der Straße dorthin abzufangen. Mir schauderte noch jetzt, wenn ich an den Schlag dachte, den mir Sandino mit seinem großen Knüppel versetzt hatte.

Der Mann, den sie Leonardo nannten und der mir Atem eingehaucht hatte, sagte: »Er ist klein, aber das könnte an schlechter Ernährung liegen. Ob er tatsächlich zu diesen Ausgestoßenen gehört, wird sich bald genug herausstellen – wenn er aufwacht und seinen Mund aufmacht.«

Da war es für mich klar, dass ich ihnen keinesfalls meine wahre Herkunft preisgeben durfte. Sie mochten vielleicht Mitleid mit einem ertrinkenden Jungen haben, aber gegen mein Volk hatten sie Vorurteile.

Fahrendes Volk gibt es in vielen Ländern. Wir sind bekannt als gute Hufschmiede, geschickte Korbflechter und

Schlosser, und man sagt uns nach, dass wir die Zukunft vorhersagen können. Letzteres macht uns oft verdächtig, aber wenn jemand gegen Bezahlung sein künftiges Schicksal erfahren will, dann ist ein Zigeuner so gut wie jeder andere in der Lage, zu erraten, was die Zukunft dieser Person bringen mag.

Meine Großmutter war unglaublich geschickt in diesen Dingen. Sie verstand die Kunst, sich so mit anderen zu unterhalten, dass jeder, der mit ihr sprach, viel mehr von sich preisgab, als er eigentlich wollte. Dann gab sie ihm einen Rat, der genau zu ihm passte, so wie ein Schneider, der einem Menschen ein neues Kleidungsstück genau auf den Leib schneidert.

Aber meine Großmutter war auch eine kunstfertige Heilerin. Sie kannte die Krankheiten des Körpers und des Geistes. Und oft waren es gerade die Seelenqualen, die die Leute beschwerten – unglückliche Liebe, Einsamkeit, die Angst vor dem Altwerden. Viele kamen und baten sie um ein Mittel. Es waren keine übernatürlichen Fähigkeiten, die ihr zu erkennen halfen, welche Kümmernisse die Menschen plagten, sondern es war ihre Beobachtungsgabe. Menschen klar zu erkennen, war für sie so einfach, wie den Himmel zu beobachten, um das Wetter vorherzusagen, oder die Bäume zu betrachten, um die Jahreszeit zu bestimmen. Sie musste nur genau hinschauen und das, was sie sah, richtig deuten.

Wenn bei jemandem das Weiße in den Augen gelblich schimmerte, dann hatte er ein Leber- oder Nierenleiden und brauchte einen Petersilienaufguss, der das Blut reinigte. Litt jemand unter Schlaflosigkeit und Angstzuständen, dann empfahl sie ihm Kamille zur Entspannung und den milchigen Saft aus gepresstem Lattich zur Beruhigung. Am Hals konnte sie erkennen, ob eine Frau unfruchtbar war. Trockene, schrumpelige Haut deutete darauf hin, dass ihr Schoß leer war. Die Frauen fürchteten sich vor meiner Großmutter, weil sie ungefragt wusste, was ihr Anliegen war, aber sie verließen sie mit neuer Hoffnung und nahmen ein Mittel aus Raute und Wacholder mit, das die Zugänge zu ihrer Gebärmutter reinigen sollte.

Junge Mädchen baten oft um ein Mittel, das ihnen den künftigen Liebsten zeigen sollte. Meine Großmutter gab ihnen Büschel aus Schafgarbe mit, die sie unter ihr Kissen legen sollten, und einen Spruch, den sie vor dem Schlafengehen aufsagen mussten:

Zu den Füßen der Venus gewachsen bist du,
komm heimlich jetzt in meine Träume hinzu,
Schafgarbe, zeig mir den Liebsten mein,
eh' ich erwache im Morgenschein.

All das und viele andere Volksweisheiten kannte meine Großmutter.

Sie wusste auch, wann sie sterben würde.

Nicht, weil sie das zweite Gesicht hatte. Sondern weil sie wusste, wie ein Herz schlagen sollte, und erkannte, dass ihres immer schwächer wurde.

Weissagungen dieser Art haben wahrlich nichts mit Zauberei zu tun – aber sie erwecken dennoch den Neid anderer, und deshalb konnten wir nie lange an ein und demselben Ort bleiben. Die Geschäftsleute und die Zünfte der Städte wollten sich jede Konkurrenz vom Leibe halten. Deshalb schürte man Vorurteile gegen uns. So brauchte man uns keiner Straftat mehr zu beschuldigen, geschweige denn uns zu verurteilen – allein die

Tatsache, dass wir Zigeuner waren, konnte schon unseren Tod bedeuten.

Deshalb beschloss ich zu lügen. Während ich sie mit halb geschlossenen Augenlidern beobachtete, fing ich damit an, mir eine Geschichte auszudenken, die ich den drei Männern erzählen würde.

Sie waren sicherlich keine Söldner, denn sie hatten keine Waffen bei sich. Ihre Pferde waren aus einem guten Stall, aber keine Paradepferde, sondern von kräftiger Statur, eher für lange Strecken als für schnelles Reiten geeignet. An den Sätteln hingen keine Jagdwaffen und ihre Mahlzeit war eher einfach. Sie bestand aus Käse, Brot, Obst und Wein. Ich schloss daraus, dass sie tagsüber unterwegs waren und sich jede Nacht ein anderes Quartier suchten.

Wie meine Großmutter es getan hätte, versuchte ich, den Grund ihrer Reise zu erraten. Die Satteltaschen waren prall gefüllt, doch nicht mit Waren oder Kleidungsstücken, sondern mit Büchern und Papieren. Die Männer waren weder Kaufleute noch Händler und Standesunterschiede schienen für sie keine Rolle zu spielen. Jeder ging mit jedem ungezwungen um, doch alle fügten sich widerspruchslos dem Mann, der sich Leonardo da Vinci nannte.

Von Anfang an nannte ich ihn den Meister. Später verbesserte mich einer seiner Begleiter und sagte, ich solle die Anrede *Messere* oder *Messer da Vinci* benutzen, da sie in gewisser Hinsicht respektvoller sei, aber sofort unterbrach Meister Leonardo ihn und sagte: »Wenn der Junge mich so nennen möchte, dann lass es gut sein. Er mag Meister zu mir sagen, wenn er es so will.«

So war und bleibt er für mich der Meister.

KAPITEL 4

Mittag war schon vorüber und sie wärmten sich am Feuer und holten das Essen hervor. Der Dicke, den sie Graziano nannten, sah, dass ich aufgewacht war, und bot mir etwas davon an. Ich wich zurück. Der Meister hörte auf zu essen, streckte mir seine Hand entgegen und bat mich, näher zu kommen. Ich schüttelte den Kopf.

»Dann warten wir so lange.« Er stellte sein Essen beiseite und nahm ein Buch zur Hand.

Ich war gespannt, was passieren würde. Keiner störte ihn. Seine beiden Freunde unterhielten sich leise, während er las. Ihr Essen lag mitten im Gras. Inzwischen spürte ich großen Hunger und die Kälte des Wassers war mir bis in die Knochen gedrungen. Vorsichtig ging ich zum Feuer und setzte mich.

Der Meister legte sein Buch nieder und gab mir ein Stück Brot. »In unserer Gemeinschaft essen wir alle zusammen«, sagte er.

Ich blickte seine Begleiter an. Sie schwatzten miteinander und gaben mir zu essen und zu trinken, als sei ich einer von ihnen.

»Wir sollten aufbrechen«, sagte Graziano schließlich. »Sonst erreichen wir unser Ziel nicht, bevor es Nacht wird.«

»Ist dein Elternhaus hier in der Nähe?«, fragte mich der Meister.

»Ich habe keine Familie. Ich bin ein Waisenkind. Wenn ich Arbeit finde, verdinge ich mich als Stallbursche oder helfe bei der Ernte.« Ich hatte mir diese Sätze zurechtgelegt, sodass meine Antwort ohne Zögern hervorsprudelte.

»In welchen Diensten stehst du? Sicherlich wird man schon nach dir suchen zu so später Stunde.«

Ich schüttelte den Kopf. »Nein, sie werden denken, dass ich weitergezogen bin. Und genau das tue ich ja auch«, fügte ich schnell hinzu. »Sie haben mich geschlagen und verprügelt, und zu essen habe ich auch nichts bekommen, deshalb suche ich mir jetzt eine andere Anstellung.«

»Ja«, sagte der Dünnere, »man sieht, dass du schon lange nichts mehr gegessen hast.« Er lachte und machte eine ausholende Bewegung, um anzudeuten, wie viel Brot ich verschlungen hatte.

Ich wurde rot und legte das Brot, das ich in der Hand hielt, zurück.

»Hör auf damit, Felipe«, tadelte ihn der Meister. »Der Junge ist hungrig.« Er gab mir das Brot. »Felipe hat nur Spaß gemacht«, sagte er.

»Burschen wie der haben immer Hunger«, sagte Felipe finster.

Später fand ich heraus, dass Felipe dafür zuständig war, die Nahrungsmittel und die anderen Dinge des täglichen Bedarfs zu besorgen, und dass er oft wahre Rechenkunststücke vollführen musste, damit der Meister und seine Begleiter das Nötigste zum Arbeiten und Leben hatten.

»Möchtest du uns bis zu unserer nächsten Station begleiten?«, fragte der Meister, als sie sich zum Aufbruch rüsteten.

»Wo ist das?«

»Wir gehen flussabwärts bis zur Brücke und dann auf

der anderen Uferseite entlang bis zu einem Ort, der Perela heißt.«

Ich versuchte, mir vorzustellen, was Sandino gerade tat, und kam zu dem Schluss, dass er mich ganz sicher suchen würde. Nicht, weil es ihn interessierte, ob ich noch lebte oder nicht, sondern aus einem ganz anderen Grund. Ich besaß nämlich etwas, das er unbedingt haben wollte, einen wertvollen Gegenstand, den zu stehlen er mich angestiftet hatte.

Vor einigen Monaten war er in dem Lager aufgetaucht, in dem ich seit dem Begräbnis meiner Großmutter lebte. Seit ich zurückdenken kann, waren meine Großmutter und ich immer alleine übers Land gezogen. Meine Mutter war gestorben, als ich noch ein Säugling war, und meinen Vater kannte niemand. Meist hielten wir uns von anderen Familien unseres Volkes fern, bis meine Großmutter eines Tages, als sie ihre Krankheit schon in sich spürte, den Karren zu einem Lager nördlich von Bologna brachte, damit ich nicht alleine wäre, wenn sie starb.

Sandino behauptete damals, entfernt mit meiner Großmutter verwandt zu sein. Da sie tot war, konnte sie ihm nicht mehr widersprechen. So ging ich mit ihm, denn er versprach mir ein Leben als Pirat, und ich war begeistert von der Vorstellung, über die Meere zu segeln. So, wie er es mir schilderte, schien mir nichts schöner, als ein Freibeuter zu sein. Aber er wollte mich gar nicht auf ein Schiff bringen. Sandino hatte von meiner Geschicklichkeit beim Aufbrechen von Schlössern gehört und im Dienste seines Auftraggebers einen mörderischen Plan ausgeheckt, bei dem er meine Fingerfertigkeit brauchte. Ich war genau der Richtige, der ihm helfen konnte, und in gewisser Weise habe ich das auch getan. Den Gegenstand, den ich auf sein Geheiß hin gestohlen habe, hat er allerdings nie zu fassen gekriegt.

Ich trug ihn immer noch bei mir. In meinem Beutel.

Es war zu befürchten, dass Sandino dem Flusslauf folgen würde, um mich zu finden – egal, ob tot oder lebendig –, um mir diesen Gegenstand wieder abzunehmen. Ich hatte keine Ahnung, wie weit ich von ihm weg war. Der Fluss führte Hochwasser, vermutlich hatte er mich mehrere Meilen mitgerissen. Sandino und seine Leute hatten keine Pferde bei sich, deshalb mussten sie zu Fuß gehen. Es würde sie viel Zeit kosten, das Ufer nach mir abzusuchen. Vielleicht nahm Sandino auch an, ich sei ins Meer gespült worden oder ich hätte mich im Schilfdickicht verfangen, wo mich die Aale fressen konnten. Aber auch wenn er davon ausging, dass ich noch am Leben war – er würde gewiss nicht vermuten, dass ich den Fluss überquerte und nach Perela ging. Denn das hieße, den Weg zurück zu nehmen, zurück in die Richtung, aus der ich gekommen war. Meine Retter hatten Pferde, was bedeutete, dass ich schneller vorwärts kommen würde. Daher beschloss ich, fürs Erste mit ihnen zu gehen und später davonzulaufen, wenn es mir sicher erschien.

»Wir müssen vor Einbruch der Dunkelheit in Perela sein«, sagte Graziano.

»Wir werden dort in der Burg wohnen«, erklärte Felipe. »Einen Jungen, der in den Ställen zur Hand gehen kann, wird man da wohl durchfüttern.«

Der Meister streckte seine Hand aus und strich mir über die Stirn. Seine Finger waren zartgliedrig, seine Berührung war angenehm. »Du bist immer noch benommen von dem Schlag auf deinen Kopf, nicht wahr? Ich denke, wir sollten dich bis Perela auf einem unserer Pferde mitnehmen. Einverstanden, Matteo?«

Ich nickte.

»Wird der Borgia auch da sein, um mit Euch zu sprechen?«, fragte Felipe.

Der Meister zuckte mit den Schultern. »Wer weiß schon, wo Il Valentino ist oder wo er sein wird? Aber ist das nicht stets so bei einem Feldherrn? Niemand weiß genau, wo er sich gerade aufhält. Er schlägt blitzschnell zu wie eine Schlange und verschwindet dann, um dort wieder aufzutauchen, wo man ihn am wenigsten vermutet.«

Es war das erste Mal, dass ich sie über Prinz Cesare Borgia, den alle *Il Valentino* nannten, sprechen hörte, obwohl ich diesen Namen natürlich kannte. Wer kannte ihn nicht? Die Borgia waren in ganz Europa bekannt. Rodrigo Borgia saß auf dem Stuhl des Heiligen Petrus und regierte die Kirche als Papst Alexander VI. Dieser gottlose Mensch und seine berüchtigten Hurenkinder Cesare und Lucrezia wollten sich ganz Italien unterwerfen.

Die Tochter Lucrezia, blond und bildschön, war erst kürzlich mit dem Herzog von Ferrara vermählt worden. Ich war dort gewesen, im Auftrag Sandinos, als die Hochzeit im Frühling diesen Jahres in Ferrara gefeiert wurde. Es war ein Spektakel sondergleichen. Aber nicht alle Ferraeser waren Lucrezia freundlich gesonnen, viele hielten sie für eine berechnende Frau und glaubten, dass ihr Vater, der Papst, Herzog Ercole von Ferrara eine gewaltige Mitgift gezahlt hatte, damit sie seinen ältesten Sohn Alfonso, den künftigen Herzog, heiraten konnte. Als ich am Tag der Hochzeit durch die Menge schlenderte, hörte ich, wie man über sie murrte und sie mit Pfiffen verhöhnte.

Eine Frau bemerkte zu dem Schild, den der König von Frankreich Alfonso zur Hochzeit geschenkt hatte: »Auf des Herzogs neuem Schild ist ein Bildnis der Maria Magdalena. War die nicht auch eine Frau von lockeren Sitten?«

Viele Leute in der Nähe lachten, aber einige schauten sich auch nervös um, ob jemand bemerkt hatte, dass sie über das Haus Borgia spotteten. Die Borgia nahmen furchtbare Rache an allen, die ihre Familie beleidigten. Aber die Menge war in ausgelassener Stimmung und die Hänseleien gingen weiter.

Als sich der Festzug der großen Kathedrale näherte, in der die Trauungszeremonie stattfinden sollte, tuschelte man auf der Piazza: »Hoffentlich betet der Bräutigam andächtig, auf dass er länger lebt als ihr früherer Mann, der auf Geheiß ihres eigenen Bruders erdrosselt wurde.«

Zumindest hatte ich nun also herausgefunden, dass die Männer, mit denen ich weiterzureisen gedachte, in irgendeiner Beziehung zu Cesare Borgia standen. Für den Augenblick schien das für mich eher von Vorteil zu sein.

Auf einer kleinen steinernen Brücke überquerten wir den Fluss und wandten uns in Richtung Perela. Der Flussübergang war stark benutzt und viele Pferde hatten den Pfad zwischen Fluss und Straße platt getrampelt. Der Meister hatte mich vor sich in den Sattel gesetzt. Ich war noch immer in Felipes Mantel gewickelt und verbarg mein Gesicht darin, als er dem Brückenwächter seine Reisepapiere vorzeigte, die von Cesare Borgia höchstpersönlich ausgestellt worden waren.

Bis zu unserer Ankunft in dem Dorf Perela fand ich Zeit, über Sandino und das, was er als Nächstes vorhaben mochte, nachzudenken. Ich war inzwischen davon überzeugt, dass es ein Fehler wäre, bei der nächstbesten Gelegenheit davonzulaufen. Sandino würde seine Spione nicht nur nach Bologna, sondern auch auf die Hauptstraßen in dieser Gegend schicken. Schon vor einiger Zeit hatte ich herausgefunden, dass er in den Diensten der Borgia stand und ihnen bei ihren Schurkereien half. Wenn nun diese Männer, meine Erretter, in der Burg von Perela Quartier nahmen, dann war es – zumindest vorerst – das Sicherste für mich, bei ihnen zu bleiben. Perela, eine Borgia-Festung, war bestimmt der letzte Ort, an dem mich Sandino vermuten würde. Hier würde er mich nicht suchen. Davon war ich überzeugt.

KAPITEL 5

»Vielleicht möchtest du uns von dir erzählen, Matteo?«

Wir waren schon einige Tage lang in der Burg Perela, ehe ich aufgefordert wurde, meine Lebensgeschichte zu erzählen. Eines Abends nach dem Essen winkte mich der Meister zu sich, als er gerade am Feuer saß. Er legte die Laute, auf der er vor sich hin geklimpert hatte, beiseite und sagte: »Du könntest uns heute Abend unterhalten, Matteo. Ich bin sicher, unsere Gastgeber würden gerne erfahren, wie es dazu kam, dass du um ein Haar in dem Wasserfall ertrunken wärst.«

Der Kommandant der Burg, Hauptmann Dario dell' Orte, und seine Familie hatten uns herzlich aufgenommen. Sie schenkten uns ihre Gastfreundschaft, weil sie einfache und freundliche Menschen waren, und nicht, weil der Meister einen Passierschein der Borgia besaß.

Perela war ein kleines Dörfchen, es bestand eigentlich nur aus einer großen Burgfeste, die auf einer Anhöhe stand, einem Bauernhof und ein paar verstreuten Häusern. Die Burg war ein solides Bauwerk mit massiven, hohen Mauern und einem kräftigen Tor, das den Zugang schützte. Auf der einen Seite war eine Schlucht, die mehrere hundert Fuß steil abfiel. Die Küchen- und Vorratsräume befanden sich im Erdgeschoss, der große Saal nahm den ersten Stock ein; dort wurden die Mahlzeiten aufgetragen und die Familie verbrachte hier die meiste Zeit des Tages. Darüber befanden sich die Schlafzimmer des Burghauptmanns und seiner Familie, außerdem zwei oder drei Abstellkammern. In diesen Kammern hatte man den Meister und seine beiden Gesellen untergebracht, ihnen Schlafgelegenheiten hergerichtet und außerdem eine Arbeitsstube eingerichtet, in der er seine Bücher und Materialien aufbewahren konnte. Die wenigen Diener auf der Burg schliefen in der Küche und das gute Dutzend Bewaffneter in den Räumen über den Ställen auf der hinteren Seite der Burganlage. Mir hatte man einen Strohsack in einer Kammer unter dem Dach zugewiesen.

Il Valentino, Cesare Borgia, der ein geschickter Heerführer war, hatte erkannt, dass Perela an einem strategisch wichtigen Punkt zwischen Bologna und Ferrara lag. Im März des Jahres 1500 war Cesare zum Bannerträger der Kirche und zum Generalhauptmann der päpstlichen Armeen ernannt worden. Er hatte den Auftrag, diejenigen Gebiete der Romagna zurückzuerobern, die der päpstlichen Herrschaft entglitten waren. Aber er träumte davon, nicht nur die Herrschaft des Papstes in denjenigen Gebieten wiederherzustellen, die dem Vatikan gehörten, sondern er wollte zusätzlich noch so viele Gebiete wie möglich unterwerfen. Überall in Italien gab es damals bedeutende und wohlhabende Städte: Ferrara, Imola, Urbino, Ravenna und Bologna. Während der vergangenen zwei Jahre war eine Stadt nach der anderen durch Angriffe, Belagerung oder List an die Borgia gefallen, sodass Il Valentinos Macht inzwischen gefestigt war und er fast ganz Italien im Würgegriff hielt. Da er die einmal eroberten Städte gegen Angriffe wappnen wollte, musste jede Einzelne von ihnen inspiziert werden, und ihre Befestigungsanlagen mussten verstärkt werden. Aus diesem Grund war sein oberster Baumeister, Leonardo da Vinci, jetzt auch nach Perela gekommen.

Hauptmann Dario dell'Orte war vor einigen Jahren in Diensten der päpstlichen Armee verwundet worden. Wegen seiner Rückenverletzung konnte er keine langen Strecken mehr reiten und deshalb hatte man ihn zum Kommandanten dieser Burg ernannt. Er war widerwillig in das verschlafene Dörfchen Perela gekommen und hatte sich – so erzählte er uns – wie ein altes Schlachtross gefühlt, dem man das Gnadenbrot gewährte. Mürrisch hatte er sich darauf eingestellt, dass der Rest seines Lebens unglücklich und öde verstreichen würde – doch dann war alles ganz anders gekommen.

Obwohl er nicht mehr der Jüngste war, hatte er sich in Fortunata, ein junges Mädchen aus dem Dorf, verliebt und sie sich – zu seinem großen Erstaunen – in ihn. Die Jahre, die er nun in Perela verbrachte, waren, wie er uns versicherte, die schönsten in seinem ganzen Leben. Das Paar war mit sich und seinen vier Kindern glücklich. Der älteste Sohn, Paolo – mit seinen zwölf Jahren war er nur wenig älter als ich –, war schon ein großer Bursche und hatte das gleiche heitere Gemüt wie sein Vater. Nach ihm kamen zwei Schwestern, etwa in meinem Alter. Beide waren am gleichen Tag auf die Welt gekommen, doch eine von ihnen war zurückhaltender als die andere, wie es bei Zwillingen oft der Fall ist. Und dann kam noch der kleine Dario, der nach seinem Vater genannt worden war.

Der Familie waren Besucher herzlich willkommen und sie behandelten mich als Gast und nicht als Diener. Es gab nichts, was ich tun musste. Die Kinder betrachteten mich vom ersten Tag an als ihren neuen Spielgefährten. Für Paolo, den älteren der beiden Jungen, war ich ein Kamerad, jemand, mit dem er sich im Lanzenstechen und Kämpfen messen konnte. Er war überglücklich, als ich kam, denn in der Umgebung gab es sonst keine Jungen in seinem Alter. Sogleich schloss er Freundschaft mit mir und störte sich auch nicht an meiner zurückhaltenden Art, sondern überredete mich einfach, mit ihm nach draußen zu gehen und an seinen Waffenübungen teilzunehmen. Sobald ich mich wieder wohlauf fühlte, zupften mich auch die Mädchen am Ärmel und wollten mit mir spielen. Paolo, ihr älterer Bruder, scheuchte sie energisch, aber gutmütig weg. Er war ihr Anführer, und sie taten, was er sagte.

An diesem Abend befahl er nun seinen jüngeren Geschwistern, sich auf den Fußboden zu setzen und zuzuhören, während ich meine Geschichte erzählen würde.

Also erzählte ich.

Doch ich log.

Zum einen, weil ich meine Herkunft nicht offenbaren wollte, zum anderen aber auch, weil ich aus Furcht vor Sandino so viele falsche Fährten wie möglich legen wollte.

So erzählte ich Lügenmärchen, sagte, was mir gerade einfiel, und garnierte meine Geschichte mit ein paar Körnchen Wahrheit. Eigentlich hatte ich vorgehabt, ihnen nur einen kurzen Abriss meines Lebens zu schildern. Doch als wir es uns am Kaminfeuer bequem gemacht hatten und ich ins Erzählen gekommen war, geriet mir meine Geschichte unter der Hand immer üppiger und wuchs an wie ein Schneeball, der einen Abhang hinunterrollt.

Ich sagte ihnen, dass ich ein Waisenkind wäre. Ich sagte ihnen auch, dass ich auf einem abgelegenen Bauernhof hoch oben in den Bergen aufgewachsen wäre, mich aber nicht mehr an den Namen des Dorfes erinnern könne. Nach dem Tod meiner Eltern hätte ein böser Onkel ihr Land an sich gerissen und ich musste umsonst für ihn arbeiten.

»War der Bauernhof in der Nähe des Berges, auf dem im Winter immer Schnee liegt?«, fragte mich die gesprächigere der beiden Zwillingsschwestern neugierig. Sie hieß Rossana und war, ebenso wie ihre Schwester, sehr hübsch.

»Ich glaube schon«, erwiderte ich.

Rossana nickte. »Ich kann den Berg von meinem Fenster aus sehen. Er ist sehr hoch. Mama sagt, er ist so hoch, weil dort die Engel wohnen, die nahe am Himmel sein wollen. Aber es scheint da oben sehr kalt zu sein. War es auch so kalt, als du dort lebtest, Matteo? Hast du Engel gesehen? Heißt das, dass es im Himmel immer kalt ist?«

Elisabetta, ihre Zwillingsschwester, schauderte sichtlich. »Ich mag es nicht, wenn es kalt ist. Wenn ich in den Himmel komme, dann werde ich eine Bettdecke mitnehmen.«

»Sei still, Elisabetta«, ermahnte sie ihre Mutter. Sie nahm den Kleinsten in ihre Arme, Dario, der mit dem Daumen im Mund eingeschlafen war, und setzte ihn sich auf den Schoß. Er kuschelte sich an sie und sie strich ihm über den Kopf. »Sei still, Rossana. Lasst Matteo weitererzählen.«

Mir machte es allerdings nichts aus, wenn die Mädchen dazwischenredeten. Das verschaffte mir Zeit, die nächsten Lügen auszudenken.

»Die Winter waren sehr kalt.« Ich nahm den Faden, den Rossana mir zugeworfen hatte, auf und flocht ihn in meine Geschichte ein. »Und niemals wurde ich satt. Meine Kleider waren dünn und ich musste in einem Nebengebäude wohnen. Holz, um Feuer anzuschüren, gab es auch nicht. Deshalb – es war ungefähr vor einem Jahr – wartete ich ab, bis der Frühling kam, und dann lief ich davon.«

»Hast du viele Abenteuer erlebt?«, fragte Paolo neugierig.

»Ja«, gab ich zur Antwort, »aber davon werde ich ein anderes Mal erzählen.«

»Ich würde auch gern auf den Straßen umherziehen«, sagte Paolo.

Sein Vater lachte. »Und unter Hecken schlafen? Ausgerechnet du, der du keinen Morgen aus deinem warmen Bettchen herauskommst?«

Ich sah es ihren Augen an, dass sie sich nach einer guten Geschichte sehnten, und darüber vergaß ich meine Vorsicht. Leute, die an einsamen Orten leben, sind dankbar für jede Art von Unterhaltung; das wissen alle fahrenden Händler und Hausierer. Egal wie unwichtig der Vorfall ist oder wie unbedeutend das Geschehene, die Leute dürsten nach Geschichten. Und Händler, die zu ihren Waren noch etwas Klatsch dreingeben, können umso erfolgreicher verkaufen. Leute, die Geschichten erzählen, werden in Gasthäusern und Burgen nicht selten umsonst bewirtet und beherbergt. Ich habe schon Damen gesehen, die mehr Bänder und Stickgarn kauften, als sie je in ihrem Leben verbrauchen konnten – nur, um den Geschichten des Händlers noch ein wenig länger zuzuhören.

Auf der Suche nach meiner Geschichte konnte ich nicht widerstehen, einige wirkliche Begebenheiten einzustreuen, vermied dabei allerdings jede Anspielung auf das fahrende Volk. Meine Reisen hatten mich an viele Orte geführt, erzählte ich. Ich war in Venedig gewesen, in der Stadt, in der Wasser durch die Straßen fließt, und wir hatten die Gondeln gesehen, die über die Lagune fuhren. Ich war durch die Hafendocks gestreunt und hatte gesehen, wie ganze Ladungen von Seide und Gewürze aus China und Arabien aus den Schiffsbäuchen quollen. Auch andere Schiffe hatte ich gesehen, die mit unbekannten Früchten und fremdartigen Spezereien beladen waren und geradewegs aus der fremden neuen Welt kamen. Ich hatte auf den Marktplätzen berühmter Städte gestanden und Hinrichtungen und Feiern erlebt. In Ferrara hatte ich in die Häuser reicher Männer und Frauen gespäht. Welches Mobiliar, welche Einrichtungen! Truhen aus vergoldetem Eichen- und Zedernholz, Tische mit goldbestickten Damastdecken, farbenprächtige Fresken und Wandteppiche, Statuen aus Bronze und Marmor, Satinpolster in den schillerndsten Farben. Und wie sie sich kleideten! Es tat den Augen weh, wenn man sie nur ansah!

Die dell'Orte-Mädchen flehten mich an, diese Kleider und Juwelen in allen Einzelheiten zu beschreiben, und ich wusste auch, weshalb sie sich so sehr dafür interessierten. Die Burg in Perela war sehr karg eingerichtet. Ein einziger Wandteppich hing an einer Seite der großen Halle, sonst waren die Mauern im Inneren nur weiß getüncht. Die Kleider der Mädchen waren nicht aus teurem Tuch geschneidert und von der neuesten Mode wussten sie so gut wie nichts. Deshalb waren sie und ihre Mutter begierig, jede Kleinigkeit von mir zu erfahren, die ich von Kleidern, Schuhen und Frisuren zu berichten wusste.

Ich beschrieb ihnen die Dinge, wie ich sie vor nicht allzu langer Zeit tatsächlich in Ferrara gesehen hatte – bei einem der Feste anlässlich der Hochzeit Lucrezia Borgias mit Alfonso d'Este. In den Straßen hatte man eigens Tribünen errichtet, sodass die Menschen die Geistlichen, Adeligen und ihre Dienerschaft bestaunen konnten, wenn sie vorbeizogen. Die Kleider und Wämser waren seidengefüttert, darüber trugen sie mit hellem Pelz gesäumte Samtmäntel. Die Handschuhe waren parfümiert und an den Fingern steckten schwere Ringe. Die Damen hatten Rosenkränze in den Händen, die nach Moschusöl dufteten. Haar und Nacken waren mit Rubinen, Smaragden und Perlen geschmückt.

Lucrezia Borgia hatte einem ihrer Hofnarren ein Kleid aus goldenem Stoff geschenkt, mit einer langen Schleppe, wie es in Spanien Mode war. So gekleidet, war er nach der Prozession durch die Straßen gezogen und hatte die hohen Herrschaften nachgeäfft. In einer Hand hielt er einen Fächer, in der anderen einen langen roten Stab, an dem kleine Glöckchen hingen. Auf der Piazza schwenkte der

Possenreißer seinen Stock direkt vor der Nase des Kardinals Ippolito, ließ die Glöckchen bimmeln und hörte nicht eher damit auf, bis der Kardinal eine Münze aus seiner Geldbörse hervorzog und sie ihm zuwarf. Dann vollführte er Freudentänze vor der Kathedrale, warf seine Röcke hoch und stellte sich zur Erheiterung der Menge zur Schau. Und Lucrezia Borgia, die für ihren derben Humor bekannt war, hatte dazu gelacht und seine Kapriolen beklatscht.

An diesem Abend in Perela hatten sich alle um mich gedrängt und aufmerksam zugehört, was ich von der berüchtigten Frau zu erzählen wusste.

»Ist sie so schön, wie man sagt?«, fragte mich Donna Fortunata.

»Sie ist sehr schön«, antwortete ich. »Sie hat langes Haar, und wenn sie sich bewegt, glänzt es wie ein See, in dem sich die Sonne spiegelt. In einer Schänke hörte ich, wie ein Mann, dessen Frau Dienerin in dem Palast ist, ausposaunte, dass ihre Zofen ganze zwei Tage brauchen, um Lucrezias Haar zu waschen und zu frisieren. Sie benutzt ein Mittel aus Safran und Myrrhe, sehr teuer, und deshalb glänzt ihr Haar wie Gold. Und um ihre Haut zum Strahlen zu bringen, werden das Eiweiß von sechs frischen Eiern, die Zwiebeln von sechs weißen Lilien und die Herzen von sechs weißen Tauben mit frischer weißer Milch zu einer Paste verrührt, mit der sie sich jeden Monat einmal salbt.«

»Hat sie böse ausgesehen?«, fragte mich Rossana.

»Sie hat…« Ich suchte nach einer treffenden Beschreibung, denn es berührte meine eigene Geschichte in keiner Weise, welchen Eindruck ich wirklich von Lucrezia Borgia hatte. »Sie sah sehr jung aus, und ... und ... « Ich schaute Rossana an, die mich mit offenem Mund und glänzenden Augen anstarrte. Ihr Haar hing offen bis auf die Schultern hinab. Die Worte, die ich schließlich fand, waren ehrlich gemeint: »Sie ist beinahe so hübsch wie du.«

Alle lachten und ich schaute die anderen verunsichert an.

»Wenn du meiner Tochter den Hof machen willst, dann solltest du zuerst mich fragen«, erklärte Hauptmann dell'Orte mit gespielter Strenge.

Rossanas Gesicht wurde puterrot.

»Elisabetta ist auch sehr schön«, fügte ich schnell hinzu, einerseits, weil ich mir meine Verwirrung nicht anmerken lassen wollte, aber auch, weil es die Wahrheit war.

Die Erwachsenen schüttelten sich vor Lachen.

»Nun buhlt Matteo schon um beide Mädchen mit nur einem Kompliment«, sagte Graziano.

»Solche Sparsamkeit wird Felipe sicherlich gefallen«, fügte der Meister lachend hinzu.

Auch ich spürte, dass ich feuerrot wurde. Ich wusste nicht, was ich machen sollte. Wenn ich gesagt hatte, dass Rossana und Elisabetta schön seien, dann deshalb, weil sie es auch waren. Als die Bemerkungen und das Gelächter in der Halle kein Ende nahmen, wurde mir, leider zu spät, klar, dass ich gegen die Regeln des guten Benehmens verstoßen hatte.

Die Mädchen schmiegten sich aneinander und kicherten. Erst Paolo, der mehr Einfluss auf sie hatte als ihre Eltern, brachte sie zum Schweigen. »Genug jetzt«, befahl er ihnen. »Lasst Matteo seine Geschichte zu Ende erzählen.«

»Man sagt, dass Lucrezia Borgia viele Sprachen spricht«,

sagte Donna Fortunata und ermunterte mich fortzufahren. »Und dass sie einen lebhaften Verstand hat und klüger ist als mancher Mann.«

»Aber sie gebraucht ihren scharfen Verstand, um andere ins Verderben zu stürzen«, murmelte Felipe.

Plötzlich war es totenstill im Raum.

Es war, als wäre allen klar geworden, auf was für dünnem Eis wir uns mit einem Mal bewegten. Ich erinnerte mich an den wirklichen Grund, der mich nach Ferrara geführt hatte, und begriff, dass ich einen Weg finden musste, um meine Geschichte in einen sichereren Hafen zu steuern.

Hauptmann Dario dell'Orte war die Wendung, die das Gespräch genommen hatte, wohl ebenfalls unangenehm. Als Hauptmann in Diensten Cesare Borgias musste er sich der Folgen bewusst sein, sollte seinem Herrn ein falsches Wort zu Ohren kommen. Es war allgemein bekannt, dass Cesare seiner Schwester eine ungewöhnlich große Zuneigung entgegenbrachte. Vor noch nicht allzu langer Zeit war in Rom ein Mann gefasst worden, den man beschuldigt hatte, abfällig über die Borgia gesprochen zu haben. Man hatte ihm die Hälfte der Zunge abgeschnitten und hatte sie danach an seine Haustür genagelt.

Hauptmann dell'Orte richtete sich in seinem Stuhl auf und sagte dann ganz ruhig zu seiner Frau: »Vielleicht sollten wir Matteo seine Geschichte weitererzählen lassen?«

»Natürlich!« Donna Fortunata sagte kein Wort mehr, aber sie lächelte ihrem Ehemann zu, um zu zeigen, dass nichts Unbotmäßiges geschehen war.

Ich erklärte, dass es über diesen Abschnitt meines Lebens ohnehin nichts mehr zu berichten gäbe. Die Städte, obgleich aufregend, seien voller Menschen und schmutzig. Ich erzählte ihnen, dass ich Ferrara verlassen hätte, weil mir die frische Landluft besser behagte und ich mich als Tagelöhner verdingen wollte. Zuletzt hatte ich Netze aufgespannt und Oliven mit Stöcken von den Bäumen geschlagen, so wie man es schon seit allen Zeiten tut.

»Das ist auch der Grund, weshalb ich so braun bin«, fügte ich hinzu, denn ich erinnerte mich an die Bemerkung meiner Retter über meine Hautfarbe. Indem ich das sagte, hoffte ich, alle Zweifel, die sie vielleicht insgeheim noch hegen mochten, zerstreut zu haben. »Der Olivenbauer«, erklärte ich, »war ein schlechter Herr, und deshalb beschloss ich, weiterzuziehen. An dem Tag, an dem mein Missgeschick passierte, war ich zum Fluss gegangen, um zu fischen; dabei fiel ich hinein und wurde von den Fluten mitgerissen.«

Paolo fragte mich nach der Schramme auf meiner Stirn und ob ich mir die beim Sturz ins Wasser zugezogen hätte.

Ich erwiderte, dass ich mich daran nicht erinnern könne. Verwundert stellte ich fest, dass, wann immer ich zögerte oder meine Erzählung unterbrach, einer meiner Zuhörer mit einem Vorschlag einsprang oder gar meinen Satz für mich zu Ende führte. Auf diese Weise konnte ich zustimmen oder widersprechen, je nachdem, wie es mir beliebte. Ich erzählte nicht, dass ein Schlag mit dem Knüppel die Ursache für meinen Sturz ins Wasser gewesen war.

»Kannst du nicht schwimmen?«, fragte Rossana. »Paolo kann schwimmen.«

»Ja«, pflichtete Elisabetta bei. »Paolo kann sehr gut schwimmen. Er wird es dir beibringen und dann wirst du nicht mehr in solche Gefahr geraten.«

»Ich kann schwimmen«, sagte ich. »Aber die Strömung war so reißend und …«

»… irgendwann bist du dann mit dem Kopf gegen etwas Hartes gestoßen«, bot Graziano mir eine Lösung an.

»Du bist sicherlich auf einem Stein aufgeschlagen, als du in den Wasserfall geraten bist«, erklärte Paolo, stolz auf seine messerscharfe Schlussfolgerung.

Die Mädchen nickten zustimmend.

»Armer Junge.« Ihre Mutter, Donna Fortunata, beugte sich zu mir und strich mir übers Haar. »Und so mager. Wir werden dich aufpäppeln.«

Ich fühlte, wie mir schwindelig wurde. Ich konnte mich nicht daran erinnern, wie es war, von einer Mutter gestreichelt zu werden, und Gefühle regten sich in mir, die ich mir selbst nicht erklären konnte. Es hatte mich empfindsam gemacht, von dieser kleinen Familie aufgenommen zu werden, ihre Aufmerksamkeit und ihr Interesse zu finden. Ich musste schlucken. »Ja«, sagte ich, »genau so ist es passiert.«

Ich wollte gerade weiterreden, als mir der Meister ins Wort fiel. »Sag, wie hat der Fisch geheißen?«, fragte er.

»Was?«

»Welchen Fisch wolltest du im Fluss fangen?«

Ich runzelte die Stirn. Weshalb interessierte ihn das? Wollte er mir mit dieser Frage eine Falle stellen?

»Alle möglichen Fische«, gab ich zur Antwort.

Ich musste an die Fische denken, die wir in den Flüssen und Seen gefangen hatten, als ich noch zusammen mit meiner Großmutter übers Land zog. Wenn wir an einen Fluss kamen, hielten wir, denn frisches, fließendes Wasser birgt stets besondere Kräfte in sich. Es ist heilkräftig und man sollte darin baden, es trinken, es betrachten und ihm zuhören. Meine Großmutter vermochte selbst in der Dürre des Hochsommers Wasser zu finden, indem sie einfach ihr Ohr auf den Boden presste. Dann zeigte sie in die Richtung, in der sie tief im Schoß der Erde das Rieseln eines Wasserlaufs gehört hatte, und ich grub nach der Quelle.

Ich kannte mich mit Fischen gut genug aus, um ein paar Arten aufzuzählen, die wir hin und wieder gegessen hatten. »Rotbarsche, Lachse, Aale, Forellen«, sagte ich. »Alle.«

Der Meister schien überrascht. »Das kann nicht sein.«

»Warum nicht?«

»Wegen des Wasserfalls, der flussabwärts von der Stelle war, an der du gefischt hast – der Wasserfall, in dessen Strömung du geraten bist. Er ist ein natürliches Hindernis, das diese Arten davon abhält, flussaufwärts zu schwimmen.«

Ich zucke mit den Achseln und erwiderte so gleichgültig, wie ich konnte: »Ich weiß nicht genau, was ich fangen wollte. Ich hatte nur gehofft, etwas Essbares zu finden.«

Er nahm sein kleines Notizbuch, das an seinem Gürtel baumelte, und schlug es auf. »Ich kenne mich hier nicht aus«, wandte er sich an Hauptmann dell'Orte. »Welche Fische fangt Ihr in den Flüssen dieser Gegend?«

Sofort begannen Paolo und die Mädchen damit, die Namen der verschiedenen Fische herunterzurasseln, und der Meister machte sich schnell daran, sie in seinem Notizbuch zu notieren. Dann klappte er es zu, verschloss es mit einem kleinen Haken und einem Bändchen und steckte es weg. Er lehnte sich zurück und schloss die Augen, aber ich wusste, dass er nicht schlief. Er muss damals schon geahnt haben, dass meine Geschichte nicht zusammenpasste. Sie war löchrig wie der Rock eines Bettlers. Vielleicht wusste er schon von allem Anfang an, dass ich nicht der war, für den ich mich ausgab.

KAPITEL 6

Die Zeit, die ich in Perela verbrachte, erschien mir wie eine kleine Insel der Ruhe in meinem stürmischen Leben.

Am Anfang wusste ich nicht recht, wie ich mich inmitten dieser liebevollen Familie von Hauptmann dell' Orte benehmen sollte. Ich wusste mehr von der großen, weiten Welt als Paolo, Rossana und Elisabetta zusammen, aber im Umgang mit ihnen half mir das gar nicht. Auch unterschied ich mich schon rein äußerlich von ihnen – sie waren gut genährt, ich war dünn und schlaksig. Ihre Mutter schenkte mir Kleider von Paolo, damit ich meine alten ablegen konnte, aber die Ärmel von Paolos zurechtgeschnittener Jacke waren mir immer noch zu lang. Sie ließen mich seltsam erscheinen, und seltsam war ich ja auch. Verglichen mit den anderen Kindern waren meine Manieren plump und grob. Besonders die Mädchen, wenngleich in meinem Alter, waren etwas größer als ich und viel gewandter in allem. Sie sprachen höflich und respektvoll mit den Erwachsenen, wohingegen es mir völlig widerstrebte, mit meiner Meinung hinterm Berg zu halten. Viele Leute halten es für unhöflich, die eigene Meinung ungeschminkt zu sagen. Nicht so ich – ich hatte gelernt, dass es einem Zeit und Missverständnisse erspart.

Wenn sie zu Tisch saßen, dann aßen sie vornehm und mit Bedacht. Ich, der ich den Hunger kennen gelernt hatte, sah keinen Grund, zu warten, bis auch die anderen aßen, wenn man mir das Essen vorgesetzt hatte. Erst, als ich ihre Blicke bemerkte, weil ich das Fleisch heißhungrig hinunterschlang, fiel mir auf, dass ihre Tischsitten festen Regeln folgten.

Es war Rossana, die mir zur Hilfe kam und die ihre zarte Hand auf meine legte, mich irgendetwas über meine Zeit in Venedig fragte und mich so davon abhielt, mich sofort wieder über die Platten herzumachen und mir ein weiteres Stück Fleisch aufzuladen. Es brauchte keine Worte, aber ich wusste, dass sie mich anleitete. So schaute ich mich um und hörte zu und lernte, wie sie miteinander sprachen und sich benahmen.

Paolo wünschte sich nichts so sehr, wie ein Soldat zu werden – ganz so wie sein Vater –, und ich musste mit ihm fechten und militärische Übungen treiben. Wenn wir mit der Lanze kämpften, dann war es für ihn kinderleicht, mich zu besiegen. Er nahm seine hölzerne Waffe und versetzte mir einen kräftigen Schlag gegen die Brust. Anfangs nahm ich ihm das übel. Ich schmollte und weigerte mich, seine Schläge weiterhin zu parieren. Aber jedes Mal, wenn ich zu Boden fiel, baten die Mädchen und Paolo mich weiterzumachen, und ich gab schließlich nach.

Es war ihr Lieblingsspiel. Rossana und Elisabetta taten so, als wären sie hochgeborene Damen, die ihre Gunst dem tapferen Ritter gewährten, der für sie in den Kampf zog. Rossana, die lebhaftere der beiden, wählte immer mich als ihren Ritter aus und band mir Bänder um. Aber bald wurde ich wütend über die andauernden Erniedrigungen, die Paolos Siege für mich bedeuteten. Dabei hatte er nicht die geringste Absicht, mich zu beschämen, er zog nur den Vorteil daraus, dass er älter und stärker war. Allerdings war er mir nicht bei allem überlegen. Was mir an Robustheit mangelte, machte ich mit List und Schnelligkeit wett. Und in einer Beziehung hatte ich Erfahrungen, die ihm fehlten: In seinem Gürtel an seiner Taille hatte er ein Messer stecken, mit dem er prahlte. Ich aber hatte in meinem Leben gelernt, dass Messer da sind, um sie zu benutzen, nicht um mit ihnen anzugeben.

Eines Tages, als er über mir stand, sein Schwert schwenkte und sich wieder einmal zum Sieger erklärte, reagierte ich, ohne nachzudenken. Ich schnellte hoch, zog den Dolch aus seinem Gürtel und setzte ihm die Spitze an die Gurgel, noch bevor er einen Atemzug tun konnte. Auf der Stelle verstummte sein Triumphgeschrei. Auch die Anfeuerungsrufe der Mädchen, die uns zusahen, brachen ab.

Paolo riss die Augen weit auf. Darin sah ich etwas, das mich überraschte und mir zugleich Furcht einflößte: Angst.

Er schnappte nach Luft. Wir sahen einander an. Was schoss ihm jetzt durch den Kopf? Ich wusste es nicht.

Er sagte nur ein Wort.

Meinen Namen.

»Matteo?«

»Matteo!«

Eine andere Stimme rief nach mir. Der Meister schaute von der Burgmauer herab, wo er Reparaturarbeiten überwachte.

Ich trat einen Schritt zurück und streckte Paolo den

Griff des Dolchs entgegen. Seine Hände zitterten, aber er nahm den Dolch und steckte ihn in den Gürtel zurück. Nachdem er sich wieder gefasst hatte, verbeugte er sich tief vor mir.

Die Mädchen klatschten Beifall. Rossana sprang von ihrem Sitzplatz auf der Mauer herunter und rannte auf uns zu. In der Hand trug sie eine Krone aus Wacholderbeeren und Immergrün, die sie und ihre Schwester jeden Tag für den siegreichen Ritter anfertigten.

»Kniet nieder, edler Ritter. Ich werde Euch, dem Sieger des Turniers, die Siegeskrone reichen.«

Ich kniete mich vor ihr nieder und sie setzte mir die Krone auf. Ich blickte zu ihr hoch und sah, dass in ihren Augen Tränen standen. In diesem Moment spürte ich, dass zwischen uns ein zartes Gefühl aufkeimte.

Es sprach für Paolos Ritterlichkeit und Gutherzigkeit, dass er mir nicht nachtrug, ihn mit seinem eigenen Messer bedroht zu haben. Seine Lanze und sein Schwert waren aus Holz, und obwohl mich die Schläge, die er mir damit versetzte, taumeln ließen, konnte er damit keinen wirklichen Schaden anrichten. Ich jedoch hatte sein Leben in meiner Hand gehabt. Und er hatte es meinen Augen angesehen, dass ich – wenn auch nur für eine kurze Sekunde – hätte zustoßen können. Aber Paolo entschuldigte sich wie ein richtiger Edelmann für seine unfairen Lanzenkämpfe. Es habe ihn so begeistert, einen Gefährten zu haben, sagte er, dass er darüber vergessen habe, wie es sei, ständig besiegt zu werden. Nach diesem Vorfall achtete er immer darauf, mir irgendeinen Vorteil einzuräumen, wenn wir miteinander kämpften, sodass unsere Gefechte ausgewogener wurden. Von da an gewann ich ebenso oft wie er.

Auf diese Weise vergingen die Tage in Perela, wo ich meine Zeit mit etwas verbrachte, was ich noch nie in meinem Leben gemacht hatte: Ich spielte.

Als ganz kleines Kind hatte ich sicherlich auch Spielsachen, aber ich habe nur sehr verschwommene Erinnerungen an einen Moment, in dem ich auf einem gefliesten Boden krabbelte und im Hintergrund Musik erklang. Als wir später von Ort zu Ort zogen, war wenig Zeit zum Spielen geblieben. Ich musste den Korb mit den Arzneien und Pülverchen tragen, die wir verkauften. Während ich neben meiner Großmutter stand, die den Tag bei den Bauersfrauen verbrachte, sah ich anderen Kindern zu, die sich mit Bällen und Stöcken vergnügten. Wir aber hatten keine Zeit und kein Geld für solche Nebensächlichkeiten. Drei Viertel des Jahres mussten wir verkaufen, sammeln und vorbereiten, um das letzte Viertel des Jahres, den Winter, zu überleben.

Wenn ich meiner Großmutter nicht beim Sammeln oder Zubereiten von Kräutern zur Hand ging, suchte ich Feuerholz oder versorgte das Pferd. Dennoch ging es uns besser als vielen anderen unseresgleichen. Wir hatten einen schönen, kleinen Wagen, der uns Unterschlupf bot, wenn die Nächte ungemütlich waren. Und da wir ein Pferd hatten, konnte meine Großmutter reiten, wenn sie müde war. Dennoch gingen wir gewöhnlich zu Fuß auf den Straßen, den Waldwegen oder den moosbewachsenen Pfaden, bis ihr das Atmen immer schwerer fiel.

Aber in Perela bei Paolo, Rossana, Elisabetta und dem kleinen Dario lernte ich, wie man richtig spielt. Jeden Morgen hatten sie Unterricht, aber ich erklärte, dass ich so etwas nicht bräuchte. Eines Tages hatte ich sie durch die Türe der Schulstube beobachtet und gesehen, dass die Mädchen ohne Mühe lesen und schreiben konnten. Paolo lernte unter Anleitung des Dorfpfarrers Latein und Griechisch. Ich wusste, dass meine mangelhafte Bildung sehr schnell auffallen würde, wenn ich mich zu ihnen setzte. Sie würden sicherlich über mich lachen, wenn sie herausfänden, dass ich die Wörter, die sie so fließend hersagten, nicht einmal entziffern konnte.

Hauptmann dell'Orte und seine Frau waren stolz auf die Fortschritte, die ihre Kinder machten. Die Mädchen genossen einen guten Unterricht, obwohl man sie sicherlich bald verloben würde. Und in der Tat hätten sie schon lange verlobt sein sollen, aber Donna Fortunata hatte den Vater überredet, noch ein Weilchen damit zu warten. Augenzwinkernd erklärte sie ihrem Mann, wenn er den Mädchen noch etwas Zeit ließe, würden sie vielleicht die große Liebe finden, so wie sie beide. Und er widersprach ihr nur zum Schein. Er liebte seine Töchter abgöttisch und wusste, dass es ihm das Herz brechen würde, wenn für die beiden die Zeit gekommen wäre, ihn zu verlassen. Während also die älteren Kinder jeden Vormittag unterrichtet wurden, schwindelte ich der Familie vor, dass ihr Lehrer mir nichts mehr beibringen könne. Ich sagte ihnen, dass ich alles, was ich wissen musste, schon von meinen Eltern gelernt hätte, als sie noch am Leben waren, und ging dann weg und vergnügte mich in der Küche oder in den Ställen. Aber am liebsten sah ich dem Meister bei der Arbeit zu.

Er leitete die Soldaten an, die einen der Wälle erneuerten, und es machte mir Spaß, auf seine Pläne zu schauen und zu sehen, wie sie in Form von Stein und Zement Gestalt annahmen. Ich hielt mich immer innerhalb der Burg auf, um nicht von den Bauern draußen bemerkt zu werden und um ihnen keinen Grund zum Klatsch zu geben. Alle wussten nur so viel, dass ich mit dem Meister angekommen war und zu seinem Haushalt gehörte.

Eines Tages geschah es durch Zufall, dass ich mit anhörte, wie er mit dem Hauptmann über ein geheimes Vorhaben sprach, das Cesare Borgia in möglichst vielen seiner Burgen durchführen wollte. Ich war gerade in den Ställen bei den Pferden gewesen, denn ebenso wie ich mich nach meiner Großmutter sehnte, vermisste ich auch das Pferd, das uns jahrelang gute Dienste geleistet und unseren Wagen gezogen hatte. Es war ein heißer Tag, und ich war bis in die obersten Dachsparren geklettert, um zwischen den Heuballen, die dort lagerten, ein Mittagsschläfchen zu halten. Ich wachte auf, als Hauptmann dell'Orte direkt unter mir stand und einen Plan meines Meisters aufgerollt in der Hand hielt.

Sie sprachen über den Bau eines geheimen Raumes, eines Verstecks, in dem sich im Falle der Einnahme der Burg ein oder zwei Leute verbergen und retten konnten. Sie hatten sich in die Ställe zurückgezogen, um ungestört zu sein. Es war klar, dass ich nicht Zeuge dieser Unterhaltung sein sollte, doch ich hatte keine Wahl. Ich verhielt mich ganz still, während sie über den besten Platz für ein solches Versteck berieten.

Der Meister erklärte dem Hauptmann, dass sie beide das Versteck selbst errichten müssten und niemand in der Burg davon erfahren durfte. Cesare Borgia selbst hatte das so befohlen.

»Ich verstehe«, gab Hauptmann dell'Orte zur Antwort.

»Nicht einmal Eure Frau.«

»Ganz bestimmt nicht.«

»Aber ich kenne Eure Gattin«, zog ihn der Meister auf. »Vor so einer Frau kann kein Mann ein Geheimnis haben. Sie ist einfach zu schön.«

»Genau!«, sagte Hauptmann dell'Orte und lachte. »Wenn ich mit Fortunata zusammen bin, verschwenden wir unsere Zeit nicht damit, über Bauten, Ziegelsteine und Mörtel zu sprechen; das könnt Ihr mir glauben!«

Am Abend bat Donna Fortunata die Kinder, ihrem Vater zu zeigen, wie gut sie lesen konnten. Das Essen war schon abgetragen worden und die Bücher und Pergamentrollen lagen geöffnet auf dem Tisch.

Während Rossana wartete, bis sie an der Reihe war, fragte sie mich: »Kannst du auch lesen, Matteo?«

»Natürlich«, erwiderte ich, ohne nachzudenken, doch bevor man mich auffordern konnte, fügte ich schnell hinzu: »Aber ich möchte lieber nicht.«

»Oh, du würdest aber sicher großen Spaß daran haben«, sagte Rossana. »Lernen muss nicht immer langweilig sein. Es gibt viele interessante Geschichten, die man lesen kann.«

»Ich kenne schon viele Geschichten«, prahlte ich. »Dafür brauche ich keine Bücher. Überhaupt, lesen und schreiben ist etwas für Handwerker. Als meine Eltern noch lebten, hatte mein Vater einen Schreiber angestellt, der für uns die Briefe schrieb, sodass wir uns nicht mit Feder und Tinte abplagen mussten.«

»Dein Vater?« Der Meister schaute mich an. »Als du uns von deinem Leben erzählt hast, Matteo, hast du uns nicht viel von deinem Vater berichtet. Wie war sein Name?«

»Pietro«, sagte ich schnell.

»Ein schöner Name«, entgegnete der Meister bedächtig. Er schaute nicht auf, während er sprach. Er hielt den Blick auf das Pergament geheftet, das vor ihm lag.

Ich folgte seinem Blick.

Am unteren Rand hatte der Schreiber seinen Namen vermerkt. Es war ein sehr geläufiger Name, an dessen Schriftbild ich mich erinnert hatte.

Pietro.

Der Meister nahm das Pergament und rollte es sorgsam zusammen. »Ein sehr schöner Name«, wiederholte er. »Jemand, der so heißt, kann sicherlich ausgezeichnet lesen und schreiben.« Er band die Rolle zu. Dann stand er auf und legte sie zu den anderen.

Sobald ich konnte, entschuldigte ich mich und verließ die Halle.

Ich ging in die Kammer, die man mir im Dachgeschoss zugewiesen hatte. Es war ein kleiner Raum, in dem ein derber Strohsack auf einem hölzernen Podest lag. Ich band meine Kleider zu einem Bündel zusammen und sah nach dem Beutel, den ich sicher verwahrt am Gürtel trug.

Plötzlich spürte ich, dass ich nicht alleine war. Ich drehte mich blitzschnell um.

Der Meister stand in der Tür. Hatte er bemerkt, wie ich in den Beutel geschaut hatte?

»Was machst du da?«, fragte er mich.

»Ich gehe fort«, antwortete ich.

»Weshalb?«

»Um nicht geschlagen zu werden.«

»Niemand will dich schlagen.«

Ich blickte ihn prüfend an. Wenn ein Junge beim Lügen erwischt wurde, setzte es immer Prügel.

»Sag mir, warum hast du gelogen?«

Ich zuckte mit den Schultern. »Ich weiß es nicht.«

»Denk darüber nach und sag es mir dann.« Er ging zum Fenster und schaute hinaus. »Ich werde so lange warten.«

Ich ließ ihn nicht aus den Augen. Er erweckte nicht den Anschein, als ob er mich schlagen wollte. »Weil ich mich geschämt habe«, gab ich schließlich zu.

»Weil du nicht gut lesen kannst?« Er lächelte. »Immerhin kannst du es so gut, dass du den Namen des Schreibers auf dem Papier entziffern konntest.«

Ich antwortete nicht.

»Lügen nagen an der Seele«, fuhr er fort. »Wenn sie zur Gewohnheit werden, wird deine Seele löchrig. Die Wahrheit zu sagen, auch wenn es manchmal schwer ist, stärkt dagegen dein Herz. Es schadet einem Menschen, wenn er nicht bei der Wahrheit bleibt.«

Nicht immer, dachte ich bei mir. Offensichtlich war er niemals hungrig gewesen, hatte es nie nötig gehabt, sein Essen zu stehlen. Mir aber haben Lügen mehr als einmal geholfen, mit heiler Haut davonzukommen. Aber diesen Gedanken behielt ich für mich.

»Was ist deine Wahrheit, Matteo?«

Ich hätte ihm niemals die ganze Wahrheit erzählt, doch etwas wenigstens konnte er wissen. »Es war nicht so sehr, weil ich mich geschämt habe, nicht gut lesen zu können«, sagte ich. »Vielmehr habe ich mich geschämt, weil ich meinen Vater nicht kenne.« Ich ließ den Kopf hängen. »Ich bin unehelich, ein Bastard«, sagte ich leise.

»Ach, das ist es also.« Er lachte trocken. »Die Hälfte aller Fürstenhöfe und selbst der größte Teil des mächtigen Kirchenstaats werden von Bastarden bevölkert. Unser Auftraggeber, mein derzeitiger Herr, Cesare Borgia, ist unehelich geboren.«

»Das ist nicht gerade ein Kompliment für uneheliche Kinder.«

Noch einmal lachte er auf. »Diesen Witz dürfen wir niemandem erzählen. Es ist gefährlich, schlecht über einen Borgia zu sprechen.«

»Er ist aus einem vornehmen Geschlecht. Für Leute seinesgleichen ist alles anders.«

»Für sie kann es noch schwerer sein. Sie müssen so viel beweisen, um so vieles kämpfen. Sie haben so viel zu verlieren.«

Ich schüttelte den Kopf. »Es ist beschämend, ein Bastard zu sein, der nicht einmal seinen Vater kennt…«

»Deine Mutter hätte dich trotzdem geliebt, Matteo.«

»Ich weiß es nicht. Vielleicht hätte sie mich auch gehasst, weil sie sich wegen meiner Geburt schämte.«

Der Meister ließ sich einen Augenblick Zeit, ehe er antwortete. In dieser Stille hörte ich den Docht der Kerze zischen und das krachende Geräusch, mit dem irgendwo in der Burg ein Fensterladen zugeschlagen wurde. Er starrte auf seine Fingerspitzen. Dann sagte er bedächtig: »Alle Mütter lieben ihre Kinder, seien sie nun ehelich oder unehelich geboren.«

»Nicht immer«, antwortete ich dickköpfig.

»Du bist unmöglich!«, rief er. »Du willst dich nicht überzeugen lassen.«

Ich zitterte. Jetzt hatte ich ihn erzürnt. »Es tut mir Leid«, rief ich. »Ich wollte Euch nicht verärgern.«

Er schüttelte den Kopf. »Du hast mich nicht verärgert. Du machst mich traurig.«

Er stützte sich auf die Ellbogen und schaute durch das schmale Fenster. Es war nicht verglast wie die Fenster in den unteren Stockwerken und der Wind konnte hindurchpfeifen. Gegen schlechtes Wetter gab es einen hölzernen Fensterladen.

Ein Vogel war herbeigeflogen und hatte sich auf dem Fenstersims niedergelassen. Der Meister trat zurück, um, wie es aussah, den Vogel nicht zu stören. Seine Hand tastete nach dem Notizbuch, doch dann fiel ihm wieder ein, dass ich noch da war. Er schaute mich an und sagte unvermittelt: »Ich bin auch ein Bastard.«

Ich starrte ihn an.

»Ich bin ein Bastard«, wiederholte er.

»Aber Ihr habt einen Nachnamen«, sagte ich.

»Ach ja«, sagte er. »Leonardo da Vinci. Aber Vinci ist nicht der Name meines Vaters. Vinci ist ein Ort.«

»Ich habe nicht einmal das«, sagte ich. »Ich bin einfach nur Matteo.«

Er wandte sich vom Fenster ab und lächelte. »Setz dich auf deinen Strohsack, ich werde dir eine Geschichte erzählen, Einfach-nur-Matteo.«

Er lehnte sich an die Fensternische und begann.

»Es war einmal ein Mann, der seinen Geschäften rechtschaffen nachging. Eines Tages machte ihm ein anderer Mann Vorwürfe deswegen, weil er nicht das legitime Kind seines Vaters war.

›Unehelich geboren zu sein heißt, unrechtmäßig zu sein‹, sagte der Mann.

Der rechtschaffene Mann antwortete ihm, dass illegitim das Gleiche sei wie ungesetzlich und es keine Kinder geben könne, die ungesetzlich seien. ›Wie kann ein Kind, nur weil es da ist, ungesetzlich sein?‹, fragte er. ›Ein Kind ist ein Kind. Geboren aus der Vereinigung von Mann und Frau. Einem Kind ist es gleichgültig, wie es auf diese Welt gekommen ist.‹ Aufgrund der Gesetze der Natur, erklärte der rechtschaffene Mann, sei er ein legitimes Menschenkind. Der Bastard sei in Wahrheit der andere, denn er benehme sich mehr wie ein Tier denn wie ein Mensch.«

Ich schwieg.

»Matteo, hör mir zu. Ehelich geboren zu sein, ist … eine willkürliche Art, Menschen zu unterscheiden. Manche benutzen das Wort Bastard als Schimpfwort. Aber damit zeigen sie, dass sie es selbst nicht wert sind, Mensch genannt zu werden. Mein Großvater nahm mich in seinem Haus auf und mein geliebter Onkel sorgte für mich, und diese Kindheit war so schön, wie sie nur sein konnte.«

Er blickte wieder zum Fenster hinaus. Der Vogel war weggeflogen, aber der Meister starrte nachdenklich auf die Stelle, auf der er gesessen hatte.

Plötzlich schreckte er auf und sah sich im Zimmer um. »Das geht so nicht«, erklärte er. »Die Nächte sind schon zu kalt, um hier zu schlafen. Du kannst in meiner Arbeitsstube auf dem Fußboden schlafen, wenn du möchtest. In einigen Tagen werden wir ohnehin weiterziehen. Ich muss die Burg in Averno inspizieren; sie ist viel größer und bei ihr muss ich noch sorgfältiger vorgehen. Ich werde wenigstens einen Monat dort verbringen. Hast du dir schon Gedanken darüber gemacht, was du im Winter tun willst?«

Ich schüttelte den Kopf.

»Dann kannst du ja vorerst mit uns kommen. Es wird dort so viel zu tun geben, dass du von Nutzen sein kannst.«

Es tat mir Leid, dass ich die Burg in Perela verlassen musste. Bevor man nicht Freundschaft und Zuneigung erfahren hat, kann man nicht ermessen, wie sehr sie einem fehlte. Aber ich wusste, dass ich sicherer war, wenn ich von hier wegging. Perela lag zu nahe an dem Ort, an dem ich Sandino zum letzten Mal begegnet war. Einer seiner Spitzel könnte von mir Wind bekommen haben, und wenn Sandino von einem Jungen erfuhr, der wie aus dem Nichts aufgetaucht war, würde er sicher Nachforschungen anstellen.

Aber alle Vernunftgründe konnten es nicht verhindern: Mein Herz wurde schwer, als ich zurückschaute und sah, wie sie uns von der Burgmauer aus nachwinkten – Paolo, Rossana, Elisabetta und der kleine Dario, der auf Paolos Schultern saß. Sie wurden immer kleiner, als wir weiterritten. Nie zuvor habe ich einen Ort so ungern verlassen. Und auch die Familie dell'Orte hatte so viel Aufhebens um unsere Abreise gemacht, dass ich spürte, wie sehr sie mich ins Herz geschlossen hatten. Sie drückten uns zum Abschied kleine Geschenke in die Hände und wir mussten versprechen, wiederzukommen, wenn der Winter vorüber war.

Der Meister hatte gesagt, ich könnte mit ihnen gehen. Damals ahnte er allerdings noch nicht, dass Graziano erkranken und Felipe abreisen würde. Nicht lange nachdem wir in Averno angekommen waren, konnten ihm seine beiden Gefährten nicht mehr zur Hand gehen.

Für Kost und Unterkunft stellte er deshalb mich als seinen Diener an. Und künftig war ich es, an den er sich wandte, wann immer er jemanden für besondere Aufgaben brauchte.

TEIL 2

Der Borgia

Romagna, im Winter 1502

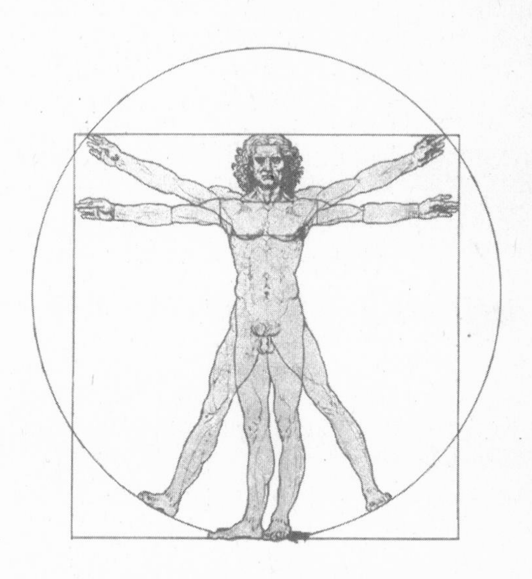

KAPITEL 7

Mein Herz. Es war so riesengroß, dass es nicht mehr zwischen meine Rippen passen wollte. Und es klopfte so laut, dass ich dachte, der Meister, der direkt hinter mir ging und dem ich mit der Laterne den Weg leuchtete, müsste es gewiss pochen hören.

»Halt an, Junge«, sagte er sanft. Er nahm mir die Laterne aus der Hand und hielt sie hoch, um den Wegnamen an der Hausmauer zu lesen. »Straße der Seelen«, murmelte er. »Ja, hier sind wir richtig.«

Er behielt die Laterne und bog in eine schmale Gasse.

Mir blieb nichts anderes übrig, als hinterherzutrotten und mich dabei immer wieder ängstlich umzusehen. Er ging die Gasse entlang und hielt dabei die Laterne vor sich in die Höhe. Die Dunkelheit wich zwar, wo der Lichtkegel sie erfasste, aber die Schatten tanzten weiter, hefteten sich an unsere Fersen und riefen die Geister herbei, die des Nachts mit den Unachtsamen ihr Spiel treiben.

Ich machte das Zeichen, mit dem mein Volk das Böse abwehrt, und als ich den belustigten Blick des Meisters bemerkte, schlug ich sicherheitshalber noch das Kreuzzeichen auf Stirn, Brust und Schultern. Er lachte laut auf, aber es klang nicht unfreundlich.

»Verwende deine magischen Zeichen darauf, die Gefahren der diesseitigen Welt zu bannen, Matteo. Was die Menschen einander im Krieg antun, ist schrecklicher als alles, was Geister je für dich bereithalten können.«

Wir kamen an eine Pforte. Nichts gab sie als das zu erkennen, was sie war, und doch erkannte sie jeder sofort. Die Totenpforte des Spitals von Averno.

»Halte die Schultertasche, Matteo.« Der Meister reichte mir die große Tasche mit seinen Utensilien, den Papieren, Pergamenten und Kreiden.

Obwohl ich erst kurze Zeit wirklich seinem Haushalt angehörte, wusste ich doch, dass dies ein Vertrauensbeweis war. Ich legte den Riemen um meine Schulter und hielt die schwere Ledertasche mit beiden Händen fest.

Der Meister hielt die Laterne so, dass sie sein Gesicht beschien. Dann klopfte er an die Tür. Wir warteten. Zu dieser Nachtzeit schlief der Pförtner entweder tief und fest oder war betrunken. Nach Sonnenuntergang kam niemand mehr, um tote Angehörige abzuholen.

Der Meister klopfte erneut, diesmal etwas fester. Minuten vergingen. Dann wurde das Gitter zur Seite geschoben. Ein übel gelaunter Mann musterte uns mit finsterer Miene.

»Ich habe die Erlaubnis des Magistrats, Leichen zu untersuchen.« Der Meister zog das Schreiben aus dem Innenfutter seines Ärmels und hielt es hoch.

»Ihr seid… wer?«, knurrte der Mann. Sein Ton war überheblich, so wie der eines Mannes, der in Wahrheit nicht viel zu bestimmen hat.

»Leonardo, Baumeister und… Maler. Aus einem Ort namens Vinci.«

»Vinci? Nie gehört.«

»Ich habe Papiere bei mir«, sagte der Meister ruhig, »die mir überall freien Zutritt zusichern. Versehen mit dem Siegel der Borgia.«

Der Mann wich zurück.

»Il Valentino«, fuhr der Meister mit ausdrucksloser Miene fort. »Cesare Borgia – vielleicht habt Ihr schon von ihm gehört?« Er sagte es leichthin, wie nebenbei.

Der Pförtner riss die Tür auf, noch ehe der Meister auch nur Luft holen konnte, und verbeugte sich so tief, dass seine Stirn fast die Pflastersteine berührte.

Als wir durch die Pforte traten, zwinkerte der Meister mir zu.

Erleichterung durchströmte mich. In den ersten Wochen meiner Anstellung vermochte ich nie so recht zu sagen, in welcher Stimmung der Meister sich gerade befand. Ich war nicht vertraut mit seinen Grübeleien – es gab Zeiten, in denen er weder aß noch sprach noch schlief – und hatte mich noch nicht an sein gedankenverlorenes Sinnieren gewöhnt.

KAPITEL 8

Wir befanden uns in einem schmalen Innenhof. Noch nie in meinem Leben war ich an solch einem Ort gewesen. Ein widerlicher Gestank lag in der Luft, den weder Seife noch Duftkräuter noch Weihrauch vertreiben konnten.

Es war der Geruch des Todes.

Die Begräbnissitten des fahrenden Volkes unterscheiden sich von denen der Sesshaften. Wenn bei uns ein bedeutender Mann oder eine respektable Frau stirbt, wird die Wohnstatt verbrannt. So war es auch bei meiner Großmutter: Ihr Karren wurde zusammen mit ihrem Geist in die nächste Welt geschickt. Meine Großmutter, die für mich gesorgt hatte, als niemand sonst da war, wurde in den traditionellen Kleidern unseres Volkes zur Ruhe gelegt und mit Kräutern und Blumen bestreut. Das Handwerkszeug ihres Gewerbes – der Aufgusskessel, die Löffel, Messbecher und Arzneibücher – wurde in einer Holzkiste in der Nähe der Stelle verscharrt, an der sie starb.

Nach dem Tod meiner Großmutter wollten mir andere Familien Unterschlupf gewähren, aber ich lehnte das Angebot ab und zog es vor, tagsüber unter freiem Himmel zu sein und nachts unter Pferdekarren zu schlafen, mitten zwischen den Hunden, die mich wärmten. In meiner Erinnerung war es eine Zeit des Hungers, trotz der Freundlichkeit und so mancher Mahlzeit, die mir andere Familien schenkten. Mein leerer Magen zwang mich dazu, alles zu nehmen, was ich zwischen die Finger bekam. Eine offene Küchentür, eine unbeaufsichtigte Marktbude – ich war so flink wie ein Eisvogel beim Fischfang. Nichts Essbares war vor mir sicher. Und falls keine Lebensmittel greifbar waren, ging es auch anders. Ich hatte rasch ein Geschick entwickelt, verriegelte Speisekammern aufzubrechen. Der Hunger trieb mich dazu, die Kunst des Diebstahls zu erlernen. Eben jene Kunstfertigkeit war der Grund, weshalb Sandino auf mich aufmerksam wurde. Er trat plötzlich in mein Leben, brachte mich mit seiner Bande zusammen und verwickelte mich in ein verhängnisvolles Netz aus Intrige und Verbrechen.

Der Meister und ich warteten gleich hinter der Pforte,

wo uns der Mann mit einer Mischung aus Furcht und Neugier musterte.

Meister Leonardo stellte die Laterne ab und betrachtete die Sterne. Halblaut murmelte er ihre Namen. »Castor und Pollux und darunter die großartige Venus. Und die dort drüben …? Das Jahr ist eigentlich zu weit fortgeschritten, als dass sie zur Wintersonnenwende und in dieser Mondphase an der Stelle stehen könnten …« Er zog das Büchlein hervor, das er stets bei sich trug, und fing an, sich Notizen zu machen.

Sein Blick hinauf zum Mond und sein unverständliches Murmeln verunsicherten den Pförtner. Was der Meister sagte, klang beinahe wie eine Beschwörungsformel, und der schwere Umhang, den er sich zum Schutz vor der Kälte übergezogen hatte, gab ihm das Aussehen eines Zauberers. Der Pförtner begriff, dass wir nicht gekommen waren, um einen toten Verwandten oder nahen Freund abzuholen, aber wir waren auch nicht wie Mitglieder der ärztlichen Zunft gekleidet noch trugen wir die entsprechende Ausrüstung bei uns. Allein der Schrecken, den die Nennung des Namens Borgia für gewöhnlich hervorruft, hielt ihn davon ab, Fragen zu stellen.

Der Mann zog an der Nachtglocke. Das Spital von Averno wurde von den barmherzigen Brüdern geführt. Nach einer Weile tauchte ein Mönch im Außenbereich des Klosters auf. Er trug Sandalen an den Füßen und bewegte sich geräuschlos. Das Grau seiner Kutte verschmolz mit dem Dunkel der Nacht. Er hatte die Kapuze hochgeschlagen und die brennenden Pechfackeln, die in Abständen an der Mauer angebracht waren, warfen flackernde Schatten auf sein Gesicht.

Der Mönch stellte sich uns als Bruder Benedikt vor, verantwortlich für das Leichenhaus. Er betrachtete den Meister und mich forschend. Dann nahm er das Schreiben des Borgia und die Bestätigung des Magistrats und las sie sehr genau.

»Dieses Schreiben, unterzeichnet von Cesare Borgia … Il Valentino, dem Ehrenwerten« – war da etwa ein leichtes Zögern zu hören? – »Herzog von Valentinois und Prinz von Romagna, erteilt dem Besitzer des Dokuments die Erlaubnis, Zugang zu Burgen und befestigten Anlagen in der ganzen Romagna sowie in allen anderen Teilen unseres Herrschaftsbereiches einzufordern.«

»So ist es«, bestätigte der Meister mit einem Nicken.

Der Mönch hielt das Pergament hoch und las es ohne Hast weiter.

»Folgende Aufforderung ergeht an alle Kastellane, Hauptleute, Condottieri, Offiziere, Soldaten und Untertanen sowie alle anderen Personen, die dieses Schreiben lesen. Zur allgemeinen Kenntnisnahme: Unser überaus geschätzter Baumeister und Konstrukteur, Leonardo da Vinci, Inhaber dieses Passierscheins, ist von uns beauftragt, die Paläste und Festungen des Reiches zu inspizieren, sodass aufgrund seiner Empfehlungen hinfort das Nötige getan werde, um sie zum Nutzen aller instand zu halten. Es ist unser ausdrücklicher Wunsch und Wille, dass dem genannten Leonardo da Vinci freies Geleit gewährt wird, ihm keinerlei Reisebeschränkung oder Zoll auferlegt werden oder anderweitige Hindernisse, weder ihm selbst noch seinen Begleitern. Ein jeder möge ihm zuvorkommend begegnen und ihm gestatten, zu vermessen und zu inspizieren, was immer er wünscht. Zu diesem Zwecke möge man ihm Ausrüstung, Material und Männer bereitstellen, ganz nach seinem Wunsche. Auch möge man ihm jedwede Hilfe und Unterstützung angedeihen lassen, die er begehrt.«

Der Mönch zog die Augenbrauen hoch. »Dies hier ist keine befestigte Anlage.«

»Aber es gehört zu seinem Herrschaftsbereich«, erklärte der Meister.

»Dessen sind wir uns bewusst«, erwiderte der Mönch ruhig.

Ein Weile herrschte Schweigen.

Die Kunde über die Grausamkeiten des Prinzen Cesare Borgia und seines Statthalters in der Romagna, General Remiro de Lorqua, verbreitete sich in ganz Italien. Dieser Remiro de Lorqua hatte die Menschen allerorten in Angst und Schrecken versetzt mit der Art und Weise, wie er die Befehle des Prinzen ausführte. Seine Methoden bei öffentlichen Folterungen und Hinrichtungen verstärkten die Furcht und den Hass, die der Name Borgia auslöste, nur noch mehr.

Nur ein sehr mutiger Mann würde es wagen, sich einem solchen Herrn zu widersetzen. Der Mönch war mutig, mutiger, als ich ahnte. Der letzte Satz des Schreibens, den er nicht laut vorgelesen hatte, lautete: *Jeder, der meinem ausdrücklichen Wunsche zuwiderhandelt, zieht unweigerlich meinen Zorn auf sich.*

»Es wäre mir eine Freude, Eure gute Sache mit einer kleinen Spende zu unterstützen«, schlug der Meister vor.

Der Mönch aber war der Bruder eines Ordens, dessen Ruf sich weit verbreitet hatte. Gegründet während der Kreuzzüge von einem frommen Ritter namens Hugh, hatte die Bruderschaft es sich zur Aufgabe gemacht, sich um die Kranken zu kümmern. Bereits ihr Gründer, der wackere Ritter, Arzt, Soldat und spätere Heilige, hatte keinen Unterschied gemacht zwischen Mann und Frau, Zivilisten oder Soldaten, Ungläubigen oder Christen. Dem einen wie dem anderen trotzend und ohne je einen Lohn zu erhalten, versorgte er die Wunden der Verletzten mitten auf dem Schlachtfeld. Zu Hause widmeten sich seine Anhänger den Ärmsten der Armen, den Pestkranken, den Bettlern und den Gassenhuren. Im Gegensatz zu anderen Bruderschaften wiesen sie niemanden ab, nicht einmal jene, die auf der Straße lebten.

Mit keinem Geld der Welt konnte man diesen Mönch bestechen, mit keiner Drohung einschüchtern. Er war vertraut mit dem Tod, begegnete ihm Tag für Tag aufs Neue.

Der Ordensbruder überging den Vorschlag des Meisters einfach und sagte: »Wenn Ihr Euch mit Baukonstruktionen beschäftigt, was sucht Ihr dann hier?«

»Ist nicht der menschliche Körper das vollkommenste Beispiel einer Konstruktion?«, fragte Meister Leonardo zurück.

Der Mann hielt den Blick des Meisters einen Augenblick lang fest, dann erwiderte er: »Also das ist Euer Begehr? Ihr wollt den menschlichen Körper examinieren?«

»Ja, in der Tat. Ich bin Baumeister und Maler.«

»Euer Name ist mir bekannt, Messer da Vinci«, unterbrach ihn der Mönch. »Desgleichen Eure Werke. Ich habe das Fresko vom Letzten Abendmahl im Dominikanerkloster von Mailand gesehen und den Entwurf von der Jungfrau mit dem Kind und der Heiligen Anna in der Verkündigungskirche in Florenz. Eure Gemälde sind meisterhaft… durch Gottes Gnade.«

»Ah!« Der Meister sah den Mönch nachdenklich an und sagte: »Ihr interessiert Euch also dafür, wie die Heilige Schrift dem Menschen durch die bildenden Künste nahe gebracht werden kann?«

»Messer da Vinci«, erwiderte der Mönch, »man sagt, Eure Werke enthielten geheime Symbole und Zeichen, deren wahre Bedeutung es zu entdecken gilt.«

Mein Meister schwieg und so fuhr Bruder Benedikt fort: »Die Auslegung dieser Werke durch die Mönche in den Klöstern geht von theologischen Betrachtungen aus. Im Letzten Abendmahl sind die Apostel starr vor Schreck und Verwunderung angesichts des Vorwurfs, dass einer von ihnen unseren lieben Herrn Jesus verraten würde. Und doch ist die Kraft, die von Christus ausstrahlt, spiritueller Natur.«

Der Meister sagte nichts zu dieser Auslegung seines Werks, sondern neigte nur den Kopf und hörte aufmerksam zu.

»Und was das florentinische Bildnis angeht, so verkörpern die Heilige Anna mit der Jungfrau Maria und dem Christuskind die Idee des Dreieinigen. Mir ist aufgefallen, dass die Anordnung der Figuren die Form einer Pyramide hat und von den beiden Frauen nur drei Füße zu sehen sind. Dies verweist auf die Dreifaltigkeit. Die Jungfrau Maria ist besorgt um die Sicherheit des Kindes und will es zu sich auf den Schoß ziehen. Annas Gesichtsausdruck hingegen deutet an, dass sie um den göttlichen Heilsplan weiß, den dieses Kind erfüllen muss, um die Menschheit zu erretten.«

»Dann fühlt Ihr Euch also herausgefordert, die Wechselbeziehung zwischen Christus und den Aposteln in dem Fresko und den drei Figuren des Gemäldes herauszufinden.«

»Die innere Kraft Eurer Werke hat mich sehr verblüfft.«

»Ich fertige Skizzen aus mehreren Blickwinkeln an«, erwiderte der Meister nach einem Augenblick des Nachdenkens. »Viele, viele Skizzen der unterschiedlichsten Posen. Die Hand Jesu Christi im Letzten Abendmahl, die er im gleichen Augenblick wie Judas ausstreckt, den Arm der Jungfrau Maria… Ich bemühe mich um die richtige Haltung der einzelnen Glieder, überdenke sorgfältig die verschiedenen Möglichkeiten…« Bei den letzten Worten nahm seine Stimme einen fragenden Ton an.

»Ja, ich kann mir vorstellen, dass Eure Arbeit sehr viel Überlegung erfordert.«

Der Meister nahm die Worte des Mönchs sehr ernst. Er nickte bedächtig und wartete ab.

»Ich denke, die Wirkung hängt davon ab, wie die Figuren angeordnet sind«, fuhr der Mönch fort, »aber ebenso davon, wie sie in der jeweiligen Bewegung abgebildet werden.«

»Dann werdet Ihr gewiss verstehen, dass die Darstellung dieser Heiligen von meinen Studien der menschlichen Anatomie abhängt, diese also für meine Arbeit unabdingbar ist.«

Der Meister hatte den Mönch dahin gebracht, wo er ihn haben wollte, und der Ordensmann registrierte es mit einem leichten Kopfnicken.

Der Meister ging noch einen Schritt weiter. »Mein Interesse an der Anatomie gründet jedoch nicht nur in dem Bestreben, Figuren möglichst getreu wiederzugeben, ob menschlich oder göttlich. Es ist auch medizinisch gesehen von hohem Wert, die Körper der Verstorbenen zu untersuchen. Auf diese Weise lässt sich die Ursache herausfinden, die zum Tod führte.«

»Gott allein entscheidet über Leben und Tod«, sagte der Mönch entschieden.

»So ist es, Bruder Benedikt. Aber der Tod kann hinausgezögert werden. Gewiss hat Euch die Arbeit im Hospiz dies gelehrt.«

»Wenn der Schöpfergott einen Menschen zu sich ruft, dann ist die irdische Zeit abgelaufen.«

»Und dennoch«, beharrte der Meister, »ist nichts Schlechtes daran, sich darum zu bemühen, das Leben zu verlängern.«

»Der Tod lässt sich nicht betrügen. Gott hat Zeit und Ort erschaffen. In der Heiligen Schrift heißt es: *Du kennst nicht den Tag noch die Stunde, wenn der Herr, dein Gott, deine Seele zu sich ruft.*«

»Nichts liegt mir ferner, als gegen den göttlichen Plan aufzubegehren«, erwiderte der Meister. »Aber Erforschung führt zu Wissen und Wissen nützt uns allen.«

»Aber vielleicht ist der Mensch nicht dafür vorgesehen, zu viel zu wissen. Adam aß vom Baum der Erkenntnis von Gut und Böse und wurde daraufhin aus dem Paradies verbannt. Wissen kann gefährlich sein.«

Wissen kann gefährlich sein.

Es war das erste Mal, dass ich diesen Satz hörte. Ich sollte später noch sehr oft an ihn denken, insbesondere da sein wahrer Kern mir auf so grausame Weise vor Augen geführt wurde.

Der Meister macht eine Handbewegung, sagte jedoch kein Wort.

Der Mönch faltete bedächtig das offizielle Schreiben und gab es dem Meister zurück. Dann nahm er eine Fackel aus der Halterung und winkte uns, ihm zu folgen.

KAPITEL 9

Wir gingen zum Leichenhaus. Die Klostermauer entlang. Viele Stufen hinab. Der Raum, den wir betraten, war ein niedriges unterirdisches Gewölbe mit einem ausgetretenen Boden. Es herrschte eine Eiseskälte. Auf halber Höhe der Wand verlief ringsum ein Brett, unter dem sich Besen, Eimer, Schrubber und Putzsachen befanden. Auf dem Brett standen ordentlich in Reih und Glied Tiegel mit Salben, Gewürzschälchen und Kisten mit zusammengefalteten Leichentüchern, an der Seite stapelten sich Arbeitsböcke und Bretter. In der Mitte des Raums befanden sich zwei Tische. Das, was darauf lag, war mit Tüchern zugedeckt.

»Die jüngst Verstorbenen wurden vor Sonnenaufgang von ihren Angehörigen weggebracht. Jetzt sind nur noch ein Mann und eine Frau da. Wir gehen davon aus, dass niemand sie holt.«

Die Leintücher waren frisch gewaschen. Bruder Benedikt verrichtete seine Arbeit mit Sorgfalt und behandelte jeden Leichnam mit Respekt. Es war unverkennbar: Die Spitalmönche bemaßen ihre Güte nicht so wie manch andere Ordensleute.

»Hier ist eine Frau, die gestern bei der Geburt ihres Kindes gestorben ist.«

»Wäre es möglich, einen Blick auf sie zu werfen?«

Der Mönch führte uns an den ersten Tisch und schlug das Tuch am Kopfende zurück. »Das junge Ding war eine Dirne. Sie arbeitete in den Straßen am Fluss, dort, wo sehr viel Betrieb herrscht. Sie hatte es wohl hauptsächlich mit Kahnführern, Maultiertreibern und solchen Leuten zu tun.« Er hielt kurz inne. »Vermutlich hat sie sich angesteckt.«

Der Meister betrachtete die junge Frau. Man hatte ihr Haar gekämmt und jetzt lag es locker zu beiden Seiten des Kopfs auf dem Tisch. Es war noch feucht, so als wollte der Schweiß von der Mühsal der Geburtswehen nicht trocknen. Der Hunger hatte das Gesicht schmal und spitz werden lassen.

»Nein.«

»Ihr Kind. Tot geboren.« Der Mönch deutete auf das kleine Bündel an ihrer Seite.

Der Meister warf mir einen Blick zu, zögerte kurz und schüttelte dann den Kopf.

Behutsam zog der Mönch das Tuch über das Gesicht der jungen Frau. Dann trat er an den zweiten Tisch.

»Vermutlich ein Landstreicher. Halb tot aufgefunden in den Bergen. Ein Hirte, der seine Herde für den Winter auf tiefer gelegene Weiden bringen wollte, hat den reglosen Mann am Wegesrand gefunden. Der Hirte fühlte, dass noch ein schwaches Lebenslicht in ihm flackerte, und aus Mitleid schleppte er den Mann auf seinem Rücken die sechs Meilen bis zum Spital. Heute Morgen verstarb der alte Mann im Schlaf.«

»Was für eine Krankheit hat ihn befallen?«

Der Mönch zog die Schultern hoch. »Er hatte keine

eindeutigen Beschwerden, sondern litt wohl eher unter einer allgemeinen Schwäche. Sein Herzschlag war schwach und hörte nach einer Weile ganz auf. Der Mann war sehr alt, sodass vermutlich allein dies für seinen Tod verantwortlich war.«

»Ah, ja«, sagte der Meister sofort. »Ich würde ihn gern untersuchen, wenn das geht.«

Der Mönch nickte. Er hatte das wachsende Interesse des Meisters herausgehört. Seine Miene zeigte eine leichte Missbilligung.

Mein Meister schien es nicht zu bemerken. Das war etwas, was ich im Verlauf der Zeit an ihm entdeckte. Er konnte sich von einem Moment zum anderen jeder normalen menschlichen Gefühlsanwandlung verschließen. Insbesondere wenn er mitten in einem wissenschaftlichen Problem steckte. Seine Arbeit beanspruchte ihn so sehr, dass er die Gefühle der Menschen um ihn herum nicht mehr wahrnahm. Fast nie entschuldigte er sich oder rechtfertigte sein Verhalten. Es war, als unterliege er einem Zwang, seine ganze Energie auf den Gegenstand seines Interesses zu lenken, ohne überhaupt zu bemerken, dass die anderen seine Besessenheit nicht teilten.

»Kann ich mit meiner Arbeit beginnen oder habt Ihr noch einen Dienst an dem Mann zu verrichten?«

»Ich habe beiden bereits die Absolution erteilt.«

»Und sie gewaschen?«

Der Mönch maß uns mit kühlem Blick. »In diesem Spital warten wir nicht erst, bis unsere Kranken sterben, ehe wir sie waschen. Die Brüder und die guten Schwestern, die uns zur Seite stehen, waschen alle Kranken bei ihrer Ankunft, ganz gleich, welche Krankheit sie haben.«

»Vergebt mir, Bruder Benedikt.« Nun endlich hatte der Meister den missbilligenden Tonfall bemerkt. »Es lag nicht in meiner Absicht, Euch zu kränken.«

Er hob die Ledertasche von meinen Schultern und stellte sie auf das Brett. Dann öffnete er sie, holte ein fest in Gämsenhaut eingeschlagenes Bündel hervor und rollte es auf.

Ich bemerkte, wie der Mönch die Stirn runzelte.

Als der Meister sein Bündel ganz ausgerollt hatte, sah ich, dass auf die ganze Länge des Lederstreifens verschieden große Laschen angebracht waren, in denen Messer steckten. Mit Messern kannte ich mich aus – aber solche Klingen hatte ich noch nie gesehen. Einige waren sehr lang, andere waren kurz. Manche hatten einen schmalen gebogenen Schaft, andere ähnelten Dolchen mit scharfer Spitze. Und alle Messer waren sehr gut geschliffen. Die Griffe waren so geformt, dass man die Messer sowohl mit der rechten als auch mit der linken Hand führen konnte. Es waren Werkzeuge, die speziell für den Meister angefertigt worden waren, für einen ganz bestimmten Zweck. Zu der Ausrüstung gehörten außerdem noch ein kleiner, in ein Leintuch gewickelter Wetzstein und ein Weinschlauch, der Wasser enthielt.

Der Mönch räusperte sich. »Ich lasse den Leichnam in einen anderen Raum bringen, wo Ihr ungestört seid.«

»Ganz wie Ihr meint.« Der Meister rollte das Bündel zusammen und klemmte es sich unter den Arm. »Danke, Bruder Benedikt. Ist es möglich, dort noch einen weiteren Tisch aufzustellen?« Er nahm die Tasche und drehte sich zu mir um. »Matteo, nimm du die Laterne und einen der Putzeimer dort unter dem Brett.«

Der Mönch zögerte kurz, bevor er den Raum verließ, und sagte: »Der Name des Mannes. Ihr werdet ihn vielleicht wissen wollen. Er hieß Umberto.«

Zwei Gehilfen kamen herbei. Sie schleppten den Tisch mit dem Leichnam – mit Umberto – in einen kleinen Nebenraum. Dort legten sie ein Brett auf zwei Holzböcke, stellten dazu einen großen Leuchter, eine Waschschüssel, einen Krug sauberes Wasser und eine Kiste mit Tüchern. Der Meister drückte ihnen ein paar Münzen in die Hand und sie gingen hinaus.

Wir waren allein mit dem Leichnam.

Ich zitterte.

Der Meister beugte sich zu mir. Sein Gesicht war auf gleicher Höhe mit meinem. Er legte die Hände auf meine Schultern.

»Hör zu, Matteo. Vor einem Toten braucht man keine Angst zu haben. Sein Geist hat den Körper längst verlassen. Diesem Mann wurde von einem Priester die Absolution erteilt. Seine Seele ist auf dem Weg zum himmlischen Schöpfer. Dies ...«, er deutete auf den Leichnam, »ist nichts weiter als eine Hülle, in der einst der Geist wohnte. Der Mann, dem sie gehörte, braucht sie nun nicht mehr.«

Ich wich seinem eindringlichen Blick aus. Was er sagte, klang ganz und gar nicht wie die wahre Lehre der Mutter Kirche. So viel wusste selbst ich, ein Unwissender vom fahrenden Volk. Die Seele war mit dem Körper verbunden, und auch wenn der Geist nach dem Tod entwich, so brauchte man den Körper doch noch für die Auferstehung, oder etwa nicht?

»Ich werde kein Teil des Körpers wegnehmen«, versicherte der Meister. »Umberto wird so beerdigt werden, dass ihm nichts fehlt bei der Wiederkunft des Herrn.«

Ich sah die Hand des Toten unter dem Tuch hervorragen. Es war nicht nur die Geisterwelt, die mich erschauern ließ. Die Nägel waren lang und schmutzig, gelblich verfärbt und knorrig wie die Hauer eines alten Ebers. Sie erinnerten mich an jemand anderen, an Sandino, der seine Daumennägel wachsen ließ und sie schärfte, damit sie zu großen Hornklauen wurden. Anfang des Jahres, in Ferrara, hatte ich gesehen, wie er damit einen angefallen hatte.

Der Meister schlug das Leichentuch zurück.

Ich sah den Leichnam. Alles an ihm.

Das Gesicht.

Die Brust.

Den Leib.

Das Schamhaar. Das schlaffe Glied zwischen den Beinen.

Der Meister folgte meinem Blick. »So ein unscheinbares Organ. Und doch ist es die Quelle so manchen Elends.« Er hielt das Messer in der Hand.

Für einen Augenblick dachte ich …

Er sah mich an. »Hab keine Angst, Matteo.« Er zog das Tuch wieder ein Stück nach oben. »Zurzeit beschäftigt mich die Frage, woran alte Menschen sterben. Ich möchte einen Blick auf das Innere des Körpers werfen und sehen, wie die Teile in der Nähe des Herzens arbeiten. Vielleicht komme ich dahinter, warum das Herz aufhört zu schlagen.«

Der Meister legte sein Lederbündel auf den zweiten Tisch. Aus seiner großen Tasche holte er verschiedene

Gegenstände hervor: eine kleinere Lampe, Messinstrumente, Papier, Kreide.

Dann rollte er die Messer aus.

KAPITEL 10

»Nimm den Eimer und pinkle hinein.«

Der Meister reichte mir ein Stück Stoff. »Tränke es darin und drücke es ein wenig aus, damit es nicht tropft.«

Ich starrte ihn an. »Warum?«

Er legte den Kopf schief. »Du fragst nach dem Warum, Matteo. Das ist gut. Ich werde es dir sagen. Der Lappen soll dir als Atemmaske dienen.«

Mich packte das Grausen und ich stammelte: »Ich werde … zur Latrine gehen und es … dort machen.«

Er lächelte. »Sehr gut. Und ich werde dir Genaueres erklären, wenn du wieder da bist.«

Meine Hände zitterten, während ich den Stofffetzen hielt und versuchte, darauf zu pinkeln.

Als der Meister mich bei sich aufnahm und mir zu essen gab, hatte ich ihn lediglich für einen freundlichen Mann gehalten. Inzwischen jedoch beschlich mich der Verdacht, einem Verrückten in die Hände gefallen zu sein. Für einen aus dem fahrenden Volk ist es völlig undenkbar, etwas so Unreines wie menschliche Ausscheidungen zu berühren. Vielmehr entledigt man sich ihrer möglichst weit weg von der Wohnstatt und vermeidet es tunlichst, sie auf irgendeine Weise aufzunehmen, sei es durch Berührung oder durch Einatmen. Sesshafte mochten zwar kostbare Kleider tragen, aber sie pflegten den Pisstopf zu benutzen und gleich darauf, ohne sich die Hände zu waschen, etwas zu Essen zum Mund zu führen und sich sogar die Finger abzuschlecken! Allein bei dem Gedanken drehte sich mir der Magen um.

Und dieser Mann erwartete allen Ernstes von mir, dass ich meine eigene Pisse einatmete! Nie und nimmer würde ich das über mich bringen. Ohnehin würde sich mein Körper verweigern und ich es nicht schaffen, den Stofffetzen richtig nass zu machen.

Erneut dachte ich daran, wegzulaufen. Aber wie sollte ich es anstellen? Bestimmt würde der Pförtner mich aufhalten. Er würde Fragen stellen und wissen wollen, was ich ganz allein auf den Straßen zu suchen hätte. Womöglich würde er den Meister alarmieren und der würde natürlich eine Erklärung fordern. Welche Ausrede konnte ich anführen, ohne dass er Verdacht schöpfte? Er, der so gelehrt war, würde bestimmt auch über die Gewohnheiten des fahrenden Volkes Bescheid wissen und erraten, warum ich mich so merkwürdig verhielt.

Selbst wenn es mir gelingen sollte, zu fliehen, so müsste ich doch weg aus Averno und der Umgebung. Aber hier fühlte ich mich sicher. Es war jetzt einige Wochen her, seit der Meister mich am Wasserfall gerettet hatte. Mit jeden Tag, der verging, wuchs meine Zuversicht, dass Sandino die Gegend verlassen hatte, entweder weil er annahm, ich sei ihm entwischt, oder, was wahrscheinlicher war, weil er glaubte, ich sei an jenem Tag ertrunken, als er mich niederschlug und ich in den Fluss fiel.

Wenn ich das alles in Betracht zog, so war ich am sichersten im Haushalt des Meisters, trotz seines seltsamen Gehabes. Immerhin stand er noch immer im Dienst Cesare Borgias und hatte dessen Schutzbrief. Und der erstreckte sich auch auf mich. Innerhalb des Herrschaftsbereichs der Borgia, davon war ich überzeugt, würde Sandino mich zuallerletzt vermuten. Er konnte davon ausgehen, dass ich wusste, dass er im Dienste Il Valentinos stand, und würde annehmen, dass ich möglichst weit weg von ihm und den Borgias wollte. Daher war ich im Augenblick hier sicherer als irgendwo in den Bergen oder Wäldern, wo der Brigantenführer mich mit seinen Männern und Hunden jagen konnte, um an das zu kommen, was ich für ihn gestohlen hatte.

Mein Wasser schoss in einem goldenen Strahl aus mir heraus auf das Stück Stoff. Mit zusammengekniffenen Augen wrang ich den Lappen aus und kehrte damit widerwillig zum Meister zurück.

Während meiner Abwesenheit war er nicht untätig gewesen. Er hatte seine Ledertasche geleert und den Inhalt ordentlich auf dem zweiten Tisch ausgelegt. Notizbücher, Papier, Feder, Tinte, Kohlestifte, Kreide, Bindfäden, Flaschen und Kolben, Puder und Salben. Neben den Messern befanden sich technische Instrumente, merkwürdig aussehende Scheren und eine kleine Säge.

Ich goss sauberes Wasser aus dem Krug in die Schüssel, tauchte meine Hände hinein und rieb sie ganz fest mit einem Tuch ab. Das Waschwasser schüttete ich in den Schmutzeimer. Ich bemerkte, dass der Meister mich dabei beobachtete, während er zugleich den durchtränkten Lappen auf einen Leinenstreifen legte, um ihn dann um die untere Hälfte meines Gesichts zu wickeln.

»Atme durch die Nase ein und durch den Mund aus. Die Gänge in deiner Nase reinigen die verschmutzte Luft.«

»Ich kann doch nicht meine eigene Pisse einatmen!«

»Deine Ausscheidung ist sauber. Sie ist ein Teil von dir und kann dir nichts anhaben.« Der Meister lachte. »Außerdem, finde ich, überdeckt der Geruch den Leichengestank.«

»Und warum tragt Ihr dann kein solches Tuch vor dem Gesicht?«

»Das habe ich früher getan, aber es behindert meine Sicht. Ohnehin bemerke ich bei der Arbeit den Gestank nicht mehr. Seltsam, nicht wahr? Der Verstand kann so beschäftigt sein, dass er die Sinne betäubt. Aber sieh her!« Er öffnete den Mund und atmete tief aus. Eine weiße Dunstwolke stieg auf. »Es ist so kalt hier, dass der Leichnam sich nur langsam zersetzt. Wir werden heute Nacht nicht zu sehr von Verwesungsgestank geplagt sein.«

Er band mir den Stoffstreifen um Nase und Mund. Ich musste dabei würgen, aber er verknotete das Tuch ganz fest mit einem Bindfaden.

»Die Säure wird dich vor ungesunden Ausdünstungen schützen, wenn ich den Leib öffne.« Mit einem belustigten Zwinkern fügte er hinzu: »Und das Beißen in deinen Augen bewahrt dich davor, ohnmächtig zu werden.«

Mir fiel auf, dass er aus seiner Tasche mehrere Kerzen hervorgeholt und sie um den Tisch herum aufgestellt hatte. Es waren keine billigen Talglichter, sondern gute Bienenwachskerzen, die heller brannten und die Luft mit ihrem Duft erfüllten. Die schwere Laterne hatte er auf dem Boden abgestellt. Die kleinere Lampe mit dem Glassturz, die er ebenfalls mitgebracht hatte, gab er mir.

»Halte diese Lampe nah an meinen Händen, Matteo. Du hast genau die richtige Größe dafür. Es ist wichtig, dass ich genug Licht habe bei meiner Arbeit. Ich habe dich aus gutem Grund gebeten, mich heute Nacht zu begleiten. Meine Wahl ist auf dich gefallen, weil ich weiß, dass du geschickt und willensstark bist. Halte das Licht möglichst ruhig. Ich weiß, dass du das kannst.«

Mit Lob und Vertrauensbeweisen band er mich an sich, so eng wie die Bindfäden den Lappen um mein Gesicht.

Er zog den Stöpsel aus einer kleinen Flasche, tropfte eine scharf riechende Flüssigkeit auf ein Stück Stoff und rieb damit die Brust des Toten ab.

Dann wählte er ein Messer aus.

Kraftvoll durchtrennte er die Haut des Toten. Zuerst machte er einen v-förmigen Schnitt, indem er die Klinge zuerst an der einen und dann an der anderen Schulter ansetzte und nach unten zum Brustbein führte.

Sobald der Meister sein Messer angesetzt hatte, war mir klar geworden, dass er dies nicht zum ersten Mal tat. Diese Arbeit erfordert eine Kunstfertigkeit, die teils handwerklicher Art ist und teils ein gutes Gespür erfordert. Meine Großmutter konnte einem Kaninchen in einer halben Minute das Fell abziehen. Und die Haut des toten Umberto war welk, einem Stück Pergament ähnlicher als einem Fell. Sie ließ sich leicht durchtrennen.

Als Nächstes machte der Meister einen langen Schnitt von der Spitze des V aus bis zum Nabel. Er wählte ein anderes Instrument und fing an, das Fleisch freizulegen.

Vor nicht allzu langer Zeit war ich auf dem Marktplatz einer Stadt in der Nähe von Imola Zeuge einer Auspeitschung geworden. Der Bestrafte stand in dem Verdacht, etwas mit einer Verschwörung zu tun zu haben. Cesare Borgia war nach Urbino geeilt und hatte den Herzog

Guidobaldo in die Flucht geschlagen. Il Valentino hatte die Stadt besetzt und jeder, der im Verdacht stand, den Herzog Guidobaldo unterstützt zu haben, wurde zur Rechenschaft gezogen. Zur allgemeinen Abschreckung sollte dieser Gefangene in aller Öffentlichkeit hingerichtet werden. Wie bei Remiro de Lorqua, dem Gouverneur der Romagna üblich, wurde der Verurteilte zuerst gefoltert. In den Straßen um den Marktplatz herum drängten sich so viele Leute, dass ich dem Anblick des Gemarterten, dessen Fleisch in Fetzen hing, nicht ausweichen konnte. Seine Schreie und sein Flehen um Gnade übertönten den Lärm der Menge. Im Gegensatz dazu lag nun der alte Mann, Umberto, friedvoll in der Würde seines Todes da.

Mit einem Mal begriff ich, warum Bruder Benedikt, der das Leichenhaus beaufsichtigte, uns den Namen des Mannes genannt hatte. Er tat es, damit wir respektvoll mit dem Toten umgehen, damit Umberto auch noch im Tod seinen Platz in der Schöpfung bewahren konnte.

Ich sah dem Meister bei der Arbeit zu. Er legte die Rippenbögen mit ihrem Muskelgewebe frei. Wieder benutzte er einen kleinen Lappen, diesmal, um die Fasern wegzuwischen. Dann nahm er die kleine Säge und setzte sie an die Rippen. So bizarr es auch klingen mochte, denn einen Menschen zu sezieren ist nicht viel anderes als eine Schlächterei, aber der Meister verrichtete sein Werk mit Eleganz und Überlegung.

Es gab ein entsetzliches Geräusch, anders als alles, was ich vorher gehört hatte.

Dann kam das Blut.

In meinem Kopf drehte sich alles. Ich holte keuchend Luft. Der beißende Dunst meiner eigenen Ausscheidungen drang in meinen Rachen und ich fing an zu husten und gewann meine Fassung wieder.

Der Meister lächelte und sah mir in die Augen. »Die Benommenheit vergeht wieder«, sagte er leise. »Halte dich wacker.«

Das tat ich auch.

Der Meister versenkte seine Hand im Inneren des Brustkorbs. Er hielt einen Augenblick ganz still und blickte gebannt auf etwas in seiner Hand. Ein weiches bräunliches Organ, schwer und plump.

Umbertos Herz. Es wackelte leicht. Mein eigenes Herz zitterte ebenfalls, wie als Antwort darauf.

»Sieh her«, sagte er. »Sieh nur, Matteo.«

Ich schwankte, aber er schien es nicht zu bemerken.

»Das ist das Herz. Vor wenigen Stunden noch pulsierte es so wie unser eigenes.«

Ich nickte zum Zeichen, dass ich ihn verstanden hatte.

»Es sieht gar nicht so beeindruckend aus, nicht wahr?«

»Doch, das tut es«, murmelte ich gedämpft hinter meiner Maske.

»Aber ohne es kann der Mensch nicht leben«, fuhr er fort, als habe er meine Antwort nicht gehört.

Ich begriff, dass er nicht zu mir sprach, sondern laut nachdachte.

»Ja, es ist lebensnotwendig, und eine schwere Verletzung dieses Körperteils bedeutet den Tod, wohingegen der Mensch seine Gliedmaße verlieren kann und trotzdem überlebt ...«

Das wusste ich auch. Ein Mensch kann ohne einen Arm oder ein Bein leben. Ich sah einmal einen Mann, der weder Arme noch Beine hatte. Er bestritt seinen Lebensunterhalt, indem er Geschichten erzählte. In einem Stuhl kauernd und in eine alte Decke gehüllt, trug er seine Geschichten vor in der Abenddämmerung neben dem großen Brunnen der öffentlichen Gärten von Bologna.

»Ihr wollt herausfinden, warum das Herz aufgehört hat zu schlagen?«, fragte ich.

»Ebenso sehr interessiert mich, wie es angefangen hat zu schlagen.«

Das verstand ich nicht. Fragte er nach dem Beginn des Lebens? Gewiss doch wusste er, wie Kinder entstehen? Selbst ich, noch ein Junge, wusste darüber Bescheid. Bei den Pferden der Zigeuner hatte ich es oft genug gesehen. Jedes Jahr wurde, wenn die Zeit gekommen war, ein Hengst zu den Stuten gebracht, um sie zu decken. Viele fanden sich zu diesem Ereignis zusammen, und es wurden hohe Preise gezahlt, damit der beste Hengst die eigenen Stuten begattete.

Bei den Menschen verhält es sich nicht viel anders als bei den Tieren. Meine Großmutter hat es mir erklärt. Der Same kommt vom Mann. In der Bauchhöhle der Frau befindet sich eine Art Kammer, wo das Kind heranwächst, bis es geboren wird. Der Mann muss seinen Samen in den Leib der Frau pflanzen, und das geschieht, wenn Mann und Frau beieinander liegen und er in sie eindringt. Mitunter reicht schon ein einziges Mal aus, ob nun aus Versehen, aus Lust oder aus Liebe, dass ein Kind entsteht. Und wenn es erst einmal da ist, lässt der Vorgang sich nicht wieder rückgängig machen. Andererseits kann ein Paar sich sehr oft vereinigen und die Frau empfängt dennoch kein Kind.

Aber um Söhne zu bekommen, die herrschen, und Frauen, die sie umsorgen, reicht der Beischlaf allein nicht aus. Obwohl meine Großmutter Arznei an Frauen verkaufte, die verzweifelt versuchten, ein Kind zu empfangen, gab es doch immer wieder solche, von denen sie wusste, dass ihr Leib nie Frucht tragen würde. Alles Geld und alle Macht der Welt konnten nicht sicherstellen, dass man auch tatsächlich ein Kind bekam, wenn man eines wollte. Der König von Frankreich sandte eine Petition an den Papst, damit dieser seine Ehe für ungültig erklärte, weil die erste Frau des Franzosen keinen Erben gebar.

Der Meister fing wieder an zu sprechen. »Wenn wir noch nicht sind, wann ist der Augenblick, an dem wir werden?«

Ich gab keine Antwort.

»Ja«, fuhr er fort. »Genau das wüsste ich gerne. Aber für heute will ich mich damit bescheiden, herauszufinden, warum dieses Herz aufgehört hat zu schlagen.«

»Bruder Benedikt hat es uns bereits gesagt«, murmelte ich. »Es war Gottes Wille.«

»Diese Gänge hier...«, der Meister zeigte mit einem blutbefleckten Finger darauf, »sind verantwortlich dafür.«

»Woher wisst Ihr das?«

»Ich habe aus Interesse Tierkadaver seziert... und in jüngster Zeit auch an menschlichen Leibern gearbeitet.«

Ich hatte ohnehin bereits vermutet, dass er Erfahrung mit dem Sezieren toter Menschen hatte. Ich nahm an, dass es sich dabei um Verbrecher gehandelt hatte, die für ihre Taten hingerichtet worden waren. Für anatomische Studien eines Malers oder Bildhauers mochten diese Leichen zwar durchaus nützlich sein, nicht jedoch, um Todesursachen herauszufinden, denn über diese entschied der Henker.

»Wir können wohl davon ausgehen, dass lediglich das hohe Alter des Mannes den Tod herbeiführte. Die Gefäßgänge sind verengt und das Blut konnte nicht mehr fließen.«

»So wie Flüsse im Lauf der Zeit versanden und die Strömung sich verlangsamt?«, fragte ich.

»Aber ja!« Er sah mich wohlwollend an. »Genau so ist es.«

Ich dachte an das Herz meiner Großmutter, wie es sich in ihrer Brust abgemüht hatte. Wie sich ihr Körper im Alter verändert hatte, bis sie zuletzt so ausgesehen hatte wie der Landstreicher, Umberto, der jetzt tot vor mir lag, ausgetrocknet und dünn.

Der Mann, den ich Meister nannte, machte sich daran, mit scharfen Messern und einem noch schärferen Verstand unbekanntes Land zu erobern. Und er tat dies nicht nur aus flüchtiger Neugierde. Ich erkannte, zumindest in Teilen, die Wahrheit dessen, was er zu dem Mönch des Leichenhauses gesagt hatte. Wenn wir ein Problem erkennen, können wir nach einer Lösung suchen. Hier zumindest war es ganz offensichtlich, was mit Umbertos Herz passiert war. Mit zunehmendem Alter hatten sich die Blutgefäße von und zum Herzen hin verengt und den Blutfluss gehemmt. Aber dies zu wissen, half noch nicht weiter. Es hätte keinen Weg gegeben, diese Verengungen frei zu machen, um das Leben meiner Großmutter zu verlängern. In ihren letzten Monaten war ihr Herz unter der Last der Jahre ins Stolpern geraten.

Ich dachte daran, wie Großmutter meine Hand genommen und sie auf ihren schmalen Oberkörper gelegt hatte, wo ich unter den hervorstehenden Knochen den unruhigen, stotternden Rhythmus gefühlt hatte. Tief in dem schützenden Brustkorb flatterte der Herzschlag, stockte und beruhigte sich dann wieder. Meine Großmutter ahnte, dass ihr Körper sie bald im Stich lassen würde, doch was genau da vor sich ging, wusste sie nicht.

»Vielleicht ist meine Großmutter auf diese Weise gestorben«, sagte ich.

»Wie alt war sie denn?«

Ich konnte die Frage nicht beantworten. Bei uns wurde das Alter eines Menschen nicht in Jahren gemessen, sondern mit der Anzahl der Jahreszeiten, die er miterlebt hatte. Großmutter hatte viele Jahreszeiten erlebt. Es war nun zwei Sommer her, seit ich ihre letzte Habe und ihre Papiere vergraben hatte und dann zusah, wie ihr Wagen in Flammen aufging.

Ich zuckte mit den Schultern. »Sehr alt«, sagte ich.

Der Meister sah mich neugierig an. »Ich wusste gar nicht, dass du deine Großmutter gekannt hast, Matteo. Davon hast du noch nie ein Wort gesagt.«

Ich umklammerte die Lampe und schwieg. Als ich damals in Perela meine Lebensgeschichte zum Besten gab, hatte ich meine Großmutter mit keinem Wort erwähnt und mich als einsames Waisenkind ausgegeben.

Jetzt hatte ich mich selbst verraten!

KAPITEL II

»Deine Großmutter?«

Ich kniff erschrocken die Augen zusammen. Der Meister hielt bei seiner Arbeit inne.

»Matteo?«, fragte er mich. »Du hast gerade gesagt, deine Großmutter sei sehr alt gewesen, als sie starb.«

»Ja…« Ich schlug die Augen nieder und murmelte einige unverständliche Worte.

Er nahm seine Arbeit wieder auf. Wenn er sich weiteren anatomischen Fragen widmete, hätte ich genug Zeit, mir irgendetwas über meine Großmutter auszudenken. Ich entspannte mich ein wenig.

»Gab es noch andere Familienmitglieder außer deiner Großmutter?«

Aus dem Stand fiel mir keine passende Antwort ein. Doch der Meister schien meine Bedrängnis nicht zu bemerken und redete ruhig weiter. »Mir ist aufgefallen, dass du in Perela, als du von deiner Kindheit erzähltest, einmal von ›wir‹ gesprochen hast.«

Ich riss alarmiert die Augen auf.

»Es war, als du von deiner Zeit in Venedig sprachst.« Er lächelte aufmunternd. »Du hast angedeutet, dass du in Begleitung anderer warst, als du in der Lagune die Boote angeschaut hast. War deine Großmutter mit dabei? Meintest du, als du von ›wir‹ gesprochen hast, lediglich deine Großmutter oder noch weitere Familienangehörige?«

Mein Herz machte vor Angst einen Satz. »Ich… ich kann mich nicht daran erinnern, von ›wir‹ gesprochen zu haben«, stammelte ich. »Es ist nichts weiter. Nur eine Redewendung… schlecht gewählte Worte. Ich kann mich nicht so gut ausdrücken.«

»Nein, nein, damit hat es nichts zu tun. Deine Ausdrucksweise ist sehr gut, wenn auch manchmal ein wenig altmodisch. Falls es deine Großmutter war, die dich unsere Sprache lehrte, dann hat sie es sehr gut gemacht. Du sagtest, du stammtest ursprünglich von einem Bauernhof in den Apenninen, doch die Leute dort sprechen manche Laute mit einer bestimmten Färbung, die man sonst nirgendwo hört. Das liegt an der Art, wie sie die Zunge krümmen, wenn sie u oder o sagen. Sie sprechen es weiter vorne im Mund aus. Du tust das nicht, Matteo. Aber wenn du viel Zeit mit deiner Großmutter verbracht hast und sie aus einem anderen Teil des Landes stammt, hast du vermutlich ihren Zungenschlag übernommen. Wo ist sie denn aufgewachsen? Weißt du das? Es wäre interessant, es herauszufinden. Manche Wörter sprichst du nämlich mit einem eher östlichen Akzent.«

Ich gab ihm keine Antwort. Ich konnte es nicht. War er ein Zauberer, dass er über solche Dinge Bescheid wusste? Wenn er so viel in so kurzer Zeit über mich herausgefunden hatte, musste er mich sehr genau beobachtet haben.

Er sah mich forschend an. »Und dein ›wir‹ beinhaltete mehr als nur die sprachliche Zusammengehörigkeit. Es klang fast so, als wolltest du dich damit abgrenzen.« Er sah mich nachdenklich an. »Anfangs hielt ich dich für einen Zigeuner, aber jetzt bin ich mir nicht mehr so sicher. Im Vergleich zu diesen Leuten ist deine Haut etwas heller. Aber das ist es nicht allein. Ohnehin ist die Hautfarbe kein verlässliches Merkmal. Die Fahrenden, so heißt es, hätten schmalere Hände und Füße, und das trifft auch auf dich zu. Aber da ist noch mehr. Es hat vor allem mit deinem Drang nach Unabhängigkeit zu tun. Du hältst dich immer ein wenig… abseits.«

Ich schüttelte stumm den Kopf.

»Du solltest dich deiner Herkunft nicht schämen, Matteo.«

Bei diesen Worten blickte ich ihn aufgebracht an. Eines war sicher: Ich schämte mich weder meiner Großmutter noch ihres Volkes.

»Ah!« Der Meister wich zurück. »Habe ich da etwa einen wunden Punkt berührt?« Er hatte aufgehört zu arbeiten und musterte mich neugierig. Ich senkte den Kopf, um seinem Blick auszuweichen.

»Das ist ein Rätsel«, sagte er langsam. »In Perela habe ich aus deinem eigenen Munde gehört, dass du ein uneheliches Kind bist und dich dessen schämst. Ich weiß, du fühlst dich erniedrigt, ein Bastard zu sein, schließlich hast du es mir selbst gesagt. Und doch …« Er beugte sich vor und hob mein Kinn an, sodass er mein Gesicht sehen konnte. »Kaum habe ich deine Herkunft angesprochen, funkelst du mich wütend an.«

Er nahm sich einen Augenblick Zeit und betrachtete mein Gesicht. Zum Glück verdeckte der getränkte Lappen Mund und Nase, und da ich mittlerweile meine Fassung wiedergewonnen hatte, verrieten ihm auch die Augen meine wahren Gefühle nicht mehr.

»Nun?«

Ich würde um eine Antwort nicht herumkommen.

»Ich bin nicht wütend«, sagte ich. »Aber eine kränkende Bemerkung über meine Großmutter erachte ich als persönliche Beleidigung. Ja, Ihr habt Recht, sie hat mich unter ihre Fittiche genommen … eine Zeit lang.«

»Und sie war deine erste Lehrmeisterin?«

»Ja.«

»Deine erste und einzige?«

Ich nickte. Und dann, aus einem Bedürfnis heraus, den einzigen Menschen zu verteidigen, der mich in meinen jungen Jahren je geliebt hatte, sagte ich: »Sie hat mich viele Dinge gelehrt. Sie wusste sehr viel; allerdings war es ein ganz bestimmtes Wissen, das mit dem Alter einhergeht, ein Wissen, das die Natur uns lehrt und nicht aus Büchern stammt.«

»Aber genau das ist am besten!«, rief der Meister. »Glaube nur nicht, dass ich dieses Wissen verachte. Als Kind war es mir verwehrt, Latein zu lernen, und so blieben mir die Schriften der Geistesgrößen unserer Vergangenheit verschlossen. Ich empfand dies als großen Mangel und habe alles daran gesetzt, ihn zu beseitigen. Ich lernte Latein, damit ich bestimmte Traktate im Original lesen konnte, unter anderem auch Abhandlungen über den menschlichen Körper. Ich saugte das Wissen förmlich in mich auf. Aber in dem Maße, wie meine Studien tierischer Lebensformen voranschreiten, wachsen auch die Zweifel an dem angelesenen Wissen.«

Er sah mich auffordernd an. Ganz offensichtlich erwartete er von mir eine passende Bemerkung. Langsam kam ich dahinter, dass es nicht unbedingt besser war, zu schweigen. Manchmal erregte es weitaus größere Aufmerksamkeit, nichts zu sagen, wenn von einem eine Antwort erwartet wurde.

»Meine Großmutter hat ihre eigenen Beobachtungen bei Krankheiten und Verletzungen gemacht und ihre Schlüsse daraus gezogen«, sagte ich. »Manchmal war sie nicht einer Meinung mit den Ärzten.«

»War sie eine Heilerin?«

Ich nickte.

»Dann hat sie klug daran getan, auf ihr eigenes Wissen zu vertrauen. Es gibt nur einen Weg, etwas genau zu ergründen, und das ist die eigene unermüdliche Beschäftigung damit. Zu jedem Thema, das mich interessiert, verfasse ich eigene Abhandlungen und verwende dabei sowohl Zeichnungen als auch Niederschriften, um mein Vorgehen so gut wie möglich wiederzugeben.« Er deutete auf die geöffnete Bauchhöhle des Toten. »Deshalb ist es auch so wichtig, dass ich selbst Sektionen durchführe, jeden Körperteil aufs Genaueste untersuche und Zeichnungen und Notizen mache zu meinen verschiedenen Fragestellungen.« Er zeigte auf das Blatt Papier auf dem kleineren Tisch, an den er zwischendurch immer wieder trat.

Ich warf einen Blick darauf. Und dann noch einen.

Zuerst begriff ich nicht, was dort geschrieben stand, weil ich zu der Zeit noch nicht sehr viele Worte in ihrem Schriftbild kannte. Meine Großmutter hatte mir ihr erworbenes und ererbtes Wissen beigebracht, daher wusste ich über die meisten Pflanzen Bescheid und auch darüber, wie man Heilmittel aus ihnen gewinnt. Auch wenn ich nicht gelernt hatte, wie man das Wort Hund oder Katze schreibt, so kannte ich doch die entsprechenden Begriffe in Latein, Sizilianisch, Florentinisch, Französisch, Katalanisch und Spanisch für kalte Wickel, Leibschmerzen, Blattern, die Pest, Gicht und die Krämpfe der Frauen während ihres monatlichen Blutflusses. Geschrieben erkannte ich nur ein paar Worte, die meine Großmutter mir gezeigt hatte, hauptsächlich Namen, so wie meinen eigenen, Janek, aber auch andere. Sie hatte sie mir beigebracht, damit ich die bestellten Waren an ihre Kunden ausliefern konnte. Das war nämlich meine Aufgabe in jeder Stadt, in die wir kamen.

Die Familie Scutari in der Via Veneto benötigt eine Wundsalbe gegen Geschwüre.

Maria Dolmetto, die über dem Laden des Kerzenziehers wohnt, braucht ein Balsam für ihre entzündeten Fußballen.

Einen Wickel für das Kind von Ser Antonio. Du findest den Vater in der Schreibstube des Notarius gleich gegenüber der Piazza Angelo.

Bringe dieses Fläschchen zu Alfredo, dem Besitzer des Wirtshauses am Mereno-Tor. Er leidet unter Fallsucht und braucht einen Aufguss.

Und es betraf nicht nur kranke Menschen, sondern auch Pferde. Stallmeister adliger Häuser schätzten unsere Arzneien für ihre preisgekrönten Hengste, Zuchtstuten oder kränklichen Fohlen. Wir waren preisgünstiger als die Apotheker und unsere Medizin war nicht selten wirksamer. Meiner Großmutter eilte der Ruf voraus, zu heilen und Schmerzen zu lindern.

Obwohl ich also nicht richtig lesen konnte, waren mir doch im Wesentlichen die Zeichen des Florentinischen vertraut, das der Meister sprach und schrieb. Aber die Worte, die er in jener Nacht auf das Papier kritzelte, sahen anders aus als alles, was ich je gesehen hatte. Zuerst hielt ich es für die Schrift der Türken und Muselmanen, doch als ich sie mir näher besah, erkannte ich, dass das nicht stimmte.

Und dann fiel mir noch etwas anderes auf. Beim Schreiben hielt er die Feder merkwürdig, und wenn er zeichnete, tat er das beidhändig und nahm die Kreide abwechselnd in die eine oder andere Hand, ohne es selbst zu bemerken. Wenn er jedoch schrieb, dann stets mit der Linken. Aber seine Bewegungen waren nicht ungelenk wie bei den meisten Linkshändern, die das Papier schräg halten und die Hand verdrehen. Das war es: Der Meister schrieb, ohne abzusetzen, von rechts nach links. Ich beobachtete ihn dabei. Das war eine schlaue Methode, damit seine Hand die Schriftzeichen nicht verwischte.

Aber damit war das Rätsel noch nicht gelöst. Wie konnte er seine Schrift entziffern? Wie konnte irgendjemand es lesen? Waren die Worte in der falschen Reihenfolge? Oder dachte er in seinem Kopf rückwärts und brachte es auch so aufs Papier, damit der Leser es vorwärts lesen konnte? Ich trat näher heran und starrte auf das Blatt.

Dann endlich begriff ich und meine Seele erstarrte zu Marmor. Seine Schrift verlief von links nach rechts, aber nicht die Wörter waren in umgekehrter Reihenfolge, sondern die einzelnen Buchstaben. Und zwar alle. Es war eine Spiegelschrift – die Zeichen für den Teufel selbst.

Der Meister musste gehört haben, wie ich die Luft scharf einsog.

»Es wird dir schwer fallen, es zu lesen, Matteo.«

»Wieso schreibt Ihr auf diese Weise?«, fragte ich. »Und wie kommt es, dass Ihr das Geschriebene ohne Schwierigkeiten lesen könnt?«

»Ich bin es gewöhnt«, erwiderte er und sagte im gleichen Atemzug: »Erzähl mir von deiner Großmutter.«

»Da gibt es nicht viel zu erzählen.« Inzwischen hatte ich mir eine Geschichte für ihn zurechtgelegt. »Ich habe zu verschiedenen Zeiten bei ihr gelebt. Aber sie war alt und konnte nicht länger für mich sorgen, daher habe ich mir hier und dort eine Arbeit gesucht. Dann starb sie und ich war auf mich allein gestellt.«

»Wie hat sie gelebt? Nein, lass mich raten«, fuhr er fort, bevor ich zu einer Antwort ansetzen konnte. »Sie war eine Heilerin und verkaufte ihre Medizin an alle, die sie nötig hatten.«

Ich nickte vorsichtig.

»Aber sie verlangte nie sehr viel dafür. Da sie selbst arm war und *simpatica*, wollte sie aus dem Leid der anderen nicht auch noch Gewinn schlagen.«

Wie kam er dazu? Wie konnte er meine Großmutter so treffend beschreiben, obwohl er sie nie selbst kennen gelernt und ich ihm nur das Allernötigste über sie berichtet hatte?

Seine Augen blitzten, als er an meiner Miene ablas, dass er Recht hatte.

»Ich vermute, als ihr Ansehen wuchs, suchten immer mehr wohlhabende Leute von Stand sie auf und zogen ihre Arzneien denen der Ärzte und wohlbesoldeten Apotheker vor.« Er wartete auf meine Bestätigung. Ich war noch immer viel zu verblüfft, sodass ich lediglich stumm nickte. Er tastete sich weiter vor wie ein Jäger, der seine Beute vor sich sieht. »Ich stelle mir vor, dass die Mitglieder dieser Zunft sie als Bedrohung ansahen, aber da sie weder reich noch von Stand war, konnte man sie leicht aus dem Gewerbe drängen. Vermutlich musste sie von einer Stadt zur nächsten Stadt ziehen. Hast du sie begleitet? Ja, das erklärt auch deine dunklere Hautfarbe. Du hast einen großen Teil deines Lebens im Freien verbracht, nicht wahr, Matteo?«

Nun, da er mich bereits dazu gebracht hatte, die Existenz meiner Großmutter einzugestehen, was weiter konnte er noch von mir wissen wollen? Und wie viel hatte er bereits erraten?

KAPITEL 12

Es war beinahe schon lichter Tag, als wir vom Leichenhaus zurückkehrten. Kalte Dämmerung verdrängte das winterliche Dunkel, vom Fluss her drifteten dünne Nebelschwaden herüber. Dies ist die Zeit, in der die Toten, die auf der Erde wandeln, in ihre Gräber zurückkehren – bevor das Tageslicht sie einfangen und ihre Seelen zerstören kann.

Ich hielt mich dicht hinter dem Meister und musste beinahe rennen, um mit ihm Schritt zu halten. Er summte ein eingängiges Volkslied vor sich hin, das die Leute vom Land zur Erntezeit singen. Er hatte die ganze Nacht hindurch geschnitten, erforscht, Schicht um Schicht die einst pulsierenden Organe freigelegt. Die ganze Zeit über hatte ich die Lampe hochgehalten, während er Maß nahm, sich Notizen machte, die Ergebnisse immer wieder überprüfte und schließlich aufzeichnete, was er sah – manchmal schnell und präzise, in einem einzigen glatten Zeichenfluss, dann wieder fein säuberlich in winzigen Strichen, die aufs Genaueste den Verlauf der Blutgefäße wiedergaben.

Die Lampe war nicht schwer, aber mein Arm schmerzte von der Anstrengung, sie vollkommen ruhig zu halten. Einmal streckte er die Hand nach hinten aus, während er mit der anderen einen mir unbekannten Teil der Eingeweide festhielt. Ich begriff, dass er nach einer Schere tastete, und drückte sie ihm in die Hand. Er schreckte hoch, und erst da wurde mir klar, dass er, weit davon entfernt, meine Bemühungen, die Lampe ruhig zu halten, wertzuschätzen, meine Anwesenheit schlicht vergessen hatte. Er hörte erst auf, als wir den Gesang der Mönche bei der Frühmesse hörten und das Spital langsam zum Leben erwachte.

Ich war hundemüde, aber der Meister schritt entschlossen in Richtung Festung und vibrierte geradezu vor Tatendrang.

Wir mussten warten, bis die Nachtwachen die Angaben in unseren Papieren überprüften, ehe man uns hineinließ. Die Torwächter warfen dem Meister neugierige Blicke zu, fragten aber nicht, aus welchem Grund er hier war. Sie wussten, er stand unter dem Schutz ihres Kommandeurs, Cesare Borgia, und dass es ihnen schlecht bekommen würde, ihn mit Fragen zu behelligen oder unnötig aufzuhalten. Aber die Sicherheitsvorkehrungen waren umfassend, und wir mussten drei Halteposten passieren, bevor wir den Bereich hinter den Schutzwällen betreten konnten. Diese Soldaten versahen ihre Aufgaben nicht mit der gleichen entspannten Haltung wie die in Perela. Der Posten so nahe am Hauptquartier des Borgia in Imola erforderte von den Wachmännern zu allen Zeiten erhöhte Aufmerksamkeit.

Die Festung von Averno war viel größer als die Burg von Hauptmann dell'Orte und die Befestigungsanlagen waren trutziger. Zusätzlich zur Außenmauer hatte die Burg einen Graben und eine Zugbrücke. Der Meister unterwies die Handwerker beim Hochziehen neuer Mauern und ließ Vorrichtungen bauen, um noch mehr Kanonen aufzustellen. Jeden Tag entwarf er Pläne zur Aufrüstung der Wehranlagen, zeichnete und entwickelte Modelle komplizierter Kriegsmaschinen. Boten legten Kopien dieser

Entwürfe Cesare Borgia zur Begutachtung vor, die Modelle hingegen bewahrte der Meister auf Wandbrettern in seinem Studierzimmer auf für den Tag, an dem Il Valentino eintreffen und sie begutachten würde.

Nach unserer Ankunft in Averno war Felipe unverzüglich nach Florenz weitergereist, um mehr von den speziellen Materialien einzukaufen, die der Meister für seine Arbeit benötigte. Kaum war er fort, erkrankte Graziano an einem Magenleiden und musste das Bett hüten. Nun hatte ich eine Vielzahl von Aufgaben für den Meister zu erledigen: Ich kümmerte mich um seine Kleider, die Mahlzeiten und hielt seinen Arbeitsplatz sauber, sodass er nicht mit alltäglichen Kleinigkeiten behelligt wurde.

Er war sehr anspruchsvoll, was die Morgentoilette betraf, und verlangte jeden Tag ein sauberes Hemd und Unterkleider. Einer Gewohnheit meiner Großmutter folgend, wies ich die Wäscherinnen an, beim Trocknen der Hemden Lavendel daneben aufzuhängen.

Der Meister bemerkte es sofort und machte eine entsprechende Bemerkung. »Seit du dich um meine Wäsche kümmerst, Matteo, duftet sie viel besser als nur nach Seife.«

Ein hohes Lob waren diese Worte nicht unbedingt, trotzdem machten sie mich geradezu lächerlich glücklich. Sorgsam achtete ich darauf, dass seine Kleidung stets in gutem Zustand war und seine Stiefel und Schuhe blank poliert blitzten. Im Studierzimmer ordnete ich seine Zeichenutensilien und legte täglich einen neuen Vorrat an Papier zurecht – er verbrauchte Unmengen davon. Daneben verrichtete ich sämtliche Botengänge für ihn. So kam es, dass ich über den Bau der Wehranlagen und alles, was damit in Zusammenhang stand, recht gut im Bilde war.

Die Stallungen wurden erweitert, um Platz für weitere Pferde zu gewinnen. Lagerräume wurden von Grund auf gesäubert und neue Vorräte an Weizen, Gerste, Kleie, Hirse und Kichererbsen angelegt. Fässer mit Wein, getrockneten Früchten, gesalzenem Fisch und gepökeltem Fleisch wurden in die Keller geschafft. Futter für die Tiere, Spreu, Stroh und Heu türmten sich im Stallhof. Von den Steinbrüchen in Bisia brachte man Felsen herbei, riesige Brocken, die Tag für Tag auf Ochsenkarren durch das Tor rollten. Platten, Bauholz und andere Baumaterialien wurden an den Anlegeplätzen unterhalb der Stadt von Flusskähnen abgeladen. Die Festung wurde aufgerüstet, um einer möglichen Belagerung standzuhalten.

In der Romagna und auch darüber hinaus machten wüste Gerüchte die Runde – Geschichten über die Condottieri, jene geschäftstüchtigen Söldnerführer, die Cesare Gehorsam geschworen und ihm ihre Soldaten geschickt hatten. Wie es hieß, war bei ihnen inzwischen Ernüchterung eingekehrt, und sie fürchteten Cesares unersättliche Machtgier. Zudem erschreckte sie seine Sprunghaftigkeit, mit der er sich plötzlich auch gegen diejenigen stellte, die er eben noch Freunde genannt hatte. Als Beispiel hierfür diente die Stadt Urbino.

Anfang des Jahres hatte Guidobaldo, Herzog von Urbino, Cesare Borgias Schwester Lucrezia bei sich willkommen geheißen, als sie auf dem Weg von Rom nach Ferrara zu ihrer Hochzeit war. Um Lucrezia die ihr gebührende Ehre zu erweisen, hatte der Herzog ihr und ihrem Gefolge seinen herrlichen Palast von Montefeltro zur Verfügung gestellt. Er hatte ein prächtiges Fest ausgerichtet und ihr Geschenke gemacht. Aber seine Großzügigkeit hat ihn nicht vor den ehrgeizigen Plänen ihres Bruders geschützt, der kurz darauf einmarschierte und die Macht übernahm.

Später verkündete Cesare Borgia laut, dass dies ein Gebot der Stunde gewesen sei. Er habe Hinweise darauf erhalten, dass der Herzog sich gegen ihn verschworen habe. Beweise dafür gab es nie, aber jeder wusste, dass sich von der Bergfestung aus die Passstraßen der Romagna und Toscana überwachen ließen. Cesare wollte sicherstellen, dass seine Soldatenheere sich so frei bewegen konnten, wie er wünschte. Das allein war der eigentliche Grund für die Einnahme der Stadt.

Cesares Skrupellosigkeit sorgte für großes Entsetzen in Italien. Die anderen Fürsten sahen ihre Macht bedroht. Sie erkannten in Cesare und seinem Vater, dem Papst, Tyrannen, die nicht einhalten würden, bis das ganze Land ihnen gehörte.

In Averno flüsterte man hinter vorgehaltener Hand, dass die Adeligen zum Gegenschlag ausholten. Es gab Gerüchte, wonach ein Geheimbund unter Beteiligung der Condottieri sich verschworen habe, Il Valentino zu stürzen. Aber ich hatte die blitzschnelle Reaktion des Borgias gesehen und beteiligte mich nicht an dem sorglosen Geschwätz. Es war eine Zeit, in der man am besten die Augen offen hielt und wenig sagte.

Wir waren auf dem Weg zu den Räumen, die man in der Festung für uns bereithielt, als der Meister die Hand auf meine Schulter legte.

»Matteo, es ist besser, du schweigst über unsere nächtliche Unternehmung.« Es entsprach seinem Wesen, dass er mir kein Versprechen abverlangte. Hatte er erst einmal jemanden in seinen Freundeskreis aufgenommen, vertraute er ihm auch. Seine ganz persönlichen Gedanken und Gefühle behielt er zwar gerne für sich, und seine Aufzeichnungen verschlüsselte er mit einer Spiegelschrift und Symbolen, deren Bedeutung nur er kannte. Aber er empfing großzügig Gäste und lud sie ein, Mahlzeiten, Scherze und Geschichten mit ihm zu teilen.

Als wir seine Räume betraten, setzte ich die Laterne ab und wartete darauf, dass er mich entließ, damit ich mich ein wenig hinlegen konnte. Ich schlief in der kleinen Kammer neben seinem Studierzimmer, wo er mich jederzeit rufen konnte, falls er mich brauchte.

»Hat dich unser Ausflug heute Nacht beunruhigt?« Er legte Feder, Tinte und Papier bereit. Offenbar wollte er sofort weiterarbeiten.

»Was Ihr da macht, ist ... seltsam«, stieß ich hervor.

»So ungewöhnlich ist eine anatomische Untersuchung nun auch wieder nicht.«

Das stimmte. Ich hatte von Sektionen an den Universitäten gehört. Meistens handelte es sich um die Leichen von Übeltätern, die aufgrund eines Verbrechens hingerichtet worden waren. Manchmal erlaubte man es Bildhauern, daran teilzunehmen und bestimmte Körperteile genau zu studieren, damit später ihre bronzenen oder marmornen Statuen wie Menschen aus Fleisch und Blut aussahen.

»Diese Arbeit wird sich als nützlich für viele Bereiche der Wissenschaft erweisen«, fuhr der Meister fort. »Aber es gibt Leute, die ihr, ob aus Angst oder Unwissenheit, ablehnend gegenüberstehen.«

»Der Mönch«, erwiderte ich. »Bruder Benedikt. Er könnte Euch in Schwierigkeiten bringen.«

»Ein guter Einwand, Matteo. Der Orden, dem er angehört, hat kein Schweigegelübde.« Er dachte einen Augenblick lang nach. »Aber nein. Ich glaube nicht, dass Bruder Benedikt jemandem von unserem nächtlichen Besuch erzählen wird. Mein Gefühl sagt mir, dass er sehr wohl weiß, wie meine Arbeit aufgenommen werden könnte – von Menschen mit begrenzterem Verstand.«

»Er hat mir Angst gemacht.«

Der Meister sah mich neugierig an. »Warum?«

»Er schien das, was Ihr tut, für falsch zu halten.«

»Laut ausgesprochen hat er es nicht.«

»Was, wenn er Euch an die Obrigkeit verrät?«

»Ich glaube nicht, dass er das tun wird.«

»Er hat mit Euch gestritten. Meint Ihr nicht, er ist verärgert über Euch?«

»Aber nein.«

»Er hat Euch gedroht.«

»Ganz und gar nicht«, widersprach der Meister. »Bruder Benedikt hat unseren Disput genossen. Hast du nicht bemerkt, wie seine Augen funkelten, als er darüber nachdachte, ob er mir den Zugang zu den Toten in seiner Obhut gestatten sollte oder nicht?«

Während er sprach, nahm er ein Kohlestück und fing an zu zeichnen. Mit wenigen Linien umriss er die Gestalt.

Ich schnappte nach Luft.

Er porträtierte den Mönch so treffend, dass er mit ein paar Strichen fast zum Leben erwachte. Die erste Skizze zeigte ihn, wie er an der Stirnseite des Tisches neben der Dirne stand. Die Haare der jungen Frau fielen wie Regenkaskaden an beiden Seiten des Kopfes herab. Bruder Benedikt beugte sich über die Tote und segnete sie. Mitleid drückte sich in jeder Linie dieser Figur aus, in den skizzierten Schatten wie auch in denen, die das Bild nicht zeigte.

Ich sah den Meister an und dachte daran, wie wir das Leichenhaus betreten hatten. Sein Verstand musste fieberhaft gearbeitet haben. Er hatte über seine wissenschaftlichen Forschungen nachgedacht, überlegt, welche Leiche am besten geeignet war, abgewogen zwischen seinem Interesse und der Verfügbarkeit des Leichnams und zur gleichen Zeit ethische Fragen erörtert angesichts der Bedenken des Mönchs. Er hatte den Ordensmann an den Punkt gebracht, an dem selbst er zugeben musste, dass das Wort Gottes in rechter Weise von einem Künstler wiedergegeben werden kann, der für seine Arbeit anatomische Studien anstellt. Er hatte all das gemacht, klug mit dem Mönch gestritten und sich dabei gleichzeitig jede Einzelheit seines Gesichts eingeprägt.

Der Meister zeichnete weiter, diesmal nur eine Gesichtshälfte – Nase, Augenbraue, Auge, Mund.

»Ich kann dir versichern, dass Bruder Benedikt an unserer Debatte Vergnügen fand«, sagte er. »Weißt du, er hat die Angewohnheit, die Stirn zu runzeln, wenn er seine Argumente vorträgt. Von der Nasenwurzel weg verläuft eine schmale Linie – genau an dem Punkt, an dem die Augenbraue anfängt.« Mit der Fingerspitze berührte er ganz leicht meine Nasenwurzel. »Aber es war kein mürrisches Runzeln, eher zeigte es die geistige Konzentration, die er aufbrachte.« Er tippte auf das Blatt Papier. »Es war nicht da, als er sich auf sichererem Grund bewegte und die Heilige Schrift zitierte.«

»Weil er die Worte auswendig konnte«, sagte ich.

»Genau so ist es, Matteo!« Einen Wimpernschlag lang blickte der Meister vom Blatt auf und zu mir hoch. »Wie gut du das beobachtet hast.« Seine Hand zeichnete bereits weiter, noch während er sprach. »Was du sagst, ist richtig. Und er glaubt an die Worte. Mag sein, dass er das Mysterium dieser Verse inzwischen nicht mehr wahrnimmt oder…« Der Meister brach ab und murmelte dann halb zu sich selbst: »Nein, in diesem Fall sollte man wohl besser sagen, der Mönch hat die Worte so gründlich in sich aufgenommen, dass er sie fließend wiedergeben kann, ohne lange darüber nachdenken zu müssen.«

Ich wartete, da ich nicht sicher war, ob der Meister noch etwas hinzufügen würde. Ohnehin zweifelte ich, ob ich die Bedeutung seiner Worte richtig verstanden hatte.

»Begreifst du, Matteo? Er glaubt an das göttliche Wort und hat sich ihm ganz übereignet, daher ist es ein Teil von ihm. Er lebt Christi Botschaft, befolgt die Lehren Gottes, indem er sich um die Kranken und Unglückseligen kümmert.«

»Ein Segen für jene, die in Not sind und nicht wissen, wohin sie gehen sollen«, erwiderte ich. »Ihr meint also, er denkt nicht mehr über die Bedeutung nach, sondern sagt die Worte nur so dahin?«

»Warum fragst du mich das?«

»Weil es wertlos ist, wenn man es auf diese Weise tut. Einen Absatz aus der Heiligen Schrift aufsagen, das kann doch jeder.«

Er sah mich interessiert an. »Welchen zum Beispiel?«

Mein Herz machte einen Satz. Wollte er mich auf den Arm nehmen?

Seine Hand zeichnete weiter, aber mir war klar, dass er eine Antwort erwartete. Sein Verstand, das hatte ich inzwischen bewundernd erkannt, konnte sich ausgiebig mit mehr als zwei Dingen gleichzeitig beschäftigen. Ich musste ihm einige Verse aus der Bibel vortragen. Das würde ihm zeigen, ob ich Christ war oder nicht. Ich war zuversichtlich, diese Prüfung zu bestehen. Meine Großmutter hatte gerne laut aus der Bibel vorgelesen, und ich besaß ein gutes Gedächtnis, was kunstvolle Sprache anging.

»Ach, irgendeine bekannte Stelle«, sagte ich leichthin.

»Na dann fang an.«

Mein Verstand geriet ins Stolpern. Aber dann erinnerte ich mich daran, wie der Mönch das Buch Genesis zitiert hatte, wo Adam und Eva aus dem Garten Eden vertrieben werden. Ich nahm dies als Anregung und begann.

»*Und sie hörten die Stimme des Herrn. Und Adam und sein Weib versteckten sich vor dem Angesicht Gottes des Herrn unter den Bäumen im Garten. Und Gott der Herr rief Adam und sprach zu ihm: ›Wo bist du?‹ Und Adam sprach: ›Ich hörte dich im Garten und fürchtete mich, denn ich bin nackt, darum versteckte ich mich.‹*«

»Glaubst du, Nacktheit ist etwas Unrechtes?« Der Meister hörte nicht auf, mit leichter Hand zu zeichnen, aber ich wusste, dass seine Gedanken bei unserem Gespräch waren.

»Ich weiß es nicht«, antwortete ich. »Nackt kamen wir auf die Welt und nackt werden wir wieder von ihr gehen.«

»Du verblüffst mich, Matteo. Ein Junge, der allein unterwegs ist, aber in der Mehrzahl spricht. Einer vom fahrenden Volk, der kein Fahrender ist. Ein Junge, der kein

Junge mehr ist. Gekleidet wie ein Bauer, spricht er wie ein Gelehrter.«

»Wenn ich Euch missfallen habe, werde ich sofort gehen«, sagte ich steif. Mir war nicht klar, ob seine Worte als Beleidigung gemeint waren oder nicht.

Er hörte auf zu zeichnen, hielt den Kopf jedoch weiter gesenkt. Im Raum herrschte Stille.

»Du missfällst mir nicht«, sagte er schließlich. »Ganz und gar nicht. Aber es ist allein deine Entscheidung, ob du bleiben willst oder nicht.«

KAPITEL 13

Seit man sich in Averno auf einen Krieg vorbereitete, hatte der Meister weniger Zeit für seine Ausflüge ins Leichenhaus. Wenn sich jedoch einmal die Gelegenheit ergab, nahm er mich mit, auch nachdem Felipe aus Florenz zurückgekehrt und Graziano wieder genesen war. In deren Abwesenheit war ich zudem sein ständiger Begleiter für Unternehmungen bei Tage geworden. Da ich mittlerweile über die nötigen Vorbereitungen Bescheid wusste, überließen seine beiden Gefährten mir so manche Erledigung. Auf diese Weise wurde ich mit der Zeit unentbehrlich.

Felipe war mit zwei Packeseln zurückgekehrt, beladen mit Kisten und Säcken. Neben Papier, Pergament und sauberen Pinseln hatte er viele andere Dinge mitgebracht, darunter auch Felle und Lederhäute für neue Kleider, Hüte und Stiefel, damit die Mitglieder des Haushalts gut durch den Winter kamen.

Mir war nicht in den Sinn gekommen, diese Kleider könnten auch für mich bestimmt sein. Daher kam es überraschend, als der Kammerherr mich zu sich ins Schloss rief, damit er meine Maße nehmen konnte für einen Satz Bekleidung und Schuhwerk. Als ich dort ankam, waren Graziano und Felipe schon da.

Abgesehen von seiner Freude am Essen liebte Graziano auch schöne Kleidung. Gerade hatte er einen Hermelinpelz um seinen Hals drapiert.

»Was meinst du, sehe ich damit nicht aus wie ein hoher Herr?«, fragte er mich, als ich die Schneiderstube betrat.

Der Pelz betonte Grazianos Speckwülste am Hals nur noch mehr, was ihn tatsächlich wie einen der hohen Herren oder Prinzen aussehen ließ, die ich in Ferrara oder Venedig gesehen hatte. Ich nickte und blieb an der Tür stehen, aber Graziano nahm mich am Arm und führte mich zu Giulio, dem Kammerherrn.

Dieser Giulio hielt sehr viel von seiner eigenen Meinung und glaubte, ein überaus feinsinniger Mann zu sein. Er musterte mich von Kopf bis Fuß, während der Schneider meine Arme und Beine abmaß.

»Ich würde zu einem Haarschnitt raten«, verkündete er schließlich.

»Was ist verkehrt mit meinen Haaren?«, fragte ich. Meine Großmutter hatte stets darauf bestanden, dass ich meine Haare lang trug, und ich war daran gewöhnt.

Giulio rümpfte abfällig die Nase. »Abgesehen von der Tatsache, dass es zu viele sind?«

»Im Winter ist es vernünftig, die Haare etwas länger zu haben.«

»Was hat denn Vernunft mit Mode und Stil zu tun?«

Alle lachten, selbst der Meister, der gerade hereingekommen war.

Giulio nahm einen Kamm und strich mein wirres Haar zurück. »Mal sehen, was sich unter dieser Pferdemähne verbirgt und welche Farben und Stoffe das Aussehen dieses Jungen verbessern könnten.«

Ich stand stocksteif da aus Angst, er könnte mir am Ende noch den Kopf rasieren, so wie bei den Stallburschen, die einmal im Jahr entlaust wurden.

Schließlich beugte er sich ganz nah zu mir und sagte: »Wie ich sehe, trägst du im Nacken ein Zeichen auf deiner Haut: die Finger der Hebamme. Keine Sorge – wir werden deine Haare so schneiden, dass sie über die Ohren fallen.«

Mein Gesicht brannte, während man mich begutachtete, knuffte und mich bevormundete. Als ich mich dagegen zur Wehr setzen wollte, starrte Felipe mich finster an und erklärte, der Meister habe es persönlich angeordnet.

Sie redeten, als ob ich Luft für sie wäre, diskutierten über die Farbe meiner Hose und darüber, welche Art von Gürtel dazu passte und ob meine Stiefel bis über das Knie reichen sollten oder nicht. Ich kam mir vor wie eine Puppe, ein Spielzeug für Mädchen, das beliebig an- und ausgezogen werden kann.

»Man sagt, Ärmel im französischen Stil würden derzeit in ganz Europa sehr geschätzt.«

Verblüfft hob ich den Kopf. Ausgerechnet der Meister hatte dies gesagt. Er durchstöberte die halb ausgepackten Kisten und Satteltaschen, nahm Stoffballen in die Hand, Brokat und Samt, und hielt verschiedene Farbbahnen aneinander. »Ich stelle mir für Matteo ein gepolstertes Wams vor. Er braucht Kleidung für offizielle Anlässe. Vielleicht lasse ich ihn bei Tisch an meiner Seite stehen.«

»Zu viel Polster betont höchstens seine spindeldürren Beine«, wandte Giulio ein.

»Diese moosgrüne Hose würde ihm gut stehen, was meint Ihr dazu?«

»Ein dunkle Farbe ist gewiss passend«, stimmte Giulio zu. »Aber wenn Ihr ihn grün kleidet, und das bei diesen Beinen, hält man ihn am Ende für einen Grashüpfer.«

Die anderen lachten. Ich trat von einem Fuß auf den anderen. Zu meinem Unbehagen gesellte sich ein Anflug von Verärgerung.

Graziano, der mich so stehen sah, fragte: »Warum lassen wir Matteo nicht selbst entscheiden?«

»Es ist mir einerlei, welcher Stil gerade beliebt ist«, entgegnete ich. »Kleidung dient der Bedeckung und soll wärmen.«

»Oh nein, Matteo«, widersprach der Meister. »Kleider haben noch einen anderen Sinn, als nur zu schützen und zu wärmen.«

Es hätte mich nicht überraschen müssen, dass er sich natürlich auch für Mode interessierte. Der Wirkung von Farbe und Schnitt schenkte er die gleiche Aufmerksamkeit wie allen anderen Dingen.

Er sah mich an. »Mir scheint, du wunderst dich, warum es so bedeutsam sein soll, ob ein Gewand einen Pelzbesatz hat oder nicht.«

»Das ist nicht so sehr eine Frage der Mode«, erwiderte ich. »Der Pelz eines Tiers, insbesondere der eines Wiesels, sollte dazu dienen, den Wind abzuhalten.«

Mit ein paar Schritten war der Meister bei mir. Er hielt den Hermelin hoch. »Zeig es mir, Matteo.«

Ich nahm den Pelz und ließ die Finger gegen den Strich gleiten. »Seht Ihr, wie die Härchen an ihren Platz zurückspringen? Sie wachsen aus einem bestimmten Grund so, und im Winter färbt sich das Fell hermelinweiß, damit das Tier sich im Schnee verstecken kann.«

»Warum?«

Ich sah ihn an. Gewiss war auch ihm der Grund dafür bekannt. Erneut beschlich mich das Gefühl, einer Prüfung unterzogen zu werden.

»Warum?«, nahm ich seine Frage auf. »Ganz einfach: um überleben zu können.«

»Könnte das Tier das ansonsten nicht?«

»Das Wiesel ist Beute für Milane und Falken. Im Winter wäre es sehr leicht zu entdecken. Das Fell verfärbt sich, damit das Tier sich frei bewegen kann, auch wenn es schneit.«

»Und wie kommt es dazu?«

»Natürlich durch die Schöpferhand unseres Herrn«, sagte Giulio. »Alles auf dieser Welt folgt Gottes Plan.« Er und der Schneider tauschten verwunderte Blicke aus.

Der Meister bemerkte es nicht, wohl aber Felipe.

»Und was brauchen wir sonst noch für den Jungen?«, mischte er sich ein. »Rasch, Giulio, ehe Meister Leonardo beschließt, auch noch jeden Strumpf einzeln zu begutachten.«

Giulio schmunzelte. Felipe hatte ihn abgelenkt und sein aufkeimendes Misstrauen in Fröhlichkeit verwandelt.

»Lasst uns einen Blick auf die farbenfrohen Stoffe werfen, die Felipe aus Florenz mitgebracht hat«, sagte Graziano. »Mal sehen, wie sie zu den anderen Sachen passen.«

Ich sah zu, wie sie einen Stoffballen nach dem anderen aufschlugen, und mir fiel auf, dass der Meister Wert auf ein stattliches Aussehen legte, das zugleich ein wenig ausgefallen war. Er kam auf Farbenzusammenstellungen, die anderen nie einfallen würden, wie zum Beispiel burgunderrot und rosenfarben oder violett und blau. Zu einer dunkelgrünen Tunika wünschte er sich goldfarbenes Futter für die Schlitze.

»Jetzt muss der Junge nur noch zum Haareschneiden«, mahnte Giulio, ehe er uns verließ.

Also machte ich mich auf zum Schlossbarbier und ließ meine Haare schneiden. Wie ein geschorenes Schaf kehrte ich zu den anderen zurück.

»Sieh einer an, unter deiner Mähne haben sich tatsächlich Augen verborgen«, sagte Graziano bei meinem Anblick.

Sie saßen beieinander, als ich das Studierzimmer betrat.

Der Meister rief mich zu sich. Er nahm mein Kinn in die Hand und betrachtete forschend mein Gesicht. »Seine Züge erinnern mich an das eine oder andere Gemälde«, sinnierte er. »die Brauen sind ausgeprägt, die Lippen voll gerundet. Die Wangenknochen setzen weit oben an, was gut ist, denn dann wird das Gesicht mit dem Älterwerden markanter. Ich schätze, du könntest dir darauf etwas einbilden, Matteo.«

Ich senkte den Kopf und versuchte mich aus seinem Griff zu befreien, aber er führte mich stattdessen zu einem großen Spiegel, den er an der Wand hatte aufstellen lassen. Er war in einem solchen Winkel zum Fenster postiert, dass der Meister bei seiner Arbeit von jeder Ecke des Zimmers Aussicht nach draußen hatte. Das schien ihm zu gefallen, mir jedoch bereitete das spiegelnde Glas Unbehagen.

Bei Spiegeln wurde es mir immer etwas mulmig zumute. In diesem Punkt waren meine Großmutter und ich unterschiedlicher Meinung gewesen. »Du hast abergläubisches Blut in den Adern«, pflegte sie mich zu tadeln, wenn ich beharrlich darauf bestand, sämtliche Spiegel, die wir besaßen, abzudecken.

Aber an den Lagerfeuern des fahrenden Volkes hatte ich so manche Geschichte gehört, und ich wusste, dass die Seele eines Menschen sich im eigenen Spiegelbild verfangen kann.

Meine Großmutter lachte über diesen Aberglauben. »Ein Spiegel ist nichts anderes als poliertes Metall oder ein Stück Glas, auf dessen Rückseite flüssiges Metall aufgetragen wurde. Das ist nichts Besonderes, auch einige Elemente haben die Eigenschaft zu spiegeln. Wasser, die Quelle allen Lebens, gehört dazu. An einem windstillen Tag spiegelt sich in einem See dein Gesicht und der Himmel wider.«

»Mag sein«, entgegnete ich, »aber bedenke, was mit Narcissus geschah, als er ins Wasser schaute und sich selbst dort erblickte. Er hielt sich für jemand anderen und war geblendet von dessen Schönheit. Er verliebte sich in sein eigenes Spiegelbild und konnte sich nicht mehr von ihm trennen. Den Rest seiner Tage saß er nur da und verzehrte sich in hoffnungsloser Liebe. Weil diese auf ewig unerwidert bleiben musste, schmachtete er vor sich hin, bis er schließlich starb. Seither wachsen Blumen an der Stelle.«

Meine Großmutter schüttelte den Kopf. »Die Geschichte ist von den Alten erfunden worden und diente als Erklärung dafür, warum Narzissen häufig an Gewässerufern wachsen.«

Ich war nicht restlos überzeugt. Die Sage von Narcissus, den die Wasserspiegelungen nie mehr losließen, hatte einen wahren Kern, warum sonst hätte man sie überliefern sollen?

»Der menschliche Verstand ist begrenzt, Matteo«, hatte Großmutter geantwortet. »Aber da wir Menschen sind, suchen wir stets nach Erklärungen.«

Der Meister, fiel mir ein, hatte es einmal ganz ähnlich ausgedrückt: »Wir streben danach, die Welt zu verstehen.«

»Und wenn es uns nicht gelingt«, hatte Großmutter hinzugefügt, »ersinnen wir Geschichten, um das Unerklärliche zu erklären. In alten Zeiten verhielt es sich ganz ähnlich mit der Sonne. Die Menschen erzählten sich, dass der große Gott Ra für das Sonnenlicht verantwortlich sei. Jeden Tag aufs Neue als Kind geboren, müsse er bei Nacht als alter Mann sterben, nachdem er in einer goldenen Karosse über den Himmel gezogen war. Inzwischen wissen wir, dass das nicht stimmt, so wie wir wissen, dass man sich vor dem eigenen Spiegelbild nicht fürchten muss.«

Dennoch, was den Spiegel anging, erschien es mir nicht völlig ausgeschlossen, dass trotz allem ein Zauber damit verbunden war. Die Geschichte von Narcissus war nur eine von vielen anderen, die alle von Menschen berichteten, die auf ewig hinter dem Glas gefangen sind. Als der Meister mich zum Spiegel führte, warf ich daher nur einen flüchtigen Blick darauf. Genauer gesagt, wollte ich nur einen flüchtigen Blick darauf werfen. Aber dann ließ mich die Gestalt, die ich sah, nicht mehr los.

Ich starrte.

Der Junge in dem Spiegel starrte zurück.

Ich kannte ihn nicht. Sein Aussehen war zugleich fremd und vertraut mit den hervorstehenden Ohren, den riesengroßen Augen und den scharfen Gesichtszügen.

Der Meister bemerkte meine Fassungslosigkeit.

»Keine Sorge«, sagte er. »Du bist in dem Alter, wo man weder Kind noch Mann ist. Den Kinderspeck hast du bereits verloren, aber erwachsen bist du noch nicht. Es ist eine schwierige Zeit. Wenn du erst einmal zum Mann reifst, da bin ich mir sicher, werden die Damen bei deinem Anblick Herzflattern bekommen.«

Ich machte ein finsteres Gesicht, zumindest hoffte ich das.

Er fing an zu lachen und tätschelte meinen Kopf. »Falls du versuchst, abweisend zu wirken, bemühst du dich vergebens. Ein wenig Wildheit macht dich nur noch interessanter, Matteo. Wenn du so wütend funkelst, strahlst du etwas Bedrohliches aus, und das zieht die Frauen magisch an.«

Ich blickte noch mürrischer drein und befreite mich aus seinem Griff.

»Matteo«, sagte Graziano freundlich, »du musst lernen, ein Kompliment anzunehmen.«

Ich hatte mich in die hinterste Ecke des Zimmers zurückgezogen und erwiderte brüsk: »Mir war nicht klar, dass es als Kompliment gemeint war.«

»Selbst wenn es keines war, so darfst du nicht weglaufen und dich verkriechen, wenn dir etwas nicht passt«, erklärte Felipe.

»Oder einen Dolch zücken«, fügte der Meister hinzu.

Mir stockte der Atem. Dachte er daran zurück, wie ich Paolo eine Messerklinge an die Kehle gesetzt hatte?

»Du musst lernen, dich nicht von deinen Gefühlen leiten zu lassen.«

»Dann würde ich mich selbst verleugnen«, widersprach ich.

»Wir sind schließlich nicht allein auf der Welt«, sagte Graziano und seine Stimme wurde mild.

»Es gibt Verhaltensregeln«, sagte Felipe. »Gute Manieren helfen uns dabei, miteinander auszukommen, selbst wenn die eine oder andere Höflichkeit einem närrisch und übertrieben vorkommen mag.«

»Umso mehr Grund, sich auf sich selbst zu verlassen«, erwiderte ich stur. »Was man hier drinnen fühlt«, ich legte die Hand auf meine Brust, »ist wahr, und daran sollte man sich halten.«

»Ist es nicht besser, Macht über die eigenen Gefühle zu haben, statt von der Macht der Gefühle bestimmt zu werden?«

»Sind es dann überhaupt noch echte Gefühle?«, fragte ich zurück.

Die anderen lachten, aber der Meister nahm meinen Einwand ernst, so wie er es immer tat.

»Du hast Recht, das ist schwer zu sagen, besonders in der Jugend, wo die Treue sich selbst gegenüber so überaus wichtig ist. Was im Übrigen auch später gelten sollte. Versteh mich recht, Matteo, ich bestreite nicht die Aufrichtigkeit deiner Gefühle. Vielmehr stelle ich das daraus entspringende Verhalten in Frage. Unbedachtes Handeln kann schlimme Folgen haben. Für dich wie auch für andere. Kannst du mir so weit zustimmen?«

Ich murmelte ein leises Ja.

»Man sollte erst überlegen und dann handeln«, fügte er hinzu. »Es ist nicht nur beeindruckender, sondern auch wirkungsvoller.«

»Ein Ratschlag, den auch der Borgia beherzigen sollte«, bemerkte Graziano halblaut.

Felipe warf ihm einen Blick zu und Graziano sagte kein Wort mehr.

KAPITEL 14

Etwas von meinen alten Sachen behielt ich natürlich: den Beutel mit dem schmalen Riemen, den ich unter meiner Tunika verborgen trug, sodass er, wenn ich vollständig bekleidet war, niemandem auffiel. Sollte mir dennoch jemand Fragen stellen, so würde ich einfach behaupten, es handele sich um ein ganz besonderes Geschenk. Der Gegenstand in dem Beutelchen, obgleich nicht sonderlich schwer, war in meiner Erinnerung unauslöschlich mit Sandino verbunden. Trotzdem hatte ich geraume Zeit schon nicht mehr an ihn gedacht. Wir waren Meilen von Perela entfernt, südlich von Bologna, weit weg von Sandinos Gebiet.

Der Meister war mit militärischen Dingen beschäftigt. Daher lernte ich nicht nur höfische Etikette, sondern auch etwas über das Soldatenwesen und den Kampf. Ich erfuhr beispielsweise, dass eine Handbreit vom Schlüsselbein entfernt der am meisten verletzliche Teil des menschlichen Körpers liegt. Dort verläuft eine lange, lebenswichtige Ader. Wenn sie beschädigt wird, fließt das Blut in Strömen heraus.

»Ein Messer«, sagte der Meister. »Ein scharfes Messer oder ein Schwert, das hier trifft…« – er berührte meinen Hals an der Seite – »bedeutet den sicheren Tod in Sekundenschnelle. Deshalb habe ich neue Unterkleider für die Soldaten entworfen.«

Er zeigte mir seine Entwürfe für einen am Helm befestigten Kettenschutz für den Hals. Während die Waffenschmiede sich eifrig ans Werk machten, beobachtete der Meister die Soldaten beim Exerzieren und diskutierte nebenbei taktische Fragen mit den Kanonenschützen. Er hatte Pläne für ein gigantisches Geschütz und berechnete Ausmaße und Gewicht des Kanonenrohrs. Es war mir ein Rätsel, wie er einerseits die Natur so lieben und gleichzeitig solche Instrumente des Todes konstruieren konnte. Aber sein Auskommen war nicht auf Dauer gesichert. Er war kein legitimer Sohn und konnte daher nicht mit der finanziellen Unterstützung seines Vaters rechnen. Sein eigener Unterhalt und der aller Mitglieder seines Haushalts hing schlicht von der Großzügigkeit seiner Gönner ab.

Hin und wieder nahm er sich die Zeit für einen Landausflug, und bei diesen Gelegenheiten interessierte er sich sehr für das, was ich über die verschiedenen Pflanzen wusste. Er war bestrebt, alles zu erfahren über die Welt, in der wir lebten. Der Meister stellte Fragen zu meiner Großmutter und ihrer Kenntnis der Kräuter und schrieb die Rezepturen, an die ich mich erinnerte, sorgfältig auf.

Leider kannte ich nicht alle davon auswendig. Zusammen mit ihren anderen Habseligkeiten war auch das Arzneibuch nach ihrem Tod in der Erde verscharrt worden.

Eines Tages ritten wir aus und waren gerade ein gutes Stück von den Stadtmauern entfernt, als Graziano, der schon den ganzen Morgen über klagte und sich den Bauch hielt, uns bat, anzuhalten. Er hatte am Wegrand eine Pflanze erspäht. Wir stiegen ab, und er pflückte ein Blatt ab, ganz offensichtlich, um es zu essen. Graziano war in die Knie gegangen und in etwa auf gleicher Höhe mit mir. Ohne zu zögern, riss ich das Blatt aus seiner Hand wie bei einem Kind, das gerade dabei ist, sich etwas Gefährliches in den Mund zu stopfen.

»Das darfst du nicht essen«, sagte ich.

»Es ist Minze«, protestierte er. »Sie ist gut gegen mein Leibbrennen.«

»Es ist keine Minze«, widersprach ich.

»Was habt ihr da?«, wollte der Meister wissen. Seine Stimme verriet sein Interesse.

Graziano lachte und sagte: »Ich werde gerade von einem Jungen belehrt. Matteo behauptet, ich müsse sterben, wenn ich das esse.«

»Du wirst nicht sterben«, wehrte ich ab. »Aber noch vor Sonnenuntergang bekommst du viel schlimmere Bauchschmerzen, die viele Tage anhalten.«

»Ich nehme diese Minze schon seit langem, gerade weil ich ständig Magenbeschwerden habe.«

»Es ist keine Minze«, wiederholte ich. »Es sieht zwar so aus, aber es ist keine.«

Der Meister nahm das Blatt in die Hand und betrachtete es ganz genau.

»Woher weißt du das, Matteo?« Er sah mich neugierig an. »Woher nimmst du die Gewissheit?«

So war das mit uns beiden. Er fragte mich das nicht spöttisch, machte sich nicht darüber lustig, dass ich, ein Junge, mehr wissen könnte als er.

»Es ähnelt zwar der Minze, wächst jedoch an ganz anderen Stellen«, erklärte ich.

»Es gibt viele Arten von Minze«, sagte der Meister langsam. »Ihr Farbenspektrum reicht von smaragdgrün bis fast gelb. Eine Unterart wird Aschwurz genannt und stammt aus Kreta. Meinst du nicht, dass es sich bei diesem hier um eine weitere Abart handeln könnte?«

»Nein, weil die Unterseite des Blattes ein Muster aufweist, das sich von dem der Minze unterscheidet.« Ich suchte eine Weile, bis ich ein echtes Minzeblatt fand. »Seht Ihr?«

»Ich sehe es, Matteo.« Er nahm das Blatt in die Hand. »Eine Variation.« Er wiederholte es noch einmal langsam für mich.

Ich nickte, um ihm zu zeigen, dass ich das unbekannte Wort verstanden hatte.

»Das Blatt weist eine Farbveränderung auf.« Er drehte und wendete es. »Es muss sich aus der Minze fortentwickelt haben … oder verhielt es sich genau umgekehrt? Das ist höchst interessant.«

»Minze wurde bereits beim Kochen verwendet, als es Rom noch gar nicht gab«, beharrte Graziano. »Seine verdauungsfördernden Eigenschaften sind allgemein bekannt.«

»Diese Pflanze hier *stört* die Verdauung«, sagte ich ebenso stur. »Damit brachten wir die Pferde zum Erbrechen, wenn sie auf diese Weise schlimmere Krankheiten loswerden konnten.«

»Graziano«, sagte der Meister. »Denk einmal nach. Seit wann hast du diese Leibschmerzen?«

»Was braucht er da lange nachzudenken?«, scherzte Felipe. »Die ganze Welt weiß es, wenn Graziano krank ist.«

»Vor etwas mehr als zwei Jahren bekam ich die Sommerkrankheit, die in der Gegend von Mailand grassierte«, erklärte Graziano. »Das Wetter war nasskalt. Man empfahl mir, Minzeblätter zu kauen, die mir auch tatsächlich Linderung verschafften. Seither nehme ich sie immer zu mir, wenn ich irgendwo auf sie stoße.«

»Und seither wirst du von Leibschmerzen geplagt«, stellte der Meister fest. »Begreifst du nicht, was passiert ist? Du warst krank und bekamst Minze verordnet, die auch Wirkung zeigte, doch dann, als wir auf Reisen waren, hast du unterwegs falsche Minze aufgelesen, und statt besser sind deine Beschwerden noch schlimmer geworden.«

»Außerdem isst du zu viel«, fügte ich hinzu. Es stimmte. Ich hatte es erst am Vortag miterlebt. »Wenn du deinen Magen überfüllst, kurz bevor du dich schlafen legst, geht es dir am Morgen nicht gut.«

»Du nimmst kein Blatt vor den Mund, Matteo!« Felipe brach in lautes Lachen aus.

Der Meister stimmte darin ein. Ich blickte von einem zum anderen. Mir war nicht bewusst gewesen, dass ich einen Scherz gemacht hätte.

Der Meister schlug mir auf die Schultern. »Ein Kind sieht mit den Augen der Wahrheit!«

Graziano ließ in gespielter Zerknirschung den Kopf

hängen. »Ich kann nicht leugnen, dass mir das Essen schmeckt.«

»Lass es dir am Abend etwas weniger schmecken, umso mehr kannst du es am Morgen genießen«, riet Felipe.

»Lasst mir einen Augenblick Zeit, damit ich das zeichnen kann«, sagte der Meister. Seine Freunde tauschten nachsichtige Blicke, während er sich auf einem Felsbrocken niederließ. Er schaute hoch. »Es dauert nicht lange.«

»Wie Grazianos Mahlzeiten«, spottete Felipe. Aber er sagte es ganz leise, um den Meister nicht zu stören, der sich bereits an die Arbeit gemacht hatte.

Bei seiner Rückkehr aus Florenz hatte Felipe unter anderem einen Vorrat an Notizbüchern mitgebracht. Ein Buchbinder hatte sie nach den genauen Anweisungen des Meisters angefertigt, der stets eines an seinem Gürtel mit sich führte. Er schaffte es, ein solches Büchlein an nur einem einzigen Tag mit Zeichnungen und Notizen zu füllen. Obwohl er nie eine Zeichnung oder eine Niederschrift vergaß und alle, die für ihn arbeiteten, wussten, dass jedes Blatt aufbewahrt werden musste, war es enorm schwierig, Ordnung und Überblick bei seinen Manuskripten zu bewahren. Sein Gehirn saugte Wissen jeder Art in sich auf, was wiederum Eingang fand in seine Skizzen, Geschichten, Erzählungen und vielen, vielen Notizen.

Rasch war er ganz in seine Arbeit vertieft. Er interessierte sich nicht nur für diese eine Pflanze, sondern auch für andere, die an dem schattigen Platz wuchsen, an dem wir Halt gemacht hatten. So kam es, dass wir den ganzen Tag dort verbrachten. Felipe und Graziano hatten ein wachsames und fürsorgliches Auge auf den Meister. Er legte die Blätter, Blumen und Pflanzen beiseite, wenn er sie gezeichnet hatte, woraufhin die beiden sie nahmen und sie vorsichtig zwischen speziellen Papierblättern pressten. Sie sorgten dafür, dass genug zu essen vorhanden war, ein wenig Brot und eine Flasche Wein mit Wasser gemischt. Ich tat, was ich konnte, um mich nützlich zu machen. Ich ließ die Pferde grasen, führte sie an den Fluss zur Tränke und suchte etwas abseits unter den Bäumen nach ungewöhnlichen Gewächsen. Nach einer Weile rief der Meister mich zu sich.

»Kennst du diese Pflanze?«

»Ja«, begann ich. »Wir nennen sie …« Ich verstummte. Ich durfte nicht mehr »wir« sagen, wenn ich von meinem Volk sprach. »Auf dem Land heißt sie Milchstern.«

Er zeigte mir die entsprechende Seite in seinem Buch. Die Skizze kam mir wie ein Wunder vor. Er hatte das Blatt genau so gezeichnet, wie es war, mit Stängel und den winzigen, sich kräuselnden Härchen.

Neben ihm lag noch etwas anderes.

Er folgte meinem Blick und fragte: »Und was hältst du davon, Matteo?«

»Es ist eine Versteinerung: ein Tier, das vor sehr langer Zeit lebte.«

Er blätterte weiter und zeigte mir die dazugehörige Zeichnung sowie einige andere von Felsgestein in unterschiedlicher Ausformung und Größe.

»Meister Leonardo«, sagte ich, »als Baumeister steht Ihr in den Diensten Il Valentinos. Und natürlich seid Ihr auch ein Maler. Doch das ist nicht der einzige Grund, warum Ihr seziert und in Teile zerlegt, es geht Euch auch um medizinisches Wissen. Jetzt zeigt Ihr mir auch noch Euer

Interesse an Pflanzen und Gestein. Was genau ist Euer Beschäftigungsfeld?«

»Alles.«

»Was meint ihr mit alles?«

Er lachte. »Ich will einfach alles wissen. Das liegt an meinem Forschergeist.« Er berührte meine Stirn. »Den du, wie ich bemerkt habe, ebenfalls hast.«

Ich musste daran denken, wie wir einmal am Leichentisch standen und ich mich weiter vorgebeugt hatte, um seine Arbeit besser beobachten zu können. Er hatte aufgehört, die Hand weggenommen und gesagt: »Sieh genau hin, Matteo, und finde heraus, was es hier für dich zu entdecken gilt.«

Damals war er gerade dabei, unter einem Vergrößerungsglas eine Zunge zu untersuchen. Als wir in sein Studierzimmer zurückkehrten, suchte er zwischen seinen Skizzen nach der Zunge eines Löwen und zeigte sie mir. Er erzählte mir, dass sein einstiger Gönner, der Herzog von Mailand, einen Löwen in einer Grube im Schloss hielt. Eines Tages saß der Meister dort und beobachtete, wie der Löwe mit seiner rauen Zunge die Haut eines Lamms ableckte, ehe er es auffraß.

Zum Schluss deutete der Meister auf die Zeichnung und sagte: »Die Zunge des Löwen ist speziell zu diesem Zweck gemacht.«

So lehrte er mich viele Dinge und im Gegenzug dafür teilte ich mit ihm meine Kenntnis der Kräuter. Ich hatte zwar keine Schulbildung, aber ich wusste, welche Pflanze heilen konnte und welche töten. Ich kannte die Kräuter, die Linderung verschafften, und diejenigen, die giftig waren.

Ja, ich kannte die giftigen sehr gut.

Als es bereits zu dämmern begann, klappte der Meister sein Notizbuch zu. Wir packten seine botanischen Funde ein und kehrten nach Averno zurück, wo uns bereits eine Nachricht von Cesare Borgia erwartete. Sie kam aus seinem Winterquartier in Imola.

Il Valentino wünschte Leonardo da Vinci und seine Begleiter baldmöglichst zu sehen.

KAPITEL 15

Am Abend des darauf folgenden Tages erreichten wir Imola. Die lodernden Kohlebecken an der Festungsmauer erhellten Cesare Borgias schwarz-gelbe Fahnen, die oben auf den Türmen flatterten. Ein dunkelhäutiger Mann mit einer brennenden Fackel eilte zur Begrüßung herbei, als wir mit lautem Huftrappeln über die Brücke ritten, unter der Flagge vorbei mit dem Wappen, das einen weidenden Stier zeigte.

»Messer Leonardo«, sagte er. »Ich bin Michelotto, der persönliche Berater des Prinzen Cesare Borgia. Mein Herr wünscht Euch unverzüglich zu sprechen.«

»Sein Wunsch ist mir Befehl.«

Der Meister warf Felipe einen Blick zu, woraufhin dieser kaum merklich nickte und sagte: »Ich werde mich um unsere Unterbringung und das Auspacken kümmern.«

»Gib Matteo meine Schultertasche, er kann mich begleiten und nötigenfalls Unterlagen holen oder Modelle, falls der Prinz es verlangt.«

Wir folgten dem Mann, der sich Michelotto nannte,

durch die Gänge zu einem der am meisten gefürchteten Männer Italiens.

Als wir den Raum im ersten Geschoss betraten, stand Cesare Borgia von seinem Tisch auf und hieß uns willkommen. Er war noch keine dreißig Jahre alt, groß gewachsen und seine Bewegungen zeugten von Anmut und Entschlossenheit. Obwohl sein Gesicht gezeichnet war von dem, was man die französische Krankheit nannte, war er auf eine dunkle Art gut aussehend und hatte kluge Augen. Er trug eine schwarze Tunika, die kostbar verziert und geschnürt war, schwarze Reithosen und lange schwarze Lederstiefel. Der einzige Farbtupfer an ihm war ein Ring am Mittelfinger seiner linken Hand. Ein schwerer Goldring, den ein einzelner blutroter Rubin schmückte.

»Wir haben Schwierigkeiten, Messer Leonardo.« Er packte den Meister bei der Schulter und führte ihn zum Tisch. »Meine Spitzel«, er neigte leicht den Kopf und erst in diesem Augenblick bemerkte ich die beiden Männer, die in einer dunklen Ecke standen, »haben mich vor einer Belagerung gewarnt.« Er lachte und irgendwie war dieses Lachen erschreckender als jeder Zornesausbruch. »In dieser Festung hier in Imola soll ich, Cesare Borgia, von meinen ehemaligen Hauptmännern angegriffen werden. Daher benötige ich dringend Eure Ratschläge zu Verteidigungsmaßnahmen.«

Er schnippte mit den Fingern, und ein Diener eilte herbei, um den Mantel des Meisters entgegenzunehmen. Wir traten an den Tisch und ich öffnete den Beutel und nahm die Entwürfe für die neue Rüstung und verschiedenes Kriegsgerät heraus. Dann stand ich daneben, während der

Borgia und mein Meister sie vor sich ausbreiteten und über den Plänen der Festung brüteten. Mehrere Stunden lang skizzierte der Meister und machte sich Notizen, bis sie sich schließlich darauf verständigten, was als Erstes zu tun sei.

Als das erledigt war, sagte Cesare: »Ihr seid gewiss hungrig. Esst nun und lasst uns später weitersprechen.« Mit einem Wink entließ er uns.

»Sind alle seine Gefolgsleute an dem Komplott beteiligt?«

Wir hielten uns in unserem Quartier auf, ein Reihe von Zimmern in einem anderen Teil des Schlosses.

Als Felipe auf die Frage des Meisters antwortete, war seine Stimme kaum mehr als ein Flüstern. »Wie es scheint, ja.«

»Auch mein Freund Vitellozzo?«

Felipe warf einen Blick zur Tür und nickte.

Der Meister seufzte schwer. »Dann ist sein Leben verwirkt.«

»Trinkt etwas von dem Wein«, drängte Felipe ihn.

Graziano hatte aus der Küche Essen und Trinken herbeischaffen lassen. Wir nahmen Platz und aßen. Währenddessen besprachen sie mit gedämpfter Stimme die Lage.

Die Familie Borgia wollte ganz Italien beherrschen, aber selbst mit dem Kommando über die päpstlichen Armeen hatte Cesare nicht genug Männer und Waffen. Er brauchte dazu Söldner. Auf diese Weise hatte er einen Großteil der Romagna eingenommen. Doch inzwischen missfiel den Söldnerführern sein Machtstreben und seine Rücksichtslosigkeit. Sie fürchteten seine Feindschaft und taten sich mit den gestürzten Fürsten zusammen. Von der

Dienerschaft hatte Graziano gehört, dass man sich erzählte, die Verschwörer hätten sich in der Nähe von Perugia eingefunden, um den Sturz des Borgia herbeizuführen.

»Mach kein solch kummervolles Gesicht, Matteo«, sagte Graziano lächelnd. »Prinz Cesare Borgia ist uns wohl gesonnen. Sollte die Festung jedoch tatsächlich fallen, so ist zum Glück einer der Rebellenführer, Vitelli Vitellezzo, ein Freund des Meisters.«

Ungeachtet dessen war mir nicht wohl bei der Sache. Zwar hatte ich mich in einem Bollwerk der Borgia sicher gefühlt, weil ich annahm, Sandino würde dort ganz bestimmt nicht nach mir suchen. Aber direkt in der Höhle des Löwen zu sein, war etwas ganz anderes. Der Prinz hatte seine Spitzel erwähnt. Ich hatte die Männer gesehen und wusste, dass auch Sandino einer von ihnen war. Sandino, der noch immer alles daransetzen würde, den gestohlenen Gegenstand in die Finger zu bekommen. Was hatte dieser finstere Brigant wohl in all den Wochen unternommen, seit ich ihm entwischt war? Die ein oder andere Mordtat, ganz zweifellos. Ganz gleich für wen, Hauptsache, der Auftraggeber bezahlte gut genug.

In dieser Nacht schlief ich kaum. Und noch jemand fand keine Ruhe: Cesare Borgia ließ sich tagsüber so gut wie nie blicken, aber dafür streifte er in der Nacht durch den Palast. Womöglich schmiedete er in diesen Stunden seine Rachepläne für alle, die ihn verraten hatten.

KAPITEL 16

Wir begannen bei Sonnenaufgang des folgenden Tages. Es gab eine Besprechung mit dem Kommandanten der Festung und dann machten sich die Steinmetze und Schreiner, ausgestattet mit den Entwürfen des Meisters, unverzüglich ans Werk. Am Nachmittag rief mich der Meister zu sich, damit ich ihn hinaus in die Stadt begleitete.

In den kommenden Tagen schritt er jede einzelne Straße ab, von der Franziskanerkirche bis zum Fluss, von der Festung bis zur Kathedrale, und stellte Berechnungen an, nahm Maß, machte sich Notizen und zeichnete. Während der ganzen Zeit wich ich ihm nicht von der Seite.

Ich gab vor, zu frieren, und schlug die Kapuze meines Umhangs hoch, damit niemand mein Gesicht sehen konnte. So eingehüllt, lief ich neben dem Meister her und trug seine Utensilien. Am späten Nachmittag inspizierte er Baustellen und gab, falls nötig, neue Anweisungen. Nach dem Abendessen holte er sein Zeichenpapier hervor und arbeitete an einem Stadtplan.

Als der Meister die Karte von Imola fertig hatte und sie Cesare Borgia präsentierte, zeigte sich der Prinz erstaunt und erfreut zugleich.

»Noch nie habe ich etwas Ähnliches gesehen«, erklärte er. Nachdem er den Plan vor sich ausgebreitet hatte, umrundete er den Tisch und betrachtete die Karte aus allen Blickwinkeln. »Es ist, als wäre ich ein Adler, der von oben die Stadt sieht. Was für eine Macht schenkt sie dem, der sie in Händen hält. Selbst wenn die Stadt eingenommen werden sollte, lässt sich mit Hilfe dieser Karte eine Strategie für einen Gegenschlag entwickeln.« Seine Augen glitzerten. »Stellt Euch nur vor, wenn ich solche Karten für alle Städte Italiens hätte!«

Er war so angetan, dass er am Abend in unsere Räume kam, um gemeinsam mit uns zu speisen. So hörte er auch die Fabel, die der Meister nach dem Essen zu unserer Unterhaltung zum Besten gab. Es war die Geschichte von der Nuss und dem Campanile und sie ging so:

Eine Nuss wurde von einer Krähe hinauf auf einen hohen Glockenturm getragen. Dort fiel sie aus dem Schnabel des Vogels heraus und blieb in einer Mauerritze stecken. Der Gefahr entronnen, von der Krähe verspeist zu werden, bat die Nuss den Turm um Zuflucht. Doch zuvor bewunderte sie die Schönheit des Glockenturms, seine Pracht, Größe und Stärke.

»Wie wunderbar du aussiehst, edler Turm!«, sagte die Nuss. »Du bist so elegant und anmutig. Du streckst dich in den Himmel und jeder kann dich bewundern.«

Dann lobte die Nuss Aussehen und Klang der Glocken. »Der liebliche Ton deiner Glocken schallt über die Stadt bis hinaus zu den Hügeln. Viele halten bei ihrer Arbeit inne, um deiner herrlichen Melodie zu lauschen.«

Schließlich erzählte die Nuss wehklagend, warum sie nicht von ihrem Baum herab auf die grüne Erde gefallen war.

»Eine grausame Krähe hat mich hierher verschleppt, aber wenn du, gnädiger und großmütiger Campanile, mir Schutz in deinen starken Mauern bietest, werde ich ganz still sein und den Rest meiner Tage in Frieden hier verbringen.«

Angerührt von diesen Worten willigte der Glockenturm ein.

Die Zeit verging. Jeden Tag erscholl vom Turm das Angelus. Die Nuss aber blieb still.

Doch dann öffnete sie sich mit einem lauten Knacken und aus der Schale rankten feine Würzelchen. Sie vergruben sich in den Furchen und Ritzen der Mauer. Nach einer Weile bedeckten die Sprösslinge den Turm. Die Wurzeln wurden immer dicker und sprengten schließlich das Gemäuer in Stücke.

Zu spät erkannte der Turm, dass er von innen heraus zerstört wurde. Am Ende stürzte er ein und übrig blieb nur noch eine Ruine.

Bei der Erzählung ging es natürlich nicht wirklich um einen Glockenturm. Es war eine Fabel, und sie beschrieb, wie ein Mensch sich mit Schläue in das Leben anderer drängt, sich von ihnen Vorteile verschafft und sie dann treulos fallen lässt.

Bezog Cesare Borgia die Fabel auf sich? Gestand sein finsterer Verstand ihm zu, darüber nachzudenken? Tag und Nacht kamen und gingen Boten; sie überbrachten ihm Nachrichten über den Aufenthaltsort seiner einstigen Condottieri.

Angesichts dieser Situation verfolgten die Stadtstaaten Italiens in den ausgehenden Monaten des Jahres 1502 aufmerksam, wie die Revolte sich weiterentwickelte. Besonders einer von ihnen, dessen Land unmittelbar an die Romagna grenzte, tat alles, um auf dem Laufenden zu bleiben. Florenz schickte einen Gesandten, um herauszufinden, welche Pläne Prinz Cesare verfolgte. In den vorangegangenen Jahren hatte die wohlhabende Republik eine der mächtigsten Familien aus ihrer Stadt vertrieben: die Medici. Niemand in Florenz hatte ein Interesse daran, dass nun eine andere, ebenso mächtige, aber viel gewalttätigere Familie ihren Platz einnahm: die Borgia. Und so sandte der florentinische Rat Messer Niccolò Machiavelli nach Imola.

Machiavelli war ein faszinierender und geistreicher Mann. Kaum hatte er den Raum betreten und sich zu uns gesellt, änderte sich die Stimmung. Der Meister sprach mit ihm über die klassische Antike und er und Felipe diskutierten leise über die politische Situation. Sie stimmten überein, was unseren Gastgeber betraf.

»Seine ehemaligen Condottieri halten einige Städte besetzt, die er zuvor unter seine Herrschaft gestellt hat«, berichtete Machiavelli. »Das wird er ihnen niemals vergeben. Alles deutet darauf hin, dass jeder, der seinen Zorn erregt hat, Cesares Rache zu spüren bekommt.«

Weihnachten rückte näher und Il Valentino machte einen entspannteren Eindruck. Er beschloss, die Festtage mit einem großen Mahl zu feiern. Dazu lud er einen seiner Soldatenführer ein, einen Hauptmann, von dem bekannt war, dass er dem Borgia Widerstand leistete.

Das Wetter war umgeschlagen. Es war sehr kalt geworden und wir froren bei der Arbeit. Am Morgen des Festmahls sahen wir von der Festungsmauer den Hauptmann mit seiner Frau und seinem Gefolge einreiten. Für den Abend war ein Bankett in der großen Halle vorgesehen.

Cesare kam persönlich in den Hof, um seinen Gast zu empfangen. Er half der Dame aus der Kutsche und küsste beide herzlich zur Begrüßung.

»Was für ein Willkommen«, sagte Graziano. »Das dürfte den Condottiere erfreuen.«

Niccolò Machiavelli, der an der Seite des Meisters stand, murmelte: »Vielleicht sollte es ihm eher Angst einjagen.«

KAPITEL 17

Der Borgia ließ seinen Blick über die Gäste schweifen. Als er mich neben dem Stuhl des Meisters stehen sah, fragte er: »Brauchen wir den Jungen hier?«

»Er wird meine Entwürfe und Karten herbeischaffen, falls Ihr sie benötigt«, sagte der Meister. »Matteo weiß genau, wo sich alles befindet.«

Das Festessen begann.

Ich streckte die Hand aus und ergriff den Weinpokal. Erst nachdem ich einen kurzen Schluck daraus getrunken hatte, reichte ich ihn an den Meister weiter. Der riss überrascht die Augen auf. »Du beleidigst unseren Gastgeber«, sagte er leise.

Der Borgia hatte den Kopf geneigt und lauschte seiner Tischnachbarin. Es war die Frau des Hauptmanns. Sie war sehr hübsch. Kokett lächelte sie ihn an.

Und Il Valentino lachte.

Seine Gäste entspannten sich.

Nur ich nicht.

Der Gastgeber langte beim Essen kräftig zu, trank jedoch nur wenig. Immer wieder ließ er den Blick über die Tafel schweifen. Er verhielt sich wie ein Mann, der gerade ein Dirnenhaus betreten hat.

Mit einer Trompetenfanfare wurde die Nachspeise angekündigt. In Likör getränkte Kirschen mit Kakao, eine Köstlichkeit aus der neuen Welt. Mir schoss ein Gedanke durch den Kopf. Gerade weil nur sehr wenige Leute den Geschmack von Kakao kannten, bot er die beste Möglichkeit, Gift zu überdecken.

Ich beugte mich vor, wischte den Löffel des Meisters mit einem Tuch ab und flüsterte: »Esst nichts davon.«

»Sei still, Matteo!«

Jeder Gast bekam die Nachspeise persönlich serviert. Angeführt von einem Trommler, betrat eine lange Prozession die Halle. Diener trugen Teller herein. Einer nach dem anderen stellten sie sich hinter den Stuhl eines Gastes, bereit, aufzutischen.

Dem Meister direkt gegenüber saß der Hauptmann – der Mann, der Cesare Borgia in die Quere gekommen war. Ich dachte an die freundschaftliche Begrüßung einige Stunden zuvor, daran, wie Il Valentino ihn mit großer Geste empfangen hatte, als er an der Spitze seiner Soldaten die Festung betrat.

Jetzt waren seine Männer allerdings in einiger Entfernung von der Burg untergebracht. Und ihr Anführer saß ganz allein am Tisch des Borgia.

Mein Blick fiel auf den Diener, der unmittelbar hinter ihm stand. Mir wurde plötzlich ganz eng in der Brust.

Das war kein Diener.

Es war Michelotto, der Vertraute von Cesare Borgia.

Il Valentino stand auf und gab ein Zeichen. So wie die anderen Aufträger hob auch Michelotto den Teller mit beiden Händen über den Kopf des Gastes hinweg und stellte ihn auf den Tisch. Die Diener behielten die Hände für einen Augenblick dort und warteten. Beifällig bekundeten die Gäste ihr Entzücken über die ungewöhnliche Speise. Einige der Damen applaudierten. Die Frau des Hauptmanns pickte eine Kirsche heraus und steckte sie in den Mund.

»Köstlich!«, rief sie. Dann legte sie den Kopf neckisch zur Seite und sagte zu ihrem Gastgeber: »Ihr solltet auch eine versuchen.«

Cesare lächelte, machte jedoch keinerlei Anstalten, ihrer Aufforderung nachzukommen. Offensichtlich war ich nicht der Einzige, der bezüglich der ungewöhnlichen Nachspeise Zweifel hatte, denn auch wenn einige Gäste erwartungsvoll die Löffel hoben, so zögerten doch manche.

Als würde er nichts von der seltsamen Stimmung bemerken, setzte Cesare Borgia sich wieder, tauchte seinen Löffel ein und führte ihn zum Mund. Erst als er von der Nachspeise gekostet hatte, folgten alle seinem Beispiel.

Auch der Hauptmann.

Mit einem Wink entließ der Borgia die Dienerschaft. Jetzt war die Aufmerksamkeit der Gäste ganz auf die Tafel gerichtet.

Nur meine nicht.

Ich sah, wie Michelotto lächelte. Er hob rasch die Hände. Im Schein der Kerzen blitzte zwischen seinen Fingern der Draht einer Garrotte.

KAPITEL 18

Die verkrampften Hände des Hauptmanns umklammerten die Tischkante. Ein gurgelndes Geräusch stieg aus seiner Kehle auf und seine Finger versuchten nach etwas zu greifen. Der Teller wirbelte im Kreis, fiel zu Boden und zerschellte.

Michelotto zog die Schlinge enger.

Davon unbeeindruckt unterhielt Cesare Borgia sich weiter mit seiner Tischdame. Sie jedoch schaute die Tafel entlang, um zu sehen, woher das Klirren kam. Der Borgia lächelte. Er beugte sich zu ihr und flüsterte ihr etwas ins Ohr.

Sie wich zurück und griff sich an den Hals. Dann sprang sie auf und stieß einen lauten Schrei aus. Aber ihre Warnung kam zu spät.

Es dauerte eine Weile, bis die anderen Gäste begriffen, was geschehen war.

Der Hauptmann trat hilflos mit den Beinen, um sich zu befreien. Sein Stuhl kippte nach hinten, und nun half auch noch Michelottos Gewicht dabei, sein Werk zu vollenden. Verzweifelt versuchte der Strangulierte, das Gesicht seines Mörders zu fassen. Sein Körper zuckte und sackte dann zu Boden, durchlaufen von einem letzten Zittern. Dann lag er regungslos da. Sein Gesicht war blauschwarz verfärbt und zwischen den Lippen ragte die geblähte Zunge heraus.

Einige der Gäste waren aufgesprungen. Cesare Borgia schnippte mit den Fingern und die Mitglieder seiner Leibgarde eilten mit gezogenen Schwertern herbei. Sofort erstarrten alle an ihren Plätzen, und diejenigen, die aufgestanden waren, setzten sich wieder.

Der Meister sank auf seinen Stuhl zurück und schlug die Hände vors Gesicht. Felipe ging zu ihm und versuchte, ihm aufzuhelfen.

Vom Kopfende des Tisches war Cesare Borgias Stimme zu hören.

»Ich habe niemandem erlaubt, die Tafel zu verlassen«, sagte er mit aalglatter Stimme. »Alle bleiben so lange sitzen, bis ich etwas anderes anordne.«

Er stand auf, stellte sich vor die Frau des Hauptmanns, die hysterisch schluchzte, und schlug ihr mehrmals ins Gesicht. Sie sackte auf ihrem Stuhl zusammen und weinte leise weiter.

Felipe wandte sich an Cesare Borgia. »Mein Meister fühlt sich nicht wohl«, sagte er ruhig. »Ich bitte Euch in seinem Namen um die Erlaubnis, sich zurückziehen zu dürfen, damit er Euch morgen wieder nach besten Kräften dienen kann.«

Der Borgia musterte Felipe einen Moment lang.

Graziano hatte seinen Stuhl zurückgeschoben, war aber sitzen geblieben. Seine Augen waren auf Felipe gerichtet. Ich spannte die Muskeln an und musste alle Willenskraft zusammennehmen, um nicht nach dem Messer zu greifen, das in Reichweite auf dem Tisch lag. Die Wachen an der Tür waren mir bereits aufgefallen. Jetzt maß ich im Geiste die Schritte bis zum Fenster. Eine Flucht war ausgeschlossen, wurde mir klar. Falls der Borgia Felipes Bitte als Beleidigung auffasste, würde keiner von uns den Raum lebend verlassen.

»Messer Leonardo.« Cesare sprach langsam. »Ich weiß

Eure Arbeit sehr zu schätzen. Zieht Euch nun zurück und ruht Euch aus, um für morgen neue Kraft zu schöpfen.« Er sah Graziano an, dann Felipe und schließlich mich, so als versuche er sich an unsere Gesichter und Namen zu erinnern. »Eure Begleiter könnt Ihr mitnehmen.«

In Sekundenschnelle war auch Graziano an der Seite des Meisters, um ihm behilflich zu sein. Ich nahm seine Tasche und dann zogen wir uns so rasch und unauffällig wie möglich zurück. An der Tür hörte ich noch Cesare Borgias Stimme.

»Welch düstere Stimmung!«, rief er. »Und das an einem solchen Festtag. Musikanten, spielt uns eine fröhliche Weise.« Er reichte seiner schluchzenden Tischnachbarin den Arm.

»Wollen wir tanzen?«

KAPITEL 19

In dieser Nacht machte niemand in der Festung ein Auge zu. Der Meister aß weder noch trank er, las oder zeichnete. In einen dicken Mantel gehüllt, saß er am geöffneten Fenster und starrte in den Nachthimmel.

Kurz vor Morgendämmerung kam Niccolò Machiavelli zu uns und sprach eine Weile mit Felipe. Er hatte vor einiger Zeit an die Ratsherren von Florenz geschrieben und ihnen mitgeteilt, dass er sich in Gefahr befand, und um seine Abberufung gebeten. Leider ohne Erfolg.

»Vielleicht hören sie ja jetzt auf mich«, sagte er. »Ich möchte diesen Ort so schnell wie möglich verlassen.«

»Und ich muss versuchen, den Meister aus den Diensten dieses Mannes zu befreien«, erwiderte Felipe. »Nur, wie lässt sich das am besten anstellen?«

»Cesare Borgia kennt nur ein Ziel«, sagte Graziano. »Und er wird jeden vernichten, der ihm dabei im Weg steht.«

»Weil es in seinen Augen ein Ziel ist, das alles lohnt«, sagte Machiavelli. »Er glaubt, er habe das Recht, jedes Mittel anzuwenden, um es zu erreichen. Das ist eine interessante Vorstellung.«

»Habt Ihr Neuigkeiten, was die Pläne seiner Gegner anbelangt?«, wollte Felipe wissen.

»Ich habe meine eigenen Leute, die sich umhören«, sagte Machiavelli. »Von ihnen erhielt ich kürzlich eine verschlüsselte Botschaft. Aber ich fürchte, sie ist zuvor bereits durch die Hände des Borgia gegangen, daher ist es gut möglich, dass ich nur das erfahre, was er mich wissen lassen will.« Er zuckte mit den Schultern. »Es ist jedenfalls die Rede davon, dass die Franzosen Truppen zu seiner Unterstützung senden. Ich vermute, er wird warten, bis sie nahe genug herangekommen sind, und danach den Condottieri ein Angebot unterbreiten. Sie haben keine Ahnung, dass er auch ohne ihre Söldner auf eine Armee zurückgreifen kann, und werden daher annehmen, er versuche, Frieden zu schließen, weil sie ihm zahlenmäßig überlegen sind. Er wird ein Treffen vorschlagen, um zu verhandeln.«

»Aber doch gewiss nicht hier!«, sagte Felipe verwundert. »So dumm sind sie nicht, sich in die Höhle des Löwen locken zu lassen, damit er sie verschlingt.«

Am Morgen erhielten wir Klarheit. Cesare Borgia würde seine einstigen Gefolgsleute treffen, allerdings nicht in

Imola, sondern an einem Ort, den sie erst vor kurzem eingenommen hatten und an dem sie ihre Trupps stationiert hatten. Wir mussten für eine Reise packen. Noch in dieser Stunde würden der Borgia und seine Männer zur Küstenstadt Senigallia an der Adria aufbrechen.

»Haben alle Söldnerführer diesem Treffen zugestimmt?«, fragte der Meister Felipe, kurz bevor es losging. Er saß neben mir auf einem Pferdekarren, der mit seinen Büchern und Utensilien beladen war. Felipe und Graziano würden neben uns herreiten.

Felipe nickte. Unausgesprochen hing der Name Vitelli Vitellozzo in der Luft, der Name jenes Anführers, mit dem der Meister befreundet war.

Flankiert von sechshundert Hellebarden ritten wir inmitten des Borgia-Trosses die Via Emilia entlang. In diesen letzten Tagen des eisigen Dezembers fiel Schnee. Die Dörfer, an denen wir vorbeikamen, waren menschenleer. Vermutlich hatten die Bewohner bei unserem Herannahen ihre Ortschaften fluchtartig verlassen und würden erst wieder zurückkehren, wenn wir weitergezogen waren. Wir hielten in Cesena, wo man Il Valentino zu Ehren ein Tanzfest abhielt.

Er tanzte und tändelte, als könne ihn nichts auf der Welt kümmern. Aber insgeheim erfuhren wir von Machiavelli, dass die Borgia-Truppen aufgeteilt und auf verschiedenen Wegen vorausgesandt worden waren, um sich vor Senigallia wieder zu vereinen.

In den Tagen unmittelbar vor Weihnachten gönnte Cesare Borgia sich Festmahlzeiten und hörte Musik. Was aber nicht hieß, dass er seine Rache nicht weiterverfolgte, denn als der Gouverneur dieser Region, Remiro de Lorqua, an den Festlichkeiten teilnehmen wollte, ließ er ihn verhaften. Unter der Folter gestand der Mann, an der Verschwörung beteiligt zu sein.

Und so kam es, dass am Morgen des Weihnachtstages Remiro de Lorqua auf dem großen Platz enthauptet und sein Leichnam zur Schau gestellt wurde. Tags darauf, am sechsundzwanzigsten Dezember, ritten wir weiter in Richtung Senigallia.

KAPITEL 20

Cesare Borgia forderte seine ehemaligen Gefolgsleute auf, als Zeichen des guten Willens ihre Truppen aus der Zitadelle von Senigallia abzuziehen.

Sie willigten ein.

Am letzten Tag des Jahres erreichten wir den Fluss Misa, wo Il Valentino die aufrührerischen Condottieri treffen wollte. Neben mir auf einem Karren saß der Meister. Als er die Rebellen heranreiten sah, stöhnte er laut auf.

Graziano flüsterte mir zu: »Vitellozzo ist auch dabei. Der Meister hat ihn bereits erspäht.«

Sorgenvoll sahen wir zu, wie die zwei Parteien aufeinandertrafen. Aber Cesare Borgia war wie verwandelt. Er ritt gut gelaunt vorneweg und begrüßte die misstrauischen Condottieri. Seine Augen blitzten vergnügt beim Anblick der bekannten Gesichter und er nannte jeden Einzelnen beim Namen. Er beugte sich im Sattel vor und umarmte die Männer wie Freunde, die er nach langer Zeit wiedersah.

Nach und nach entspannten sich die Anführer. Soweit

sie sehen konnten, hatte Cesare keine große Armee mitgebracht. Und auch sein Charme und seine Freundlichkeit verfehlten ihre Wirkung nicht.

Die Schar machte sich auf, um über die Brücke in den kleinen Vorort der Stadt zu reiten. Ich schnalzte mit den Zügeln, aber Felipe packte mich am Arm. Er sagte kein Wort, trotzdem zügelte ich die Pferde, damit wir hinter den anderen zurückblieben. Mir fiel auf, dass Messer Machiavelli das Gleiche tat. Graziano ritt näher an den Karren heran, wie um den Meister zu schützen.

Machiavelli berichtete uns später, dass Il Valentino seine Spitzel in die Stadt vorausgeschickt hatte, um sämtliche Tore zu verriegeln außer dem einen, durch das er und die Condottieri reiten würden.

Nun lud der Borgia Vitellozzo und die anderen Männer ein, ihn zu begleiten. Als sie den Fluss überquerten, machte die Borgia-Reiterei einen Bogen und bezog entlang der Brücke Position.

Die Condottieri tauschten Blicke aus und murmelten einander leise zu.

Der Tross ritt in Senigallia ein, begleitet lediglich von Soldaten, die alle unter dem Befehl des Borgia standen: einer Division gaskonischer Fußsoldaten und seiner Leibgarde. Unter ihnen befand sich auch Michelotto.

Wir bildeten die Nachhut.

Hinter uns schloss sich das Tor.

Inzwischen hatte sich das Unbehagen der Söldnerführer in Angst verwandelt. Überstürzt versuchten sie, sich vom Prinzen zu verabschieden und zu ihren eigenen Truppen zurückzukehren. Aber Cesare überredete sie, zu bleiben und mit ihm zu verhandeln. Seine Herzlichkeit und sein Wohlwollen verwirrten sie. Die Räumlichkeiten, in denen die Beratung abgehalten werden solle, seien schon hergerichtet, teilte er ihnen mit und ersuchte sie, mit ihm Regelungen für die Zukunft zu treffen. Dann ritt er einfach weiter. Den Condottieri, wie auch uns, blieb nichts anderes übrig, als ihm zu folgen, zumal die Aufstellung seiner Eskorte nur die eine Richtung zuließ.

Als wir die Villa erreichten, stieg Cesare Borgia ab. Die Condottieri folgten notgedrungen seinem Beispiel.

Felipe und Graziano blieben im Sattel sitzen. Felipe warf mir einen bedeutungsvollen Blick zu. In der Hoffnung, dass ich den Blick richtig verstanden hatte, versuchte ich, unseren kleinen Karren zurückzumanövrieren. Aber der Pulk der uns umschließenden Soldaten hinderte mich daran. Wir steckten fest.

Cesare überquerte den Innenhof. Die Söldnerführer schlossen zu ihm auf. Zielstrebig schritt der Borgia auf eine Außentreppe zu, die ins Obergeschoss führte, und setzte den Fuß auf die erste Stufe.

Die Condottieri machten Anstalten, ihm zu folgen. In diesem Moment ergriffen Michelotto und seine Gardisten sie. So rasch wurden die armen Männer überwältigt, dass sie nicht einmal mehr ihre Schwerter ziehen konnten.

Die Falle war zugeschnappt.

»Wartet!«

Einer der jungen Anführer rief dem Borgia hinterher. »Ich flehe Euch an«, schrie er erbarmungswürdig. »Herr, erlaubt uns wenigstens, unsere Sache vorzutragen.«

Auf der obersten Stufe hielt Cesare inne. Er blickte

hinunter auf seine Gegner. Dann wandte er sich ab und ging hinein.

Die Soldaten hinter uns drängten nach vorn. Graziano und Felipe packten von beiden Seiten zu und ergriffen das Zaumzeug unseres Zugpferds. Der Meister legte seine Hände über meine und zog bei den Zügeln mit an. Gemeinsam schafften wir es, uns einen Weg durch das entstandene Durcheinander zu bahnen – zurück zum Haupttor.

Vor uns tauchte Machiavelli auf. Über den Lärm hinweg schrie er uns zu: »Hierher! Her zu mir!«

Er führte uns an der inneren Stadtmauer entlang zu einem anderen Tor, wo er die Wachposten gut kannte. Sicher handelte es sich um seine eigenen Spione, bezahlt mit florentinischem Geld. Wir durften das Tor passieren und verließen die Stadt auf der Flussseite, wo Cesares Reiterei ihr Lager aufgeschlagen hatte.

Dort warteten wir, während die Soldaten in der Stadt wüteten, die Bewohner aus den Betten zerrten und jeden ermordeten, von dem sie glaubten, er habe mit den Rebellen gemeinsame Sache gemacht. Zur letzten Nachtwache ging Machiavelli weg, um sich umzuhören. Er kehrte erst bei Morgengrauen mit düsterer Miene zurück.

Die Condottieri waren gefesselt und in ein Kellergewölbe der Villa gesperrt worden. In den frühen Stunden des neuen Jahres 1503 hatte Michelotto Leonardos Freund Vitellozzo und den jungen Anführer, der um Gnade gebeten hatte, Rücken an Rücken auf einer Bank sitzend stranguliert.

»Verzeiht mir, dass ich der Überbringer einer so schrecklichen Nachricht bin«, sagte Machiavelli. »Aber Ihr solltet wissen, dass Il Valentino gleich in der Frühe in voller Kampfausrüstung an der Spitze seiner Truppen losreiten wird. Sein Ziel ist Perugia sowie alle anderen Städte, die ihm Widerstand geleistet haben. Es heißt, die Stadtoberen dort befänden sich bereits auf der Flucht. Die gefangenen Rebellenführer werden ihn auf seinem Feldzug begleiten, aber ihr Schicksal ist zweifellos so gut wie besiegelt.«

Felipe ging zum Meister, um ihm den Tod seines Freundes mitzuteilen. Erst nach einer Stunde kehrte er zurück.

»Der Meister ist krank«, erklärte er uns. »Er braucht Ruhe, um wieder gesund zu werden. Wir müssen nach Florenz, damit er dort zu Kräften kommt. Ich werde Il Valentino eine entsprechende Nachricht überbringen lassen. Ich kann nur hoffen, dass er viel zu beschäftigt damit ist, seine Rachegelüste zu befriedigen, um uns seine Leute hinterherzuschicken. Matteo!« Er wandte sich zu mir. »Kannst du die Pferde bereit machen?«

Ich ging zu den Pferden, für die man notdürftig Unterstände gegen die Kälte errichtet hatte. Sie hatten eine Ration Heu bekommen, aber die Schreie und das Feuer in der Stadt jagten den Tieren Angst ein. Sie tänzelten aufgeregt hin und her und zerrten an den Stricken. Ich sprach besänftigend auf sie ein, bis sie sich etwas beruhigten. Gerade wollte ich das Zugpferd losbinden, als ich in der Bewegung erstarrte. Zwischen den Bäumen tauchten zwei Männer im Mondlicht auf. Ich erkannte ihre Gesichter wieder. Der eine war mit dabei gewesen, als ich Il Valentino zum ersten Mal traf, der andere war einer von Sandinos Leuten.

Ich sank auf die Knie. Das Pferd neben mir wich stampfend zur Seite, senkte den Kopf und stieß meine Schulter an. Ich fuhr mit der Hand über seine Stirn und blies sanft in seine Nüstern. »Verrate mich nicht, mein Freund«, flüsterte ich. »Mein Leben hängt von dir ab.«

Gesprächsfetzen wehten durch die kühle Nachtluft zu mir herüber, während die beiden Männer weitergingen. Ich hörte einen Namen.

»... Perela ...«

Perela!

»... dort war der Junge ... vor einigen Wochen.«

Und dann sagte einer von ihnen ganz deutlich: »Seine Leute sind schon unterwegs dorthin. Sandino wird nachkommen, sobald er dem Borgia Bericht erstattet hat. Er hat sich geschworen, die Bastion und alles, was sich darin befindet, niederzubrennen.«

Mein Magen krampfte sich zusammen, und ich dachte, ich müsse mich übergeben.

Sandino wollte Perela überfallen!

KAPITEL 21

Bei Tagesanbruch kamen Felipe und Graziano zu mir. Ich hatte ihre beiden Pferde gesattelt und dem dritten das Geschirr für den Karren angelegt.

»Gut gemacht, Matteo«, sagte Graziano und fing an, unsere Habseligkeiten zu verstauen.

Felipe stellte die Kiste, die er trug, ab. »Ich gehe und hole den Meister«, sagte er. »Wir müssen los, bevor das Lager erwacht.«

»Ich werde nicht mitkommen«, erklärte ich.

»Was redest du da für einen Unsinn!«, sagte Felipe scharf.

»Aus welchem Grund solltest du hier bleiben wollen, Matteo?«, wollte Graziano wissen.

»Ich habe nicht vor, hier zu bleiben«, sagte ich. »Ich muss nach Perela. Ich habe zufällig zwei von Borgias Männern belauscht und erfahren, dass unseren Freunden dort ein Angriff droht.«

Felipe hielt die Laterne vor mein Gesicht. »Ist das wahr?«

»Ich habe es so gehört.«

»Warum sollte Il Valentino so etwas tun?«, fragte Graziano. »Hauptmann dell'Orte ist ein loyaler Gefolgsmann.«

»Ja«, sagte Felipe. »Aber auch loyale Gefolgsleute werden heimtückisch ermordet.« Er sah mich forschend an. »Wie kommt es, dass du davon weißt?«

»Ich war bei den Pferden und hörte das Gespräch zweier Männer, die gerade erst angekommen waren. Zwei Spitzel.«

»Es ist gut, dass du unsere Freunde warnen willst«, begann Graziano, »aber –«

»Versucht gar nicht erst, mich aufzuhalten«, unterbrach ich ihn. Ich konnte weder ihnen noch mir selbst erklären, warum ich mich in Gefahr begeben wollte, obwohl es doch viel vernünftiger wäre, ihr aus dem Weg zu gehen. Mein einziger Gedanke war, noch vor Sandino Perela zu erreichen und Hauptmann dell'Orte zu warnen. Er hatte genug Männer und militärische Erfahrung, um einem Angriff Sandinos und seiner Briganten Widerstand zu leisten. Allerdings nur, wenn er rechtzeitig gewarnt wurde.

»Am besten, du nimmst mein Pferd«, sagte Graziano. »Ich werde auf dem Karren mitfahren.«

Felipe drückte mir ein paar Münzen in die Hand. »Nimm die«, sagte er. »Könnte sein, dass du sie brauchst. Ich werde dem Meister sagen, was passiert ist.«

Auch Graziano drückte mir etwas in die Hand. Es war ein langer Dolch. »Der kann dir ebenfalls nützlich sein.«

Bevor ich fortging, sagte Felipe: »Du bist jederzeit bei uns willkommen, falls du dich dazu entschließt, zurückzukehren. Und jetzt fort mit dir.« Er fuhr mir sanft durchs Haar. »Ich hoffe, wir sehen uns wieder, Matteo.«

Leise führte ich Grazianos Pferd am Zügel fort. Sobald ich außer Sichtweite war, stieg ich auf und jagte in Richtung Perela davon.

Ich ritt, so schnell ich konnte, und gegen Mittag des darauf folgenden Tages erreichte ich die Stelle, an der die beiden Flüsse aufeinandertreffen. Ich galoppierte über die Brücke und hörte, wie der Brückenwächter hinter mir herrief, ich solle mein Wegegeld bezahlen. Ich kümmerte mich nicht darum, preschte weiter den Hügel hinauf, auf dem die Burg stand.

Da sah ich die Rauchsäulen aufsteigen.

Das große Tor war aufgebrochen.

Ich kam zu spät.

TEIL 3

Sandinos Rache

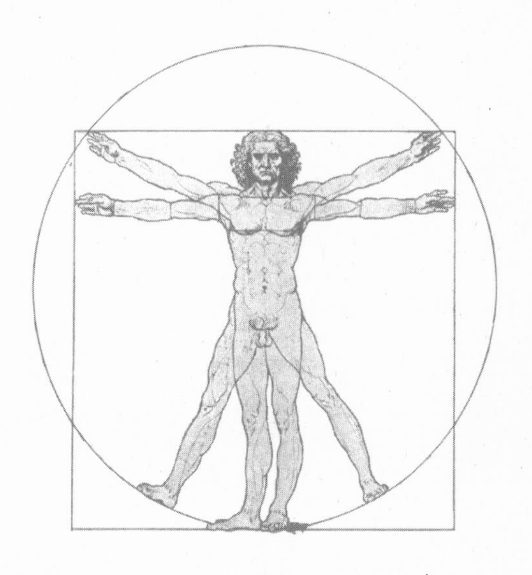

KAPITEL 22

Mein erster Gedanke war, dem Pferd die Sporen zu geben und in die Burg zu stürmen. Doch das tat ich nicht.

Ich zog stattdessen die Zügel an und beobachtete die Burg. Durch die Fenster war keine Bewegung zu erkennen, auch Kampfgetöse war keines zu hören. Aber was auch immer hier passiert sein mochte, es war erst vor kurzem passiert, sonst wäre das Feuer schon erloschen und kein Rauch würde mehr aufsteigen.

Auf einem nahe gelegenen Feld stand ein Stall. Ich stieg ab und führte das Pferd dorthin. Im Inneren befand sich etwas Futter für den Winter. Ich ließ das Pferd fressen und ging vorsichtig zur Burg zurück.

Hauptmann dell'Ortes Soldaten waren tot. Sie waren aufgespießt worden, wo sie gerade standen. Es sah aus, als habe man sie völlig überrascht. Ihr Widerstand musste binnen Minuten gebrochen worden sein von einer Übermacht, die kein Erbarmen kannte. Vor dem Gebäude und in dem Gebäude regte sich nichts. Die Totenstille ängstigte mich. Keine Frau, die weinte, kein Mann, der stöhnte, Stille hatte sich wie dicker Nebel über alles gebreitet.

Dann erblickte ich Hauptmann dell'Orte.

Sie hatten ihn enthauptet. Sein Kopf steckte auf einer Lanze nahe den Stallungen, sein entstellter Leichnam lag daneben. Zwei Körper lagen vor ihm auf dem Boden. Es waren Rossana und Elisabetta, eine über die andere gesunken.

Entsetzt taumelte ich auf sie zu.

Sie waren am Leben, aber ihre Kleider waren in Unordnung und sie waren blutüberströmt; ich wusste nicht, ob es ihr Blut war oder das ihres Vaters.

Meine Kehle war wie zugeschnürt. Ich hatte den Tod schon in vielerlei Gestalt erblickt. Zweimal schon waren wehrlose Menschen vor meinen Augen ermordet worden, und ich musste zusehen, ohne dass ich die Tat verhindern konnte. Ich hatte gesehen, wie ein Mann am Tisch mir gegenüber mit dem Würgeeisen erdrosselt worden war. Und der erste Mann, dessen Ermordung ich hatte ansehen müssen, war der Priester, den Sandino totgeschlagen hatte. Aber dies hier war schlimmer. Es war eine schändliche Freveltat.

Ein leichter Schneefall hatte eingesetzt.

»Rossana«, flüsterte ich. »Elisabetta.«

Es ist nicht Recht, einem Mädchen Gewalt anzutun. Ein Mann, der so etwas macht, steht niedriger als ein Tier. Und wenn es erst geschehen ist, kann man es nicht mehr ungeschehen machen.

Ich fiel vor ihnen auf die Knie. Ich streckte meine Hand aus und berührte ihre Gesichter.

Ich sah Rossana an, aber sie erwiderte meinen Blick nicht, sondern wandte ihr Gesicht ab. Und auch ich blickte beschämt zu Boden, beschämt nicht ihretwegen, sondern meinetwegen – weil ich ein Mann war und ein Mann ihr dies angetan hatte.

Aber Elisabetta, die stets im Schatten ihrer Schwester gestanden hatte, wandte ihre Augen nicht von mir ab. Sie hielt meinem Blick mutig, aber zornerfüllt stand, so als wolle sie sagen: Jetzt habe ich gesehen, was ein Mann einer Frau antun kann, und wenn es das ist, was eure Stärke ausmacht, dann habe ich ihr widerstanden. Ich verachte euch dafür und ich lasse mich dadurch niemals wieder einschüchtern.

Als sie mich so eindringlich anblickte, sank mir der Mut. Dann sagte Elisabetta mit ungewöhnlicher Weisheit: »Ich schäme mich nicht, dir ins Gesicht zu schauen, wegen dem, was hier mit mir geschehen ist, Matteo.«

Nur wenige Wochen waren vergangen, seit diese Mädchen unbeschwert spielten. Und nun kam ich zurück und ihre Kindheit war zerstört.

Was hatte ich getan?

Ich gab ihnen etwas Wasser zu trinken und dann berichtete Elisabetta, was geschehen war.

»Ein Mann kam ans Tor. Er sagte, er sei ein Reisender, unterwegs nach Bologna. Er hätte plötzlich starke Leibschmerzen bekommen und jemand auf einem Bauernhof in der Umgebung habe ihm die Heilsalben meiner Mutter empfohlen. Meine Eltern nahmen ihn freundlich auf. Er lag auf einer Pritsche im Zimmer der Wachen, und während wir bei Tische saßen, erstach er einen der Wachleute und öffnete das Tor. Die anderen haben draußen gewartet.

Von unseren Männern waren nur zwei bewaffnet, und

sie verteidigten uns, so gut sie konnten, aber sie wurden überwältigt. Als er den Tumult hörte, schaute mein Vater aus dem Fenster und sah, was vor sich ging. Er legte den kleinen Dario in Mutters Arme und sagte ihr, sie solle mit uns zur kleinen Kapelle laufen. Paolo nahm er mit sich fort. Wir gingen in die Kapelle und verbarrikadierten uns dort. Wir hörten den Lärm, konnten jedoch nicht ausmachen, was vor sich ging, denn vom Fenster der Kapelle aus kann man nur die Schlucht überblicken, nicht aber den Burghof.

Nach einiger Zeit wurde es still. Dann kamen die Angreifer und befahlen uns, die Tür zu öffnen. Meine Mutter weigerte sich. Sie sagten, wenn wir ihnen Paolo herausgäben, würden sie uns nichts zu Leide tun. Aber Paolo war ja nicht bei uns. Sie drohten uns damit, was sie uns antun würden, wenn sie Paolo nicht fänden. Meine Mutter war sehr tapfer. Sie rief laut, dass dies ein heiliger Ort sei. Aber sie begannen damit, die Tür aufzubrechen. Meine Mutter führte uns zum Fenster und sprach mit ruhiger Stimme zu uns. Sie sagte, dass mein Vater sicherlich gefallen wäre, sonst würde dies alles nicht passieren. Sie sagte, dass sie mit dem kleinen Dario in die Schlucht springen werde. Sie wollte dies tun, weil sie wüsste, dass sie das Baby töten würden. Er sei ein Junge, und sie würden ihn nicht am Leben lassen, damit er seine Familie rächen könne. Dies mit anzusehen, könne sie nicht ertragen. Sie sagte auch, dass sie dem Schicksal entgehen wolle, das auf sie wartete, wenn sie die Tür aufbrechen. Sie bat uns inständig, es ihr gleichzutun, überließ uns jedoch die Entscheidung. Dann nahm meine Mutter den kleinen Dario in ihren Arm, stellte sich auf den Fenstersims und ...« Elisabetta stockte. »Dann war sie verschwunden. Wir blieben allein zurück. Plötzlich gab die Tür nach und dann … und dann …«

»Sei ganz ruhig.« Ich nahm ihre Hand. »Sprich nicht mehr davon.« Ich schaute mich um. »Sind diese Männer immer noch hier?«

Elisabetta schüttelte den Kopf. »Sie sind wieder abgezogen, nachdem sie nicht gefunden haben, wonach sie suchten.«

Wonach sie suchten …

Unwillkürlich fuhr meine Hand zum Gürtel.

Elisabetta missverstand diese Bewegung. »Matteo, ein Dolch hilft nichts gegen diese Leute.«

Aber es war nicht Grazianos Dolch, den meine Hand suchte. Es war der Gegenstand in dem kleinen Beutel, nach dem ich tastete. Der Gegenstand, den Sandino haben wollte und den zu finden er seine Leute hierher geschickt hatte. Weil ich ihm diesen Gegenstand vorenthalten hatte, waren Perela und seine Bewohner in schlimmstes Unglück gestürzt worden.

Schneeflocken tanzten im Wind, und mir wurde klar, dass ich die Mädchen von hier wegbringen musste. »Kannst du aufstehen?«, fragte ich Elisabetta. »Ich helfe dir.«

»Seitdem es … passiert ist, hat Rossana noch kein einziges Wort gesprochen.« Elisabetta strich ihrer Schwester übers Gesicht. Rossana verzog keine Miene.

»Es ist, als würde sie mich nicht wiedererkennen«, sagte Elisabetta. »Als wüsste sie nicht mehr, wer ich bin. Als wüsste sie nicht, wer sie selbst ist.«

Sie stand auf und gemeinsam stützten wir Rossana und gingen mit ihr ins Haus. Ich fand etwas Brot, tauchte es in

Wein und brachte es den beiden. Elisabetta aß davon, doch Rossana wollte nichts zu sich nehmen.

»Wo ist Paolo?«, fragte ich.

»Wir konnten ihn nicht finden«, antwortete Elisabetta. »Er und Vater gingen zusammen weg. Sie haben miteinander gestritten.«

»Worüber?«

»Das weiß ich nicht.«

Ich ließ sie allein zurück und machte mich auf die Suche nach ihrem älteren Bruder. Er war nicht unter den Toten. Aber geflohen wäre er gewiss nicht. Nicht Paolo dell'Orte. Wo also konnte er sein?

Ich ging zurück und sprach noch einmal mit Elisabetta. »Kannst du dich an irgendetwas erinnern, worüber Paolo und dein Vater gesprochen haben, bevor sie euch verließen?«

Sie schüttelte den Kopf, doch dann sagte sie: »Nur an eines, aber das habe ich nicht verstanden.«

»Was war es?«

»Mein Vater hat Paolo einen Auftrag gegeben. Das war auch der Grund für ihren Streit. Paolo schrie: ›Nein!‹ Er wollte nicht tun, was mein Vater ihm befohlen hatte. Doch mein Vater sagte: ›Mein Sohn, du musst mir gehorchen.‹ Und dann sagte mein Vater noch etwas. Er sagte: ›Messer Leonardo wird dich bewahren.‹«

Elisabetta schüttelte den Kopf.

»Das war es, was ich nicht verstanden habe.«

Aber ich verstand es. Es dauerte ein oder zwei Augenblicke. Aber dann wurde mir mit einem Mal klar, was Hauptmann dell'Orte im Sinn gehabt hatte, als er ging, um seine Burg zu verteidigen, als er sein Schwert umschnallte und Paolo beim Arm nahm.

Das geheime Versteck.

Er hatte vorgehabt, seinen ältesten Sohn in dem Raum zu verstecken, den Leonardo da Vinci gebaut hatte und den nur er allein kannte. Der wackere Hauptmann hatte geglaubt, seine Frau und seine jüngeren Kinder seien sicher aufgehoben im Schutz der Kapelle, aber ein Junge in Paolos Alter war es nicht. Ihm muss klar gewesen sein, dass die Angreifer die Burg überrennen würden, deshalb hatte er seinen Sohn dazu gezwungen, sein Leben zu retten.

Und ich, der ich damals auf dem Dachboden im Heu saß und herabschaute, als der Meister Hauptmann dell' Orte die Baupläne für das Versteck zeigte, ich wusste, wo Paolo zu finden war.

Zusammengekrümmt wie ein Kind lag er da. Er sagte, die Wände seien so dick, dass er keinen Laut gehört habe. Der kleine Kerzenstummel, den er bei sich hatte, war längst herabgebrannt, aber er war im Dunklen geblieben, wie sein Vater es von ihm verlangt hatte.

Elisabetta setzte sich neben ihn und erzählte ihm alles, was sich zugetragen hatte.

Die Nachricht vom Tod seines Vaters ertrug er tapfer, aber als er hörte, was seinen Schwestern zugestoßen war und auf welche Weise seine Mutter und das Baby umgekommen waren, geriet er außer sich.

»Mein Vater wollte nicht glauben, dass sie einem Kleinkind oder Frauen etwas zu Leide tun würden«, sagte er. »Er wusste, dass er im Kampf fallen könnte, aber dass so etwas passiert, konnte er nicht ahnen.«

Paolo schaute mich mit tränenüberströmtem Gesicht an. Sein Blick bat, ja flehte mich an, ihm zu versichern, dass er das Richtige getan hatte. »Ich habe meinem Vater gesagt, dass es mir nichts ausmachen würde, zu sterben«, sagte er. »Doch er meinte, ich sei der einzige Mann, der auf diese Weise überleben würde. Niemand wüsste von dem Geheimversteck. Er sagte, es sei nicht groß genug, um alle aufzunehmen, und selbst wenn, dann würden die Angreifer sich fragen, wo Frau und Kinder geblieben wären, und keinen Stein auf dem anderen lassen, bis sie sie gefunden hätten.

Mein Vater zwang mich, im Versteck zu bleiben. Ich musste auf sein Schwert schwören. Er sagte, das Schwert stehe für seine Ehre, sein Leben hänge von diesem Schwert ab, der gute Name unserer Familie und alles, was ihm teuer sei. Meine Mutter, meine Schwestern, meinen Bruder und mich selbst wolle er mit diesem Schwert verteidigen. Meine Mutter, meine Schwestern, meinen Bruder.« Paolo schluchzte. »Meine Mutter, meine Schwestern, meinen Bruder.«

Elisabetta und ich ließen ihn weinen, bis er nicht mehr konnte. Dann stand er auf und wischte sich übers Gesicht. Er ging zum Leichnam seines Vaters und nahm sein Schwert. »Damit«, erklärte er feierlich, »werde ich sie alle rächen.«

So zeugt Gewalt neue Gewalt und niemand kann ihr Einhalt gebieten. Wenn ein Krieg erst einmal begonnen wird, dann werden alle mit hineingezogen, und alle gehen schließlich unter.

»Paolo«, flüsterte Elisabetta, »ich muss dir etwas eingestehen und dich für meine Schwäche um Verzeihung bitten. Wenn ich gewusst hätte, wo du bist – ich hätte es ihnen gesagt.«

Paolo drückte seiner Schwester einen Kuss auf die Stirn. Er nahm sie an der Hand und führte sie zu Rossana; dann umarmte er sie beide. »Ich wäre mit Freuden gestorben, um euch zu retten.«

»Aber du hättest sie nicht retten können«, sagte ich schonungslos.

»Wie kannst du das wissen, Matteo?«, fragte mich Elisabetta.

»Ich habe die letzten Wochen in Gesellschaft von Menschen wie diesen zugebracht. Wahrscheinlich wisst ihr noch nicht, was sich in Senigallia zugetragen hat. Dort hat Il Valentino seine Hauptleute kaltblütig ermordet. Der Borgia tat so, als wolle er ihnen verzeihen und mit ihnen verhandeln. Dann ließ er sie erdrosseln. Danach haben seine Soldaten in der Stadt gewütet und unvorstellbare Grausamkeiten begangen.«

Elisabetta schauderte. »Aber diese Männer sahen nicht wie Soldaten, sondern wie gemeine Banditen aus. Und sie schienen sehr beunruhigt, weil sie nicht fanden, was sie suchten. Sie sagten, ihr Anführer würde wütend werden, wenn sie mit leeren Händen zurückkehrten.«

Bei diesen Worten stieg die Angst in mir hoch. Ich kannte den Anführer, er wäre noch viel rücksichtsloser vorgegangen. Er hätte die Mädchen nicht am Leben gelassen. Und wenn die Männer ihm davon berichteten, würde er sich nicht mit diesem Ergebnis zufrieden geben. Er würde kommen und selbst suchen.

Unser Vorsprung betrug nur wenige Stunden.

In diesem Augenblick rief von der Turmspitze herab ein Wachtelkönig. Wir rannten zu den Zinnen. Von hier aus konnte man bis weit hinter die Brücke sehen. In der Ferne näherte sich eine Gruppe Berittener.

Vor ihnen galoppierte ein einzelner Reiter. Bei seinem Anblick lief es mir kalt den Rücken hinunter.

Es war Sandino.

KAPITEL 24

Paolo wäre nach draußen gestürmt, hätte ich ihm nicht den Weg versperrt.

»Warte«, sagte ich. Und als er protestierte, fügte ich hinzu: »Denk an deine Schwestern.«

»Warum kommen sie zurück?«, flüsterte Elisabetta.

»Vermutlich, weil sie nicht gefunden haben, wonach sie suchten«, sagte Paolo.

»Aber wir haben nichts, kein Geschirr, kein Silber, keinen kostbaren Schmuck.«

Rossana hatte zu zittern begonnen.

»Wir müssen weg von hier«, sagte ich zu Paolo, »und deine Schwestern in Sicherheit bringen.«

»Wohin sollen wir gehen?« Elisabetta sah sich verzweifelt um. »Es gibt nur einen Weg. Wenn wir fliehen, erwischen sie uns.«

»Wir werden etwas anderes tun.« Ich hatte Rossana schon am Arm gepackt und rannte mit ihr zur Tür hinaus, die beiden anderen folgten mir. »Wir müssen die Schlucht hinunterklettern.«

»Das ist unmöglich!«, rief Paolo. »Als kleiner Junge habe ich das versucht und bin nicht weit gekommen.«

Inzwischen waren wir auf der anderen Seite der Burg angelangt. Hier war ein kleiner Felsvorsprung, dahinter fiel die Schlucht steil ab.

»Wir haben keine andere Möglichkeit«, beharrte ich. »Hört doch, sie sind schon am Tor.«

Wir verstummten.

In der klaren Winterluft hörte ich die Stimme, die mir so schrecklich bekannt war. »Ihr wart viel zu voreilig, den alten Mann umzubringen«, bellte Sandino wütend. »Er hätte euch den Jungen herausgegeben, um die Mädchen zu retten.«

»Was ist mit dem Geheimversteck, von dem du gesprochen hast?«, fragte einer der Männer.

»Ich habe erst vor kurzem erfahren, dass der Borgia in seinen Festungen Geheimkammern bauen ließ, sodass er immer einen Ort hat, an dem er sich verstecken kann. Ich weiß nicht, wo das Versteck auf dieser Burg ist. Aber das spielt keine Rolle. Wir werden hier ein Lager aufschlagen, und wenn der Junge noch da ist, wird ihn der Hunger beizeiten aus seinem Loch treiben. Ich kann warten, ich habe schon sehr lange gewartet.«

Ich beugte mich zu Paolo und flüsterte ihm ins Ohr: »Wir müssen schleunigst da hinunter.«

Er schüttelte den Kopf und flüsterte zurück: »Das ist unmöglich.«

Dann sagte Elisabetta mit leiser, aber fester Stimme: »Wir haben keine andere Wahl.«

Ich ging als Erster.

Ich kletterte über den Felsvorsprung, hielt mich fest und tastete nach einer Stelle, an der ich stehen konnte. Als Nächste kam Elisabetta. Ich führte ihren Fuß dorthin, wo sie sicheren Tritt hatte, und sie tat mit Rossana das Gleiche. Paolo, der sich das Schwert seines Vaters auf den Rücken geschnallt hatte, stieg als Letzter ab.

Als wir ein kleines Stück abwärts geklettert waren, fanden wir einen Vorsprung, auf dem wir uns ausruhen konnten. Elisabetta zitterte am ganzen Körper. Rossana schien ihr Schicksal gleichgültig zu sein. Der Unterschied zwischen beiden war der Unterschied zwischen jemandem, der leben wollte, und jemandem, der sich aufgegeben hatte.

»Lasst uns weitergehen«, sagte ich.

Elisabetta spähte über den Felsvorsprung und zuckte zurück. »Können wir nicht noch ein bisschen länger ausruhen?«

»Nein«, antwortete ich, denn ich fürchtete, wenn wir blieben, würden wir vollends den Mut verlieren.

»Dieser Fels hängt über, Matteo«, gab Paolo zu bedenken. »Es wird sehr schwierig für meine Schwestern, über ihn hinwegzuklettern.«

»Ich weiß, Paolo. Aber wenn wir das geschafft haben, kann man uns von der Burg aus nicht mehr sehen, bis wir am Fuß der Schlucht angelangt sind.«

Ich kroch bis zum Felsrand. »Versucht, nicht in die Tiefe zu schauen.«

Ich rutschte weiter auf den gähnenden Abgrund zu. Der Wind beutelte mich. Meine Wange war ganz dicht an der Felswand. Sogar im tiefsten Winter wuchsen in den Steinritzen kleine Blumen. Ein Kieselstein, der oben losgetreten worden war, schlug mir gegen die Stirn. Irgendjemand stand auf der Burgmauer und schaute herab.

Ich drückte mich ganz dicht an den Felsen. Neben mir plätscherte ein kleines Rinnsal. Jetzt verstand ich: Dort oben stand ein Mann, der sich gerade entleerte. Ich schöpfte neue Hoffnung. Sie dachten sicher nicht im Traum daran, dass jemand auf diesem Weg entkommen könnte, sonst würde stattdessen jetzt heißes Pech auf meinen Kopf tropfen!

Ich wartete ab. Nach einer Weile nahm ich meinen Dolch und scharrte Erde zwischen den Felsspalten heraus. Dann kratzte ich mit den Fingernägeln weiter. Ich hatte schon so lange in dieser Haltung ausgeharrt, dass meine verkrampften Beine zu zittern begannen. Ein Gedanke schoss mir durch den Kopf: Wenn ich jetzt abstürzte, waren auch die anderen verloren.

Meine Hände waren rutschig vom Schweiß, aber die Sonne neigte sich im Westen bereits wieder dem Horizont zu, und ihr Licht drang schon nicht mehr bis in die hintersten Winkel der Schlucht. Meine Beine baumelten über dem Abhang, und ich suchte nach einem Platz, auf dem ich stehen konnte. Ich tastete mit den Stiefelspitzen, bis ich einen Widerstand fühlte.

Nun war Elisabetta an der Reihe.

Es gelang mir, einige Vertiefungen in die Felswand zu graben und einen Stein so weit freizulegen, dass sie sich daran festhalten konnte. Elisabetta war leichter als ich und gelenkiger. Sie schwang sich behände über den Abhang nach unten und stand neben mir an der Felswand.

»Gut gemacht«, keuchte ich.

Ihr Mund verzog sich zu der Andeutung eines Lächelns. Plötzlich fegte ein heftiger Windstoß durch die Schlucht und neben ihrem Kopf flog ein aufgescheuchter Vogel davon. Elisabetta verlor den Halt. Und fiel.

Ihr Schrei war kaum mehr als ein Flüstern, so als ob sie laut schreien wollte, aber genau wusste, was passieren würde, wenn sie es tat.

»Mama!«, hörte ich sie hervorstoßen.

Ich fasste nach ihr. Und griff ins Leere.

Nein, nicht völlig ins Leere. Ein Stück ihres Umhangs verfing sich in meinen Fingern. Ich packte zu und schloss die Faust.

Vor Entsetzen stöhnte sie auf, packte aber ebenfalls nach ihrem Umhang. Es konnte nur Sekunden dauern, ehe der Stoff riss.

»Halte dich an meiner Hüfte fest, Elisabetta!«

»Ich kann nicht«, keuchte sie.

»Dann halte dich an meinen Beinen fest, an meinen Füßen, irgendwo!«

»Wir werden beide abstürzen, Matteo.« Ihre Stimme klang wie die eines Menschen, der schon aufgegeben hat.

»Das werden wir nicht. Ich habe einen festen Stand hier. Los, versuch es«, schrie ich sie an, als sie zögerte.

Ich spürte ihre schmalen Hände um meine Knöchel.

Aber ich hatte gelogen. Ich stand nicht sicher.

Der Felsbrocken, an dem ich mich festhielt, lockerte sich. Um ihn herum fing die Erde an zu bröckeln. Ich hörte, wie kleine Steinchen herabfielen.

»Such nach einem Halt!«, drängte ich sie. Ich hörte, wie unter mir Füße scharrten.

»Ich habe einen Stand gefunden.« Das Gewicht, das mich nach unten zog, ließ etwas nach. »Hier ist ein winziger Vorsprung, gerade groß genug, um die Füße darauf zu stellen.«

So verharrten wir eine Weile, und ich überlegte, was jetzt zu tun sei. Ich wusste: Dort, wo meine Füße standen, war nicht genug Platz für Elisabetta, um sich mit den Händen festzuhalten. Sie musste das auch schon bemerkt haben.

Da tauchte Paolos Kopf direkt über mir auf. Er streckte beide Arme nach mir aus. »Gib mir deine Hand, Matteo.«

Ich schüttelte den Kopf. »Du bist zwar größer und stärker als ich, Paolo. Aber Elisabetta und ich sind zu zweit, wir werden dich herabziehen.«

»Ich habe meine Gürtelschnalle in der Felswand verklemmt und Rossana dort angebunden. Sie lehnt mit dem Rücken am Felsen hinter mir und hält mich am Fuß fest. Sie lässt bestimmt nicht los.«

»Wenn es dir nicht gelingt, mich hochzuziehen, dann wird sie auch sterben.«

Schweigen. Dann sagte Paolo: »Dann ist es eben so.«

»Paolo hat Recht.« Elisabettas Stimme kam von irgendwo unten. »Dann sterben wir zusammen, Matteo. Dann ist es Gottes Wille.«

Ich streckte Paolo meine freie Hand entgegen. Er beugte sich so weit es ging zu mir und ich streckte mich zu ihm hoch. Wenn wir überhaupt Erfolg haben wollten, dann musste er es schaffen, mich am Handgelenk zu fassen. Aber zwischen unseren Fingerspitzen klaffte eine zwei Hand breite Lücke. Ich hörte, wie er enttäuscht aufschluchzte.

»Lass uns noch mal überlegen«, sagte ich.

Mit einem Mal fiel mir ein, dass es noch einen anderen Weg gab, um diesen Felsüberhang zu bezwingen. Es kam nur darauf an, wie mutig Elisabetta war.

»Hör mir zu, Elisabetta«, flüsterte ich. »Stehst du sicher?«

»Ja, ich bin auf einer winzigen Felsnase.«

»Elisabetta, ich werde jetzt über dich hinwegklettern. Ich werde zuerst einen Fuß von der Stelle nehmen, dann musst du dich mit der Hand an dieser Stelle festhalten. Hast du das verstanden?«

»Ja, Matteo.«

»Ich werde den Fuß auf deine Schulter stellen müssen. Glaubst du, du wirst mein Gewicht ein oder zwei Augenblicke tragen können, bis ich neben dir auf dem Felsvorsprung stehe?«

»Ja, Matteo«, sagte sie, diesmal entschlossener. Ich spürte, wie sie ihren Körper anspannte.

Ich rief Paolo leise zu: »Lass deinen Gürtel am Felsen festgemacht. Wenn Elisabetta und ich auf dem Vorsprung stehen, kannst du versuchen, dich mit Rossana zu uns abzuseilen.«

Als die Sonne unterging, erreichten wir endlich die Talsohle. Wir waren unterhalb der Stelle, wo sich weit oben die Kapelle befand.

Paolo nahm mich zur Seite. »Ich muss gehen und mich selbst überzeugen, dass meine Mutter und Dario wirklich tot sind«, sagte er.

»Ich komme mit dir.«

Donna Fortunata hatte sich das Genick gebrochen. Sie hatte den kleinen Dario im Fallen offensichtlich losgelassen, denn sein Leichnam lag etwas abseits. Paolo beugte sich nieder, um ihn aufzuheben.

»Lass ihn«, sagte ich.

»Ich möchte ihn zu meiner Mutter legen.«

»Wenn du ihn von der Stelle bewegst, wissen die Männer dort oben sofort, dass wir hier entlang gekommen sind.«

Er fing an zu weinen. »Missgönnt man meiner Mutter noch im Tod den Trost, ihr Kind in den Armen zu halten?«

»Paolo, es geht nicht anders.«

Er bückte sich und küsste seine Mutter. »Ich werde euch rächen, das verspreche ich.«

Ich zog ihn fort. Wenn ich Recht hatte, blieb uns nur ein Tag, vielleicht auch weniger, bis Sandino unsere Spur gefunden hatte. Dann würde er uns jagen. Und er würde uns finden.

KAPITEL 25

Ich nahm das Geld von Felipe und bestach einen Schiffer, der seinen Kahn für die Nacht einige Meilen südlich am Fluss festgemacht hatte.

Es waren gewalttätige Zeiten und Flüchtlinge waren kein ungewohnter Anblick auf den Straßen und Flüssen. Doch dem Mann musste zwangsläufig der außergewöhnliche Zustand auffallen, in dem sich die Mädchen, besonders Rossana, befand. Mir war klar, dass mein Geld nicht ausreichte, um uns damit sein Schweigen zu erkaufen. Sobald sich Sandino und seine Leute in der Gegend umhörten, würde er plaudern – entweder, um noch mehr Geld zu bekommen, oder aus Angst um sein Leben.

Rossana war wie erstarrt. Sie klagte nicht, aber ihr Blick wurde immer verwirrter, so als gehöre ihr Geist nicht mehr zu ihrem Körper.

Mir fiel nur ein Ort ein, an den ich sie bringen konnte.

So klopfte ich wieder einmal bei Nacht an die Tore des Leichenhauses im Spital von Averno.

Der Pförtner erkannte mich wieder und ließ uns in den Innenhof. Der Mönch, Bruder Benedikt, begrüßte mich zurückhaltend. »Was führt dich heute Abend hierher?«, fragte er mich.

»Pater, wir brauchen Eure Hilfe.«

Der Mönch musterte Rossana, Elisabetta und Paolo, dann betrachtete er wiederum mich.

»Ich sehe, dass deinen Begleitern Schlimmes zugestoßen ist. Wer sind diese Kinder?«

»Sie gehören zur Familie dell'Orte aus Perela. Ihre Eltern und ihr kleiner Bruder sind auf schändlichste Weise ermordet worden.«

Bruder Benedikt wandte sich an Paolo. »Ich habe deinen Vater und deine Mutter gekannt. In jedem Herbst schickten sie dem Hospiz einen Teil ihrer Ernte. Dein Vater war ein sehr großzügiger Herr und deine Mutter eine mildtätige Dame.«

Ich sah, wie Elisabettas Lippen zu zittern begannen, als der Mönch von ihren Eltern sprach. Rossana hingegen schien nicht zu verstehen, was er sagte. Bruder Benedikt runzelte die Stirn, als er sie ansah.

»Was hat man diesem Kind angetan?«

Keiner antwortete. Schließlich sagte ich: »Die Soldaten Il Valentinos griffen die Burg ihres Vaters in Perela an und stürmten sie. Die Frauen haben in der Kapelle Schutz gesucht, doch es war vergebens.«

»Und jetzt seid ihr hierhergekommen?«

»Bruder Benedikt«, sagte ich, »ich wusste nicht, wo wir sonst hätten hingehen können.«

Noch ehe der Mönch etwas erwidern konnte, pochte jemand heftig gegen das Eingangstor.

»Macht auf da drinnen! Wir kommen im Auftrag von Il Valentino. Im Namen Cesare Borgias, öffnet das Tor!«

KAPITEL 26

Paolo zog seines Vaters Schwert. »Endlich stehe ich diesen Mördern von Angesicht zu Angesicht gegenüber!«, rief er.

»Still!«, befahl Bruder Benedikt in scharfem Ton. »Steck deine Waffe weg. Hier ist ein gottgeweihter Ort und eine Stätte der Vergebung.«

»Ich werde Rache nehmen für das Unrecht, das meiner Familie angetan wurde.«

»Sie werden dich auf der Stelle erschlagen – und das ohne mit der Wimper zu zucken.«

»Aber bevor ich sterbe, werde ich einen von ihnen töten.«

»Und was wird aus deinen Schwestern?«, fragte Bruder Benedikt. »Welches Schicksal wartet dann auf sie? Und die Mönche? Und die Kranken, die ich pflege? Wenn dich die Soldaten hier finden, werden sie niemanden hier im Spital am Leben lassen.«

Der Mönch winkte den Pförtner zu sich. Hastig redete er auf ihn ein und bat ihn, die Soldaten so lange wie möglich aufzuhalten. Er schärfte ihm ein, zu behaupten, dass niemand in dieser Nacht das Tor passiert habe. »Auch wenn diese Bewaffneten die Farben der Borgia tragen, darfst du ihnen keine Auskunft geben.«

Der Pförtner rollte mit den Augen wie ein scheuendes Pferd.

Der Mönch legte ihm die Hand auf die Schulter. »Ercole, was du tust, ist rechtens. Ich befehle dir diese Lüge. Die Männer da draußen wollen diesen Kindern Böses antun… Sie haben ihnen bereits Böses angetan.« Seine Stimme wurde milder. »Erinnere dich an dein früheres Leben. Du weißt, wie schrecklich es ist, wenn man unter Willkür leidet. Wir dürfen nicht zulassen, dass dergleichen wieder geschieht. Du musst mir helfen, diese Kinder zu beschützen. Nicht jeder Mensch hat die Gelegenheit, eine Heldentat zu vollbringen, aber du bist jetzt dazu aufgerufen.«

Die Worte Bruder Benedikts schienen den Pförtner zu beruhigen. Der Mönch blickte ihm fest in die Augen. Dann hob er die Hand und schlug ein Kreuzzeichen auf dessen Stirn. »Ego te absolvo«, sagte er ruhig. »Wir alle müssen irgendwann einmal sterben, Ercole. Wenn es nun für dich an der Zeit ist, dann wirst du deinem Schöpfer mit der reinen Seele eines Märtyrers gegenübertreten.«

Ein seltsamer Ausdruck trat in das Gesicht des Mannes und er senkte den Kopf.

Ich sah dem Pförtner nach, wie er zur Tür ging. War er

wirklich willens, sein eigenes Leben unseretwegen zu opfern?

Paolo mussten ähnliche Gedanken durch den Kopf geschossen sein. »Sagt ihm, dass ich ihm die Kehle durchschneide, wenn er nur ein Wort sagt.«

»Das werde ich nicht tun«, erwiderte der Mönch. »Ercole ist ein aufrichtiger Freund des Spitals. Ich habe ihn vor vielen Jahren aus den Händen eines grausamen und jähzornigen Herrn befreit, als er selbst noch ein Kind war. Er wird tun, worum ich ihn gebeten habe.«

»Sobald er den Soldaten gegenübersteht, wird er uns verraten«, beharrte Paolo.

»Ich vertraue ihm.« Bruder Benedikt lächelte uns an. »Sein Herz ist voller Liebe und Liebe ist sehr stark.«

Wie konnte der Mönch in dieser Lage noch lächeln? Auch er würde einen schrecklichen Tod sterben, wenn herauskäme, dass er Flüchtlinge vor den Borgia versteckte.

Der Lärm am äußeren Tor wurde stärker. Es klang, als würden die Männer auf der Straße mit Äxten und Speeren auf die Tür einschlagen.

»Haltet ein! Ich komme! Ich komme!«, hörten wir Ercole rufen, doch er lief deswegen nicht schneller.

»Ich muss ein Versteck für euch finden«, rief nun Bruder Benedikt. »Kommt mit.« Er zog Paolo unsanft am Arm mit sich. »Gürte dein Schwert ab. Jetzt ist nicht die Zeit für Rache.«

Wir folgten dem Mönch ins Spital.

»Sie werden das ganze Gebäude durchsuchen, jeden Schrank und jede Abstellkammer. Ich dachte, ich könnte euch als Kranke verkleiden, aber ihr seid zu viert und …« Er blickte Rossana an. »Ich befürchte, ihr würdet es nicht überstehen, wenn man euch einer genaueren Prüfung unterzieht.«

»Bringt uns in die Kapelle«, sagte Paolo. »Aus Ehrfurcht vor der geweihten Erde werden sie diesen Ort nicht schänden.«

»In Perela hat das auch nichts genützt«, erinnerte ihn Elisabetta. »Sie haben unsere Mutter in den Tod getrieben und uns Gewalt angetan.«

Der Mönch schaute kurz zu ihr, dann zu mir.

»Es ist wahr«, bestätigte ich. »Sie haben die abscheulichsten Taten im Angesicht des Allerheiligsten verübt.«

Der Priester hielt den Atem an. »Welche Söldner sind das? Was für ein Schurke muss man sein, um so etwas zu tun?«

»Deshalb will ich auch kämpfen«, sagte Paolo.

»Gibt es denn keinen Ort, an dem wir sicher sind?« Elisabettas Stimme zitterte.

»Seid still«, sagte der Mönch. »Es muss einen anderen Weg geben, diese Nacht mit Gottes Willen zu überleben.«

Er nahm eine Fackel von der Wand und führte uns ins Leichenhaus. Vorbei an dem Ort, an dem er und die barmherzigen Schwestern die Leichen aufgebahrt und für die Bestattung vorbereitet hatten. Vorbei an der kleinen Kammer, die er meinem Meister für die Sektion überlassen hatte. Am Ende des Ganges stiegen wir ein paar Treppen hinab. Dort befand sich eine Tür. Sie war mit einem Eisenriegel verschlossen.

»Helft mir«, sagte der Mönch.

Er und Paolo packten den schweren Riegel und schoben ihn zur Seite. Dann ließ uns Bruder Benedikt eintreten.

Im Schein der Fackel zeichneten sich unsere Schatten riesengroß an der Wand und der niedrigen, gewölbten Decke des fensterlosen Raumes ab. Leichen lagen in dieser Kammer, ungefähr ein Dutzend, zusammengepfercht auf hölzernen Tischen. Die Körper waren in Laken eingehüllt und ein beißender Geruch nach Ammoniak lag in der Luft.

»Was ist das für ein Ort?«, fragte Elisabetta erschrocken.

Der Mönch zögerte einen Augenblick. »Ein weiterer Raum zur Aufbahrung«, erklärte er dann.

»Aber warum verwahrt man diese Toten hinter Schloss und Riegel?«

»Sie sind hier, weil …« Der Mönch stockte. »Weil es sich um besondere Fälle handelt. Wir warten noch auf die Erlaubnis, sie zu beerdigen.« Er ging schnell weiter, als er bemerkte, dass auch Paolo ihm Fragen stellen wollte. »Jeder von euch versteckt sich unter einem Leichentuch und legt sich auf die Seite, ganz dicht an den Leichnam, der daliegt. Ich denke, es ist am besten, wenn ihr euch verkehrt herum, mit dem Kopf zu Füßen der Toten legt. Ich werde euch zudecken und dann die Tür hinter mir versperren. Eure Verfolger werden höchstwahrscheinlich verlangen, dass diese Tür geöffnet wird, werden möglicherweise sogar hereinkommen, obwohl ich versuchen werde, sie abzuhalten. Wenn das geschieht, versucht, so still wie möglich zu liegen. Wenn ihr nur das kleinste Geräusch von euch gebt, sind wir alle des Todes.«

Rossana zitterte am ganzen Körper. Kraftlos ließ sie sich gegen ihre Schwester sinken.

»Ich weiß, dass ihr das schaffen werdet«, sagte Bruder Benedikt. Er blickte Elisabetta in die Augen. »Sag deiner

Schwester, dass sie stark sein muss. Betet zur Heiligen Jungfrau, dass sie euch beschützt.«

Ich sah, dass ich den Anfang machen musste, sonst würden die anderen seiner Aufforderung nicht nachkommen. Paolo war noch immer enttäuscht und zornig, die Mädchen waren einer Ohnmacht nahe, teils aus Angst, teils aus Ekel. Ich schlug das Tuch über einem Leichnam zurück. Es war ein alter Mann, gekleidet in das Gewand eines Schiffers.

»Elisabetta«, sagte ich, »schließ die Augen. Ich werde dir helfen.«

Ihr Blick verriet ihr Entsetzen.

»Ich flehe dich an«, flüsterte ich. »Uns bleibt ganz wenig Zeit.«

Sie schloss die Augen. Ich nahm sie in die Arme und legte sie neben den alten Mann. Sie stieß einen leisen Schrei aus und biss sich dann auf die Lippe.

»Dreh dich zur Seite. Lege dein Gesicht ganz dicht an seine Füße und drücke dich ganz dicht an ihn. Du bist so zierlich, dass es kaum auffällt.«

Sie tat, wie ich es ihr sagte. Und dabei schaute sie mich mit so viel Vertrauen an, dass ich sie am liebsten geküsst hätte.

Ich deckte sie mit dem Leinentuch zu. »Bruder Benedikt hat Recht«, sagte ich. »Niemand käme auf die Idee, dass Elisabetta unter diesem Tuch verborgen ist. Wenn wir uns verstecken, können wir ihnen entkommen.«

Jetzt musste Paolo nicht mehr überredet werden. Er zog die Decke von dem Leichnam, der gleich daneben lag, und half Rossana hochzuklettern und sich hinzulegen. Sie legte sich ohne Murren nieder und ließ sich zudecken.

»Da liegt ein Kind. Hier in der Ecke.« Der Mönch zeigte Paolo einen Platz, an dem ein kleinerer Körper lag. »Leg dich daneben. Unter diesem Laken ist mehr Platz.« Er half Paolo, dann kam er zu mir.

Ich hatte schon einen Platz gefunden, an dem ich mich verstecken konnte, und kletterte auf den Tisch. Ich schaute nicht, ob der Mensch neben mir ein Mann, eine Frau oder ein Kind war.

»Gut so.« Bruder Benedikt zog mein Laken zurecht. »Ich muss zurückgehen und so tun, als wäre ich im großen Leichenhaus beschäftigt. Wenn diese Leute ins Spital kommen, soll es so aussehen, als hätten sie mich bei meiner Arbeit gestört. Rührt euch nicht, bis ich allein zurückkehre und euch sage, dass alles in Ordnung ist und ihr aufstehen könnt.«

Ich hörte das Klappern seiner Sandalen, dann das Quietschen der Türangeln. Leise sagte er: »Nur Mut, Kinder. Möge Gott euch beistehen.«

Dann hörte man, wie der schwere Riegel vor die Tür geschoben wurde.

Danach war nur noch Stille und Finsternis.

Wir waren eingeschlossen.

Wir warteten lange, sehr lange. Dann hörten wir von Ferne ein Geschrei, das immer lauter wurde. Stiefelabsätze knallten auf den Pflastersteinen im Korridor.

»Matteo, ich fürchte mich«, krächzte Elisabetta. Erst später wurde mir bewusst, dass sie mich wie einen großen Bruder gerufen hatte.

»Hab keine Angst.« Ich musste mir Mühe geben, damit meine Stimme nicht bebte.

»Ich zittere so. Sie werden mich bestimmt hören. Ich werde uns alle verraten.«

Ich spürte, wie ihre Furcht mit jeder Sekunde stärker wurde.

»Das wirst du nicht«, sagte ich mit fester Stimme. »Denk daran, was der Mönch gesagt hat. Bete zur Heiligen Jungfrau. Bete einen Rosenkranz.«

»Ich kann nicht. Ich kann nicht denken. Die Worte purzeln in meinem Kopf herum.«

Wie konnte ich ihr helfen, wo mir doch selbst die Angst den Verstand raubte? Falls wir uns verteidigen mussten, wie waren wir bewaffnet, Paolo und ich? Wir hatten ein einziges Schwert, geführt von einem Jungen, der nur wenig älter war als ich selbst, und meinen Dolch, der nur in einem Kampf Mann gegen Mann etwas nützte. Wenn sie uns hier fänden, würden sie nicht viel Federlesens machen. Wir saßen in der Falle.

Draußen war die Stimme des Mönchs zu vernehmen und noch eine zweite, die herrisch und ungeduldig klang.

»Denk an etwas anderes«, riet ich Elisabetta.

»Das kann ich nicht.«

»Du kannst es.« Ich suchte verzweifelt in meinem Gedächtnis nach etwas, um sie abzulenken. »Erinnerst du dich noch, wie wir alle losgezogen sind, um die letzten Beeren unten am Fluss zu sammeln? Paolo und ich sollten das Zaumzeug der Pferde polieren und einen neuen Sattel wachsen. Aber es war sehr heiß an diesem Nachmittag, und während die Erwachsenen Siesta hielten, stahlen wir uns davon und gingen an den Fluss. Erinnerst du dich?«

»Ja«, flüsterte sie.

»Es war einer der letzten warmen Herbsttage«, fuhr ich fort, »und wir schlichen uns über den Stallplatz davon, raus aus der Burg und hinein in die Felder. Du erinnerst dich bestimmt noch daran?«

»Ja«, flüsterte sie.

»Und wir fanden die Stelle, von der du behauptet hast, dass dort Beeren in Hülle und Fülle wachsen. Du und Rossana, ihr habt so viel in euren Schürzen gesammelt, bis die Beeren oben herauskullerten. Und dann mussten wir sie alle aufessen, wir konnten sie ja nicht mit nach Hause nehmen. Schließlich hatten wir Angst, es würde herauskommen, dass wir, anstatt unsere Arbeit zu tun, Beeren gesammelt hatten. Unsere Gesichter waren rot verschmiert. Ich habe ein Tuch genommen, es im Fluss nass gemacht und jeder hat dem anderen den Mund abgewischt.«

»Ich weiß es noch.«

»Denk daran. Nur an das. An nichts anderes.«

Wir hörten, wie der eiserne Riegel vor der Tür knirschend weggeschoben wurde. Der Mönch machte absichtlich so viel Lärm, um uns zu warnen, damit wir uns ruhig verhielten.

Ich hoffte, dass auch Paolo und Rossana mir zugehört hatten. Besonders Paolo, der, wie ich noch immer fürchtete, mit dem Schwert seines Vaters in der Hand aufspringen könnte.

In meiner eigenen Erinnerung tauchte das Bild von Rossana auf, wie sie zwischen den üppigen Beerensträuchern stand. Das Tuch war ihr vom Kopf gerutscht, und ihr Haar, das sie offen darunter trug, hatte sich in den Dornen verfangen. Sie versuchte, es selbst wieder freizubekommen, machte aber alles nur noch schlimmer. Schließlich bat sie mich, ihr zu helfen.

Im Geiste durchlebte ich diese Zeit noch einmal: Rossanas unschuldige Koketterie, als sie mich wegen ihres Missgeschicks anlachte, meine Befangenheit, als ich so dicht neben ihr stand, das gleißende Sonnenlicht, die Wärme in dem engen Tal, ihr seidiges Haar zwischen meinen Fingern. Es war kurz vor dem Fest Mariä Geburt.

An diesem Abend hatte ich der Familie von den großen Feierlichkeiten erzählt, die aus diesem Anlass in den Städten abgehalten wurden. Von den Festen, den Prozessionen auf den Straßen, den Tänzen und den Gauklerspielen. Ihre Eltern hatten beschlossen, ihr eigenes kleines Fest zu feiern. Sie hatten ein Schwein geschlachtet und wir hatten im Burghof gespielt. Die Mädchen hatten die Tracht der Gegend angezogen und Volkstänze getanzt. Wir hatten uns Geschichten erzählt, mein Meister hatte auf der Laute gespielt und dazu gesungen und...

Die Tür flog krachend auf.

KAPITEL 27

Unter der Decke tastete ich mit der Hand nach meinem Dolch.

»Was ist das für ein Ort, Mönch?«

Ich schlug die Augen auf. Durch das Tuch hindurch konnte ich die Umrisse eines Mannes erkennen, der in der Tür stand.

Dann hörte ich die ruhige Stimme Bruder Benedikts. »Wie Ihr seht, ist es ein Leichenhaus.«

»Was für lästerliche Dinge stellt ihr hier an, dass ihr diese Leichen hinter einer verschlossenen Tür versteckt?«

»Euch haben zu viele Zauber- und Hexengeschichten den Kopf verwirrt. Dies hier ist ein Kloster und ein Spital, in dem Kranke gepflegt werden. Hinter diesen Mauern geschieht nichts Verwerfliches.«

»Und weshalb liegen diese Leichen dann hier und nicht bei den anderen?«

»Es müssen erst noch spezielle Vorkehrungen für ihre Bestattung getroffen werden.«

»Welche speziellen Vorkehrungen?«

Die Schritte kamen näher. Mein Hals war wie zugeschnürt. Ich öffnete den Mund, um besser atmen zu können. Der Mönch hustete.

Ein leises Rascheln. Der Mann hatte das Laken über der Leiche, die der Tür am nächsten lag, weggezogen. »Diese Frau trägt keine vornehme Kleidung, sondern die einer Bäuerin«, verkündete er. »Welche speziellen Vorkehrungen sollten für sie wohl erforderlich sein? Warum wurde sie weggesperrt? Leichen müssen spätestens drei Tage nach dem Tod beerdigt werden. So will es das Gesetz.«

»Auf persönlichen Befehl Cesare Borgias liegen diese Leichen hier so lange, bis sie von freiwilligen Totengräbern bestattet werden.« Bruder Benedikts Stimme war schärfer geworden. »Ich rate Euch, nicht weiter nachzuforschen, was diese armen Unglückseligen betrifft«, sagte er entschieden.

»Warum? Was versteckt Ihr hier, Mönch?«

»Der Raum ist klein. Ihr könnt euch ungehindert umschauen. Hier sind nur Tote, sonst nichts.«

»Dann kommt und zeigt es mir.«

»Ich betrete diesen Raum nur, wenn es unbedingt nötig ist. Wie Ihr seht, trage ich Handschuhe. Zum Glück habt Ihr die Leiche nicht richtig angefasst.«

Jetzt zögerte der Mann. »Was ... was soll das heißen? Weshalb bleibt Ihr am Eingang stehen?«

»Weil dies kein Platz ist, an dem man unnötig verweilen sollte.« Der Mönch sprach sehr bedächtig. »Die letzte Krankheit dieser bedauernswerten Menschen war so, dass ich die Luft, die sie umgibt, nicht mehr als unbedingt nötig einatmen möchte.«

»Ihre Krankheit? Welche Krankheit? Woran sind sie gestorben?«

»Diese armen Seelen wurden von der Geißel der Menschheit dahingerafft«, erklärte Bruder Benedikt ruhig. »Es ist ein fürchterlicher Tod, wenn man der Pest zum Opfer fällt.«

Der Mann stieß einen lauten Schrei aus und stürzte hinaus. Seine nächsten Worte waren erst kaum verständlich. Er schien sich die Hand vor den Mund zu halten. »Die Pest? Was sagt Ihr? Wütet die Pest hier?«

»Leider ja. Diese Prüfung wurde uns auferlegt und wir müssen ihr mit Buße und Gebet begegnen.«

»Bleibt mir vom Leib, Höllenpriester! Ihr hättet es der Obrigkeit mitteilen müssen.«

»Das habe ich getan. Der Magistrat der Stadt wurde unverzüglich davon in Kenntnis gesetzt, so wie es vorgeschrieben ist. Aber Euer Herr, Cesare Borgia, hat Stillschweigen befohlen. Auf seinen ausdrücklichen Befehl hin wurde jede öffentliche Bekanntmachung verboten. Er wollte nicht, dass die Menschen aus dieser Gegend fliehen, während er einen Feldzug führt. Die Straßen wären dann mit Flüchtlingen verstopft, aber er möchte sie frei halten, damit seine Truppen schnell von Ort zu Ort vorrücken können. Uns hat man befohlen, alle Pestopfer in einem eigenen Raum wegzusperren und sie dann in aller Stille zu begraben, um Mitternacht und weit weg von den Stadtmauern. Niemand darf von dieser Krankheit wissen. Auch Ihr tätet gut daran, diesem Befehl zu gehorchen.«

»Verschließt sofort diese Tür!«

»Ich komme Eurer Bitte gerne nach.«

Die Tür fiel ins Schloss, der Riegel wurde vorgeschoben und dann entfernten sich die Schritte.

Nach meiner Schätzung vergingen mehr als zwei Stunden, ehe wir hörten, wie der Riegel geöffnet wurde.

»Das war eine gute Finte, Bruder Benedikt«, sagte Paolo anerkennend, als der Mönch uns wieder in den Haupttrakt des Spitals führte. »So zu tun, als seien diese Leute an der Pest gestorben und so die Soldaten wegzuscheuchen.«

Der Mönch hatte uns in eine kleine, leere Kammer geführt und die Tür hinter sich geschlossen. Er stellte sich vor uns hin.

»Paolo«, sagte er ernst, »ihr alle, hört mir zu. Das war keine Ausrede. Ich habe nicht gelogen. Die Menschen, neben denen ihr gelegen habt, sind tatsächlich an der Pest gestorben.«

Paolo riss den Mund vor Entsetzen weit auf.

Elisabetta musste Rosanna stützen. »Pesttote!«, keuchte sie. »Wir haben neben Pesttoten gelegen!«

»Es war der einzige Ort, von dem ich glaubte, dass ihn die Soldaten nicht gründlich durchsuchen würden. Sie haben im ganzen Spital gewütet, haben Schränke umgestoßen, mit ihren Lanzen in Kamine gestochen, Kranke aus ihren Betten geworfen, um darunter suchen zu können. Dieses Versteck hat euer Leben gerettet... jedenfalls im Augenblick.«

Paolo fuhr sich mit der Hand über die Augen. »Wir sind einer Todesgefahr entronnen, um in die nächste zu stürzen.«

»Vielleicht«, sagte der Mönch ruhig. »Wir wissen nicht genau, wie diese Seuche übertragen wird. Vielleicht fliegt der Engel des Todes an euch vorbei, und ihr bleibt unversehrt, wie es schon des Öfteren vorgekommen ist. Aber jetzt dürfen wir keine Zeit verlieren.« Er gab mir und Paolo einen kleinen Sack. »Ich kann euch nur ein Stück Brot auf eure Reise mitgeben, denn wenn ich mehr für euch beschaffe, würde jemand in der Küche aufmerksam werden. Am besten ist es, wenn Ercole und ich die Einzigen bleiben, die von euch wissen.«

»Unsere Reise, Bruder Benedikt?«, fragte Elisabetta. »Ihr schickt uns fort?«

»Ihr müsst sofort aufbrechen. Wenn sie euch nicht in der Stadt finden, dann werden sie zurückkommen und alles erneut auf den Kopf stellen. Dann aber noch gründlicher. Es ist beinahe Mitternacht. Um diese Zeit kommen gutherzige Männer, um die Pesttoten zu begraben. Es ist besser, ihr verlasst uns so schnell wie möglich.«

»Aber wir wissen nicht, wo wir hingehen sollen!«

»Ich werde es euch sagen.« Er kniete sich nieder und zeichnete mit dem Finger eine grobe Skizze auf die Erde. »Ercole wird euch durch einen Tunnel, der zum Fluss führt, aus dem Spital geleiten. Von dort aus geht ihr weiter flussaufwärts.«

»Flussaufwärts?«, sagte Paolo. »Aber von da sind wir gekommen.«

»Ja, und aus diesem Grund seid ihr dort am sichersten. Nach ungefähr einer Meile werdet ihr abbiegen. Das ist nicht der Weg nach Perela, ihr geht dann in Richtung Berge. Ihr werdet einen ganzen Tag auf unwegsamen Pfaden wandern müssen, bevor ihr den Gebirgsort Melte erreicht. Dort ist ein kleiner Nonnenkonvent, in dem ihr Zuflucht finden werdet.«

»Zuflucht.« Elisabetta wiederholte das Wort. »Wenn ich nur glauben könnte, dass das wahr wäre.«

»Du kannst es glauben, mein Kind«, sagte der Priester. »Nun gebt Acht. Ercole kann euch nur bis zum Fluss bringen. Er muss so schnell wie möglich zurückkommen, damit er da ist, wenn die Totengräber kommen oder die Soldaten zurückkehren sollten.« Bruder Benedikt deutete auf die Skizze, die er auf den Boden gezeichnet hatte. »Kennt ihr euch auf der anderen Seite von Averno aus?«

Paolo schüttelte den Kopf.

»Ich schon«, erwiderte ich.

Der Mönch musterte mich einen Augenblick lang. Ich wusste, dass er mich als Diener von Messer da Vinci wiedererkannt hatte, auch wenn er es nicht gesagt hatte.

»Sehr gut. Ich zeige Matteo den Weg zu diesem Konvent. Du musst dir die Zeichnung einprägen, dann werde ich sie wieder wegwischen. Es ist besser, wenn ihr keine Aufzeichnungen bei euch habt. Es ist gefährlich, derlei zu besitzen. Wenn sie in die falschen Hände gelangen, ist das Spital in großer Gefahr. Wenn ihr erst einmal in Melte seid, braucht ihr keine Briefe mehr. Die Mutter Oberin ist meine Schwester. Sagt ihr, dass ich euch geschickt habe. Sie wird euch einlassen.«

»Und wenn sie uns nicht glaubt?«, wandte ich ein.

»Meine liebe Schwester würde vier Kinder nicht wegschicken.«

»Ich bin kein Kind mehr«, sagte Paolo ärgerlich.

»Wahrhaftig«, sagte der Mönch traurig, »das bist du jetzt nicht mehr.«

»Zwei Mädchen nehmen sie vielleicht noch auf, Bruder Benedikt. Aber wenn sie in klösterlicher Abgeschiedenheit leben, dann könnten zwei Jungen, die beinahe erwachsene Männer sind, sie dazu bewegen, uns den Zutritt zu verwehren«, wandte Elisabetta ein.

»Ja, da hast du Recht. Lass mich nachdenken ... Ich werde euch eine Begebenheit aus meiner Kindheit erzählen, die nur meine Schwester und ich kennen. Dann wird sie euch glauben, dass ich euch geschickt habe.« Er machte eine Pause, ehe er fortfuhr. »Erinnert sie daran, dass sie es war, die die Rosen genommen hat, um die Statue der Heiligen Jungfrau zu schmücken, aber dass ich es war, der die Prügel vom Gärtner unseres Vaters einstecken musste.«

»Daran werden wir sie erinnern«, sagte Elisabetta. »Aber sollten wir ihr nicht auch sagen, dass wir mit Pesttoten in Berührung gekommen sind?«

»Ja, das müsst ihr«, sagte der Mönch und nickte. »Vermeidet jeden Kontakt mit anderen, bis ihr mit ihr gesprochen habt, und achtet auf eure Kleidung. Der erste Kranke, der zu uns kam, war ein Lumpensammler. Das könnte ein Fingerzeig gewesen sein, wie sich die Krankheit ausbreitet, denn manche behaupten, dass man sie in den Kleidern trägt. Aber zwei andere, die zu uns kamen, arbeiteten auf einem Lastkahn mit Gütern und Lebensmitteln. Sie behaupteten, dass man von Ratten angesteckt wird. Die Tiere würden die Krankheit verbreiten, wenn sie die Kornsäcke annagen. Warnt meine Schwester, dass ihr vielleicht unrein seid. Gott und ihr eigener Verstand werden ihr eingeben, was sie mit euch machen soll.«

Paolo verbeugte sich. »Im Namen meiner Familie danke ich Euch, Pater, für Eure Hilfe.«

»Ich wünschte, ich könnte mehr für euch tun«, seufzte Bruder Benedikt. »Eure Schwester Rossana braucht ärztliche Hilfe, aber es wäre zu gefährlich, wenn ihr noch länger wartet. Aus welchem Grund verfolgen diese Männer euch so unbarmherzig?«

»Sie sprachen von einem Schatz«, antwortete Elisabetta. »Sie suchten nach einem wertvollen Schatz.«

»Das muss ein Irrtum sein«, sagte Paolo. »Wir besitzen keine Reichtümer.«

»Seid ihr sicher, dass sie das gesagt haben?«, fragte der Mönch.

»Ja.«

»Habt ihr etwas von eurem Familienschmuck mitgenommen, als ihr geflohen seid?«

Paolo lachte rau. »Die Familie dell'Orte besaß weder Juwelen noch kostbares Geschirr, geschweige denn Gold. Mein Vater war sein ganzes Leben lang Soldat. Er lebte und ernährte seine Familie und seine Dienerschaft von den Früchten, die auf den Feldern gediehen.«

»Mir ist klar, weshalb sie dich töten wollten«, fuhr der Mönch fort. »Sie wussten, dass ein Sohn immer danach trachten würde, seine Familie zu rächen, deshalb wäre es ihnen lieber gewesen, sie hätten dich gleich erwischt.

Aber ich verstehe nicht, weshalb sie dich noch immer so hartnäckig verfolgen. Gibt es einen Grund, weshalb sie sich vor dir fürchten müssten? Hast du Verwandte, die du zu den Waffen rufen kannst? Eine Sippe, die für dich kämpft?«

Paolo schüttelte den Kopf. »Ein älterer Bruder meiner Mutter lebt in der Nähe von Mailand, aber ich weiß sehr wenig von ihm. Von Zeit zu Zeit schrieben sich meine Mutter und dieser Onkel Briefe. Ich glaube nicht, dass er sehr wohlhabend ist, geschweige denn, dass er Männer hat, die er zu den Waffen rufen kann.«

»Hier liegt noch manches im Dunkeln«, sagte der Mönch nachdenklich. Er blickte Elisabetta an. »Du sagst, sie haben von einem Schatz gesprochen?«

Elisabetta nickte. »Von einem großen Schatz. Genau diese Worte haben sie gebraucht.«

Bruder Benedikt runzelte die Stirn. Ich sah seinen Gesichtsausdruck, die Falte, die sich zwischen seinen Augen wölbte und die der Meister so gut getroffen hatte, als er ihn am Abend nach unserem ersten Zusammentreffen gezeichnet hatte. Mir wurde heiß. Ich hoffte, dass sich Elisabetta und Paolo nicht mehr so genau an die Worte der Briganten erinnerten.

»Nein, es war anders«, sagte da Elisabetta. »Sie sprachen nicht davon, dass Paolo einen Schatz hätte. Sie sagten, er habe *den Schlüssel* zu einem großen Schatz.«

»Und du weißt gar nichts davon, Paolo?«, fragte ihn der Mönch. »Hatte dein Vater einen Schlüssel, der in eine besondere Truhe passte?«

»In unserem Hausstand gab es keinen Schatz, mein Vater hätte ihn sonst zusammen mit mir versteckt.«

»Hat dein Vater dir keine Anweisungen gegeben, keine Nachricht hinterlassen, dir nichts aufgeschrieben?«

Paolo schüttelte den Kopf. »Ich habe mir schon den Kopf zermartert. Aber da ist nichts.«

»Dein Vater wusste, dass er sehr wahrscheinlich sterben würde.« Zu meiner Beunruhigung begann der Mönch, über das Wenige, das er wusste, nachzugrübeln. »Er bringt seine Frau und seine Kinder in die Kapelle, weil er hofft, dass die Soldaten dieses Heiligtum nicht schänden. Vergebliche Hoffnung bei solchen Barbaren! Und er versteckt seinen ältesten Sohn, weil er weiß, dass der Junge alt genug ist, um ebenfalls getötet zu werden.« Bruder Benedikt heftete seine klugen Augen auf Paolo. »Wenn es einen Schatz gäbe, dein Vater hätte dir doch gewiss davon erzählt, nicht wahr?«

»Er hat nichts davon gesagt«, bekräftigte Paolo. »Er trug mir nur auf, mich um meine Mutter und meinen Bruder«, Paolos Stimme zitterte ein wenig, »und meine Schwestern zu kümmern. Und dass ich danach streben sollte, meine Ehre zu bewahren.«

Der Mönch wandte sich erneut an Elisabetta. »Sag mir nochmals, was du gehört hast.«

Elisabetta überlegte kurz, ehe sie antwortete. »Sie sagten: ›Wir müssen den Jungen finden. Er hat den Schlüssel zum Schatz‹.«

Der Mönch zog seine Stirn noch mehr in Falten. »Haben sie Paolo beim Namen genannt?«

Mein Magen verkrampfte sich vor Angst. Jetzt würde alles herauskommen. Der Mönch war zu klug, um den Riss nicht zu erkennen, der sich durch die Geschichte zog.

»Soweit ich mich erinnere …«, begann Elisabetta, aber da ging die Tür auf und Ercole trat ein. In einer Hand hielt er eine Laterne, in der anderen Hand eine Eisenstange.

»Im Spital ist alles wieder ruhig und die Straßen draußen sind leer. Wir sollten aufbrechen, solange es noch möglich ist.«

Der Mönch trat zur Seite und ließ uns den Vortritt. »Folgt jetzt Ercole und tut, was er sagt.« Als wir einer nach dem anderen hinausgingen, legte er mir die Hand auf die Schulter. »Möchtest du, dass ich deinem Meister eine Botschaft schicke und ihm mitteile, dass du in Schwierigkeiten bist und seine Hilfe brauchst?«

»Nein«, erwiderte ich. »Wir haben verabredet, dass wir uns in Florenz treffen, und darauf hoffe ich auch jetzt noch. Er stand in den Diensten der Borgia. Es wird heißen, Hauptmann dell'Orte habe Il Valentino beleidigt und dieser habe sich an ihm und seiner Familie gerächt. Deshalb ist es am besten, wenn Meister Leonardo nichts davon erfährt. Ich werde die drei Geschwister zum Konvent in Melte bringen und dann meinen Weg nach Florenz fortsetzen.«

»Ja, das ist klug«, stimmte mir der Mönch zu. »Aber wie kommt es, dass du mit dieser Familie in Beziehung stehst, Matteo?«

»Sie haben uns im vergangenen Sommer beherbergt. Ich … ich hörte, dass sie in Gefahr seien, und wollte sie warnen, doch ich kam zu spät.« Ich hatte mir schon gedacht, dass der Mönch mich fragen würde, und mir eine passende Antwort zurechtgelegt. Trotzdem kam ich ins Stottern. Aber er schien mir zu glauben.

»Der Himmel wird dich für deine guten Taten belohnen.«

Er legte mir die Hand auf den Kopf. Ich spürte, wie mein Gesicht vor Scham brannte.

Als wir die Klosterpforte erreicht hatten, verabschiedete er sich von uns und gab jedem seinen Segen.

»Ich werde jetzt in die Kapelle gehen und für euch beten.«

»Das wird wenig gegen Schwerter helfen«, brummte Paolo.

»Wenn ich sterben sollte, wäre dort der Platz, an dem ich am liebsten wäre«, erwiderte der Mönch gelassen. »Und sagt meiner Schwester, dass ich ihr die Schläge, die ich ihretwegen erhielt, schon verziehen habe.« Er strich Paolo über die Wange. »Dein Herz ist voll Bitterkeit. Versuch, etwas Raum für Gottes Gnade darin zu schaffen. Denk daran: ›Die Rache ist mein, so spricht der Herr‹.«

Paolo wartete, bis Bruder Benedikt außer Hörweite war, und stieß dann zwischen den Zähnen hervor: »Und wie der Herr, so spreche auch ich. Das schwöre ich bei der Ehre meiner Familie: Tod ohne jede Gnade all denen, die mir die Meinen raubten.« Paolo zog das Schwert seines Vaters aus der Scheide, hielt es in die Höhe und küsste die Klinge. »Ich schwöre es beim Blut meines Vaters, meiner Mutter und meines Bruders. Ich, Paolo dell'Orte, werde sie rächen.«

KAPITEL 28

Ercole führte uns durch das Spital. Als wir zu den Eingängen der langen Säle kamen, in denen die Kranken schliefen, dunkelte er seine Laterne ab, und wir huschten der Reihe nach weiter. Nur eine kleine geweihte Kerze spendete einen dämmrigen Schein. Alle, die nicht schlafen konnten, würden hoffentlich nur ein paar Schatten irgendwo im Kloster sehen, wenn sie zur Tür blickten.

Wir gingen weiter bis zu den Werkstätten und Nebengebäuden; niedrige Schuppen, die sich im Schatten des Spitals duckten. Hier war auch die Wäscherei mit den Trockengestellen, den großen Waschtrögen und den Abflussrinnen im Boden untergebracht. Auf Steinblöcken standen große Bottiche, unter denen Feuer entzündet werden konnten, um Bettzeug und Wäsche auszukochen. Hinter dem letzten Bottich befand sich eine schmale Wendeltreppe.

Ercole hielt seine Laterne hoch, und wir folgten ihm die Stufen hinab, immer weiter, bis wir, schon halb schwindelig im Kopf, unten ankamen. Wir standen in einem kleinen Raum, in dem sich nichts außer einem großen Rost im steinernen Boden befand. Ercole setzte seine Laterne ab und fasste die Metallstange, die er mitgenommen hatte, mit beiden Händen.

»Was soll dieser Unfug?« Paolo griff nach seinem Schwert. »Hast du uns hierher gebracht, um uns umzubringen?«

Ercole machte sich nicht die Mühe, zu antworten. Er durchquerte den Raum und schob das eine Ende der

Stange unter den Rand des Abdeckgitters. Ächzend hob er das Gitter einen Spalt weit an und versuchte, es beiseitezuschieben.

»Ihr da. Kommt her und helft.« Er schaute Paolo und mich an.

Mit vereinten Kräften gelang es uns, den schweren Rost zur Seite zu wuchten. Unter uns war das Rauschen von fließendem Wasser zu hören.

»Hinunter.« Ercole deutete auf das Loch im Boden. »Ihr alle. Da hinunter.«

»Was ist da unten?«, fragte Paolo.

»Wir sind direkt unter der Wäscherei«, sagte ich. »Das Spital hat sicher einen großen Kanal, um die Waschzuber zu leeren und den Abfall von so vielen Menschen loszuwerden.«

»Heißt das, er führt uns in den Kanal?«, fragte Paolo.

Ercole blieb wortkarg. »Wasser … Fluss«, sagte er knapp.

»Und wenn wir ertrinken?«, fragte Elisabetta.

Ercole schaute sie etwas freundlicher an. Er schüttelte den Kopf. »Das ist ein Weg ins Freie.« Dann zeigte er auf Paolo. »Du zuerst.« Und als dieser zögerte, setzte er hinzu: »Geh. Dann hilf ihnen.«

Paolo schaute mich an. Ich verstand seinen Blick nur zu gut. Er besagte so viel wie: Ich lasse dich mit meinen Schwestern zurück, beschütze du sie vor diesem Grobian.

Ich nickte. Paolo ging zu dem offenstehenden Rost, setzte sich und ließ seine Beine hinabbaumeln. Ercole holte die Laterne und hielt sie in die Höhe. Paolo stützte sich an beiden Seiten ab und ließ sich in die Finsternis gleiten.

»Hier ist ein Tunnel«, rief er gleich darauf von unten.

»Mit einem Steg und genügend Platz an der Seite, um aufrecht stehen zu können. Und es ist trocken, denn er liegt höher als der Wasserspiegel.«

»Komm.« Ercole nahm Rossana bei der Hand, und zu meinem Erstaunen ließ sie es geschehen, dass er sie bis an den Rand der Öffnung führte. »Setz dich.«

Rossana setzte sich nieder. Ercole kniete sich ihr gegenüber auf der anderen Seite der Öffnung. Er streckte ihr die Hände entgegen und sie ergriff sie. Dann hielt er sie am Gelenk fest und Rossana rutschte von der Kante. Wir hörten, wie Paolo von unten heraufrief: »Ich habe sie.«

Elisabetta setzte sich von sich aus an den Rand der Öffnung und Ercole half ihr hinunter.

Dann war ich an der Reihe.

»Kommst du nach«, fragte ich Ercole, »um uns den Weg zu zeigen?«

Er nickte.

Nun musste ich das tun, was den Mädchen zuvor schon so gut gelungen war, aber meine Füße wollten mir nicht gehorchen. Ich zwang mich, auf die Öffnung im Boden, das dunkle Nichts zuzugehen. Ercole beobachtete mich. Ich senkte den Kopf, damit er nicht sah, wie mir die Angst ins Gesicht geschrieben stand. Er streckte seine Hände nach mir aus. Es gelang mir, mich ihm gegenüber hinzuknien. Die Leere begann mich aufzusaugen. Meine Hände, mein Gesicht waren feucht. Ich begann zu zittern.

»Schließ deine Augen«, brummte Ercole. »Gib mir die Hände.«

Ich kniff die Augen zusammen.

Von unten ertönte Elisabettas Stimme, die leise, aber

über dem Rauschen des Wassers vernehmlich sagte: »Hier ist Platz für uns alle, Matteo.«

Mit geschlossenen Augen streckte ich meine Hände aus.

Ich spürte, wie sich Ercoles schwielige Finger um meine Handgelenke legten. Er zog mich fort. Einen entsetzlich langen Augenblick baumelte ich über dem Abgrund. Dann ließ er mich langsam nach unten gleiten. Verzagt stemmte ich mich mit den Füßen gegen die Schachtwände, aber er hielt mich fest.

»Ich habe dich.« Paolo schlang seine starken Arme um mich, und ich hörte auf, mit den Beinen zu strampeln. Er führte mich zu einem Platz, an dem ich sicher stehen konnte, und zischte mir ins Ohr: »Wenn der Mann dort oben will, könnte er jetzt den Deckel wieder schließen und uns hier lebendig begraben.«

Ich schüttelte den Kopf, um diesen Gedanken loszuwerden, bevor er sich dort festsetzen konnte, aber auch, weil ich es nicht glaubte. Ercole würde herabsteigen und uns bei unserer Flucht helfen, so wie es der Mönch gesagt hatte. »Nein«, erklärte ich fest. »Schau nur.«

Vor uns schwankte ein Lichtschein. Ercole, die Lampe am Gürtel festgehakt, hatte einen Weg gefunden, um von oben zu uns herunterzukommen. Der schwache Schein der Lampe ließ die Finsternis um uns herum nur umso schwärzer erscheinen. Die Gesichter der Mädchen leuchteten in diesem Licht wachsweiß, ihre Augen waren wie leere Höhlen.

»Hier entlang.« Ercole zwängte sich an uns vorbei. »Einer nach dem anderen.«

Wir drückten uns eng aneinander, um ihn nach vorne

zu lassen. Rossana klapperte mit den Zähnen, ich selbst biss meine Zähne fest zusammen, um nicht dasselbe zu tun.

»Du!« Ercole zeigte auf mich. »Du schlauer Bursche, du gehst hinter mir. Und du«, er deutete auf Paolo, »der du immer kämpfen willst, gehst als Letzter. Wenn uns jemand folgt, werden wir ja sehen, was du mit deinem großen Schwert ausrichtest.«

Ich sah, wie Paolo zurückwich. Von hinten in einem schmutzigen Kanal angegriffen zu werden, war nicht die Art und Weise, wie er sich einen Kampf mit seinen Feinden vorstellte.

Wir stellten uns auf, wie Ercole es befohlen hatte, und folgten ihm in den Kanal.

Wann immer ich früher Angst gespürt hatte, war es etwas Rohes, etwas, bei dem sich der Magen umdrehte und das mit Gewalt und Tod, Blut und Schmerzensschreien zu tun hatte. Die Angst, die ich jetzt spürte, war heimtückischer. Schleichend und lautlos belauerte sie uns, während wir unter der Erde entlangstolperten, sie versteckte sich hinter den schlammüberzogenen Wänden, in Schmutz und Unrat und Exkrementen – und in der Ungewissheit.

Ein Platschen im Wasser zu meinen Füßen. Die roten Augen einer Ratte blitzten auf. Der Tunnel verließ das Gelände des Spitals und verlief unter den Straßen der Stadt weiter. Über unseren Köpfen hörten wir schwere Fußtritte, das Bersten von Holz, aufgesprengte Türen und das Klirren von Metall, das auf Metall schlägt.

»Wartet.« Ercole blieb stehen.

Vor uns war ein weiterer Gitterrost. Dreckige Klumpen

hingen zwischen den Stäben. Ohne zu zögern, packte Ercole an und schob den Rost mit einem Ruck beiseite.

»Leise jetzt«, flüsterte er, als wir aus dem Tunnel in die herrlich frische Luft krochen. »Du, Junge!« Er hielt mir seinen schmutzigen Finger unter die Nase. »Du gehst als Letzter, und wenn du etwas hörst oder siehst, rufe wie ein Nachtvogel.«

Vor uns lag ein ausgetretener Pfad, den die Waschfrauen der Stadt benutzten, wenn sie ihre Wäsche zum Trocknen auslegten.

Ercole löschte seine Laterne. »Fasst euch an den Händen. Den Rest des Weges werden wir im Dunklen gehen.«

Ich fasste Rossana bei der Hand. Nie zuvor in meinem Leben hatte ich die Hand eines Mädchens gehalten. Sie lag in meiner wie ein weicher Handschuh. Ihre Finger waren ganz zart, ihre Haut war kühl. Ich konnte es nicht verhindern, darüber nachzudenken, dass die erste Berührung zwischen einem Jungen und einem Mädchen sonst ganz anders verlief. Aber hier gab es keine Tändelei auf einem Fest oder Jahrmarkt, keinen Spaziergang im Mondschein, kein Beisammensein im Garten. Was dachte *sie* wohl gerade? Als sich für kurze Zeit die Wolken vor dem Mond verzogen hatten, sah ich, dass Rossana Tränen übers Gesicht liefen.

Am Flussufer angekommen, zeigte uns Ercole die Richtung, die wir einschlagen mussten. »Hier entlang«, sagte er. »Geht so schnell ihr könnt und bleibt nicht stehen.« Er blickte Rossana an, öffnete den Mund, als wolle er etwas sagen, aber dann nickte er nur und war gleich darauf verschwunden.

KAPITEL 29

Wir ließen den Fluss hinter uns und schlugen den Weg in die Berge ein. Ich war schon früher oft im Dunklen unterwegs gewesen und die Schatten der Bäume und Büsche jagten mir keine Angst ein. Die Skizze des Mönchs im Kopf, fand ich den Weg leicht. Ich hielt die Ohren offen und achtete angestrengt auf jedes Geräusch.

Der Weg ging steil bergauf. Paolo und ich mussten den Mädchen immer öfter helfen. Die Strümpfe der beiden waren zerrissen, und unser aller Finger waren zerschunden, als wir höher und höher kletterten. Nach einer guten Stunde schlug Paolo eine Pause vor.

»Meine Schwestern sind erschöpft.«

Ich willigte zögernd ein. »Nur ein paar Minuten.«

Im Stehen, an einen Baum gelehnt, aßen wir etwas Brot. Ich ließ sie nicht niedersitzen, denn ich fürchtete, dass wir sonst nicht mehr aufstehen konnten.

Weiter oben lag frisch gefallener Schnee. Natürlich würden wir hier Spuren hinterlassen, das war nicht zu verhindern. Der Morgen dämmerte, kalt und wunderschön. Wir schauten zurück und sahen die Stadt und den Fluss am Fuß des Berges, wie sie sich aus dem Morgendunst erhoben.

»Wir müssen uns beeilen«, sagte ich drängend, »damit man uns vom Tal aus nicht sehen kann, wenn die Sonne ganz aufgegangen ist.«

Über uns erhob sich der majestätische Berg mit seinem Kleid aus Schnee. Noch ein kleines Wäldchen, und dann waren wir über der Baumgrenze. Hier lag der Schnee hoch. Ich wagte einen letzten Blick ins Tal. In der Nähe des Flusses bewegten sich einige kleine Pünktchen. Waren es Schiffer, die ihre Waren verluden? Oder Männer, die sich zur Jagd sammelten?

Wir schleppten uns weiter. Der Schnee wurde immer tiefer und wir kamen immer langsamer vorwärts. Von der Stadt waren nur noch die Umrisse des Klosters mit dem Spital und dem Glockenturm zu sehen.

»Wenn wir sie nicht sehen können, gilt das umgekehrt auch für sie«, keuchte Elisabetta.

Ich schwieg. Ich hatte schon im Schnee gejagt. Man konnte einen Hasen, der sich mit seinem dunklen Fell vom Weiß des Schnees abhob, auf eine Meile oder mehr ausmachen.

Die Mädchen mussten sich quälen, bisweilen versanken sie bis zur Hüfte im Schnee. Ich dachte gerade darüber nach, dass wir nicht viel länger weitergehen könnten, ohne zu rasten, als Paolo die Bedenken, die ich insgeheim selbst hegte, aussprach: »Matteo, sind wir auf dem richtigen Weg nach Melte?«

Wir blieben stehen. Meinem Gefühl nach waren wir dem Weg gefolgt, den Bruder Benedikt uns gewiesen hatte, aber ich war mir nicht sicher. Ich musste ihnen die Wahrheit sagen.

»Ich glaube schon«, sagte ich. »Aber ich hätte angenommen, dass wir inzwischen den Gipfelpfad sehen müssten.«

Wir schauten nach oben. Nirgends war eine Vertiefung oder eine Schneise im Berghang zu erkennen.

»Der starke Schneefall der letzten Stunden hat ihn vielleicht verweht«, sagte Elisabetta im verzweifelten Bemühen, dies zu erklären. »Die Bergpässe sind im Winter oft geschlossen.«

Das wiederum würde bedeuten, dass unser Fluchtweg versperrt war.

Den Weg, den wir gekommen waren, konnten wir nicht zurückgehen. Und nach einem anderen zu suchen, dazu hatten wir im Augenblick nicht die Kraft.

»Dort drüben ist ein dunkler Fleck«, sagte ich, »höchstens eine halbe Meile entfernt. Es sieht aus wie eine Höhle. Wir könnten Schutz suchen und darüber nachdenken, was wir jetzt tun sollen.«

Wir waren nur noch wenige Meter davon entfernt, als es einen gewaltigen Knall gab, der die Luft um uns herum zum Schwingen brachte.

Elisabetta schrie auf und schaute sich um.

Paolo drehte sich schwerfällig und versuchte in dem tiefen Schnee vergeblich, sein Schwert zu ziehen.

Nur Rossana schaute nach oben. Ich folgte ihrem Blick und sah, wie die ganze Schneelast, die auf dem Gipfel lag, erbebte.

»Eine Lawine!«, schrie ich. »Eine Lawine!«

KAPITEL 30

Ich packte Rosanna bei der Hand und zerrte sie zum Eingang der Höhle. Elisabetta, die ihre weiten Röcke behinderten, folgte uns. Paolo blieb zurück, schutzlos den Schneemassen ausgeliefert.

Ein Wirbelsturm, der einem den Atem nahm und die Sicht raubte, raste den Abhang hinunter. Ich drehte mich um und warf mich auf Paolo, klammerte mich an ihm fest, als wir von der Lawine erfasst, durchgerüttelt und mitgerissen wurden.

Mehrere Stunden lang war ich ohne Bewusstsein.

Die Mädchen stiegen zu uns herab und schafften es, uns bis zur Höhle zu schleppen. Paolo hatte sich den Arm gebrochen, ich war am ganzen Körper zerschunden und wie taub, aber wir waren mit dem Leben davongekommen. Elisabetta zerriss ihr Unterkleid und verband Paolos Arm damit und dann kauerten wir uns dicht gedrängt zusammen und aßen den Rest unserer Verpflegung – außer Rossana, die jeden Bissen verweigerte.

Mittlerweile war es später Nachmittag geworden, und als die Sonne unterging, setzte wieder Schneefall ein. Paolo sagte: »Gott hat die Familie dell'Orte verflucht.«

»Oder er hat die Lawine gesandt, um uns zu helfen«, widersprach Elisabetta. »Sie hat unsere Spuren vom Fluss bis hierher verwischt und den Weg über die Berge frei gemacht. Ich war draußen und habe den Übergang auf die andere Seite des Berges gesehen. Beeilen wir uns. Solange der Schnee fällt, deckt er unsere Spuren zu.«

Ich betrachtete Elisabetta, während sie mit ihrem Bruder sprach. Sie hatte sich verändert. Seit Rossana so verloren war, hatte Elisabetta die Führung übernommen.

Als wir uns wieder auf den Weg machten, fragte mich Elisabetta: »Warum hast du uns nach Averno gebracht?«

»Ich wusste, dass dort ein Spital ist.«

»Und woher wusstest du, dass der Mönch uns verstecken würde?«

»Jedermann weiß, wie hilfsbereit die barmherzigen Brüder sind.«

»Ich dachte, vielleicht ist der Mönch im Spital ein Freund von dir gewesen?«

Ich schüttelte den Kopf.

»Aber er kannte dich.«

»Das glaube ich nicht.«

»Doch, wirklich«, erwiderte Elisabetta. »Er hat deinen Namen gewusst, obwohl du ihm nicht gesagt hast, wie du heißt.«

Das hatte er tatsächlich. Jetzt fiel es mir wieder ein. Als er die Skizze zeichnete, hatte Bruder Benedikt mich Matteo genannt.

»Ich war schon einmal dort«, murmelte ich entschuldigend, »zusammen mit dem Meister. Er hatte die Erlaubnis, Leichen zu öffnen, und ich begleitete ihn. Aber er bat mich, nicht darüber zu sprechen, weil diese Arbeit oft das Misstrauen der Leute erregt.«

Sie nickte und ich drehte den Kopf weg. Wieder einmal hatte Elisabetta bewiesen, wie aufmerksam sie war. Mir war dies schon aufgefallen, als sie sich noch mit einer bescheideneren Rolle neben ihrer lebhafteren Schwester zufrieden gegeben hatte. Doch nun, da dieser helle Stern schwächer strahlte, trat Elisabettas Licht umso deutlicher zutage.

Ich fragte mich, wie lange es noch dauerte, bis sie mit ihrem scharfen Verstand gründlicher über das Gespräch nachsann, das wir über den vermeintlichen Schatz geführt hatten. Und bis sie nach dem Grund fragte, weshalb man sie so erbarmungslos jagte. Wie lange würde es dauern, bis sie sich daran erinnerte, dass die Soldaten sich nach »dem Jungen« erkundigt und Paolos Namen gar nicht genannt hatten? Würde ihr auffallen, dass es da noch einen anderen Jungen gegeben hatte? Einen Jungen, der unter merkwürdigen Umständen im Haus der dell'Ortes aufgetaucht war, einen Jungen ohne richtigen Namen, über dessen Herkunft man nicht viel wusste?

Wie lange würde es noch dauern, bis Elisabetta, Rossana und Paolo herausfanden, dass ihre Mutter, ihr Vater und ihr Bruder nicht von plündernden Borgia-Söldnern, sondern von Sandinos abtrünnigem Haufen getötet wurden, der auf der Suche nach mir war?

Dass ich es war, Matteo, der die Schuld am Untergang der Familie dell'Orte trug?

KAPITEL 31

Die Glocke rief zum abendlichen Angelus, als wir endlich das Bergdörfchen Melte erreichten. Wir fanden den Konvent, in dem Bruder Benedikts Schwester lebte, sofort. Es war ein kleines Gebäude, das sich eng an die steilen Hänge des Passes schmiegte. Die Mauern waren hoch, und es gab nur ein Tor, über dem eine Laterne brannte. Der Lichtschein fiel auf ein Schild, das dem Reisenden sagte, dass dieser Konvent dem Heiligen Christophorus mit dem Jesuskind geweiht war.

»Der Heilige Christophorus...« Elisabetta verzog das Gesicht. »Der Schutzheilige der Reisenden. Hoffen wir, dass er sich jetzt unserer annimmt.« Sie wollte auf das Tor zugehen.

»Wir müssen vorsichtig sein«, sagte ich.

»Ich werde gehen«, erklärte Paolo. »Ich fürchte mich nicht.«

»Vorsicht hat nichts mit Furcht zu tun«, tadelte Elisabetta ihren Bruder. »Es wird weniger Aufsehen erregen, wenn ich gehe.«

»Einem Mann gehorcht man eher, wenn er befiehlt, das Tor zu öffnen«, gab Paolo zurück, der sich nicht von seiner Schwester maßregeln lassen wollte.

»Die Nonnen leben sehr zurückgezogen«, erklärte Elisabetta. »Der einzige Mann, den sie zu Gesicht bekommen, ist vermutlich der Dorfpfarrer, der ihnen die Messe liest, und vielleicht, an hohen Feiertagen, ein Verwandter. Wenn du als Fremder spät am Abend die Glocke läutest, wirst du sie womöglich erschrecken, und dann werden sie uns nicht einlassen. Ich gehe und werde die Schwester Pförtnerin bitten, mit der Oberin sprechen zu dürfen.«

»Sie werden dich wegschicken«, widersprach Paolo. »Sie werden sagen, dass du gehen und mit einem Erwachsenen wiederkommen sollst.«

»Und ich werde sagen, dass ich der Mutter Oberin wichtige Nachrichten von ihrem Bruder in Averno bringe und mit ihr unter vier Augen sprechen muss.«

Paolo sah mich fragend an.

»Ich glaube, es ist das Beste, wenn Elisabetta alleine vorangeht«, sagte ich. Dann wandte ich mich an Elisabetta. »Der Mönch sagte, dass wir seiner Schwester –«

»Ich weiß, was der Mönch gesagt hat, Matteo. Du denkst, nur weil ich ein Mädchen bin, könne ich mir nichts merken, dabei weiß ich das Geheimnis der Geschwister noch ganz genau.«

Wir blieben zurück und sahen zu, wie Elisabetta zum Tor ging und an der Klingelschnur zog. Es verstrich einige Zeit, bis das Türchen hinter dem Gitter geöffnet wurde.

Elisabetta sprach mit der Person auf der anderen Seite. Dann ging das Türchen wieder zu. Einige Minuten verstrichen, ehe es erneut aufging. Gleich darauf öffnete sich auch das Tor. Eine Nonne stand im Eingang, aber sie trat nicht nach draußen. Die Ordensregeln verbieten es einer Nonne, die Schwelle des Klosters zu überschreiten. Sobald sie ihren Schleier nimmt, bleibt sie ihr Leben lang am gleichen Ort. Und nach ihrem Tod wird sie hinter den Klostermauern begraben.

Die Nonne beugte sich vor, um mit Elisabetta zu sprechen, dann blickte sie in die Richtung, in die Elisabetta deutete. Ich gab Paolo einen Schubs. »Stell dich gerade hin«, sagte ich, »damit sie uns sehen kann und weiß, dass wir nichts Böses im Schilde führen.«

Paolo richtete sich auf. Mit seinem gesunden Arm zog er Rossana an sich, so als wolle er ein kleines Kind beschützen.

Die Mutter Oberin winkte uns, näher zu kommen. Sie musterte uns der Reihe nach, dann fragte sie: »Und wie geht es meinem lieben Bruder?«

»Er war wohlauf, als wir zum letzten Mal mit ihm sprachen«, antwortete ich. »Er hat eine große Gefahr auf sich genommen, als er uns Zuflucht gewährte.«

»Dann will ich dem nicht nachstehen«, sagte sie und ließ uns eintreten.

»Da ist etwas, das Ihr wissen müsst«, begann Paolo. »Wir sind mit der Pest in Berührung gekommen.«

Die Schwester Pförtnerin wich zurück, doch die Mutter Oberin verzog keine Miene.

»Eure Not muss wirklich groß sein, wenn mein Bruder euch unter diesen Umständen zu mir schickt.«

Und sie öffnete das Tor weit, um uns einzulassen.

Die Oberin führte uns in einen Kellerraum. Er war aus dem Felsen gehauen und lag weit entfernt von den übrigen Gemeinschaftsgebäuden.

»Ihr müsst alle eure Kleider ausziehen«, befahl sie uns. »Ich werde sie verbrennen. Dann müsst ihr euch gegenseitig mit einer Wurzelbürste abschrubben. Und ihr müsst die Haare abschneiden.«

Elisabettas Hand fuhr unwillkürlich durch ihre blonden Locken.

»Es tut mir Leid.« Die Oberin sah Elisabetta mitfühlend an. »Aber wenn wir verhindern wollen, dass sich die Krankheit ausbreitet, bleibt uns nichts anderes übrig. Ich werde sehen, ob wir Kleider für euch haben. Wir nähen hier Gewänder für viele Geistliche, darunter Bischöfe und Kardinäle. Ich werde unsere Truhen durchstöbern und sehen, ob etwas Passendes für euch dabei ist.«

»Ein Verwandter des Papstes trägt Schuld an unserem Unglück«, sagte Paolo aufsässig. »Ich kann mich nicht wie einer von ihnen kleiden.«

»Dann vielleicht wie ein Bettelmönch?«, gab ihm die Mutter Oberin mit ernster Miene zur Antwort. Dabei musste sie ein Lächeln unterdrücken, und ich begriff, dass diese Frau einen ebenso wachen Geist wie ihr Bruder hatte.

So kam es, dass Paolo, Elisabetta und ich die grauen Kutten der Franziskanerbrüder anzogen. Und wir trugen sie noch, als wir den Konvent verließen und auf die andere Seite der Berge gingen.

Rossana trug nie den Habit des heiligen Mannes aus Assisi. Als die Oberin unsere ansteckenden Kleider weggebracht hatte, untersuchte sie Rossana gründlich. Dann kehrte die barmherzige Nonne mit einem warmen Laken zurück, hüllte Rossanas kleinen Körper darin ein und brachte sie in das Krankenzimmer des Konvents.

Und dort, zwei Tage später, starb Rossana dell'Orte. Paolo und ich standen neben ihrem Bett und Elisabetta hielt ihre Hand.

KAPITEL 32

Der Winter hielt immer noch sein eisiges Regiment in den Bergen, aber die langen Tränen aus Eis, die von den Dachtraufen des Klosters hingen, begannen schon zu tauen, als die Mutter Oberin entschied, dass es für uns an der Zeit sei, weiterzuziehen.

»Der Schnee schmilzt schon. In ein oder zwei Tagen wird der Weg ins Tal so frei sein, dass ihr ihn begehen könnt. Wenn die Soldaten der Borgia euch so entschlossen verfolgen, warten sie womöglich in Averno auf euch, und sobald die Gebirgspässe begehbar sind, werden sie hierherkommen und nach euch suchen.«

Wir gingen zu Rossanas Grab, um Abschied zu nehmen. Um unseren Aufenthalt hier geheim zu halten, musste Rossana sogar im Tod namenlos bleiben. Deshalb stand auf dem schlichten kleinen Holzkreuz nicht ihr eigener Name. Wie bei den Nonnen üblich, hatte man ihr einen anderen Namen gegeben. Elisabetta hatte ihn ausgewählt.

»Vom Fenster unseres Schlafzimmers in Perela aus konnten wir die Gipfel der Berge sehen«, sagte Elisabetta der Mutter Oberin. »Rossana hat oft von den Engeln gesprochen, die, wie sie meinte, bestimmt hier oben wohnen, so nahe bei Gott. Nun ist sie einer von ihnen. Deshalb schreibt auf ihr Grabkreuz den Namen Schwester Angela und lasst die Engel im Himmel sie als eine der Ihrigen willkommen heißen.«

Die Mutter Oberin hatte einen Schäfer gebeten, uns über die Berge zu führen.

Paolo und Elisabetta luden mich ein, sie zu begleiten.

Ich lehnte ab. »Ich werde nach Florenz zu meinem Meister gehen.« Ich hatte genug Unheil über diese Familie gebracht und glaubte, es sei besser für sie, wenn unsere Wege sich trennten.

»Wir werden meinen Onkel in der Nähe von Mailand aufsuchen«, sagte Paolo. Er deutete auf seine Kutte. »Zwei Bettelmönche erregen sicher nicht viel Aufsehen.«

»Ich wünsche euch alles Gute in eurem Leben, falls wir uns nicht mehr wiedersehen sollten«, sagte ich.

»Wir *werden* uns wiedersehen«, entgegnete Paolo bestimmt, »selbst wenn es erst in vielen Jahren sein mag. Wir beide haben noch eine Rechnung zu begleichen, Matteo. Ich brauche etwas Zeit, um noch stärker zu werden und um Bewaffnete um mich zu sammeln, um zu üben und ein guter Kämpfer zu werden. Aber wenn es so weit ist, dann werde ich zu dir kommen, und wir werden diese Männer gemeinsam zur Strecke bringen. Schwöre, Matteo, dass du mir dabei hilfst.«

Was hätte ich tun sollen? Unter diesen Umständen konnte ich nur einwilligen.

Er fasste mich am Arm. »In der Zwischenzeit bitte ich dich, an meiner Statt wachsam zu sein. In Florenz erfährt man Neuigkeiten, dort bist du unter so vielen Menschen, Matteo. Halte deine Augen und Ohren offen. Ich werde dir an die Werkstatt des Messer Leonardo da Vinci schreiben.«

Und so trennten sich unsere Wege.

Sie gingen nach Mailand, ich nach Florenz. Sie drückten Sorgen und Rachegedanken nieder. Mich drückte die Last der Schuld. In einem Beutel hing sie an meinem Hals: die Quelle allen Übels.

Als wir unsere Kleidung verbrannt hatten, war der Mutter Oberin aufgefallen, dass ich noch immer den Gürtel mit dem Beutel bei mir trug. Sie fragte mich, ob er wohl eine heilige Reliquie enthielt.

Ich dachte mir, dies sei eine gute Erklärung, weshalb ich den Gegenstand nicht aus der Hand geben mochte. Schließlich tragen viele Leute Reliquien an ihrem Körper oder heften ein Pilgerzeichen ihres Schutzheiligen an Mantel oder Hut. Deshalb nickte ich.

»Wir müssen ganz sicher sein, dass sie keine Krankheit überträgt. Ich werde dir einen neuen Beutel nähen, Matteo. Gib ihn mir und ich werde die Knochen welches Heiligen auch immer gründlich mit Ammoniaksalz waschen.«

»Das mache ich selbst« antwortete ich ihr.

»Es beeinträchtigt ihre segensreiche Wirkung keineswegs, wenn sie gereinigt werden«, sagte die Nonne, die mein Zögern missverstand. »Nicht der Gegenstand beschützt dich, sondern der Glaube, der in deinem Herzen ist und deine Seele nährt.«

»Ich verstehe«, entgegnete ich. »Dennoch möchte ich es lieber selbst machen.«

Sie brachte mir einen Teller mit Ammoniaksalzen und eine Flasche Wasser. Dann schenkte sie mir einen kleinen Lederbeutel, wie ihn die Pilger um den Hals tragen. Ich ging damit in die entlegenste Ecke des Klosterhofs, verbrannte dort meinen Gürtel und den alten Beutel.

Dann betrachtete ich den Gegenstand, der eine Spur von Tod und Verwüstung hinterlassen hatte, seit er sich in meinem Besitz befand.

Aus purem Gold geprägt, am Rand mit einer Schrift versehen, zeigte er das Wappen eines der mächtigsten Geschlechter Italiens. Ein Schild mit sechs Kugeln prangte stolz in der Mitte, das Zeichen des Handelshauses, dessen Verbindungen bis in die entlegensten Winkel der Erde reichten. Das Wappen der Familie, die ganz Italien und den Vatikan mit Geld versorgte und die selbst Frankreich, Deutschland, England und Spanien in ihrem Streben nach Macht unterstützte.

Ich betrachtete den Gegenstand, den ich in Sandinos Auftrag gestohlen hatte. Für den ihm Cesare Borgia sicherlich ein Vermögen versprochen hatte.

Das große Siegel der Medici.

TEIL 4

Sinistro, der Schreiber

Florenz, 1505 – zwei Jahre später

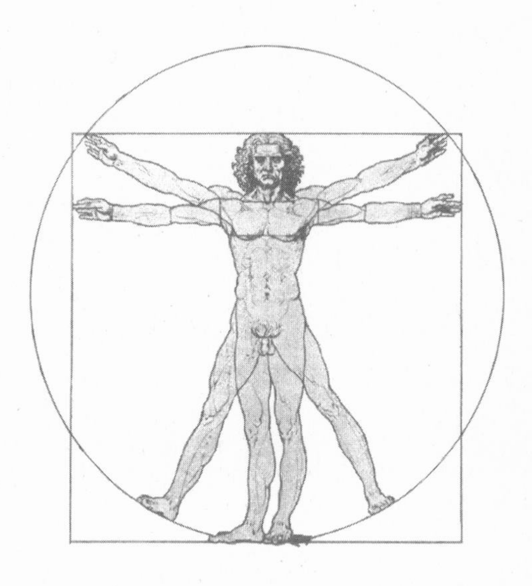

KAPITEL 33

Niemand nahm daran Anstoß, dass mit dem Werk an einem Freitag zur dreizehnten Stunde begonnen werden sollte. Niemand außer mir selbst und Zoroastro, dem Alchimisten.

»Das ist kein guter Zeitpunkt, um ein so großes Vorhaben anzufangen«, stieß er zwischen den Zähnen hervor, als wir alle auf die Ankunft des Meisters warteten.

Ich wusste, welcher Wochentag heute war. Es war ein Freitag. Die Fischhändler hatten wie an jedem Freitag ihre Stände auf den Straßen aufgebaut, denn an diesem Tag gebietet die Kirche zu fasten. Am Freitag müssen sich Christen des Fleischgenusses enthalten und so des Opfers gedenken, das ihr Erlöser für sie gebracht hat, denn an einem Freitag wurde Jesus gekreuzigt. Es ist ein Tag, von dem viele glauben, dass er Unglück bringt – selbst jene, die keine Christen sind.

»Weil heute Freitag ist?«, fragte ich ihn.

»Weil heute Freitag ist«, bestätigte Zoroastro. »Es ist Freitag, und als ob das nicht genug wäre, will Messer Leonardo noch dazu um die dreizehnte Stunde damit beginnen, die Farbe auf den ersten Teil des Freskos aufzutragen.«

Ich hielt den Atem an.

Zoroastro wiegte ernst den Kopf. »Weder der Tag noch die Stunde, die ich wählen würde, um eine so bedeutende Arbeit zu beginnen.«

»Habt Ihr das auch dem Meister gesagt?«, fragte ich ihn.

»Gestern Abend. Aber er wollte nicht warten. Er sagte, wir müssten anfangen, denn er könne es sich nicht leisten, den Arbeitern einen ganzen Tageslohn fürs Nichtstun auszuzahlen. Man habe ihn gewarnt, dass die Räte der Stadt allmählich ungeduldig würden. Sie möchten sehen, dass es vorangeht. Sie hätten sich darüber beschwert, dass schon so viel Zeit vergangen sei, seit er die Entwürfe für das Fresko angefertigt hat. Einer der Schreiber sagte ihm, wenn er nicht heute damit beginnen würde, die Farbe aufzutragen, würde der Rat der Stadt dies als eine weitere Woche Verzug betrachten und ihm Strafgeld auferlegen.«

Zoroastro und ich wussten, wie es um die Stimmung im Rat der Stadt bestellt war, wenn die Rede auf das Fresko kam – besonders wenn man den Obersten Ratsherren, Piero Soderini, fragte. Sie hatten wenig Respekt vor dem Können meines Meisters. Hinter seinem Rücken hatten sie genörgelt und gemeckert, seit sie ihm vor beinahe zwei Jahren den Auftrag erteilt hatten.

»Wenn er herkommt, Matteo, sprich mit ihm«, fuhr Zoroastro fort. »Sag ihm, dass er ein Unglück heraufbeschwört, wenn er zu dieser Stunde beginnt.«

»Er schätzt Euch sehr. Wenn Ihr es nicht fertig brachtet, ihn umzustimmen, wird es mir auch nicht gelingen.«

»Ach ja. Er schätzt mich wegen meines handwerklichen Könnens und wegen meiner Kenntnisse der Metalle, der Elemente und ihrer Kräfte und Eigenschaften. Er anerkennt auch meine Kunstfertigkeit bei der Herstellung von Farben … Aber meine andere Begabung, nämlich die, rätselhafte Vorzeichen zu deuten? Pfff! Er tut sie ab als etwas, womit sich ein vernunftbegabtes Wesen nicht beschäftigt. Gestern Abend, als ich ihn inständig bat, den Zeitpunkt zu verschieben, weil ich ungünstige Vorzeichen vorausgesehen habe, lachte er nur. Ja, er hat tatsächlich gelacht.«

Zoroastro schaute mich unter seinen buschigen schwarzen Augenbrauen hervor grimmig an. »Es ist nicht sehr klug, über Mächte zu lachen, von denen wir nichts verstehen.«

Wir dämpften unsere Stimmen und steckten die Köpfe zusammen, während wir dies besprachen, geeint in unser beider Ehrfurcht vor dem Unbekannten. Die Arbeiter standen währenddessen herum und schwatzten. In stillschweigendem Einvernehmen sprachen Zoroastro und ich ihnen gegenüber nicht von unseren Befürchtungen. Hätten wir das getan, das fühlte ich, hätten sie uns ausgelacht.

Die Leute, die sich hier im Ratssaal des Palazzo della Signoria in Florenz eingefunden hatten, um die Anweisungen des Meisters entgegenzunehmen, waren zumeist geschickte Handwerker. Unter ihnen waren Wanderarbeiter, Schüler, aber auch Maler. Einige waren sehr gebildet und hatten Theologie, Kunst und die Schriften der Antike studiert. Einer von ihnen, Flavio Volci, hochbegabt und mit seinen fünfzehn Jahren nur ein paar Jahre älter als ich, konnte sogar Latein und Griechisch. Sie hätten die Nase gerümpft angesichts der Vorahnungen, die Zoroastro und mich quälten. Diejenigen, die der Lehre der Kirche folgten wie Felipe, hätten solchen Aberglauben ebenfalls abgelehnt, da sie davon überzeugt waren, die Macht des Gebets könne derartiges Unglück abwenden. Und diejenigen, die den Menschen als den Mittelpunkt der Schöpfung betrachteten, wiesen den Glauben an übernatürliche Mächte nicht minder zurück. Doch ich und Zoroastro, dieser untersetzte Mann, mit dem ich mich in den vergangenen Jahren in Florenz angefreundet hatte, wir hatten vieles gemein. Beide hatten wir ein tiefes Gespür für die natürlichen und übernatürlichen Mächte zwischen Himmel und Erde.

»Versuche, ihn so lange wie möglich aufzuhalten«, sagte Zoroastro. »Wenigstens, bis die dreizehnte Stunde vorüber ist. Wir müssen ihn beschützen, so gut wir können.«

Ich sah, dass Zoroastro rote Bindfäden an die Streben der Weinkelter gebunden hatte. Diese Kelter hatte er umgebaut, um darin Pigmentstücke für die besonderen Farbmischungen des Meisters zu mahlen. Rote Bänder aufzuhängen, war ein alter Volksbrauch zur Abwehr böser Geister. Er rührt daher, dass vor langer, langer Zeit, am Anfang der Welt, der Mensch, weil er nicht mehr in Finsternis und Kälte leben wollte, das Feuer vom Himmel geschenkt bekam. Deshalb wissen alle bösen Geister, wenn man etwas Rotes in seinem Heim oder an seiner Arbeitsstätte hat, dass man die Macht hat, Feuer zu entzünden und sie zu verbrennen; und darum lassen sie einen in Frieden.

Neben Zoroastros Ausrüstung waren im Ratssaal Tische und Gerüste aufgestellt worden, die wir aus der Werkstatt im Kloster der Heiligen Jungfrau Maria mitgebracht hatten. Außerdem Wachs- und Tonmodelle von Menschen und Pferden und dann natürlich der Karton selbst, der noch zum größten Teil an hölzernen Gestellen hing.

Schon vor einiger Zeit hatte man eine Ladung Schwämme, Pech und Gips hierher gebracht, um die Deckenfläche vorzubereiten, und seit einem Monat wurde der Hauptteil des Kartons auf seinen endgültigen Platz übertragen.

Niccolò Machiavelli, der Sekretär des Rats, hatte einen Schreiber und Geschichtenerzähler angewiesen, einen Bericht über die Schlacht von Anghiari zu verfassen. Damals hatten die Florentiner einen berühmten Sieg errungen, den Meister Leonardo in dem Fresko darstellen sollte. Aus den Aufzeichnungen des Schreibers hatte der Meister die Hauptszene entnommen, den Kampf um die Standarte. Darin sollte sich der Geist der Florentinischen Republik widerspiegeln, die ihre Ideale von Freiheit und Gerechtigkeit gegen die despotische Macht der Tyrannen verteidigt. Es war das Herzstück des Freskos, und alle, die es anschauten, waren davon überzeugt, dass es die ganze Welt in Erstaunen versetzen würde, wenn es erst einmal vollendet wäre.

Es hatte auch mich in Erstaunen versetzt, als ich es zum ersten Mal sah.

Das Bild zog jeden Betrachter in seinen Bann: Pferde und Reiter sind darauf in höchster Anspannung zu sehen, ihre Körper im Kampf verschränkt. Die Pferde bäumen sich auf, ihre Flanken zittern vor Entsetzen, ihre Nüstern sind geweitet. Die Männer haben verzerrte Gesichter, ihre Leiber sind zwischen den ausschlagenden Hufen ineinander verschlungen – alles ist eine einzige wirbelnde Bewegung.

Auf der einen Seite wird ein Reiter gerade von seinem Pferd gerissen, sein Schädel ist gespalten. Hufe trommeln auf ihn und die anderen Gefallenen ein, zertrampeln die

Verletzten, die am Boden kriechen. Soldaten stechen und hauen im Kampf Mann gegen Mann, um die Siegesfahne zu erringen. Ja, was hier dargestellt wurde, war mutig, aber gleichzeitig zeigte mir das Bild die Rohheit der Menschen, die kämpfen und töten um ihres eigenen Vorteils willen.

An dem Abend, als die Umrisszeichnung an der Wand des Ratssaales fertig gestellt worden war, stellte sich Felipe, der Erfahrenste von allen, davor und fragte den Meister: »Was bezweckt Ihr damit, den Leuten, die diesen Ort aufsuchen, so viel Schrecknisse vor Augen zu führen?«

»Sind das die Gedanken, die dir beim Betrachten dieses Bildes in den Sinn kommen, Felipe?«

Alle schwiegen damals. Es war bekannt, dass der Meister nie über das sprach, was ihn im Inneren bewegte. Es war auch bekannt, dass ihm Krieg ein Gräuel war, aber um leben zu können, brauchte er Gönner, und die, die ihm regelmäßig Aufträge erteilten, verlangten von ihm kriegerische Szenen. Nutzte er diese Bilder, um das wahre Gesicht des Krieges zu zeigen?

»Schau es dir an, wenn es fertig ist«, sagte der Meister schließlich.

Als ich jetzt davorstand, schoss mir die Erinnerung an Perela durch den Kopf. Der Geruch von Blut, der grässliche Anblick des verstümmelten Hauptmanns dell'Orte. Ich spürte das glatte Leder wieder zwischen meinen Fingern, als ich das Pferd festband, sah, wie sich in den Hufspuren zu meinen Füßen Blutlachen gebildet hatten. Ja, dieses Fresko würde in der Tat alle Betrachter in Erstaunen versetzen. Aber jeder würde es auf seine eigene Art verstehen und seine eigenen Erfahrungen darin wiederfinden.

»Auf jetzt, Meister Zoroastro!«

Wir wandten uns um. Ohne dass wir es bemerkt hatten, war Messer da Vinci die Treppe vom Erdgeschoss hochgekommen.

»Einen schönen Tag Euch allen«, wünschte er uns gut gelaunt. »Ist jeder bereit, mit der Arbeit zu beginnen?«

Seine Mitarbeiter und alle anderen begrüßten ihn herzlich.

»Und du auch, Matteo? Geht es dir gut?«

»Ja, Herr.«

»Dann wollen wir anfangen.«

Zoroastro schaute mich an.

»Draußen ist es sehr trübe«, sagte ich unvermittelt. Wenn wir ihn aufhalten, ihn hinhalten könnten, bis die dreizehnte Stunde vorüber war – so wie Zoroastro es vorgeschlagen hatte –, vielleicht würde uns dann kein so großes Unglück treffen. »Das Licht ist schlecht.«

»Ich weiß. Über den Bergen von Fiesole haben sich Wolken gebildet, und als ich auf dem Weg hierher am Arno vorbeikam, sah ich, dass der Fluss reißend ist.«

»Sollten wir dann nicht vielleicht abwarten?«, schlug ich vor.

»Lieber nicht«, entgegnete er. Er nahm seinen Hut ab und legte ihn auf eine Bank. »Wenn der Sturm hereinbricht, wird das Licht noch schlechter werden und nicht besser.«

Es war Juni und zu dieser Tageszeit hätte es eigentlich hell sein müssen. Aber die Sonne schien nicht, obwohl es schon sehr heiß war, beinahe drückend heiß.

»Bei diesem schlechten Licht wird es schwierig zu erkennen sein, ob die Farben richtig angemischt sind.«

»Ich bin begierig darauf, anzufangen«, sagte er schroff.

»Aber –«

»Kein Wort mehr, Matteo. Bitte.«

Zoroastro und ich blickten uns verzweifelt an.

Alle kamen zusammen. Für diesen denkwürdigen Augenblick hatte Leonardo da Vinci ein Fleckchen Erde am unteren Rand des Mittelteils ausgesucht, mit dem er beginnen wollte. Flavio Volci schenkte allen Wein ein und wir erhoben unserer Gläser auf den Meister.

Draußen wurde es immer dunkler. Die Künstler und ihre Gesellen blickten sich an. »Wir brauchen tatsächlich mehr Licht«, wagte schließlich einer von ihnen zu sagen.

»Dann schafft Lampen und Kerzen herbei«, sagte der Meister.

Zoroastro kniff die Lippen zusammen.

Er wollte es herausschreien, so wie ich: »Haltet ein! Nehmt Euch in Acht, wenn solche Zeichen erscheinen.« Aber seine treue Gesinnung verbot ihm, auch nur die leiseste Kritik an seinem Freund offen zu äußern. Er würde dem Meister niemals vor aller Augen und Ohren widersprechen.

Ich ging sofort, um Laternen und einige von den Kerzen herbeizuschaffen, die an der einen Seite des Saales aufgesteckt waren. Ich zündete ein paar davon an und verteilte sie im Raum. Dann nahm ich die hellste Lampe und stellte mich neben den Meister.

Er nahm einen Pinsel und tauchte ihn in eine Schale Farbe, die nach seiner eigenen Rezeptur hergestellt worden war. Er würde den ersten Pinselstrich tun, dann würden wir alle darauf anstoßen. Der Pinsel war vollgesogen mit einem satten Grau. Die Farbe des Schlamms, die Farbe des Todes.

»Nun denn.« Mit der einen Hand erhob er seinen Becher Wein, mit der anderen hielt er den Pinsel hoch. »Ihr habt alle hart gearbeitet im vergangenen Jahr und mir dabei geholfen, die Skizzen fertig zu stellen und die Hauptszene auf die Wand zu übertragen. Jetzt stehen uns viele Monate harter Arbeit bevor. Doch nun, lasst uns den Augenblick genießen.«

Er trat einen Schritt vor.

In diesem Moment erhob sich der Sturm. Er schien vom Fluss her zu kommen. Wir hörten es ganz deutlich, wie er in den Palazzo della Signoria hereinbrach und an den Fensterriegeln rüttelte. Er peitschte an die Scheiben wie ein Derwisch, der sich Einlass verschaffen wollte.

Mein Meister zögerte. Zoroastro runzelte die Augenbrauen und streckte sein Kinn vor, sodass sein kurzer Bart vorstand. Er kreuzte die Arme vor der Brust, sagte aber nichts.

Plötzlich war ein lautes Krachen im oberen Teil des Saals zu hören, so als wäre ein Ast oder ein Dachziegel in ein Fenster geschleudert worden. Alle schauten nach oben. Der Wind blies jetzt noch heftiger. Die Sommerbrise hatte inzwischen die Gewalt eines richtigen Wintersturms erreicht. Wir hörten, wie er draußen heulte.

Mit einem Mal – uns blieb keine Zeit mehr, die Kerzen, die schon entzündet waren, zu befestigen oder zu schützen – wurde ein Fensterriegel aufgerissen und der Sturm blies mit aller Kraft in die Halle. Die Kerzen flackerten wild. Dann erloschen sie, wie von einer unsichtbaren Hand erstickt.

Die Rathausglocke fing an zu läuten.

»Wir sollten aufhören«, zischte Zoroastro halblaut.

Der Meister tat so, als habe er es nicht gehört.

Die Glocke sandte ihre düstere Warnung aus und mahnte die Menschen, Schutz zu suchen. Wir konnten das Stimmengewirr der Leute vernehmen, die sich unter den Bogengängen und Dachvorsprüngen draußen untergestellt hatten. Am Fluss packten die Waschfrauen nun sicher hastig ihre Bündel. Rund um Santa Croce würden die Färber zu arbeiten aufhören und die Färberburschen würden so schnell wie möglich die großen Wannen mit dem kochenden Farbsud abdecken. Ich sah es vor mir: Die Frauen, die in den baufälligen Hütten am Fluss wohnten – dort, wo die Ärmsten der Tagelöhner lebten, – riefen jetzt ihre Kinder herbei und retteten sich in höher gelegene Stadtteile. Alle Florentiner wussten es: Die Sturzfluten des Arno hatten eine solche Macht, dass sie ein Kind aus den Armen der Mutter reißen konnten.

Der Meister tat, als habe er nichts gehört.

Der Wind nahm noch an Stärke zu. Der lose Fensterriegel riss nun endgültig ab und das Fenster schlug krachend gegen die Außenwand.

»Alle Heiligen, steht uns bei!«, rief Flavio Volci.

Wie eine wilde Kreatur fegte der Wind herein und hinaus. Er wehte einen Ascheregen vom Kamin und drückte eine Tür auf.

Der Karton begann sich von der Wand zu lösen. Der Meister stieß einen entsetzten Schrei aus und stürzte hinzu. Er ließ den Pinsel fallen und auch der Becher mit Wein rollte über den Boden. Ich lief, um beides aufzuheben. Dabei stieß ich an die Kante eines Holzgestells, und der

Wasserkrug, der darauf stand, stürzte um. Zoroastro sprang hin, um ihn aufzufangen, doch er streifte den Krug nur noch mit den Fingerspitzen, ehe er auf dem Boden zerschellte.

Zoroastro stöhnte auf. Er flüsterte leise vor sich hin:

»*Wenn der Krug birst und das Wasser rinnt,*
hol das Rinnsal zurück geschwind,
weil sonst Unglück und Kummer deine Begleiter sind.«

Meine Großmutter hatte diesen Vers oft vor sich hingesagt. Sie wusste auch, was man in so einem Fall augenblicklich tun musste, um zu zeigen, dass man keines der großzügigen Geschenke der Natur – und Wasser ist das größte von allen – verschmäht. Denn ohne Wasser gibt es kein Leben. Zoroastro und ich versuchten eilig, etwas von dem Wasser mit unseren Händen aufzufangen und es zu trinken. Aber ehe wir das tun konnten, kam einer der Gehilfen mit einem Tuch und wischte es auf.

Zoroastro rang die Hände.

Ich fiel auf die Knie. Vielleicht konnte ich ja noch ein paar winzige Tröpfchen retten? Aber nichts war mehr da, alles weggewischt und versickert. Nicht ein einziger Tropfen war übrig, den ich auflecken und vor der Verschwendung bewahren konnte. Enttäuscht stand ich auf.

Der Meister hatte inzwischen seine Fassung wiedergewonnen. Irgendjemand war auf das Gerüst geklettert und hatte das Fenster geschlossen, ein anderer hatte die Tür verriegelt. Der Meister und Flavio hatten den Karton wieder an der Wand befestigt.

»Es ist nur Wasser, das verschüttet wurde.« Der Meister warf uns einen gereizten Blick zu. »Wir haben kein Gold verloren.«

»Wasser ist wertvoller als Gold«, sagte Zoroastro ruhig.

»Es lief aus einem zerbrochenen Krug aus«, sagte ich eindringlich. »Und es versickerte im Boden, bevor wir etwas davon auffangen konnten.«

»Und das bedeutet?«

»Heute wird alles schiefgehen«, erklärte Zoroastro.

Er war so sonderbar, dieser kleine Mann – Tomaso Masini, den alle nur als Zoroastro kannten. Die Schüler und die Maler, die mit Leonardo da Vinci zusammen arbeiteten, waren seine Grillen gewohnt und nahmen sie zumeist gar nicht mehr wahr. Aber heute war das anders. Ich sah, wie einer den anderen anstieß und sie auf ihn zeigten.

»Ich gehe in meine Schmiede. Komm, Matteo, du kannst mir helfen.«

Ich wollte gerade seiner Aufforderung nachkommen, doch als ich den wütenden Blick des Meisters auffing, hielt ich inne.

Die Schüler tuschelten miteinander. Auch gelehrten Leuten wurde also bange, wenn die Anzeichen so offensichtlich waren. Draußen hatte es zu regnen begonnen, ein Wolkenbruch ging hernieder, der ohrenbetäubend auf die Dächer prasselte.

Aber heute war der Meister in einer Gemütsverfassung wie selten. Er ließ sich durch nichts beirren.

»Du bleibst hier, Matteo«, sagte er eisig. »Du, Zoroastro, bist ein freier Handwerker, du kannst tun und lassen, was du willst, aber der Junge steht in meinen Diensten und wird das tun, was ich ihm auftrage.«

Zoroastro wurde verlegen. »Dann werde ich auch hier bleiben«, sagte er. »Wenn ich Euch nicht überreden kann, von hier wegzugehen, werde ich Euch nicht im Stich lassen. Ich könnte nicht gehen und zusehen, wie Ihr Schaden nehmt. Es ist nun zu spät, um alles rückgängig zu machen. Unser beider Leben… oder Tod… ist zu eng miteinander verflochten.« Er machte ein ergebenes Gesicht. »Das Schicksal ist vorherbestimmt.« Seine Stimme zitterte in Vorahnung, als er hinzufügte: »Unsere Wege sind so eng ineinander verschlungen, dass keine Macht in dieser oder einer anderen Welt sie mehr trennen kann.«

KAPITEL 34

»Matteo, ich möchte mit dir sprechen.«

Einige Wochen waren vergangen. Nach dem unglückseligen Beginn war die Arbeit an dem Fresko inzwischen gut fortgeschritten und die Farben hatten sich wunderschön auftragen lassen. Zoroastro und ich hatten uns unnötigerweise Sorgen gemacht, so schien es jedenfalls.

Wie ein lebendes Schauspiel wuchs das Bild unter der Anleitung des Meisters jeden Tag vor unseren Augen. Aus blassen Umrissen nahmen Pferde und Reiter Gestalt an, pulsierende Farben hämmerten ihren Rhythmus in meinen Kopf. Wenn ich das Bild betrachtete, dann schien es mir, als könne ich den Schweiß auf den Körpern sehen und das Schreien und Stöhnen der Kämpfenden hören. An einer Stelle hatte mein Meister Rauch aufsteigen lassen, etwas nie Dagewesenes in einem Fresko, denn diese Art der Malerei kennt viele Beschränkungen. So ist es beispielsweise schwer, die Tiefe des Raums darzustellen. Aber er hatte es geschafft, es so aussehen zu lassen, als sei ein Kanonenschuss gerade neben dem Bild losgegangen und der Pulverdampf verzöge sich nur langsam.

Während dieses feuchtkalten Sommers machten wir uns immer sofort an die Arbeit, sobald wir im Ratssaal angekommen waren. Einige meiner Aufgaben waren eintönig, aber das machte mir nichts aus. Ich konnte nicht mit dem Pinsel umgehen, ja nicht einmal die einfachste Umrisszeichnung anfertigen. Obwohl ich das zwölfte Lebensjahr schon längst vollendet hatte, war ich noch immer sehr klein und dünn. Deshalb konnte ich schnell die Gerüste auf- und abklettern und den Handwerkern ihre Geräte bringen, sobald sie danach riefen: das spitze Eisen, das die Maler benutzten, um die Umrisse der Zeichnung vom Karton auf die Wand zu übertragen, und die seidenen Beutelchen mit dem Kohlestaub, mit dem diese Umrisse sichtbar gemacht wurden. Ich füllte diese Beutel wohl ein Dutzend Mal am Tag nach, damit der Staub durch die feinen Löcher des Kartons auf die Wand aufgetragen werden konnte.

Abends, nachdem ich den ganzen Tag in der Hitze gearbeitet hatte, war ich erschöpft wie alle anderen, aber vom Fresko selbst konnte ich nie genug bekommen. Es beeindruckte mich. Ich fand immer Zeit, mich darin zu vertiefen und eine neue Seite zu entdecken, die mich faszinierte. Wie jetzt auch. Als die meisten schon ihre Sachen zusammengepackt hatten und gegangen waren, lehnte ich mich zurück und betrachtete die neuen Teile, die der Meister gemalt hatte.

Wie wohl der Mann hieß, der gerade so elend umkam, ohne dass es seine Gefährten bemerkten? Hatte er Frau und Kinder zu Hause? Und der andere, der Jüngere, weshalb war der hier? Aus Abenteuerlust? Oder wollte er, wie Paolo dell'Orte, Gräueltaten rächen, die seiner Familie angetan worden waren? Die beiden, wie auch alle anderen, hatten sicher an den Lippen des Redners gehangen, der sie zu den Waffen gerufen hatte. Was mochte er zu ihnen gesagt haben, dass er sie so für den Kampf begeistern konnte? War es lediglich die Aussicht auf Beute oder war es die tiefe Überzeugung, einer edlen Sache zu dienen? Heerführer ziehen aus vielerlei Gründen in den Krieg, um Land oder Reichtum zu gewinnen, aus Habsucht oder aus Geltungssucht. Aber aus welchem Grund hatten diese einfachen Soldaten teilgenommen?

»Matteo!«

Ich sprang auf. Ich war so damit beschäftigt gewesen, für jede Gestalt des Freskos ein besonderes Schicksal zu ersinnen, dass ich den Ruf des Meisters vergessen hatte.

Er streckte mir voller Zuneigung die Hand entgegen und zauste mir durch das Haar. »Was geht in deinem Kopf vor?«

Ich zuckte mit den Schultern. Während der zwei vergangenen Jahre war ich anderen gegenüber viel gelassener geworden, sodass ich Berührungen wie diese zuließ, ohne zurückzuschrecken. »Ich dachte über die Männer nach. Wer sind sie?«

»Florentinische Soldaten.«

»Wie heißen sie?«

»Wie sie heißen?«

»Dieser hier«, fuhr ich hastig fort, ehe er etwas erwidern konnte. »Der Mann, der auf der Erde liegt. Wird er überleben?«

Der Meister trat näher, um den gefallenen Soldaten genauer zu betrachten. »Das bezweifle ich. Er ist zu schwer verletzt. Er wird bald sterben, wie die meisten, die in einer Schlacht verwundet werden.«

»Mir scheint, in seiner Miene spiegelt sich bereits seine Niederlage«, fuhr ich fort. »Er will nicht mehr leben.«

»Weshalb nicht?« Der Meister blickte mich amüsiert an.

»Vielleicht, weil er kein Zuhause hat. Ich denke, das wird der Grund sein. Niemand trauert um ihn, wenn er nicht mehr zurückkommt.«

»Das ist wirklich traurig, wenn es niemanden gibt, dem etwas daran liegt, ob man lebt oder tot ist.«

»Der hingegen«, ich deutete auf eine der Hauptfiguren, die das Schwert hoch erhoben hielt, um auf einen Gegner einzuschlagen, »will sich Ruhm erwerben und fürchtet den Tod nicht. Vielleicht würde er sogar gerne sterben, um im Gedächtnis der Menschen für immer weiterzuleben.«

»Solche Menschen gibt es wirklich.«

»Achilles, der Stattlichste und Tapferste der alten griechischen Helden, soll so ein Mann gewesen sein. Es war ihm geweissagt worden, dass er sterben würde, wenn er in den Trojanischen Krieg zöge, dass dann aber seine Taten in Liedern und Erzählungen ewig weiterleben würden. Bliebe er zu Hause, dann würde er hingegen alt und unbedeutend sterben. Deshalb beschloss er, mit Odysseus zu ziehen und um Helena zu kämpfen. Er hat den tapferen Hektor vor den Mauern Trojas erschlagen und er selbst wurde von Paris am skäischen Tor getötet. Und es ist wahr, Achilles ist bis heute unvergessen. Vielleicht denkt dieser Soldat gerade das Gleiche? Dass sein Name, sollte er die Fahne erobern, auch unsterblich wird?«

»Ein Gemälde hat ebenso viele Bedeutungen wie Betrachter, die vor ihm stehen. Viele bezeichnen es als festgehaltenen Augenblick.«

»Ich glaube, mich interessiert mehr, was *vor* und *nach* diesem Augenblick geschehen ist.«

»Ah, du meinst die Geschichte, die sich dahinter verbirgt. Dieses Bild stellt dar, was ein Bericht von der Schlacht von Anghiari erzählt. Tatsächlich gibt es aber mehrere Berichte von dieser Begegnung, in der die Florentiner gegen die Mailänder kämpften. Du wirst feststellen, dass es sehr stark von dem jeweiligen Erzähler abhängt, wie das Geschehene verstanden wird. Diese Schlacht gilt als ein großer Sieg der Florentiner über ihre Feinde. Aber mein Freund Niccolò Machiavelli hat mir erzählt, dass das einzige Opfer dieses Kampfes deshalb zu beklagen war, weil ein Pferd vor einer Schlange scheute. Das Pferd bäumte sich auf und sein Reiter fiel zu Boden, schlug mit dem Kopf auf einen Stein und starb. Aber Messer Machiavelli ist ein ewiger Spötter – selbst dann, wenn er von Kämpfen erzählt.«

»Ich wüsste gern, was aus den Menschen auf diesem Bild geworden ist«, sagte ich.

»Du hast Verstand, Matteo. Und genau darüber möchte ich mit dir sprechen. Komm einmal hier hinüber, wo wir uns ungestört unterhalten können.«

Er führte mich in die Mitte des Saals.

»Es war Herbst, als du zu mir gekommen bist, um wieder bei uns zu leben. Erinnerst du dich noch?«

Und ob ich mich erinnerte.

Es war beinahe Sommer geworden in jenem Jahr 1503, als ich in der Stadt ankam. Für meine Reise durch die

Berge vom Konvent in Melte aus hatte ich viele Wochen gebraucht. Es war sehr einfach gewesen, den Aufenthalt einer so berühmten Persönlichkeit wie Leonardo da Vinci zu erfragen. Ich erfuhr, dass er unterwegs war und man ihn nicht vor Oktober zurückerwartete. Dann aber wolle er eine neue Werkstatt einrichten und die Arbeit an dem Fresko beginnen, zu dem ihm Piero Soderini und der Rat der Stadt den Auftrag erteilt hatten.

Es war warm genug, um im Freien zu übernachten, deshalb suchte ich mir am Ufer des Arno einen Unterschlupf und richtete mich dort ein.

Ende August erreichten die Stadt Nachrichten aus Rom. Der Borgia-Papst Alexander war gestorben. Nach einem Essen war er ernsthaft erkrankt und hatte sich nicht mehr erholt. Ganz Italien litt damals unter einer Hitzewelle, und in Rom wütete das Fieber, das die Mücken aus den umliegenden Sümpfen verbreiteten. Doch die meisten waren überzeugt, dass Alexander entweder vergiftet worden war oder sich versehentlich selbst vergiftet hatte. Er starb einen qualvollen Tod. Es schien ein passendes Ende zu sein für jemanden, der ein solches Leben geführt hatte.

Eine Zeit lang herrschte Aufruhr unter den Kirchenführern, doch dann wurde ein neuer Papst, Julius, gewählt. Dieser Papst Julius, ein erbitterter Kämpfer für seine eigenen Interessen, betrachtete Cesare Borgia als Gegenspieler und entließ ihn als Befehlshaber der päpstlichen Armee, um selbst deren Führung zu übernehmen. Auch weigerte er sich, die Ansprüche des Borgia als Herzog der Romagna anzuerkennen, und verlangte, dass die Städte, die Cesare dort erobert hatte, wieder der päpstlichen Gewalt unterstellt würden. Cesare Borgia, der um sein nacktes Leben fürchtete, suchte Zuflucht in Spanien. Angesichts dieses Niedergangs des Borgia fühlte ich mich auf der Stelle sicherer, denn er war es ja gewesen, dem Sandino das Siegel der Medici verkaufen wollte.

Von all dem hatte ich damals, als Sandino mich zu Pater Albieri nach Ferrara schickte, allerdings nichts gewusst. Damals hatte er mir nur erzählt, dass ein Priester, der an den Hochzeitsfeierlichkeiten der Lucrezia Borgia teilnahm, den Ort kannte, an dem eine verschlossene Schatulle aufbewahrt wurde. Und deren Inhalt hätte Sandino nur zu gerne besessen. Ich sollte den Priester suchen und er würde mich an den Ort führen. Meine Aufgabe sollte darin bestehen, das Schloss aufzubrechen, den Gegenstand zu entnehmen und dann das Behältnis wieder so zu verschließen, dass niemand bemerkte, dass es geöffnet worden war.

Als Pater Albieri mich in das Haus in Ferrara mitnahm, in dem die Schatulle aufbewahrt wurde, hatte ich keine große Mühe, meinen Auftrag auszuführen. Es war der Priester und nicht Sandino, der mir sagte, worum es sich bei dem Gegenstand handelte. Und seltsamerweise bestand er darauf, dass ich ihn mitnahm. Er legte das Siegel in eine lederne Gürteltasche und band sie mir um die Hüfte. Es war für ihn sicher eine Sünde, ein Kind zum Diebstahl angestiftet zu haben, denn er ließ sich nicht davon abbringen, mir die Absolution und seinen Segen zu erteilen, ehe wir uns zusammen aufmachten, um Sandino zu treffen.

Dieser einfältige Priester! Er hätte selbst die Beichte ablegen sollen, denn es dauerte nicht mehr lange, bis er seinem Schöpfer gegenüberstand. Aber weder er noch ich hatten den leisesten Verdacht gehegt, dass Sandino uns bei diesem Treffen am Ufer des Flusses betrügen wollte.

Nachdem Sandino uns begrüßt hatte, begann der Pfarrer: »Ich habe dabei, was du haben wolltest. Es ist in der Tat ein großer Schatz.«

Sandino grinste triumphierend. Er wandte sich an einen seiner Spießgesellen und sagte: »Nun werden wir Gold in Hülle und Fülle haben. Cesare Borgia wird uns gut bezahlen für das Siegel der Medici.«

»Der Borgia!« Pater Albieri prallte entsetzt zurück. »Du hast behauptet, du handelst im Auftrag der Medici. Nur aus diesem Grund war ich bereit, dir zu helfen!«

»Das weiß ich«, zischte Sandino. »Hätte ich dir die ganze Wahrheit gesagt, dann hielte ich diesen Schatz jetzt nicht in den Händen.«

Und noch während er das sagte, schwang der Brigant seinen Knüppel und schlug den Priester tot. Dasselbe hätte auch mir bevorgestanden, wenn es mir nicht gelungen wäre, ihm zu entkommen.

Anfangs konnte ich mir nicht erklären, weshalb Sandino uns umbringen wollte. Zuerst glaubte ich, dass er die Beute ganz für sich alleine behalten wollte, aber dann kam mir in den Sinn, dass es auch deshalb sein könnte, weil er sich unseres Schweigens nicht sicher war. Erst als ich älter wurde, begriff ich, dass der Wert des Medici-Siegels viel größer war als der reine Goldwert. Das Siegel konnte man wie eine Unterschrift benutzen, um alle erdenkbaren Dokumente zu beglaubigen. Und tat man das, dann wären alle überzeugt gewesen, die Dokumente seien von den Medici eigenhändig ausgefertigt worden. Der Borgia hätte sich damit Darlehen beschaffen können, er hätte Papiere fälschen und alle möglichen Verschwörungen in die Wege leiten können – und die Medici hätten den Schaden davon gehabt. Aber jetzt, nachdem Il Valentino Italien verlassen hatte und ein ganzes Jahr verstrichen war, seit ich das Siegel gestohlen hatte, würde mich Sandino wohl nicht länger jagen, um es mir abzunehmen – oder doch?

Als ich daher die Nachricht vernahm, dass der neu gewählte Papst Julius es Cesare Borgia nicht gestatten würde, seinen Fuß wieder auf italienischen Boden zu setzen, fühlte ich mich viel wohler, wenn ich unter Menschen ging. Ich fand Arbeit in den Läden rund um den Marktplatz von Florenz. Für einige Soldi und eine Mahlzeit verrichtete ich Botengänge. Namen und Adressen konnte ich mir gut merken, denn darin war ich schon seit langem geübt.

Eines Tages, als ich in den Straßen herumlungerte und nach einer Arbeit suchte, packte mich jemand an der Schulter. Es war Felipe. Leonardo da Vinci war wieder in der Stadt, und Felipe war unterwegs, um Besorgungen für den neuen Haushalt zu machen. Er erzählte mir, dass der Meister seine gute Laune wiedergefunden hätte, seit er nicht mehr in Diensten der Familie Borgia stand; auch habe er wieder zu malen begonnen. Er nahm mich mit ins Kloster Santa Maria Novella, wo sie eine Werkstatt eingerichtet und Wohnung genommen hatten.

»Ich danke Euch, dass Ihr mich damals wieder aufgenommen habt«, sagte ich nun zum Meister.

Er setzte sich auf einen Stuhl neben Zoroastros Werkbank, weit weg von den anderen, sodass uns niemand zuhören konnte. »Ich bat dich nicht, daran zu denken, wie du in meine Dienste zurückkehrtest, damit du mir dafür dankst, Matteo. Kannst du dich noch an die Zeit erinnern, die wir in jenem Herbst im Kloster der Heiligen Jungfrau Maria verbracht haben?«

»Sehr gut sogar«, antwortete ich. Es war damals sehr aufregend für mich gewesen, mitzuerleben, wie die Werkstatt eines Künstlers eingerichtet wurde. Unter Leonardos Mitarbeitern herrschte helle Aufregung darüber, dass er mit diesem Auftrag ausgezeichnet worden war. Es bedeutete ein geregeltes Einkommen für mehrere Jahre sowie die Möglichkeit, an einem großartigen Werk mitwirken zu können. Damals begegnete ich auch Zoroastro zum ersten Mal. Er hatte seine Schmiedewerkstatt im Garten neben dem Kloster eingerichtet, und in diesen kalten Monaten hatten wir alle Hand in Hand gearbeitet, um dieses große Unternehmen in Gang zu bringen. »Warum wollt Ihr, dass ich mich an diesen Herbst zurückerinnere?«

»Weil damals, vor nunmehr fast zwei Jahren, die Frau eines Händlers, Donna Lisa, ein totes Kind zur Welt gebracht hat. Ich möchte, dass du dich an die Amme erinnerst. Sie hieß Zita, war schon die Amme von Donna Lisa gewesen und lebte seitdem in ihrem Haus.«

Zita war eine ältliche Frau gewesen, die sich um Donna Lisas Kinder und um das Stiefkind aus der ersten Ehe ihres Mannes kümmerte. Wir hatten sie zum ersten Mal getroffen, als sie ihren Bruder, einen Mönch im Kloster der Heiligen Jungfrau Maria, besuchte und zwei kleine Jungen mitbrachte. Diese Jungen liebten es, Zoroastro bei der Arbeit in seiner Schmiede zuzusehen.

»Ich erinnere mich an sie.«

»Die Amme behauptete, der Grund, weshalb Donna

Lisas Kind tot zur Welt gekommen war, sei eine fette Kröte gewesen, die ihr über den Weg hüpfte, als Donna Lisa am Allerheiligentag zur Kirche ging, nicht wahr?«

»Ja, so hat sie gesagt.«

»Weil das Tier regungslos dasaß, musste Donna Lisa über die Kröte hinwegsteigen. Und das sei der Grund gewesen, weshalb das Kind, das Donna Lisa trug, aufgehört habe zu leben.«

Ich nickte. »Genau das hat die Amme uns an dem Abend, an dem wir in ihr Haus kamen, erzählt.«

»So«, fuhr mein Meister fort, »die Amme wollte uns glauben machen, dass die Kröte schuld daran war, dass das Kind in Donna Lisas Leib zu atmen aufgehört hatte und tot zur Welt kam.«

Ich nickte.

»Glaubst du das, Matteo? Weil Donna Lisa über eine Kröte stieg, starb das Kind?«

Ich zögerte.

»Glaubst du das?«, beharrte er auf seiner Frage.

»Das ist unwahrscheinlich«, sagte ich unsicher.

»Ja oder nein, Matteo?«

»Nein, aber –«

»Ja oder nein?«

Ich schüttelte den Kopf, gab ihm aber nicht die Antwort, die er hören wollte.

»Das ist eine Frage der Vernunft, Matteo. Denk einmal darüber nach. Eine Kröte, die einer schwangeren Frau im Weg sitzt. Wie sollte das zum Tod des Kindes führen, das sie trägt?«

»Meine Großmutter sagte, dass im überlieferten Glauben der Alten stets ein Körnchen Wahrheit steckt.«

»Davon bin ich felsenfest überzeugt. Es kann sein, wenn eine schwangere Frau einen Frosch oder eine Kröte isst, dass dies ihr oder ihrem Kind Schaden zufügt. Bekanntlich gibt es gewisse Dinge, die wir nicht essen sollten und die besonders Frauen schaden können. Du weißt das am allerbesten. Du warst es ja, der Graziano die falsche Minze gezeigt und ihn von seinen ständigen Leibschmerzen erlöst hat. Wenn man eine Kröte isst oder sie auch nur berührt, können vielleicht Krankheiten übertragen werden, die einem ungeborenen Kind schaden. Das ist der wahre Kern der Geschichte.«

»Nun«, sagte ich, »jetzt habt Ihr Euch selbst widersprochen!«

Er zog erstaunt die Augenbrauen hoch. »Habe ich das?«

»Ja, natürlich. Ihr habt gerade selbst gesagt, dass eine Kröte die Ursache für ein solches Unglück sein kann.«

»Du dickköpfiger, halsstarriger Junge!«, rief er aus.

Ich warf ihm einen bangen Blick zu, aber er lachte.

»Seht Ihr«, fuhr ich fort, »es ist am besten, wenn eine schwangere Frau nichts von alledem tut, damit ihr nichts geschieht.«

»Matteo, hör mir zu!« Er nahm mein Gesicht in seine Hände. »Irgendetwas hat den Tod des Kindes verursacht. Aber manchmal ist es bequem für die Menschen, wenn sie die Schuld anderswo suchen können. Das befreit sie von der Verantwortung. Es ist nicht der Vater, der das Kind zeugte, noch die Mutter, die es getragen hat, nicht die Dienerschaft im Haus, die ihnen das Essen zubereitet hat, auch nicht die gute Amme, die für sie sorgen sollte, nicht die Hebamme, die der Mutter zur Seite stand, und auch nicht der Arzt, der an ihr Krankenbett gerufen wurde. Sie alle tragen keinerlei Schuld, denn es war ja die Schuld der Kröte. Verstehst du, wie bequem das ist?«

»Das verstehe ich.«

»Aber wenn wir die Kröte dafür verantwortlich machen«, fuhr der Meister fort, »dann bedeutet das zugleich, dass wir gar nicht nach der wirklichen Ursache suchen.«

Er sah mich abwartend an.

Ich schwieg.

»Was kannst du aus all dem schließen, Matteo?«

»Ich weiß es nicht.«

»Lass mich dir auf die Sprünge helfen. Das alles wird wieder passieren. Irgendwo wird ein Kind tot zur Welt kommen. Noch eine Mutter wird diesen Kummer erleiden, egal, ob ihr eine Kröte im Weg war oder nicht. Aber das spielt keine Rolle. Denn wenn es keine Kröte war, dann wird man einem anderen bösen Vorzeichen die Schuld an dem Unglück geben. Und dann …« Er schaute mich erwartungsvoll an.

»Wird es immer so weitergehen«, sagte ich langsam. »Und der wahre Grund wird nie entdeckt werden.«

»Und welchen Vorteil hat man davon, wenn man den wahren Grund kennt?«, drängte er weiter.

»Wir könnten dafür sorgen, dass es nicht wieder passiert.«

»Gut, Matteo.« Er blickte mich zufrieden an. »Und nun überlege dir Folgendes.« Er deutete auf etwas. Wie so oft hatte das, was er tat, mehr als nur einen Beweggrund. Es war kein Zufall, dass er mich an Zoroastros Werkbank geführt hatte. Er strich mit den Fingern über die roten Bindfäden, die an vielen Stellen der Weinkelter herabhingen. »Wozu sind die gut? Um Kröten abzuwehren?«

Ich spürte, wie ich rot wurde.

»Ist es vernünftig, so etwas zu tun?«, fragte er mich. »Warum wohl, glaubst du, hat Zoroastro diese roten Wollfäden hier aufgehängt?«

»Das ist ein alter Volksglaube. Den kannten schon unsere Urväter. Es ist ein sehr mächtiges Zeichen.«

»Ein Zeichen?«

»Ja.«

»Wofür?«

»Es hat mit Feuer zu tun«, erklärte ich. »Weil es rot ist. Mit dem Feuer kann sich der Mensch schützen. Sogar die Kirche lehrt, dass die Macht des Feuers böse Geister vertreibt.«

»Nun ja«, sagte der Meister und lachte. »Wenn Feuer etwas gegen einen solchen Teufel wie Piero Soderini ausrichten könnte«, er sprach den Namen des Obersten Rates der Stadt aus, der ihm wegen des Freskos im Nacken saß, »dann wäre ein Brandzeichen ein höchst nützliches Ding. Aber rote Bindfäden? Ich glaube nicht, dass die ihn abschrecken würden oder den Wind zum Schweigen brächten oder bewirkten, dass es zu regnen aufhört. Das siehst du doch auch so?«

Ich blickte zu Boden.

»Matteo, du musst dir das durch den Kopf gehen lassen.«

»Das tue ich ja«, sagte ich trotzig.

»Dein Glaube gründet sich auf Furcht. Furcht entsteht aus Unwissen und Unwissen kommt von mangelnder Bildung.«

»Meine Großmutter hat mir alles beigebracht.«

»Sie hat dir beigebracht, was du wissen musstest, um das

Leben zu führen, das du damals geführt hast. Aber jetzt führst du ein anderes Leben. Jetzt gibt es Dinge, die deinem Verstand verborgen sind und für die dein Verstand empfänglich gemacht werden muss, bevor es zu spät ist.«

»Es gibt Dinge, die die Menschen niemals verstehen werden, Dinge, die man einfach nicht erklären kann.«

»Für alles gibt es eine Erklärung.«

»Nicht für alles.«

»Für *alles,* habe ich gesagt.«

Das ist Ketzerei.

»Der Mönch in Averno behauptet, dass es dem Menschen nicht gegeben ist, alles zu verstehen.«

Der Meister stand auf. »Ich sage dir, es gibt Dinge, die der Mensch nicht versteht, weil er noch nicht über die Mittel verfügt, um sie zu verstehen. Früher war es nicht möglich, den Mond aus der Nähe zu betrachten. Deshalb hat man Legenden ersonnen, die das erklären sollten, was man sah – verstanden hat man es dennoch nicht. Aber heutzutage können wir mit Hilfe von Spiegeln und Gläsern den Mond viel deutlicher erkennen, und deshalb wissen wir, dass dort keine Göttin wohnt und keine Seele einer schönen Frau oder etwas Ähnliches. Wenn deshalb der Mönch behauptet, es gäbe Dinge, die der Mensch nicht verstehen könne, so erwidere ich, es gibt Dinge, die der Mensch *noch nicht* versteht.«

Er bemerkte, dass mir bei diesem Gespräch nicht wohl in meiner Haut war.

»Macht nichts«, fuhr er milde fort. »Ich wollte eigentlich mit dir reden, weil ich weiß, dass du nicht lesen kannst. Ich sehe, wie du jeden Tag das Fresko betrachtest. Es stellt Menschen dar, die kämpfen, damit sie in Freiheit leben können. Ich aber sage dir, die Freiheit ist nutzlos, wenn man nicht auch dem Geist die Freiheit gibt. Ein Mensch, der nicht lesen kann, wird eine Beute des Aberglaubens und leicht durch die Unwissenheit anderer zum Irrtum verführt.«

»Aber Ihr habt selbst gesagt, dass in den alten Schriften Irrtümer waren. In Werken, die hohes Ansehen genießen. Beim Öffnen der Leichname habt Ihr mit eigenen Augen Dinge gesehen, die im Widerspruch zu diesen Texten stehen.«

»Ahhh«, stöhnte er verzweifelt, und einen Augenblick lang dachte ich, er würde mir einen Klaps auf den Kopf geben. »Was ich dir sagen will, ist Folgendes: Wenn du jetzt nicht bald lesen lernst, dann wirst du es nie lernen. Es ist mir ein Rätsel, warum deine Großmutter es dir nicht beigebracht hat, wo sie dich so viel lehrte. Sie muss doch bemerkt haben, dass du ein ausgezeichnetes Gedächtnis und eine außerordentlich schnelle Auffassungsgabe hast.«

»Vielleicht konnte sie selbst nicht lesen.«

»Das bezweifle ich. Du hast mir erzählt, dass sie ihre eigenen Rezepturen aufgeschrieben hat. Folglich konnte sie auch lesen.«

»Ich weiß, dass ihr diese Rezepte sehr am Herzen lagen. Ich musste ihr versprechen, sie nach ihrem Tode nicht zu verbrennen, obwohl sie selbst sie nur mit Mühe entziffern konnte.«

»Ich glaube, sie konnte das sehr wohl. Warum hat sie dir also nicht beigebracht, wie man sie liest?«

»Sie hat mir sehr viel beigebracht«, sagte ich störrisch.

»Nur so viel, wie sie musste. Du hast mir gesagt, dass sie dich gelehrt hat, die Namen eurer Kunden sowie die der Straßen und Plätze, an denen sie wohnten, zu lesen. Nur das, und nicht mehr. Ich frage mich, warum sie dir das Lesen nicht beigebracht hat, als sie dir die Geschichten aus der *Ilias*, die Fabeln des Aesop und die anderen Sagen und Legenden erzählte?«

Darauf wusste ich keine Antwort.

»Wir müssen etwas unternehmen, damit du lesen lernst.«

»Nein!« Ein Diener dürfte nicht so frech zu seinem Herrn sprechen, aber ich wollte es nicht zulassen, dass er mich dazu überredete. »Ich will das nicht. Dann erfahren es die anderen, dass ich nicht lesen kann, und diese Erniedrigung könnte ich nicht ertragen.«

»Ich weiß, dass es dir peinlich ist, aber ich glaube, es ist höchste Zeit, dass du dich mit dem Lesen beschäftigst.« Er zog etwas unter seinem Kittel hervor und gab es mir. »Heute Morgen, als alle schon die Werkstatt im Kloster verlassen hatten, kamen einige Pakete an. Weil Felipe schon weg war, habe ich sie durchgesehen. Dieser Brief war auch dabei. Er ist an dich gerichtet. Ich weiß, dass du schon früher Briefe erhalten hast. Was fängst du mit diesen Briefen an? Wie liest du sie?«

Ich antwortete nicht.

»Bittest du einen meiner Gehilfen, dass er sie dir vorliest – Flavio vielleicht?«

»Nein, das tue ich nicht.«

»Es muss doch entmutigend für dich sein, nicht zu wissen, was in den Briefen steht.«

Aber ich wusste, was sie enthielten.

Wenn ich auch nicht lesen konnte, so hatte ich doch jemanden gefunden, der sie mir vorlas.

Sinistro, den Schreiber.

KAPITEL 35

Als ich den ersten Brief erhielt, musste ich die Spötteleien und die Pfiffe der jüngeren Lehrlinge wohl oder übel über mich ergehen lassen. Solche Neckereien waren etwas Alltägliches in der Werkstatt, aber einer der älteren Gesellen, Salai mit Namen, hatte einen gemeinen Charakterzug. Er riss mir den Umschlag aus den Händen und roch daran.

»Ich glaube, ich rieche Parfüm«, verkündete er.

»Gib ihn mir zurück.« Ich spürte, wie die Wut in mir aufkochte. Aber natürlich war es ein Fehler gewesen, Salai zu zeigen, dass er mich ärgerte.

»Er ist der graue Wolf, der in den pechschwarzen Nächten jagt, unser Matteo«, rief Salai. »Der heimlich um die Mauern schleicht und bei dem man nicht weiß, ob er nur ein Schatten oder wirklich der Wolf ist.«

»Mir ist sehr wohl aufgefallen, dass du nachts weggehst«, fiel Flavio ein. »Wohin gehst du da, Matteo?«

Tatsächlich ging ich nachts von Zeit zu Zeit weg, um den Meister ins nahe gelegene Leichenhaus zu begleiten, wo ein verständnisvoller Arzt es ihm erlaubt hatte, Leichen zu öffnen. Aber der Meister wollte, dass dies möglichst wenige wissen. Der Magistrat konnte einem Künstler zwar gestatten, anatomische Studien an Leichen vorzunehmen – vorausgesetzt, er konnte einen triftigen Grund vorbringen, wie zum Beispiel Michelangelo, als er die große Skulptur des jungen David schuf. Aber mein Meister fürchtete, es könnte sich herumsprechen, dass sein Interesse an Toten über das bloße Studium von Gewebe und Muskeln hinausging. Wenn die Leute seine äußerst genauen Zeichnungen der inneren Organe zu Gesicht bekämen, würden sie zu tuscheln anfangen und sich fragen, welchem Zweck sie wohl dienen mochten. Er würde sich dem Tratsch und den Anfeindungen der Leute aussetzen. Ohne die schützende Hand eines mächtigen Auftraggebers war es für den Meister lebenswichtig, dass niemand von diesen Zeichnungen wusste.

Salai wusste jedoch Bescheid. Einmal hatte er den Meister in der Nacht begleitet. Aber die vielen Stunden, die er ausharren musste, ohne dass etwas Aufregendes geschah, langweilten ihn, und da er es außerdem – im Gegensatz zu mir – vorzog, seine Zeit in Weinschänken zu verschwatzen, nahm mich der Meister nun an seiner Stelle mit. Salai wusste das alles sehr gut. Deswegen neckte er mich beständig, wohl wissend, dass ich die Wahrheit nicht preisgeben würde.

Er schwenkte meinen Brief in der Luft. »Spring und sieh zu, ob du ihn dir wieder holen kannst«, höhnte er.

Ich machte ein paar Schritte nach vorne und tat so, als ob ich darauf eingehen würde. Als Salai seine Arme noch höher in die Luft streckte, damit ich den Brief nicht zu fassen bekäme, trat ich ihm mit aller Kraft in die Leiste. Er krümmte sich, schrie vor Schmerz auf und presste seine Hände zwischen die Beine. Ich entriss ihm den Brief und rannte aus der Werkstatt, so schnell ich konnte.

Ich hatte einen neuen Feind, aber der Brief war in Sicherheit.

Das war der erste Brief gewesen, den ich erhielt.

Natürlich konnte ich ihn nicht lesen.

Aber ich entzifferte sehr wohl den Namen unter der letzten Zeile des Schriftstücks.

Elisabetta.

Ich bewahrte ihn immer ganz dicht an meinem Körper auf. Salai hatte begonnen, mich auf Schritt und Tritt zu beobachten, und mir war klar, dass er ihn mir bei erster bester Gelegenheit stehlen würde, wenn er nur könnte. Es war Januar und das Fest der Erscheinung des Herrn stand bevor, an dem der Herr des Hauses kleine Geschenke zu verteilen pflegte. Ich hatte um eine Geldbörse gebeten, eine, die ich an meinem Gürtel befestigen und in der ich das wenige Geld und meine anderen Habseligkeiten von Wert aufbewahren konnte. Dort verwahrte ich den Brief einen Monat lang oder länger, bis ich jemanden fand, der ihn mir vorlesen konnte.

Den Mann, der sich Sinistro, der Schreiber, nannte.

Diesen Namen hatte er sich selbst zugelegt, nicht zuletzt deswegen, weil er zum Schreiben die linke Hand benutzte. Und das war es auch, was mich auf ihn aufmerksam machte. Eines Tages, es war beinahe ein Jahr, nachdem ich in Florenz angekommen war, hatte ich die Gelegenheit, auf die andere Seite des Flusses zu gehen. Ich kam von der Kirche Santo Spirito und schlenderte auf die Ponte Vecchio zu, als ich ihn erblickte. Er kauerte zu Füßen eines Turms dicht vor der Brücke, und seine kleine Nische war wie geschaffen, um Laufkundschaft anzusprechen. Er hatte genügend Platz, um sich hinzusetzen und eine Schachtel, die seine Utensilien enthielt und ihm zugleich als Schreibunterlage diente, auf den Knien zu halten. Mir fiel auf, dass er seine Feder in der linken Hand hielt. Aber er schrieb nicht rückwärts wie mein Meister, dem dies sehr flüssig von der Hand ging und der während des Schreibens lesen konnte, was er zu Papier gebracht hatte. Dieser

Schreiber hielt seine Hand wie einen Haken gekrümmt und beim Schreiben neigte er das Papier seitlich.

Ich sah ihm zu. Er war recht alt und weißhaarig und bot – wie viele in den dicht belebten Straßen am Fluss – hier seine Dienste an. Schließlich ging ich weiter, doch dann kam mir Elisabettas Brief in den Sinn. Ich kehrte um und blieb in einiger Entfernung vor ihm stehen. Er hatte den Kopf gesenkt und schrieb. Wohl eine Minute lang sah ich ihm zu, ehe ich ihn ansprach.

»Holla da, Schreiber. Ich sehe, dass du dein Handwerk ganz gut verstehst. Kannst du auch lesen?«

»Du kannst es offensichtlich nicht, Junge«, gab er mir zur Antwort. »Denn wenn du lesen könntest, wüsstest du, dass auf meiner Tafel«, er deutete auf ein Stück Papier, das er an der Wand über seinem Kopf angeschlagen hatte, »das dort steht: *Vorlesen und Schreiben! Sorgfältig und verschwiegen! Sinistro, der Schreiber.*«

»Sinistro, der Schreiber«, wiederholte ich. »Wie bist du zu dem Namen gekommen? Ich sehe, dass du Linkshänder bist, aber obwohl links im Florentinischen *sinistro* heißt, ist *mancino* das eigentliche Wort für einen Linkshänder.«

Er blickte mich interessiert an. »Ein Junge, der zwar nicht lesen kann, der aber die Feinheiten der Sprache zu schätzen weiß«, sagte er erstaunt. »Wie heißt du?«

»Matteo.«

»Wenn du aufmerksamer gewesen wärst, Matteo, dann wäre dir nicht entgangen, dass ich auf der linken Seite eines Turms sitze, der am linken Ufer des Flusses steht.«

Ich blickte mich um und sah, dass er Recht hatte.

»Der Name gefällt mir, er ist ein Spaß«, erklärte er. »Und

wenn man etwas verkaufen will, ist es gut, wenn man sich ein wenig von den anderen abhebt.«

»Das sehe ich ein«, gab ich zur Antwort.

»Und was kann ich bei *dir* einsehen?« Er betrachtete mich genauer. »Ich sehe einen Jungen. Einen Jungen, der in Diensten steht, darauf wette ich, denn deine Sandalen sind von den vielen Botengängen schon ganz abgelaufen. Und einen Jungen, der einen feinen Lederbeutel an seinem Gürtel trägt. Sehr wahrscheinlich ein Geschenk seines Dienstherrn, denn das Fest der Erscheinung des Herrn ist noch nicht lange vorbei. Und ich sehe, dass der Junge diesen Beutel festhält, während er mit mir spricht. Hmmm…« Er strich sich mit übertriebener Geste über den Bart. »Ich bin sicher, in dem Beutel ist mehr als nur Geld. Ich glaube, es ist ein Brief, den du darin mit dir herumträgst, Meister Matteo.«

Ich verschränkte geschwind meine Arme über der Brust.

»Aha«, rief er triumphierend aus und lächelte. »Ich habe ins Schwarze getroffen. Den Augen von Sinistro, dem Schreiber, entgeht nichts.«

Der alte Mann war von sich selbst so überzeugt, dass ich nicht anders konnte, als ebenfalls zu lächeln.

»Und«, fügte er hinzu, »darüber hinaus lege ich meine Hand dafür ins Feuer, dass der Brief von einem Mädchen ist und du vor deinen Freunden nicht zugeben willst, dass du ihn nicht lesen kannst.« Er streckte seine Hand aus und sagte: »Gib mir einen Florin und ich lese ihn dir vor.«

»Einen Florin!«, rief ich ehrlich erschrocken aus. »Ich habe in meinem ganzen Leben noch keinen Florin besessen.«

»Na, dann eben einen halben Florin«, sagte er widerwillig. »Aber es wundert mich, dass du einen alten Mann so übers Ohr hauen willst.«

»Für einen halben Florin muss ein Handwerker eine ganze Woche lang arbeiten«, entgegnete ich. Und dann begann ich ebenfalls zu feilschen und fügte hinzu: »Selbst Brunelleschi, der Erbauer des Doms von Santa Maria del Fiore, wurde nicht so gut bezahlt.«

»Du meinst wohl, ich bin ein schlechterer Handwerker als er?«, fragte er zurück. »Ich, der ich im Sankt-Bernhard-Kloster bei dem ehrwürdigen Bruder Anselm in die Lehre gegangen bin. Bei eben diesem Anselm, dessen Skriptorium in der ganzen Christenheit für die Schönheit seiner Handschriften berühmt ist! Meine Schreibkunst wird nur noch von der seinen übertroffen.«

»Es sind nicht deine Künste im Schönschreiben, die mich interessieren. Du kannst lesen und dafür will ich dich bezahlen. Das ist doch sicherlich viel billiger, oder nicht?«

»Verdiene ich nicht so viel Lohn wie jeder andere Künstler in der Stadt auch?«

»Einen halben Florin? Für zwei Minuten Arbeit? Nicht einmal mein Meister verdient so viel.«

»Und wer ist dein Meister, dass er für einen solchen Hungerlohn arbeitet?«

»Leonardo da Vinci.«

»Du Prahlhans. Ich kann mir nicht vorstellen, dass der göttliche Leonardo einen Jungen anstellen würde, der nicht einmal lesen kann.«

Ich wurde rot und wollte gehen.

Doch der Schreiber streckte seine dürren Finger nach

mir aus und hielt mich zurück. »Schon gut, Junge. Nimm's mir nicht übel. Nicht jeder hat die Begabung fürs Lesen und fürs Schreiben. Sonst würde ich ja nichts verdienen. Zeig mir mal deinen Brief. Wenn er nicht gar zu lang ist, dann mach ich dir einen Sonderpreis.«

Erst zögerte ich, doch dann zog ich Elisabettas Brief aus der Gürteltasche.

»Nur ein paar Zeilen. Warum hast du das nicht gleich gesagt?« Er versuchte zu erkennen, wie viel in meiner Börse war. »Wie viel Geld hast du alles in allem?«

Ich zog einen Soldo hervor. »Das ist alles, was ich habe.«

»Ich meine gehört zu haben, wie da drinnen noch eine andere Münze klimperte.«

»Nimm diese oder lass es bleiben.« Ich tat so, als wolle ich den Brief und den Soldo wieder in meine Börse stecken.

»Schon gut, schon gut«, gab er nach. »Ich werde zwar heute Abend vor Hunger sterben, wohingegen du zweifellos in deines Meisters Haus zurückkehren und ein neungängiges Abendessen verspeisen wirst«, brummte er, während er sich anschickte, meinen Brief vorzulesen.

Das war der Beginn unserer Freundschaft.

An seinem Platz an der Brücke hörte und sah Sinistro alles, was in der Stadt vor sich ging, und so war er stets eine sprudelnde Quelle des Klatsches und wusste viele amüsante Geschichten von bedeutenden Leuten zu erzählen. Er war gewitzt und hatte eine rasche Auffassungsgabe, besonders was die Staatsangelegenheiten betraf. Meine Gespräche mit ihm schärften meinen Blick für die Ereignisse, die sich um mich herum abspielten. Es dauerte lange, bis ich wieder auf seine Dienste angewiesen war, denn das Jahr war schon fast um, ehe ich den nächsten Brief von Elisabetta erhielt.

Dennoch blieb ich für gewöhnlich stehen und wechselte einige Worte mit dem Schreiber, wenn ich mehrere Male im Monat an seinem Platz vorbeikam. Wenn ein Botengang für meinen Meister zu erledigen war, dann war meistens ich es, der damit betraut wurde, denn dank meines guten Gedächtnisses hatten sich mir die meisten Straßen der Stadt eingeprägt. Zudem pflegte mein Meister regelmäßig die Branacci-Kapelle auf der anderen Seite des Flusses zu besuchen und die Fresken dort zu studieren. Dann begleitete ich ihn und trug danach seine Tasche mit den Zeichnungen nach Hause zurück, während er mit Freunden, die dort wohnten, zu Abend aß. Er schätzte diese Fresken sehr, doch die unglücklichen Gesichter von Adam und Eva, die aus dem Paradies vertrieben worden waren, verfolgten mich bis in den Schlaf. Während mein Meister die Bilder betrachtete, trieb ich mich an der Ponte Vecchio auf der anderen Flussseite herum und unterhielt mich mit dem Schreiber. Dann rannte ich zurück, um die Tasche meines Meisters abzuholen, wenn er die Karmelitenkirche verließ.

Der Schreiber ergatterte nicht viele Aufträge. Die Leute waren abergläubisch, und sobald sie sahen, dass er Linkshänder war, bekreuzigten sie sich und gingen davon. Aber an Heiligenfesten, von denen es eine Menge gab, verkaufte er viele kleine Papierzettelchen, auf die er den betreffenden Heiligen gemalt und ein Gebet geschrieben hatte.

An jenem Abend, an dem der Meister mit mir gesprochen hatte, ging ich zu dem Schreiber, um mir den vierten Brief, den ich von Elisabetta erhalten hatte, vorlesen zu lassen. Es ging auf Ende Juni zu und es war der Abend vor dem Fest Sankt Peter und Paul. Sankt Peter war der erste Papst und gilt als Vornehmster der Jünger. Die Bibel erzählt, dass Christus dem Apostel Simon den Namen Petrus gab, was so viel heißt wie *Fels.* Zur Erklärung sagte er zu ihm: »Du bist Petrus, der Fels, und auf diesen Felsen will ich meine Kirche bauen.« Und weiter: »Ich will dir die Schlüssel des Himmelreichs geben.« Deshalb war der Schreiber fleißig gewesen und hatte für das Fest am folgenden Tag schon einige Andachtsbildchen gemalt. Es waren unbeholfene Zeichnungen, die den Heiligen Petrus zeigten, der zwei große Schlüssel in Händen hielt. Unter das Bild hatte er ein oder zwei Zeilen mit Gebeten geschrieben. Ein halbes Dutzend dieser Zettel hing nun an der Wand neben ihm.

Als ich über die Brücke ging, sah ich den Alten über seine Utensilienschachtel gebeugt sitzen. Dann und wann hob er den Kopf und rief: »Ein Gebet aus Sankt Peters eigenem Mund! Schaut! Er hält die Schlüssel zum Himmelreich in seiner Hand. Hängt dieses Gebet über das Bett eines Sterbenden und Sankt Peter wird die Himmelspforten aufschließen und die Seelen eurer Lieben ins Paradies einlassen. Nur einen Viertel Florin für jedes Gebet!«

Als er mich näher kommen sah, hörte er auf zu schreiben.

»Geht es mit dem berühmten Fresko voran?«, fragte er mich zur Begrüßung und wischte die Feder an seinem Ärmel ab.

Allen, die in der Werkstatt beschäftigt waren, hatte der

Meister eingeschärft, nicht über das Fresko zu sprechen, aber es war schwer, nicht damit zu prahlen, besonders dann, wenn man selbst so beeindruckt davon war wie ich.

»Es ist ein so prachtvolles Kunstwerk«, erzählte ich dem Schreiber, »dass die Menschen scharenweise kommen werden, um es zu bestaunen.« Ich sagte nur, was auch Felipe gesagt hatte. Felipe war von dem Gemälde überwältigt, obwohl er schon viele Jahre lang dabei war und mit eigenen Augen gesehen hatte, wie große Kunstwerke entstanden waren. »Aus allen Städten der Welt werden die Künstler in den Ratssaal von Florenz strömen, um das Fresko zu betrachten und davon zu lernen«, erklärte ich voller Stolz.

»Besonders weil die Gemälde des verehrungswürdigen Michelangelo auf so große Zustimmung gestoßen sind, sodass sein Fresko nun die Stirnwand zieren wird«, sagte der Schreiber mit Unschuldsmiene.

Er sagte das, um zu sehen, wie ich darauf reagieren würde, aber mittlerweile kannte ich ihn gut genug und lachte nur über die Falle, die er mir stellen wollte. Ganz Italien zerriss sich darüber den Mund, dass der Rat von Florenz vorgehabt hatte, die beiden berühmtesten Künstler dieser Zeit, Leonardo da Vinci und Michelangelo, gleichzeitig den Ratssaal ausschmücken zu lassen. Leonardo sollte die Schlacht von Anghiari auf der einen Seite des Saals malen, Michelangelo die Schlacht von Cascina auf der anderen Seite. Aber das, was sich Piero Soderini und seine Ratskollegen vorgestellt hatten, klappte nicht. Mein Meister hatte die Stadt verlassen, während der Bildhauer Michelangelo an seinen Gemälden gearbeitet hatte. Und nun, da Michelangelo seine Entwürfe fertig gestellt hatte, forderte der neue Papst, dass Michelangelo nach Rom zurückkehren und für ihn arbeiten solle.

»Mein Meister hält nichts von kleinlichen Eifersüchteleien«, sagte ich. »Und überhaupt, Michelangelo ist schon wieder zurück in Rom.«

»Mich überrascht es nicht, dass der Bildhauer nach Rom zurückgekehrt ist«, sagte der Schreiber. »Wäre ich jünger und bei besserer Gesundheit, dann wäre ich auch lieber dort. Es wäre bestimmt sicherer, als hier zu bleiben. Seit dieser neue Papst gewählt wurde, kann man die Tage, an denen Florenz noch eine Republik ist, zählen wie eine Nonne die Perlen an ihrem Rosenkranz.«

»Der letzte Papst hat alles daran gesetzt, Florenz zu unterwerfen«, widersprach ich. »Aber trotz all seiner Anstrengungen und obwohl er seinen Sohn, den Barbaren Cesare, zum Befehlshaber der päpstlichen Armeen gemacht hat, ist es ihm nicht gelungen.«

»Aber dieser Papst ist selbst ein Krieger.« Sinistro, der Schreiber, liebte Streitgespräche. Er legte die Feder in den Kasten zurück. »Man erzählt sich, dass Michelangelo, als er an dem Papststandbild für Bologna arbeitete, vorhatte, ihn mit einem Buch in der Hand darzustellen, doch Julius soll ihm befohlen haben, stattdessen ein Schwert in seine Hand zu legen.«

»Die Republik Florenz ist stark«, gab ich zurück.

»Die Republik ist so lange stark, wie sie Geld hat, um die Soldaten zu bezahlen, die für sie kämpfen.«

»In Florenz gibt es mehr Reichtum als irgendwo sonst auf der Welt.« Es stimmte, was ich sagte. Schließlich war ich in Ferrara gewesen und hatte dort die Feiern gesehen, die zur Hochzeit Lucrezia Borgias mit dem Sohn des Herzogs stattfanden. Die Bewohner von Ferrara hatten all ihren Reichtum zur Schau gestellt, aber das war gar nichts gewesen verglichen mit den Handelswaren, die tagtäglich in Florenz eintrafen. »Diese Stadt ist wohlhabend wie keine andere. Und bald werden wir die besten Söldnerführer und ihre Männer nicht mehr nötig haben. Dann stellen wir eine eigene Armee.«

Sinistro, der Schreiber, lachte schallend. »Du hast Machiavelli und seinem Gerede vom Aufbau einer eigenen Stadtmiliz zugehört! Er will die Männer ausbilden, damit sie sich und ihren Besitz selbst verteidigen können.«

»Die Idee von Messer Machiavelli ist sehr gut«, entgegnete ich ihm. Ich hatte gehört, wie mein Meister abends Felipe davon erzählt hatte. »Er will eine Armee aus Bürgern aufstellen, die für ihr eigenes Land und für ihre eigene Heimat kämpfen. Die werden viel treuer zu ihrer Stadt stehen als ein Söldnerhaufen, der für Geld und nach Gutdünken jederzeit die Seiten wechselt.«

»Und auf wen würdest du dein Geld wetten, Matteo? Auf ein Bürgerheer aus Bauern und Kaufleuten? Oder auf Truppen, die von einem erfahrenen Söldnerführer angeführt werden? He? Auf Bauern mit Mistgabeln oder auf kampferprobte Soldaten, die wissen, wenn sie siegen, dürfen sie plündern, wie es ihnen gefällt?«

»Eine starke Republik ist ehrenwert.«

»Und eine Kanonenkugel macht keinen Unterschied zwischen einem Ehrenwerten und einem Schurken«, hielt mir der Schreiber entgegen.

»Uns beschützen die mächtigen Franzosen. Ihre Armee ist gar nicht weit weg in Mailand.«

»Dieser Papst wird genau das Gleiche tun, was auch die

Borgia versucht haben. Vielleicht geht er nicht so skrupellos vor wie Cesare oder sein Vater, aber das spielt keine Rolle. Er wird keine Umwege machen und am Ende wird er wahrscheinlich Erfolg haben.«

»Er kann die Franzosen nicht besiegen.«

»Ich sage dir etwas. Wenn er Unterstützung findet, dann kann er das sehr wohl. Er wird Verträge und Bündnisse schließen, wo immer er kann. Als Ergebnis seiner Anstrengungen wird diese Republik immer mehr an Bedeutung verlieren. Und wenn es so weit ist, wer wird dann noch ein Fresko brauchen, das den unabhängigen Geist des Menschen feiert?«

Darauf wusste ich keine Antwort. Zwar konnte ich mit den jungen Leuten beim Barbier oder an der Straßenecke über alles Mögliche schwatzen, aber die verschlungenen Pfade der Politik verwirrten mich noch immer.

»Verstehst du wirklich nicht, wie gefährlich das alles ist, Matteo?«, fragte mich der alte Schreiber. »Florenz war überzeugt, dass seine Republik auf ewig währen würde, und glaubte, dass andere Städte ihrem Vorbild folgten. Aber die Fürsten unternehmen alles, damit sich diese Gedanken nicht weiter ausbreiten.«

»Ich dachte, der König von Frankreich und der Papst seien Verbündete?« Ich sagte das, ohne wirklich davon überzeugt zu sein, aber ich fühlte mich, als stünde ich auf Treibsand, und brauchte etwas, an dem ich mich festhalten konnte.

»Nur so lange, wie es für ihn von Vorteil ist. Sobald dieser Papst stark genug ist und auf eigenen Füßen stehen kann, wird er sich gegen die Franzosen stellen und sie aus Italien vertreiben. Wer wird dann Florenz zu Hilfe kommen? Dann wird diese stolze Republik ganz allein dastehen, und die Geier werden um sie kreisen und warten, bis sie sie verschlingen können.«

»Florenz stand auf der Seite des Papstes. Es waren florentinische Soldaten, die Cesare Borgias Schergen Michelotto aufgegriffen und in den Vatikan brachten, damit er für den Mord an Vitellozzo und die anderen Hauptleute verurteilt werden konnte. Papst Julius ist der Republik Florenz gewogen.«

»Einem einzigen Herrscher, den er bestechen und zum Schweigen bringen kann, wird er noch gewogener sein als einer Menge freier und wehrhafter Bürger. Wenn der Große Rat aufgelöst wird, dann wird euer Fresko auch nicht mehr bleiben dürfen.«

»Warum nicht?«

»Glaubst du, wenn sie wiederkommen und die Macht übernehmen, liegt ihnen daran, die Ideale der Republik so zur Schau zu stellen?«

»Niemand würde es wagen, dieses Bild zu zerstören!« Sinistro, der Schreiber, musste wahnsinnig sein, an so etwas überhaupt nur zu denken. Oder, was wahrscheinlicher war: Er sagte das alles nur, um mich wie einen Fisch an der Angel zappeln zu lassen. »Meister da Vincis Fresko ist ein großartiges Kunstwerk.«

»Aber verstehst du denn nicht, Matteo? Eben weil es so ein großartiges Kunstwerk ist, kann es nicht an seinem Platz bleiben. Von überall auf der Welt könnten kluge und gebildete Leute kommen und über dieses Werk sprechen. Es wird ihre Vorstellungen beflügeln und Ideen erwecken, wie Menschen auch auf andere Weise in Eintracht leben können.«

»Wer?«, fragte ich eindringlich. »Wer sind die, von denen du so selbstverständlich behauptest, dass sie wiederkämen und uns die Freiheit raubten?«

Er schaute mich erstaunt an.

»Wer? Natürlich die Familie, die Florenz einst beherrschte und vielleicht wieder beherrschen wird. Die Medici.«

KAPITEL 36

Es war nicht so, dass es im Haus Leonardo da Vincis jede Nacht ein neungängiges Mahl gab, wie der Schreiber es einmal vermutet hatte. Aber Felipe bemühte sich stets, uns an den Arbeitstagen abends eine reichliche Mahlzeit vorzusetzen, damit jeder so viel essen konnte, wie er wollte.

Oft fehlte der Meister bei Tisch. Er nutzte die Zeit, um sich seinen anderen Vorhaben zu widmen oder den vielen Einladungen nachzukommen, die er von Leuten in- und außerhalb der Stadt erhielt. Manchmal wollte er, dass ich ihn begleitete, aber ich war froh, dass es an diesem Abend nicht so war. Hastig schlang ich das Essen hinunter und zog mich dann zurück. Ich wollte allein sein und den Brief anschauen, den der Schreiber mir am Schluss unseres Gesprächs vorgelesen hatte.

Die Schlafstatt, die Felipe für mich eingerichtet hatte, befand sich im Untergeschoss: ein ehemaliger Lagerraum in dem Kellerlabyrinth unterhalb des Klosters. Meister Leonardo und seine Leute hatten sich im Kloster der Heiligen Jungfrau, Santa Maria Novella, bereits bequem eingerichtet, als ich zu ihnen stieß, und alle verfügbaren Räume waren belegt. Ich wusste, es gefiel Salai, der eifersüchtig auf mich war, weil der Meister mir so viel Aufmerksamkeit schenkte, dass man mir einen so abgelegenen und wenig wohnlichen Schlafplatz zugewiesen hatte. Mir passte das hingegen sehr gut; ich zog es vor, etwas abseits von den anderen zu sein. Zudem konnte der Meister mich in der Nacht zu unseren nächtlichen Ausflügen ins Leichenhaus holen, ohne dass die anderen etwas davon bemerkten.

Ich hatte meinen Strohsack in die hinterste Ecke des Raums gelegt, direkt unterhalb einer kleinen Tür hoch oben in der Wand. Früher hatte man sie als Luke benutzt, durch die Vorräte fürs Kloster von der Straße aus in den Keller geladen wurden. An warmen Abenden öffnete ich die Luke und lauschte auf die Geräusche der Stadt. An der Außenseite der Mauer befand sich eine Eisenhalterung für die Fackeln der Nachtwache. Sie erleuchtete bei Dunkelheit die Straßen. Mir spendete sie das nötige Licht, um meine Briefe näher zu betrachten.

Zusammen mit dem jüngsten Brief waren es insgesamt vier. Ich war jetzt seit zwei Jahren in Florenz, und Elisabetta schrieb mir etwa alle sechs Monate, meist zu der Zeit, wenn auf dem Hof, auf dem sie lebte, Zinstag war. Ich nahm ihre Briefe aus meinem Beutel und hielt sie so, dass der Lichtschein von draußen auf sie fiel. Der Schreiber hatte mir jeden neuen Brief stets mehrmals vorlesen müssen – auch wenn er dafür ein Extrageld haben wollte –, damit ich den Inhalt in meinem Herzen behalten konnte. Später, wenn ich ganz für mich allein war, sagte ich die Zeilen auf. Und je öfter ich das tat, umso leichter fiel es mir, einige Wörter auf dem Blatt Papier wiederzuerkennen. Elisabettas erster Brief war nur sehr kurz, kaum mehr als ein paar Sätze lang und offenbar in Eile geschrieben.

Vom Hof des Taddeo da Gradella nahe Mailand

Mein lieber Matteo, Bruder und Freund,

wir sind wohlbehalten bei meinem Onkel angekommen. Seine Begrüßung war recht kühl, aber er hat Paolo und mir zwei kleine Kammern zur Verfügung gestellt, und ich bin zufrieden damit. Zumindest sind wir hier so sicher, wie man in diesen Zeiten eben sein kann.
Ich hoffe, auch dir geht es gut.

Deine Schwester und Freundin,
Elisabetta

Diese Worte machten mich froh. Elisabetta und ihr Bruder waren in Sicherheit. Dass ich ein solches Glücksgefühl empfand, überraschte mich selbst. Jahrelang hatte ich alles darangesetzt, keine Gefühle zu zeigen. Doch nun versetzte mich die Nachricht in eine so gute Laune, dass sich Felipe zu einer Bemerkung veranlasst sah.

»Seit du den Brief erhalten hast, bist du so fröhlich«, sagte er trocken. »Die Lehrlinge haben wohl Recht mit ihrer Vermutung. Ein Mädchen hat ihn dir geschrieben, nicht wahr?«

Ich murmelte eine vage Antwort und nahm mir vor, in Zukunft besser aufzupassen. Von nun an legte ich mich auf die Lauer, um die Briefe abzufangen. Das nahm mehr Zeit in Anspruch, als ich gedacht hatte, denn es wurden immer sehr viele Briefe und Lieferungen abgegeben. Meistens handelte es sich dabei um Schreiben, die an den Meister gerichtet waren, und oft ging es um neue Aufträge, vor allem für Gemälde. Was das anging, genoss Meister Leonardo überall hohe Wertschätzung. Die Anfragen kamen aus allen Ländern, am hartnäckigsten war jedoch Isabella d'Este, die Marchesa von Mantua. Sie drängte auf die Fertigstellung eines Porträts von ihr, das der Meister vor einigen Jahren begonnen hatte. Zunehmend waren es auch Briefe vom französischen Hof in Mailand. Es war nicht schwer, zwischen dem geschriebenen Namen des Meisters und meinem eigenen zu unterscheiden, und so schaffte ich es, Elisabettas nächsten Brief in die Hände zu bekommen, bevor jemand anderer ihn sah. Ich rannte sofort damit zu Sinistro, dem Schreiber, und er las ihn mir vor. Ich gab ihm einen Soldo, wenngleich er sich beschwerte, dass der Brief diesmal länger sei und ich ihm mehr Geld schuldete.

Lieber Matteo, Bruder und Freund,

ich frage mich, ob mein erster Brief dich wohl erreicht hat. Paolo und ich leben immer noch auf dem Hof meines Onkels mütterlicherseits.

Paolo findet sich nur schlecht mit den Pflichten ab, die ihm aufgetragen sind, und er und mein Onkel kommen nicht sehr gut miteinander aus. Onkel Taddeo erwartet von uns, dass wir hart arbeiten, um unseren Lebensunterhalt zu verdienen, aber das ist nur recht und billig, denn er selbst scheut keine Arbeit. Ich koche und führe den Haushalt, aber seit mein Onkel bemerkt hat, dass ich ganz passabel rechnen und schreiben kann, darf ich mich auch um die Rechnungsbücher kümmern.

Er ist ein Mann von mürrischem Gemüt, der fastet und

seine freie Zeit mit Beten verbringt. Er lehnt jeden Firlefanz ab und hat auch nichts für Festlichkeiten übrig. In seinem Haus wird nicht sehr viel gelacht und mein Bruder wird immer verdrießlicher. Ich habe schon daran gedacht, einem Konvent beizutreten, und mich gefragt, ob ich dort nicht glücklicher wäre. Ich bezweifle, dass mir ein so abgeschiedenes Leben gefällt, obgleich die Nonnen in Melte einen recht zufriedenen Eindruck machten. Aber ich könnte es nicht ertragen, nie mehr wieder ein hübsches Kleid anzuziehen oder meine Haare offen zu zeigen. Nicht dass es hier im Haus hübsche Kleider gäbe.

Ich wünschte, ich wüsste, wo du bist, Matteo. Ich bin in Sorge, dass du krank geworden bist.

Elisabetta

Ich hielt das Blatt Papier ganz nah ans Gesicht und starrte auf die Schnörkel, die, wie ich wusste, ihren Namen wiedergaben. Sie war unglücklich, das fühlte ich. Dieser Brief drückte mich im gleichen Maße nieder, wie der erste mich froh gemacht hatte.

Ihr dritter Brief, den ich jetzt auseinanderfaltete, hatte völlig andere Gefühle in mir ausgelöst. Als Sinistro, der Schreiber, ihn mir vorlas, hatte er an einer Stelle kurz innegehalten und mir einen Blick zugeworfen, ehe er fortfuhr.

Mein lieber Matteo,

der Bote, dem ich diesen Brief anvertraue, versichert mir zwar, dass dieses Schreiben dich erreichen wird, aber völlige Gewissheit kann auch er mir nicht geben. Daher habe ich beschlossen, diesmal auf Rossana zu vertrauen. Ich weiß nicht, wel-

cher Heilige für die Zustellung von Briefen zuständig ist oder ob es überhaupt einen für diese spezielle Aufgabe gibt, daher werde ich meine liebe Schwester um Hilfe bitten – die, da bin ich mir sicher, im Himmel bei den Engeln ist –, damit dieser Brief dich auch wirklich erreicht.

Ich denke sehr oft an sie, und auch an dich, Matteo. Hier in der Nähe ist ein kleiner Fluss, zu dem ich manchmal gehe, um ein wenig Ruhe zu finden. Im Schatten der Weiden stelle ich mir vor, Rossana sei bei mir. Ich flüstere ihr Geheimnisse zu, wie früher, als wir noch klein waren. Eine Antwort erhalte ich nicht, aber vielleicht spricht ihre Stimme durch das Rascheln der Blätter zu mir. Ich glaube fest daran, dass sie im Geiste bei mir ist. Die Tage unserer Jugend in Perela fallen mir dann ein. Jetzt weiß ich, dass es die schönste Zeit in meinem Leben war.

Ich bete für dich,
deine Schwester und Freundin
Elisabetta

Ich legte den Brief zur Seite und nahm den vierten und letzten in die Hand, den ich vor kaum einer Stunde zu Sinistro, dem Schreiber, gebracht hatte, damit er ihn mir für mein allerletztes Geld vorliest.

An Matteo, Bediensteter im Hause Leonardo da Vincis, zu Zeiten in der Stadt Florenz

Lieber Matteo,

erneut schreibe ich dir, obgleich ich keine Antwort auf meine vorangegangenen Briefe erhalten habe und ich mich fragen muss, ob ich nicht Zeit und Geld verschwende auf ein sinnloses Unterfangen. Wenn dich diese Zeilen erreichen und es dir irgendwie möglich ist, mir diesbezüglich eine Nachricht zukommen zu lassen, würde mich das freuen.

Ich werde nicht länger das Geld meines Onkels für teures Papier vergeuden, solange ich nichts von dir höre. Ich bin in Sorge, ob du meine Briefe bekommen hast – aber vielleicht liegt dir auch nichts daran, mir zu antworten. Ich werde nicht mehr schreiben, falls ich wieder nichts von dir höre. So bleibt mir nur, zu hoffen, dass es dir gut geht und mein Brief dich trotz allem erreicht.

Elisabetta dell'Orte
im Haus von Taddeo da Gradella
Juni 1505

Das Herz wurde mir bleischwer in der Brust. Wenn ich ihr keinen Brief zurücksandte, würde sie mir nie mehr schreiben. Sie würde glauben, ich sei tot oder wolle nichts mehr von ihr und Paolo wissen.

Ich betrachtete wieder den dritten Brief und sagte die Worte laut auf. Dabei zählte ich sie ab, bis ich bei dem Namen Rossana angekommen war. Ich wiederholte ihn laut und zeichnete mit dem Finger die Linien nach. *Rossana.*

So wie die beiden Schwestern gemeinsam gezeugt worden waren, so waren sie auch in meiner Erinnerung untrennbar miteinander verbunden. Ihr Flüstern und Lachen war wie das glucksende Wasser des Flusses am Fuß des Hügels zu Hause in Perela.

Ich fuhr mir übers Gesicht und ließ mich zurück auf mein Lager sinken. Ich wollte Elisabetta so gerne antworten. Aber ich hatte kein Geld, um den Schreiber zu bezahlen. Ich bekam für meine Arbeit keinen Lohn. Felipe hatte Guthaben bei verschiedenen Läden eingerichtet und ich durfte darauf zurückgreifen. Wenn ich einen Haarschnitt nötig hatte oder ein Zahn gezogen werden musste, ging ich zum Barbier, und er schickte die Rechnung an den Meister. Brauchte ich eine neue Hose oder Schuhe, ging ich zum Schneider oder Schuster. Eine Salbe holte ich in der Apotheke. Essen und Unterkunft wurden mir zur Verfügung gestellt. Auch wenn ich keinen richtigen Lohn bekam, so war ich doch besser gestellt als viele andere Diener. Die Familien einiger Schüler in unserem Haus zahlten Felipe jährlich einen Betrag, damit Meister Leonardo sie unterrichtete. Die wenigen Münzen, die ich vor einiger Zeit einmal verdient hatte, verdankte ich der Großzügigkeit eines Seidenhändlers, sie waren inzwischen jedoch aufgebraucht. Wie also sollte ich den Schreiber bezahlen?

Wieder fuhr ich die Buchstaben nach. Das E von Elisabetta, das M von Matteo. Zeichnen und schreiben gehörte nicht zu meinen Talenten. Oft hatte ich dem Meister dabei zugesehen, wie er mit wenigen Strichen etwas skizzierte. Einmal hatte ich selbst ein Stück Kohle in die Hand genommen und mich daran versucht, aber das Ergebnis war so, dass ich das Papier ins Feuer warf, damit niemand es sah. Ich konnte nicht zeichnen. Und ich würde es auch nie mehr versuchen, weil es ohnehin nur fehlschlagen konnte. Mir gefiel meine Arbeit. Ich war gut darin. Es war interessant, ich erhielt Anerkennung und hatte mein Auskommen. Bisher hatte ich keinen Grund gesehen, mich mit Pinsel und Feder abzuplagen. Aber nun fing ich an einzusehen, welche Vorteile es für mich selbst haben konnte. War es wirklich so schwer, lesen und schreiben zu lernen?

KAPITEL 37

»Was willst du später einmal werden, Matteo?«

Ich fegte gerade den Fußboden. Bei Felipes Worten sah ich hinüber zu dem großen Esstisch, an dem er saß und einen Stapel Geldmünzen zählte. Vierteljährlich bezahlte er die Rechnungen unserer Lieferanten. Heute würden sie kommen und ihr Geld abholen.

»Ich bin damit zufrieden, wie es ist«, sagte ich. Eifrig fegte ich weiter, um so schnell wie möglich fertig zu sein und anderswo weiterzuarbeiten. Ich wollte nicht länger als nötig im Zimmer bleiben, denn ich fürchtete eine Lektion. Etwa einen Monat nachdem der Meister mit mir über meinen mangelnden Lerneifer gesprochen hatte, hatte er wohl Graziano aufgefordert, sich um mich zu kümmern. Graziano hatte mich beiseite genommen, um ein ernstes Wort mit mir über Unterrichtsstunden zu reden. Aber ich hatte an die Blamage gedacht, wenn es herauskäme, dass ich weder lesen noch schreiben konnte, und hatte rundweg abgelehnt, mit Graziano darüber zu sprechen. Er hatte die Schultern gezuckt und mich in Ruhe gelassen. Bei Felipe würde ich wohl nicht so einfach davonkommen.

Felipe stand auf, nahm mir den Besen aus der Hand und baute sich vor mir auf. »Der Meister hat gesagt, du solltest dich etwas mehr um deine Erscheinung kümmern. Sieh dich nur an, Matteo. Deine Tunika ist fast schon zerlumpt und du brauchst ein Paar Schuhe für die kältere Jahreszeit. Und dein Haar…« Felipe hob eine Strähne hoch und betrachtete sie missbilligend. »Du gehst nicht so oft zum Barbier, wie du solltest.«

Seit dem Gespräch mit Sinistro, dem Schreiber, über die drohenden Machtkämpfe in Italien ließ ich meine Haar wieder wachsen. Aber das konnte ich Felipe natürlich nicht sagen. Die längeren Haare verbargen mein Gesicht, und auch wenn ich nicht unbedingt davon ausging, dass die Medici jemals wieder in dieser Stadt willkommen sein würden, wollte ich dennoch kein Risiko eingehen. »Wenn es bitterkalt ist, halten längere Haare mich warm.«

»Es ist nicht nur dein Äußeres, das ihm Sorgen bereitet. Da ist auch noch die Frage deiner Ausbildung.«

»Ich weiß genug, um meine Pflichten hier im Haus zu erfüllen«, erwiderte ich. »Und wie du selbst sagtest, steht der Winter vor der Tür. Da gibt es immer sehr viel zu tun, mehr als sonst, also wird wohl kaum Zeit bleiben für das Studium der Bücher.«

»Du hast Recht, Weihnachten rückt immer näher«, sagte Felipe spitz. »Also warum nutzt du nicht die Gelegenheit und gibst deinen Widerstand gegen die auf, die nur dein Bestes im Sinn haben? Dann können wir gleich zweimal feiern: zum einen die Geburt Christi und zum anderen die Geburt eines ganz neuen Matteo.«

»Ich möchte aber nicht…«, begann ich.

»Hör zu, Junge.« Felipe packte mich am Arm. »Du bekommst eine Gelegenheit geboten, auf die viele andere Jungen in deiner Lage niemals hoffen können. Messer da Vinci hat vorgeschlagen, dich auf eigene Kosten unterrichten zu lassen. Du würdest eine Erziehung genießen, von der andere nur träumen. Selbst du musst begreifen, dass du nicht für alle Zeit ein Junge bleiben kannst. Als junger Mann muss man gewissen Anforderungen genügen. Erwachsen zu werden ist mehr, als nur die Jahre ins Land ziehen zu lassen.« Er schüttelte mich grob. »Sei nicht so störrisch und nimm das Angebot an.«

Ich ließ den Kopf hängen und schwieg.

Felipe schnaubte verärgert und kehrte zu seinen Rechnungsbüchern zurück.

Während sich der Sommer dem Ende zuneigte und der Herbst die Farben des Jahres zuerst in Amber, Kupfer, Ocker und dann in winterliches Grau verwandelte, stießen ihre Vorhaltungen bei mir auf taube Ohren. Lediglich die Frage, wie ich Elisabetta eine Antwort zukommen lassen konnte, beunruhigte mich. Einmal wagte ich es, den Schreiber zu fragen, wie viel ein sehr kurzer Brief kosten würde.

»Ah, Matteo!«, rief er zufrieden. »Ich habe mich schon gefragt, wann du das Thema zur Sprache bringst.«

»Welches Thema?«, fragte ich scheinbar unbefangen.

»Komm schon, ich weiß zu viel vom Leben, um auf die Wortklaubereien eines Grünschnabels reinzufallen. Du willst der jungen Dame einen Brief schreiben. Und dazu brauchst du mich.«

»Es gibt viele schreibkundige Männer im Hause da Vinci«, erwiderte ich hochmütig. »Und alle sind mir wohlgesonnen. Ich könnte jederzeit einen finden, der mir mit Freuden diesen Gefallen erweist.«

»Mag sein«, entgegnete der Schreiber. »Aber dann sind immer noch die Kosten für die Tinte und das Papier zu bezahlen und für den Boten, der den Brief an seinen Bestimmungsort bringt. Wie viel kostet es, einen Brief von Florenz nach Mailand zu schicken? Mehr, als du dir leisten kannst, schätze ich.«

Er hatte gewonnen. Natürlich hatte ich dafür nicht genug Geld. Mein Meister stand in ständiger Verbindung mit Mailand. Er hatte viele Freunde dort, Künstler, Professoren und Philosophen. Felipe würde es vermutlich nichts ausmachen, wenn ich einen zusätzlichen Brief darunterschmuggelte. Aber von Mailand aus musste er weitertransportiert werden auf die abgelegene Farm, wo Elisabetta und Paolo jetzt lebten, und ich hatte nichts, womit ich das bezahlen konnte.

»Was ist das für ein Gegenstand, den du da um deinen Hals trägst?«

Die Frage des Schreibers traf mich unvorbereitet. Ich war so daran gewohnt, das Siegel immer bei mir zu tragen, dass ich den kleinen Beutel hin und wieder vergaß. Ich legte ihn nie ab, nicht einmal beim Waschen. Das Leder war vom Schweiß ganz schwarz geworden, aber der Riemen hielt fest, und mittlerweile spürte ich das geringe Gewicht überhaupt nicht mehr.

»Seltsam, wie du auf meine Frage reagierst, Matteo.« Der alte Mann kniff die Augen zusammen. »Wenn der Gegenstand kostbar ist, könntest du ihn verkaufen und mich mit dem Geld bezahlen.« Er streckte die mageren Finger danach aus.

Mit einem Satz wich ich zurück und umklammerte Riemen und Lederbeutel, den die Nonne in Melte für mich gemacht hatte. »Es ist nicht von großem Wert«, stammelte ich. »Es ist nichts.«

»Irgendetwas ist da drin«, beharrte der Schreiber. »Ich sehe doch, wie du es umklammerst.«

»Es ist eine Reliquie«, sagte ich. »Von einem Heiligen.«

»Was für eine ist es denn?«, fragte der Schreiber. »Wenn es sich um einen der Hauptheiligen handelt, ist sie mehr wert.«

»Es sind Knochensplitter.«

»Knochen von wem?«

»Von Sankt Drusillus«, sagte ich und dachte an die Statue im Konvent von Melte.

»Wie seltsam«, sagte der Schreiber. »Die Reliquien des Heiligen Drusillus sind sehr schwer zu beschaffen.«

»Meine Großmutter hat sie mir gegeben«, flunkerte ich. »Sie sollen ziemlich alt sein.«

Er lachte. »Das ist nicht der Grund, warum sie so selten sind. Sankt Drusillus war ein Märtyrer, der auf dem Scheiterhaufen verbrannte. Von ihm ist nichts als Asche übrig geblieben.«

»Ich… ich…«

»Deine Großmutter ist einem Scharlatan auf den Leim gegangen.« Er sah mich an. »Obgleich es mich, nun da ich dich etwas besser kenne, wundert. Wenn sie nur ein wenig so war wie du, hätte man sie wohl nicht so leicht übers Ohr hauen können.«

An diesem Tag hielt ich mich nicht lange bei dem alten Mann auf. Unser Gespräch hatte schmerzliche Erinnerungen zurückgebracht: an Sandino und die Intrigen von Cesare Borgia.

Italien bekam nun die Abwesenheit des Borgia zu spüren. Ohne sein Regiment fiel das Land der Borgia in der Romagna in die Hände eines jeden, der gerade die Macht hatte, es an sich zu reißen. Einige der früheren Herrscher waren zurückgekehrt, so zum Beispiel die Baglioni in Perugia. Aber nun hatte noch ein weiteres Raubtier ein Auge auf die Besitztümer geworfen: Die Venezianer hatten die Gelegenheit genutzt und Rimini sowie einige andere kleinere Städte besetzt. Das hatte den Zorn von Papst Julius erregt, immerhin waren diese Orte seit jeher im Besitz der Kirche gewesen. Er sammelte seine Truppen und suchte nach Verbündeten, um sich sein Eigentum zurückzuerobern. Wenn der Vatikan sich auf eine Kraftprobe mit dem mächtigen Venedig einließ, auf welche Seite würde sich Florenz schlagen? In der Stadt schwirrten viele Gerüchte. War der Rat, mit Hilfe des listigen Machiavelli, wirklich schlau genug, diese Klippen zu umschiffen?

Auf meinem nächtlichen Heimweg über die Ponte Trinita tastete ich nach dem Beutel an meinem Hals. Ich konnte das Geld nicht aufbringen, indem ich dieses Siegel verkaufte. In ganz Florenz gab es keinen Händler, auch nicht unter den zwielichtigen Gestalten dieses Gewerbes, der so etwas kaufen würde, ohne Fragen zu stellen. Die harmloseste Erklärung wäre noch die, dass ich es gefunden hätte. Dass es verloren gegangen sein musste, als vor einigen Jahren der Palast der Medici an der Via Larga geplündert worden war und die Familie aus der Stadt vertrieben wurde. Dass ich es am Ufer des Arno entdeckt hatte. Mit großer Wahrscheinlichkeit würde jeder, dem ich es zum Verkauf anbot, mich für den Spion der einen oder anderen Gruppierung halten und mich, in der Hoffnung auf eine Belohnung, beim Rat der Stadt anschwärzen.

Ich schaute von der Brücke hinab in den Arno. Er war vom Regen angeschwollen und aus dem trägen, schlammig braunen Gewässer des Sommers war ein schnell dahinfließender, trügerischer grauer Frühwinterfluss geworden. Ich konnte den Beutel mit dem Siegel in den Fluss werfen. Warum eigentlich nicht? Sein Besitz brachte mich in Gefahr. Aber ich zögerte. Falls ich je wieder Sandino begegnen sollte, könnte dieses Siegel auch mein Leben retten. Und noch etwas… Ich berührte das abgetragene Leder. Es war ein Bindeglied zu meiner Vergangenheit, zur Familie dell'Orte. Wenn nicht unbedingt das Siegel selbst, so doch der Lederbeutel. Er erinnerte mich an die Zeit, die ich mit Elisabetta und Paolo im Nonnenkloster verbracht hatte. Ich brachte es nicht über mich, das alles wegzuwerfen.

Andererseits musste ich mich dringend mit Elisabetta in Verbindung setzen, sonst würde das Band zu ihr reißen. Mir blieb nichts anderes übrig, als eine Vereinbarung mit Felipe zu treffen.

Ich packte die Gelegenheit beim Schopf, als ich ihn zu Hause allein über den Haushaltsbüchern vorfand.

Nachdem er mir zugehört hatte, sah er mich ernst an. »Und was bietest du als Gegenleistung, wenn ich dir diesen Gefallen erweise, Matteo?«

»Ich werde anfangen zu lernen, so wie du es immer wolltest«, antwortete ich bescheiden.

Da tat er etwas Seltsames und Unerwartetes. Er packte meine Schulter mit beiden Händen. Es war fast eine Umarmung.

»Ich freue mich für dich«, sagte er.

Sobald es mir möglich war, kehrte ich zu Sinistro, dem Schreiber, zurück und bat ihn, für mich einen Brief zu schreiben.

»Ich arbeite nicht ohne Bezahlung«, erklärte er barsch. »Hast du Geld dabei?«

»Ich habe etwas, das wertvoller ist als Geld. Du wirst dich glücklich schätzen, es als Gegenleistung für deine Dienste zu erhalten.«

»Ist es Brot? Oder Wein?«

»Etwas, das viel kostbarer ist.« Ich rollte das Blatt Papier auseinander, das Felipe mir so großzügig überlassen hatte.

Der alte Mann berührte respektvoll das Papier. »Es ist von ausgezeichneter Qualität – aus Venedig, würde ich sagen, oder vielleicht aus Amalfi?« Dann, als sei ihm soeben erst der Gedanke gekommen, fragte er mich: »Du hast es doch nicht etwa gestohlen, Junge, oder?«

Beleidigt trat ich einen Schritt zurück. »Nein, das habe ich nicht.«

»Nimm mir die Frage nicht übel, aber ich muss das wissen. In dieser Stadt gibt es so viele Leute, die nichts Besseres zu tun haben, als aus Neid andere anzuschwärzen. Wenn jemand mich fragt, wie ich an das Papier gekommen bin, will ich sagen können, dass ich es auf ehrliche Weise erhalten habe.« Er nahm ein Blatt Papier in die Hand. »Jetzt kann ich deinen Brief schreiben, Matteo, und habe immer noch genug übrig, um damit zwei Dutzend Gebetstraktate zu erstellen und sie zu verkaufen.«

Der Schreiber setzte also den Brief nach meinen Wünschen auf, und Felipe sorgte dafür, dass er an seinen Bestimmungsort kam. Im Gegenzug musste ich ihm versprechen, beim Lernen großen Eifer an den Tag zu legen, sobald er erst jemanden gefunden hatte, der mich unterrichtete.

Aber noch ehe er etwas in die Wege leiten konnte,

standen uns Schwierigkeiten von ganz anderer Art ins Haus.

Es ging um das Fresko.

KAPITEL 38

Es war inzwischen viel kälter geworden. In der großen Halle des Palazzo della Signoria zogen wir uns beim Arbeiten die Mützen tief über die Ohren, wickelten uns den Schal fest um den Hals und trugen Handschuhe mit abgeschnittenen Fingern. Durch die Ritzen in Fenstern und Türen zog ein eisig kalter Wind herein. Florenz ist eine Stadt, die sich in den Talkessel des Arno schmiegt, und das Land dort ist grün und fruchtbar. Die umliegenden Berge schützen die Stadt normalerweise vor den Unbilden der Witterung und auch im schlimmsten Winter fällt kaum Schnee. Doch in diesem Winter kroch eine ungeheure Kälte durch die Straßen und Häuser der Stadt.

Die Farben wurden zäh und ließen sich nur schwer verarbeiten. Die Rezeptur, die der Meister ersonnen hatte, war schwierig herzustellen, und selbst sein erfahrenster Schüler hatte Mühe damit. Nachdem der Meister im Juni die erste Farbschicht aufgetragen hatte, war der Mittelteil inzwischen fast fertig gestellt, und die Figuren waren furchtbar und wunderschön zugleich anzusehen. Doch als der Rest der Vorzeichnung übertragen wurde, klumpte die Farbe. Nachdem wir uns mit dem Meister beraten hatten, stellten wir ein Kohlebecken mit brennendem Holz in der Nähe der Wand auf, und die Gerüste wurden so umgebaut, dass Wachskerzen und kleine Fackeln daran angebracht werden konnten, die helfen sollten, die oberen Ecken des Freskos zu trocknen.

Als wir an diesem Morgen ankamen, war unser Handwerkszeug mit Raureif überzogen, und wir mussten abwarten, bis das Feuer brannte, ehe wir mit unserer Arbeit beginnen konnten. Felipe stichelte gerade ein weiteres Stück des Kartons aus, und ich half Zoroastro dabei, noch mehr Farbpulver zu mahlen, als unter den Gesellen und Schülern oben auf dem Gerüst Unruhe entstand.

»Meister Felipe!«, schrie Flavio und seine Stimme überschlug sich fast vor Angst. »Wir brauchen Euch hier. Schnell!«

Zoroastro und ich schauten uns an, während Felipe bereits auf das Gerüst stieg. Schon nach wenigen Sekunden kletterte er wieder herab.

»Zoroastro, sei so gut und schau dir diesen Wandabschnitt an.«

Auch Zoroastro war in weniger als einer Minute wieder zurück. »Helft mir!«, rief er.

Gemeinsam schoben wir das Kohlebecken näher an die Wand. »Die Farbe verrinnt auf dem Putz«, erklärte Zoroastro. »Wenn es uns nicht gelingt, sie auf der Stelle zu trocknen, läuft sie an der Wand herunter in den Hauptteil des Bildes.«

»Das wäre ein großes Unglück«, stöhnte Felipe.

»Und uns hat man verspottet, als wir euch warnen wollten«, murmelte Zoroastro vor sich hin. Er nahm das kleine Beil, das er immer an seinem Gürtel mit sich trug, und begann Kleinholz zu hacken, damit das Feuer stärker brannte.

»Wir müssen schleunigst den Meister suchen und ihm sagen, was passiert ist«, meinte Felipe.

»Heute Morgen ist er sehr früh aufgestanden und sofort aus dem Haus gegangen«, brummte Zoroastro, während ihm die Späne um den Kopf flogen, »aber ich glaube nicht, dass er nach Fiesole gehen wollte.«

Meister Leonardo verbrachte nicht den ganzen Tag im Ratssaal. Er nahm sich Zeit, um seine pflanzenkundlichen und anatomischen Studien zu betreiben. Hin und wieder malte er auch auf Leinwand oder Holz. Aber das tat er eher selten, und nur in Ausnahmefällen ließ er sich dazu überreden – wie kürzlich zum Beispiel, als er für den französischen König eine wunderschöne Madonna mit dem Jesuskind malte, das mit einer Garnspindel spielte.

»Matteo!«, rief mich Felipe in schroffem Ton. »Weißt du, wo der Meister im Augenblick ist?«

»Ich habe ihn heute Morgen beim Haus der Donna Lisa zum letzten Mal gesehen.«

»Dann geh und bring ihn her. Und«, rief er mir hinterher, als ich eilig den Saal verließ, »lauf, Junge, lauf.«

Donna Lisas Haus befand sich in der Nähe der Kirche von San Lorenzo. So rannte ich in meinem neuen Winterumhang, einer neuen Hose und guten Schuhen, mit denen mich Felipe vor kurzem ausstaffiert hatte, aus dem Palazzo, vorbei an dem riesenhaften Standbild Davids über die Piazza della Signoria in Richtung des Baptisteriums.

Donna Lisa lebte mit ihrem Mann, dem Seidenkaufmann Francesco del Giocondo, in der Via della Stufa. Von ihm hatte ich vor zwei Jahren die einzigen paar Soldi bekommen, die ich jemals selbst verdient hatte. Ich kannte den Weg zu ihrem Haus sehr gut, da ich in den vergangenen Jahren oft dort gewesen war.

Über ihre Zofe und Kinderfrau, Zita, hatten wir die Familie kennen gelernt. Die beiden Jungen, die sie zum Kloster der Heiligen Jungfrau Maria mitgebracht hatte, wurden von Zoroastros Schmiede im Hof unwiderstehlich angezogen, und sie schauten gebannt zu, wenn der kleine Mann drauflosmämmerte, dass ihm die Funken um den Kopf stoben. Eines Tages kam ihre Mutter, Donna Lisa, um nach ihnen zu sehen. Sie hatte sich Sorgen gemacht, weil die Kinder schon beinahe den ganzen Tag lang weg gewesen waren, und Zita, die schon auf Donna Lisa aufgepasst hatte, als die noch ein kleines Kind gewesen war, in ihrem hohen Alter allmählich vergesslich wurde. Das war kurz vor dem Allerheiligenfest, Anfang November des Jahres 1503, und Donna Lisa war schwanger. Man sah es ihr und dem Schnitt ihrer Kleider deutlich an, aber sie bewegte sich dennoch so geschmeidig und anmutig, dass man an die Bilder der Heiligen Elisabeth denken musste, wie sie mit Johannes dem Täufer schwanger war und Maria, der Mutter Gottes, begegnete.

»Ich suche meine Kinder, zwei Jungen«, begrüßte sie mich, als sie zusammen mit einem Diener den Klosterhof betrat. »Sie sind mit ihrer Amme gekommen, die dieses Kloster von Zeit zu Zeit besucht.«

»Da drüben sind sie«, sagte ich. »Sie schauen Zoroastro zu, der Metallbolzen für unseren Flaschenzug macht.«

Die Jungen waren an ihrem Lieblingsplatz gleich neben der Schmiede. Mein Meister stand in der Nähe und überwachte Zoroastros Arbeit.

»Oh«, sagte Donna Lisa, »ich wusste gar nicht, dass es die Werkstatt von Messer Leonardo da Vinci ist, in die meine Jungen so oft gehen.«

»Wenn man schon eine Werkstatt aufsucht«, entgegnete ihr mein Meister, »warum dann nicht gleich die beste? Eure Kinder haben offensichtlich einen guten Geschmack geerbt.«

»Tatsächlich.« Sie lachte belustigt. Dann winkte sie Zita herbei, die auf einer Bank an der Klostermauer saß. »Wir müssen gehen«, sagte sie. »Meine Zeit ist nahe und ich werde schnell müde.«

Es dauerte eine Woche oder mehr, bis Zita die Jungen wieder vorbeibrachte. Sie berichtete uns, dass sich Donna Lisa nicht wohl fühlte, und bei dieser Gelegenheit vernahm ich auch zum ersten Mal die Geschichte von der Kröte, die der Herrin über den Weg gelaufen sei.

Einige Tage später kam Donna Lisa allein in den Klosterhof. Ein schwarzer Schleier verhüllte ihr Gesicht.

»Ich möchte mit deinem Meister sprechen«, sagte sie zu mir.

Zu jener Zeit nahmen die Arbeiten an dem Karton für das Fresko den Meister sehr in Anspruch. Er fertigte zahlreiche Modelle und Entwürfe von Pferden in den verschiedensten Stellungen an und zeichnete unzählige Skizzen von menschlichen Gesichtern, Armen und Körpern.

Ich schaute Zoroastro fragend an. »Er darf nicht gestört werden, wenn er arbeitet«, erklärte der unmissverständlich.

»Dann werde ich warten«, entgegnete sie.

»Er arbeitet oft viele Stunden lang«, sagte Zoroastro etwas freundlicher. »Manchmal vergisst er zu essen, zu trinken oder zu schlafen.«

»Ich warte trotzdem.«

Später am Tag kam Donna Lisas Mann. Er setzte sich

neben sie und streichelte ihre Hand. Er war älter als sie, was jedoch nichts Ungewöhnliches war. Männer leben länger und deshalb sind sie oft mehr als einmal verheiratet. Soviel ich wusste, war Donna Lisa die zweite oder dritte Ehefrau des Seidenhändlers. Er flüsterte ihr etwas ins Ohr, doch sie wollte sich nicht umstimmen lassen und mit ihm nach Hause gehen. Warum befahl er ihr nicht einfach, ihm zu gehorchen? Als ihr Ehemann hätte er das Recht, Diener herbeizurufen und sie nach Hause zurückbringen zu lassen. Aber ich bemerkte wohl, wie respektvoll ihr Umgang miteinander war. Er berührte ihren Arm und redete ihr gut zu, doch sie schüttelte nur den Kopf und blieb sitzen.

Irgendwann stand er auf. »Du, Junge«, redete er mich an und drückte mir einige Soldi in die Hand. »Falls dein Meister dich nicht braucht, wäre ich dir dankbar, wenn du dich um diese Dame kümmern könntest und mir Nachricht gibst, wann sie heute Abend nach Hause kommen möchte.«

Doch der Abend kam und sie saß noch immer auf ihrem Platz. Es war kalt. Zoroastro warf mehr Holz ins Feuer und rückte einen Stuhl für sie nahe an die Esse. Ich bot ihr einen Teller von unserem Essen und etwas Wein an, doch sie wollte nichts essen und nippte nur an ihrem Becher. Die Nacht brach herein.

Schließlich kam der Meister aus seiner Werkstatt. Er betrat den Raum durch eine Verbindungstür, die eigens auf seine Bitte hin in die Wand eingezogen worden war, sodass er ungestört kommen und gehen konnte, wann er wollte. Sein Umhang war von Gipsspritzern übersät und an seinen Fingern klebte Ton.

Ich deutete aus dem Fenster auf Donna Lisa, die noch immer geduldig wartend dasaß. »Die Dame hat den ganzen Tag gewartet, um mit Euch zu sprechen«, sagte ich.

»Was will sie? Ich kann jetzt keinen neuen Auftrag annehmen.«

»Das habe ich ihr auch erklärt, aber sie meinte, sie müsse unbedingt mit Euch reden.«

Er seufzte. »Wie es scheint, lieben reiche Damen es, sich malen zu lassen. Aber ich kann nicht allen Launen nachkommen.«

»Ich glaube nicht, dass diese Dame aus einer Laune heraus hierhergekommen ist oder um ihrer Eitelkeit zu schmeicheln«, sagte Graziano, der Frauenkenner.

Ich brachte eine Schüssel mit warmem Wasser, damit sich der Meister den Ton von den Fingern waschen konnte.

»Nun gut.« Er tauchte seine Hände ins Wasser. »Frag sie, was sie will, Matteo.«

Ich ging zu Donna Lisa hinaus. Gerade wollte ich sie ansprechen, als sie mir zuvorkam.

»Sag deinem Meister, dass ich eine Totenmaske brauche. Sag ihm auch, dass diese Aufgabe viel Erfahrung erfordert und ich sie keinem anderen als ihm anvertrauen kann.«

Ich wusste, dieser Auftrag musste sofort ausgeführt werden, denn sogar bei kalter Witterung verfällt ein Körper sehr schnell. Totenmasken abnehmen zu lassen, war sehr verbreitet, dennoch gab es nur wenige Werkstätten, die sich darauf verlegt hatten. Meist wurden Gesellen damit betraut, denn dabei lernten sie einiges über das menschliche Gesicht.

Ich ging zurück und sagte meinem Meister, was sie wünschte.

»Sage ihr, dass dies jeder beliebige Handwerker für sie erledigen kann.«

»Sie behauptet, dass es in ihrem Fall etwas ganz Besonderes wäre.«

»Eine Straße weiter gibt es eine Werkstatt, wo man sehr geschickt in diesen Dingen ist«, sagte er.

Mir fiel ein, dass sie auf ihrem Weg hierher an diesem Geschäft vorbeigekommen sein musste.

Sie senkte nicht ergeben den Blick, als ich ihr seine Ablehnung ausrichtete, sondern sagte nur: »Ich werde warten, bis ich mit ihm sprechen kann.«

Ich ging wieder hinein und gab meinem Meister Bescheid. Er machte eine verwunderte Handbewegung. Die Abendmahlzeit stand auf dem Tisch. Der verführerische Duft von warmen Speisen machte sich breit. Der Meister wollte sich gerade vom Fenster abwenden, doch dann hielt er inne und schaute ein zweites Mal dorthin, wo sie saß, mit dem Schleier im Gesicht und den Händen im Schoß.

»Kennen wir sie nicht? Sie kommt mir irgendwie bekannt vor.«

»Sie ist die Mutter oder Stiefmutter der beiden Jungen, die Zoroastro so gerne bei der Arbeit in der Schmiede zusehen«, klärte ihn Felipe auf. »Die Frau des Seidenhändlers Francesco del Giocondo aus der Via della Stufa.«

»Giocondo …« Der Name erregte seine Aufmerksamkeit. »Jocundus – der Fröhliche.« Seine Zunge spielte mit jeder einzelnen Silbe. »Ein vielsagender Name.«

»Der Handelsherr, ihr Ehemann, ist vor einiger Zeit vorbeigekommen und versuchte, sie zu überreden, mit ihm nach Hause zu gehen.« Felipe zögerte, dann fügte er hinzu: »Sie war schwanger, als wir sie zum letzten Mal gesehen haben.«

»Ach, deshalb habe ich sie zuerst nicht wiedererkannt.« Der Meister ging zur Tür und betrachtete sie.

Die Frau bemerkte seinen Blick und erwiderte ihn. Weder senkte sie die Augen noch setzte sie ein Lächeln auf – sie schaute ihn nur an.

Leonardo da Vinci stockte, dann ging er entschlossen in den Hof hinaus. Ein paar Minuten lang unterhielt er sich mit Donna Lisa, dann kam er wieder ins Haus zurück.

»Matteo, ich möchte, dass du mit mir kommst.«

»Jetzt gleich?«

»Auf der Stelle.«

Wir hatten seit dem Morgen nichts gegessen.

Der Meister ging in seine Räume und kam mit seiner ledernen Tasche zurück. Dann ging er zu unseren Vorratsschränken und nahm einige Sachen heraus. »Hebt einen Teller voll für uns auf«, sagte er zu Felipe. »Und wartet nicht auf uns.« Er warf sich den Umhang über, dann gingen wir hinaus.

Donna Lisa fröstelte, als wir den warmen Innenhof verließen. Jetzt, da uns das Feuer in Zoroastros Schmiede keine Wärme mehr spendete, spürten wir, wie der schneidende Wind vom Fluss herauf bis in die Mitte der Stadt blies. Der Meister nahm seinen Umhang ab und legte ihn ihr über die Schultern. Sie schaute zu ihm auf, und ihr Mund deutete ein Lächeln an, das jedoch im Zwielicht der Straßenfackeln kaum zu sehen war.

Wir mussten nicht die Glocke ziehen, um ins Haus eingelassen zu werden. Ein Diener hielt Ausschau nach seiner Herrin, und die Tür zur Straße öffnete sich, sobald wir näher kamen. Alle Fensterläden waren geschlossen und die Luft im Haus war stickig.

Wir stiegen eine Treppe hinauf und betraten einen abgedunkelten Raum. Zita saß auf einem Stuhl am Kamin, doch es brannte kein Feuer. Die Spiegel waren mit Tüchern bedeckt. Auf einer Truhe stand ein Kruzifix mit dem geschundenen Leib Jesu und zu beiden Seiten brannten Kerzen. Unter dem Fenster war ein kleines Tischchen, auf dem sich ein in Leinentücher gewickeltes Bündel befand.

Es lag ein Geruch im Raum, den ich kannte. Es war der Geruch des Todes.

»Ich verlor das Kind, das ich trug«, sagte Donna Lisa. »Es …«, ihre Stimme versagte beinahe, »es war ein Mädchen.«

Sie führte uns zu dem Tisch. »Das Kind starb in meinem Schoß. Ich habe es sofort gespürt, sie bewegte sich nicht mehr, und das war ungewöhnlich, denn in den vergangenen Monaten spürte ich, wie sie jede Nacht in meinem Bauch tanzte. Bei Tage war die Kleine ruhig, am Abend jedoch wurde sie lebhaft. In den letzten Wochen, wenn mich ihre Ruhelosigkeit um den Schlaf brachte, stand ich auf und spielte auf meiner Leier, denn die Musik beruhigte sie.«

Sie legte die Hand übers Gesicht. Der Meister schwieg. Er blieb ruhig stehen und wartete, bis sie die Kraft gefunden hatte, weiterzureden.

»Da sie tot auf die Welt kam, kann sie nicht in geweihter Erde begraben werden. Man erlaubt mir nicht einmal, ihr einen Namen zu geben. Deshalb möchte ich eine Totenmaske von ihr, damit ich sie nie vergesse.« Ihre Stimme zitterte. »Ich will sie nicht vergessen. Wie sollte eine Mutter ihr Kind vergessen? Die Ärzte sagen, dass ich kein Kind mehr haben könne. Deshalb fehlt mir jeder Trost. Und die Gesetze wollen, dass ihr Name nirgends aufgezeichnet wird. Nichts darf daran erinnern, dass sie gelebt hat, dass sie gestorben ist. Aber sie hat gelebt! Ich habe es gespürt, wie sie in mir gelebt hat.« Sie verlor ihre Fassung und begann zu schluchzen.

Er streckte ihr mitfühlend die Hand entgegen – mein Meister, der Mann, der stets Herr seiner Gefühle war, der sich Kummer oder Ärger niemals anmerken ließ. Aber sie nahm die Hand nicht, sondern fasste sich wieder. »Ich möchte Euch nicht mit meiner Schwäche in Verlegenheit bringen, Messer Leonardo. Ich habe alle Tränen der Welt um die Tochter, die ich verloren habe, vergossen. Jetzt habe ich keine Tränen mehr.«

Der Meister wartete eine Weile, dann fragte er: »Und Euer Ehemann, stimmt er dem zu?«

»Er ist ein liebevoller Gatte.«

Ich dachte daran, wie Francesco del Giocondo ihr heute im Klosterhof übers Haar gestrichen hatte.

»Ich werde Euch nun Eurer Arbeit überlassen«, sagte sie, »und gehen, um mit ihm zu sprechen.«

Nicht lange danach besuchte Francesco del Giocondo meinen Meister und bat ihn, ein Porträt seiner Frau zu malen. Ich hörte, wie er zum Meister sagte: »Meine Frau hat eine solche Schwermut überkommen, dass ich um ihr Leben fürchte. Sie verlässt das Haus nicht. Sie spricht und isst kaum noch. Sie spielt nicht mehr auf ihrer Leier und singt und liest nicht mehr. Ihr seid der einzige Mensch, mit dem sie gesprochen hat, seit dieses Unglück über uns gekommen ist.« Er blickte auf mich. »Mit Euch und mit dem Jungen. Ich bitte Euch herzlich, Messer da Vinci. Wenn Ihr es einrichten wolltet, in mein Haus zu kommen, ich würde Euch alles bezahlen, was Ihr verlangt. Und wenn es auch nur für eine Stunde in der Woche wäre. Sie hat sich so sehr in sich selbst zurückgezogen, dass ich mir keinen anderen Rat weiß als diesen.«

Und so wusste ich, wo mein Meister diesen Morgen verbrachte, als ich durch die Straßen von Florenz rannte, um ihn in den Ratssaal zu holen.

Ich fand die beiden wie immer in dem kleinen Zimmer, das auf den Innenhof des Hauses hinausging. Hier hatte er sich eine Malwerkstatt eingerichtet und arbeitete nun schon fast zwei Jahre an ihrem Bildnis.

Als er meinen atemlosen Bericht vernahm, verabschiedete er sich eilends. Wir verließen das Haus und hasteten durch die Straßen zurück zum Palazzo; ich immer an seiner Seite, obwohl ich zwei Schritte machen musste, wenn er einen tat.

KAPITEL 39

In der Halle herrschte ein heilloses Durcheinander. Gesellen und Maler standen auf den Gerüsten mit brennenden Kerzen, Tüchern und Pinseln. Unten lief der stets überlegene und tatkräftige Felipe händeringend auf und ab. Graziano war außer sich, rief den Gehilfen Anweisungen zu, um sie dann hastig selbst auszuführen. Salai war ausnahmsweise still, so bestürzt war er. Flavio hatte sich in eine Ecke gekauert, als erwarte er eine Tracht Prügel. Zoroastro, dem die Tränen übers Gesicht kullerten, rannte mit lautem Geschrei, als sei er irre geworden, auf den Meister zu, kaum dass wir den Saal betraten.

»Was sollen wir nur machen? Die Mischung trocknet nicht. Was sollen wir nur machen?«

Inmitten dieses Aufruhrs versuchte der Meister, sich ein Bild davon zu machen, was geschehen war. Die Farbe an den oberen Ecken des Freskos lief an den Wänden herab und hatte teilweise schon den fertig gestellten Abschnitt verschmiert. Es schien, als habe die Hitze des Kohlebeckens das Verlaufen der Farbe etwas verlangsamt, sonst wäre sie in Bächen geronnen, aber dennoch tröpfelte die Farbe unaufhaltsam nach unten.

»Lasst das Feuer höher brennen«, befahl der Meister.

»Aber …«, begann Zoroastro.

Der Meister ließ ihn einfach stehen.

»Wir müssen mehr Holz herbeischaffen«, sagte Felipe. »Unser Vorrat ist aufgebraucht.«

»Um uns herum ist genügend Holz«, entgegnete der Meister grimmig. Er warf seinen Umhang beiseite, nahm Zoroastros Beil und schritt auf das Gerüst zu.

»Hilf mir, Matteo«, sagte er und schlug auf die Stützstreben ein.

Ich schaute abwechselnd ihn, dann Zoroastro und Felipe an. Als Felipe begriff, was der Meister vorhatte, trat ein Ausdruck des Entsetzens auf sein Gesicht. Der Meister zog ein Brett aus dem Gerüst und befahl mir, es ins Feuer zu werfen.

»Das werden wir bezahlen müssen«, protestierte Felipe.

»Der Vertrag mit dem Rat der Stadt ist eindeutig. Das Holz und alles andere, was zum Gerüst gehört, muss zurückgegeben werden, anderenfalls müssen wir es ersetzen.«

»Dann sollen sie kommen und es sich zurückholen. Dabei können sie sich ihre dürren Finger, mit denen sie ihre Geldsäcke zuhalten, wärmen, während sie in der Asche wühlen.« Der Meister führte einen gewaltigen Hieb gegen eine der Streben.

Felipe wich erschrocken zurück.

Der Meister lockerte einen Sparren, riss ihn aus seiner Verankerung und warf ihn in das Glutbecken.

Zoroastro stürzte darauf zu. »Das Becken steht zu dicht an der Wand. Das ist gefährlich.«

»Lass es stehen.«

»Es wird den fertigen Abschnitt versengen.«

»Ich sage es noch einmal, lass es stehen!«, schrie der Meister. »Weißt du nicht, dass die Florentiner Freudenfeuer lieben? Es ist noch nicht lange her, da sind sie, angestiftet von ihrem großen Propheten Savonarola, zusammengelaufen und haben ihre großartigen Kunstwerke auf dem Platz da draußen verbrannt. Ein Jahr darauf haben sie an derselben Stelle genau die Leute verbrannt, die dieses Feuerwerk der Eitelkeiten angeordnet hatten. Sollen sie noch ein Feuerwerk haben!« Er hob ein Stück Holz auf und spaltete es mit der Axt. »Es passt gut, wenn das Spektakel diesmal sogar in ihrem eigenen Ratssaal stattfindet. Reißt die Türen und Fenster auf! Wenn sie den Rauch riechen und die Flammen prasseln hören, werden sie gerannt kommen, um das Feuer mit eigenen Augen zu begaffen, so wie sie auch die anderen Feuer begafft haben.«

Wir mussten hilflos mit ansehen, wie er immer mehr

Holz in das Becken warf. Das Feuer loderte hoch auf. Durch die Flammen schien es, als führten Reiter und Pferde einen höllischen Kampf. Die Farbe an den oberen Rändern schlug Wellen, als der rot züngelnde Feind, der sie zu verzehren drohte, näher kam. Würde es klappen? Würde die immense Hitze die Farbe und den Gips trocknen?

Aber dann schrie Flavio auf, es war wie der durchdringende Schrei einer armen verlorenen Seele. »Ahhh! Seht doch!«

Am unteren Rand des Freskos bildeten sich Blasen. Zoroastro stürzte auf die Wand zu, doch Graziano hielt ihn zurück. Alle, die wir in der Halle waren, konnten nicht anders, als gebannt auf den Anblick zu starren, der sich uns bot. Es gab nichts mehr, was wir hätten tun können; es war nichts mehr zu retten. Das prasselnde, zischende Feuer kannte keine Gnade. Und wir drängten uns jammernd zusammen in unserer Angst. Der Lärm und die Hitze taten ein Übriges, um unseren Schrecken vor diesem gefräßigen Ungeheuer zu mehren, das im Begriff war, ein Meisterwerk zu verschlingen.

Als das Feuerbecken bis obenhin angefüllt war, schwankte der Meister. Felipe fasste ihn sogleich am Arm und überredete ihn, mit ihm in die entlegenste Ecke der Halle zu gehen. Ohne Rücksicht auf sein eigenes Leben stürzte Zoroastro auf die Wand zu, hakte eines seiner Schmiedewerkzeuge am Rost des Beckens fest und zog es weg von der Wand. Die anderen, die sich stumm wie Mönche in einem Leichenzug bewegten, fingen an, die Sachen, die am Boden verstreut lagen, aufzuheben. Niemand sprach ein Wort.

Ich ging zu dem Tisch, auf dem gewöhnlich unser Essen stand, nahm einen Weinbecher und schenkte ihn randvoll. Dann gab ich etwas Zimt hinzu und steckte ein langes Schüreisen in die Glut. Nach einer Minute zog ich es wieder heraus und tauchte es in die Flüssigkeit. Ich nahm einen Stuhl und den heißen Wein und brachte beides dem Meister. Als ich ihm den Stuhl hinstellte, blickte er mich an, als kenne er mich nicht, doch er setzte sich nieder. Er hielt den Becher mit Wein und der heiße Duft stieg ihm in die Nase. Dann fuhr er sich mit der Hand über die Augen und begann zu trinken. Ich kniete mich neben ihn nieder.

Er legte mir die Hand auf den Kopf. »Lass mich allein«, sagte er. Er schaute zu Felipe auf, der an seiner Seite stand. »Lasst mich. Ich möchte allein sein.«

Wir gingen weg und ich bereitete heißen Würzwein für alle zu. Kein Wort fiel. Man hörte nur, wie Flavio mit den Zähnen klapperte. Ich zwang mich, auch etwas von dem Wein zu trinken. Erst dann wagte ich es, meinen Blick auf die Wand zu richten.

Das Fresko war verloren.

Im oberen Teil waren alle Farben ineinanderverlaufen, kaum ein Umriss war noch zu erkennen. Die vielen Stunden, die es gekostet hatte, um die Modelle von Menschen und Pferden bis ins Feinste zu gestalten, die Monate sorgfältigsten Zeichnens, die vielen Wochen, um die Wand vorzubereiten, den Karton zu übertragen, die Farben vorsichtig aufzutragen – das alles war binnen weniger Minuten dahin. Der untere Teil der Wand war versengt und rußgeschwärzt, und obwohl die Figuren im Hauptteil des Bildes unversehrt geblieben waren, so als könne nichts deren Kraft brechen, waren sie doch durch die Hitze und den Rauch in Mitleidenschaft gezogen worden.

Nach einer Weile kam der Meister aus dem hinteren Teil des Saales und ging zu den Tischen und Werkbänken. Er schien etwas zu suchen. Schließlich nahm er ein bisschen von der angerührten Farbe zwischen die Finger und roch daran. Dann zerrieb er sie zwischen seinen Handflächen.

»Weshalb habt ihr die Rezeptur verändert?«

Alle schauten einander an.

»Meister«, stammelte Flavio, »wir haben nicht das Geringste verändert.«

»Die Zusammensetzung ist die Gleiche«, bestätigte Felipe. »Ich prüfe das mit größter Sorgfalt.«

Zoroastro sagte: »Ihr kennt doch die Handwerker, die für Euch arbeiten. Keiner hier ist schlampig.«

Der Meister nahm es zur Kenntnis. »Und dennoch fehlt etwas.«

Alle standen niedergeschlagen herum, während er auf und ab ging, hin und wieder innehielt, sich dann umdrehte und das Fresko anstarrte.

»Ich begreife es nicht«, sagte er. »Wir haben es in Santa Maria Novella ausprobiert und es hat geklappt.«

»Dort war es nur ein kleines Stück Wand«, wandte Felipe ein. »Vielleicht … auf einer größeren Fläche …« Seine Stimme versagte.

Zoroastro war zu den Steinplatten gegangen, auf denen die Grundierungsfarbe zum Anrühren bereitlag. Er rührte mit dem Finger darin herum, nahm etwas auf die Zunge und zerkaute es. Dann ging er zu dem Ölkrug, den er erst heute, als er mit der Arbeit anfing, geöffnet hatte. Er tauchte die Finger in den Krug und verrieb das Öl auf seinem Handrücken. »Das Öl«, sagte er leise zu Felipe. »Wer hat es dir verkauft?«

Felipe machte ein besorgtes Gesicht. »Warum fragst du?«

»Die Zusammensetzung…« Zoroastro hielt seine Hand hoch, damit man das Öl sehen konnte. »Sieh selbst. Die Qualität ist nicht so wie üblich.«

»Uns beliefern verschiedene Kaufleute.« Felipe ging zu dem Ölkrug und las den Zettel, der am Ausguss hing. »Dieses Öl stammt von einem Händler am Fluss; ich habe es bestellt wie immer.«

»Das ist nicht das gleiche Öl«, beharrte Zoroastro.

»Der Papst lässt so viele neue Bauten errichten«, sagte Graziano. »Er hat sich in den Kopf gesetzt, dass Rom Florenz als Mittelpunkt von Kunst und Kultur in Europa übertreffen soll. Die Händler wissen, dass man ihnen dort mehr bezahlt. Ich habe gehört, sie halten die besten Waren zurück und liefern sie an die Künstler, die für den Papst arbeiten.«

»Das kann stimmen«, meinte auch Felipe. Er ließ sich auf einen Stuhl fallen. »Aber wenn dieses Öl minderwertig ist, wie Zoroastro sagt, dann trifft mich die Schuld. Ich habe nur die erste Lieferung überprüft, um mich davon zu überzeugen, dass alles in Ordnung ist. Es kam mir nicht in den Sinn, jeden einzelnen Krug in Augenschein zu nehmen.« Sein Gesicht war grau, und er sah aus, als wäre er an diesem einen Morgen um Jahre gealtert. »Ich muss gehen und dem Meister von meinem Fehler berichten.«

»Es war auch mein Fehler«, sagte Graziano und legte Felipe den Arm freundschaftlich um die Schulter. »Ich habe nicht auf Flavio gehört, als er mir erklärte, dass die Farbe nicht einzieht und wir warten sollten. Ich hatte ihn in Verdacht, dass er sich nur am Feuer aufwärmen und abwarten wollte, bis es weniger kalt im Raum war.«

Zoroastro streckte sein Kinn vor. »Mich trifft auch ein Teil der Schuld. In meiner Angst habe ich das Kohlebecken zu nahe an die Wand gerückt. Als das Feuer angezündet wurde, war die Hitze zu stark für das Fresko.«

»Auch ich hätte schneller laufen können, um den Meister zu holen«, versicherte ich Felipe. »Wenn er früher hier gewesen wäre, hätte er vielleicht noch etwas retten können.« Das stimmte zwar nicht, denn ich war so schnell gerannt, dass ich immer noch Seitenstechen hatte, aber ich wollte bei ihrer Verbrüderung der Schuldigen nicht außen vor stehen.

Graziano streckte seinen Arm aus und zog mich zu ihnen heran, sodass wir uns alle vier umschlungen hielten. »Lasst uns jetzt gehen und ihn um Verzeihung bitten.«

»Siehst du«, zischte Zoroastro mir ins Ohr. »Das kommt davon, wenn man die Vorzeichen missachtet. Dieses Vorhaben, begonnen an einem Freitag zur dreizehnten Stunde, stand von Anfang an unter einem bösen Stern.«

Der Meister hörte uns an. Und er versicherte uns, ohne zu zögern, dass nichts zu vergeben sei. Er hatte die anderen nach Hause geschickt, ihnen für den Rest des Tages frei gegeben und erklärt, dass er ihnen den Arbeitslohn für den ganzen Tag bezahlen würde. Er schlug vor, dass auch wir nach Hause gehen sollten. »Ich selbst werde noch etwas hier bleiben«, sagte er. »Aber ich möchte gern alleine sein.«

Als wir den Saal verließen, schaute ich mich um und

sah, wie er dastand und zur Wand starrte. Seine hochgewachsene Gestalt hob sich vor dem Feuerschein ab.

»Seid nicht niedergeschlagen«, rief er uns noch zu. »Ich werde das Fresko so wiederherstellen, wie es war.«

Felipe wandte sich ab. Ich hörte deutlich, wie er zu Graziano sagte: »Das wird er niemals tun.«

KAPITEL 40

Immer mehr Schüler und Lehrlinge des Meisters blieben aus. Wie viele andere auch zogen sie nach Rom. Raffael war dort, und der Bildhauer Michelangelo arbeitete an einem Fresko im Vatikan: einem Deckengemälde für die Sixtinische Kapelle. Die Fertigstellung würde noch Jahre dauern, erzählte man sich. Doch dieses gewaltige Unterfangen beweise, so prahlten die Römer, dass es in ihrer Stadt Arbeit für sämtliche Künstler des Landes gebe.

Den Meister schien die Abwanderung seiner Gehilfen nicht übermäßig zu kümmern. Ruhelos und wissenshungrig wandte er sich mit Feuereifer anderen Aufgaben zu und überließ es Graziano, den durch den Brand entstandenen Schaden zu beheben. Felipes Aufgabe war es, die Räte der Stadt zu besänftigen, die wissen wollten, wann der Meister ihr Fresko endlich vollenden würde.

Zusätzlich zu den üblichen Anfragen für ein Gemälde zeigte inzwischen auch das Ausland Interesse an einer Zusammenarbeit. Die Franzosen hatten in Mailand einen Hof eingerichtet und umwarben den Meister unverhohlen. Sie hatten vor, beim Rat von Florenz anzufragen mit der Bitte, Meister Leonardo von seiner Aufgabe zu entbinden. Hinzu kam ein langwährender Streit um einen Auftrag der Bruderschaft der unbefleckten Empfängnis in Mailand. Die Patres dort sahen das Werk als unvollendet an und hielten beharrlich das Geld zurück. Vermutlich war es jedoch nur ein Vorwand, um den Meister nach Mailand zu locken.

Obwohl verschiedene Angelegenheiten in Florenz seine Anwesenheit erforderten, war Meister Leonardo mehr und mehr geneigt, der Stadt den Rücken zu kehren. Er sprach davon, dorthin zu gehen, wo in früheren Jahren Arbeiten entstanden waren, bei denen seine unterschiedlichen Talente als Konstrukteur, Baumeister und Erfinder zum Einsatz gekommen waren, und dass die Franzosen seine Fähigkeiten sicher mehr zu schätzen wüssten. Felipe, das wusste ich, würde es nur begrüßen, wenn er sich nicht länger mit Piero Soderini und den anderen Räten herumärgern musste. Wie er es prophezeit hatte, forderten sie nämlich inzwischen die Herausgabe des Gerüsts.

»Wenn wir es in kleinste Teile zerlegen und stückweise wegschaffen, ob sie es dann wohl merken, wenn einige Sparren fehlen?«, überlegte er.

»Niemals«, lachte Graziano. »Diese Männer sind so einfältig, dass sie nicht einmal ihr eigenes Hinterteil abwischen können.«

Graziano war geradezu versessen darauf, nach Mailand an den französischen Hof zu gehen, den er sich als einen Ort vorstellte, an dem Bildung, Eleganz und Geist beheimatet waren – und amüsantes Frauenvolk.

Und Salai? Er würde dem Meister folgen, wohin er auch ging. Obwohl er ein durchtriebener Bursche war, hielt ich seine Liebe zum Meister für aufrichtig. Salai ließ ihn nicht im Stich wie die anderen Schüler, wenngleich dies auch in seinem eigenen Interesse lag. Er hatte ein Talent fürs Zeichnen und Malen, wusste zugleich aber auch einen Vorteil aus dem guten Ruf der Werkstatt da Vinci zu ziehen, indem er eigene Aufträge annahm und so seine Geldbörse auffüllte. Manchmal bat er den Meister, die Umrisse zu skizzieren, und vervollständigte das Bild danach mit den Farben aus unserem Vorrat. Felipe war klug genug, dies nicht offen anzusprechen, trotzdem machten sich gewisse Spannungen bemerkbar.

Doch entweder bemerkte der Meister das nicht oder es war ihm gleichgültig. Er verbrachte zunehmend mehr Zeit an dem Ort, an dem ich ihn am Tag des großen Unglücks angetroffen hatte: im Haus von Donna Lisa.

Es wurde zu seiner Zufluchtsstätte. Sie stützte ihn in dieser schwierigen Zeit, so wie er zuvor ihr in ihrem tiefen Gram Halt gegeben hatte. Unter seinen Freunden waren nur wenige Frauen, aber sie war eine von ihnen. Sie hatte sich Bildung erworben und war dabei, eine kleine Bibliothek zusammenzutragen. Der Meister bewunderte ihre Klugheit und ihre innere Kraft und Ausdauer. Aber im Grunde genommen – so sagte er – bewunderte er die Stärke aller Frauen.

»Frauen, die heiraten und Kinder bekommen, sind von den Mühsalen der Geburten häufig so entkräftet, dass sie früh sterben«, erklärte er mir eines Tages auf unserem Rückweg von Donna Lisas Haus. »Vor einigen Jahren habe ich den Leichnam einer Frau geöffnet, die dreizehn Kinder geboren hatte. Ich habe ihre Beckenknochen gesehen, die an mehreren Stellen eingerissen waren. Von ihren Söhnen und Töchtern überlebte nur ein einziges Kind.

Sie musste die körperlichen Schmerzen beim Gebären ertragen und die seelische Qual beim Verlust ihrer Kinder.«

Ich dachte an Rossana und Elisabetta. Was wäre aus ihnen geworden, wenn es ihnen vergönnt gewesen wäre, in Perela friedlich heranzuwachsen? Mit etwa sechzehn Jahren hätten sie vermutlich geheiratet und ihren Ehemännern Kinder geboren. Ich versuchte, den Gedanken daran zu verdrängen. Immer wenn ich an Rossana dachte, war es, als würde mir jemand einen Schlag versetzen, und meine Brust wurde mir eng.

»Männer verschwenden keine Gedanken an die Leiden der Frauen«, fuhr der Meister fort. »Mit einer einzigen Ausnahme vielleicht, soweit ich weiß.« Er sprach von Donna Lisas Ehemann, Francesco del Giocondo. »Donna Lisa ist nicht seine erste Ehefrau«, erklärte er mir. »Doch ich glaube, er liebt sie von ganzem Herzen. Mein eigener Vater war viermal verheiratet und die ersten drei Frauen sind alle vor ihm gestorben.«

Der Meister sprach sehr selten von seinem Vater, einem geachteten Notar in Florenz, der vor achtzehn Monaten gestorben war. Es war nicht seine Art, Gefühle zur Schau zu stellen, aber in diesem Fall ging es nicht nur um den Verlust eines Elternteils. Von Felipe wusste ich, wie bestürzt der Meister gewesen war, als er erfuhr, dass ihm als unehelichem Kind kein Erbanteil zustand, aber so sah es nun einmal das Gesetz vor. Schämte er sich wegen der mangelnden Anerkennung?

Auch zu mir hatten sich weder Mutter noch Vater bekannt, und es war gut möglich, dass gerade diese Gemeinsamkeit ein Band zwischen uns geknüpft hatte. Seine Kindheit hatte der Meister in der Obhut einer Frau verbracht, die den Platz einer Mutter nach Kräften zu ersetzen versuchte. Seiner leiblichen Mutter war die Befähigung abgesprochen worden, ein Kind großzuziehen. Nach der Geburt hatte der Vater eine andere Frau geheiratet und Leonardo, den Bastardsohn, zu sich genommen. Seine Gattin behandelte den Knaben gut und der junge Leonardo hing voller Liebe an ihr.

Inzwischen war die Stiefmutter verstorben, aber er stand noch in Verbindung zu ihrem Bruder, der ein guter Freund von ihm war. Dieser Stiefonkel war ein Kanonikus in der Kirche von Fiesole nicht weit von Florenz entfernt. Zu ihm ging der Meister jetzt auch, um nach der Zerstörung des Freskos Trost zu finden. Er blieb in Fiesole – über Weihnachten, Neujahr, bis zum Fest der Erscheinung des Herrn und darüber hinaus. Der oberste Ratsherr Piero Soderini war sehr unglücklich über diese lange Abwesenheit und eilte in die Werkstatt in Santa Maria Novella, um sich zu beschweren. Felipe hatte seine liebe Not, ihn abzulenken. Er zog seine Rechnungsbücher hervor und breitete sie vor dem Ratsherrn aus. Dann rechnete er haarklein vor, welche Zahlungen der Rat bereits bewilligt hatte, und zählte auf, wie viele Tage wir bereits an dem Fresko gearbeitet hatten und wie viel Zeit wir noch veranschlagten. Währenddessen tischte Graziano großzügig von unserem besten Wein auf und schmeichelte dem gewissenhaften, aber nicht sehr geistvollen Mann, indem er ihn bescheiden bat, uns seine Sicht der politischen Lage darzulegen.

»Er täte gut daran, sich weniger Gedanken um unseren Rückstand zu machen«, meinte Graziano eines Tages, als Piero Soderini wieder einmal mit etwas unsicheren Schritten von uns wegging, »und stattdessen darauf zu achten, was gerade in seiner eigenen Stadt vor sich geht.«

Felipe war einer Meinung mit ihm. »Wenn er wirklich so ein scharfsinniger Beobachter wäre, wie er von sich selbst glaubt, würde er merken, was sich da direkt unter seiner Nase zusammenbraut.«

Ich hatte angefangen, den Weinkrug und die Becher wegzuräumen. »Und das wäre?«, fragte ich ihn.

Die beiden sahen einander bedeutungsvoll an. »Besser, du weißt nichts davon, Matteo«, sagte Felipe ausweichend. »Auf diese Weise kannst du auch nicht mit hineingezogen werden.«

»Was meinst du damit?«

»Der Papst hat eine Armee aufgestellt und ist bereit, in die Romagna einzumarschieren. Sein Ziel ist, noch mehr Städte zu erobern als Cesare Borgia. In Florenz gibt es Leute, die es als gute Gelegenheit ansehen, auch hier einiges zu… verändern.« Graziano wählte seine Worte mit Bedacht.

»Spione reiben sich die Hände über solche Gespräche«, sagte Felipe brüsk und warf Graziano einen warnenden Blick zu.

Ich nahm die Weinbecher und machte mich daran, sie abzuspülen. Grazianos Worte passten zu dem, was Sinistro, der Schreiber, mir erzählt hatte. Dennoch konnte ich das kaum glauben. Florenz strotzte nur so vor Leben und der Handel blühte. Warum sollte jemand daran etwas ändern wollen? Der Rat war ein wichtiger Teil der Stadt und Piero Soderini war in sein Amt auf Lebenszeit gewählt worden. Er saß fest im Sattel, unterstützt von dem unvergleichlichen Machiavelli und seiner Bürgerarmee – wer also sollte ihm die Macht streitig machen?

Trotz der getroffenen Vereinbarung mit den Stadtherren, am Fresko weiterzuarbeiten, verbrachte der Meister auch nach seiner Rückkunft aus Fiesole nur wenig Zeit im Palazzo und beschäftigte sich stattdessen mit dem Vogelflug. Seine Zeichnungen dazu gingen in die hunderte und zusammen mit Zoroastro grübelte er voller Hingabe über Modelle aus Draht, Rohrstöcken und darüber gespanntes Leinen. Diese Modelle wurden immer größer, und schließlich schickte er Zoroastro in ein anderes Kloster zu Freunden, wo er mehr Platz zur Verfügung hatte und ungestört war. Auch uns schärfte der Meister ein, dass sein Vorhaben geheim bleiben solle.

Daneben unternahm er pflanzenkundliche Ausflüge, ging ins Leichenhaus und besuchte Donna Lisa, um weiter an ihrem Porträt zu arbeiten. Ihr Ehemann störte sich nicht daran, dass es so lange dauerte und Meister Leonardo sehr unregelmäßig kam. Francesco del Giocondo war froh, dass die Gesellschaft eines so klugen und gebildeten Mannes seine Frau aus ihrem tiefen Kummer zu reißen vermochte.

Von Anfang an hatte der Meister Donna Lisa mit Respekt behandelt. Er drängte sie nie, lange für ihn Modell zu sitzen, und nötigte sie auch nicht, mit ihm zu plaudern. Eines Tages aber bat er mich, zu bleiben und eine Geschichte zu erzählen.

»Matteos Geschichten sind sehr unterhaltsam«, erklärte er ihr. »Sein Vorrat ist unerschöpflich.« Er gab mir ein Zeichen.

»Welche Geschichte wollt Ihr hören?«, fragte ich.

»Such du sie aus«, erwiderte er. »Vielleicht eine der Sagen, die du von deiner Großmutter kennst?«

Ich sah mich im Zimmer um. Der Meister hatte es selbst eingerichtet und die Dame des Hauses am offenen Fensterflügel zum Hof platziert, wo das Licht genau so einfiel, wie er es wünschte. Er hatte auch ihr Kleid ausgewählt. Die Dienerschaft hatte herrliche Gewänder, glitzernde Halsketten und anderes kostbares Geschmeide zur Auswahl herbeigebracht, er aber hatte das alles verschmäht und stattdessen ein schlichtes Kleid ausgesucht. Ich glaube, Donna Lisas Ehemann wäre es lieber gewesen, sie etwas feiner herausgeputzt zu sehen, zum Zeichen seines Wohlstands und Erfolgs. Aber der Meister hatte ihn überredet mit den Worten: »So ist es genau richtig. Eine solche Anmut braucht keine Vergoldung.«

Also hatte man die Kleider und den Schmuck wieder fortgeschafft, bis auf eine Truhe, die man zur Seite gestellt hatte. Der Deckel war aufgeklappt und ich sah darin Schals, Bänder sowie Straußen-, Fasanen- und Pfauenfedern.

Ich zog mich in eine Ecke zurück, wo Donna Lisa mich nicht sah, und begann.

»Also gut. Ich werde Euch die Geschichte von einem Wesen erzählen, das die Götter Panoptes nannten, das bedeutet der Allsehende. Aber wir kennen den Riesen mit den hundert Augen unter dem Namen Argus.

Eines Tages besuchte Jupiter, der Göttervater, eine Insel und erblickte dort die Königstochter, die im Garten spazieren ging. Ihr Name war Io. Jupiter sah, dass sie sehr schön war, verliebte sich in sie und blieb bei ihr für lange Zeit.

Im Reich der Götter blieb seine Abwesenheit nicht unbemerkt. Und als er schließlich zu seiner Gemahlin Juno zurückkehrte, der er einst Treue geschworen hatte, fragte sie ihn, was ihn in der Menschenwelt so lange aufgehalten habe. Jupiter sprach von dringenden Geschäften, sie aber glaubte ihm kein Wort. Sie fand die Insel und entdeckte den wahren Grund.

Da wurde sie sehr zornig. Sie war eifersüchtig auf Io und sann auf Rache an der Prinzessin. Jupiter, der seine Gemahlin kannte, überlegte, wie er seine Geliebte schützen könnte. Er beschloss, Io in eine wunderschöne junge Kuh zu verwandeln, und beauftragte den Riesen Argus mit den hundert Augen, sie zu bewachen, während sie friedlich auf den Feldern graste.

Aber Juno war schlau und kam dahinter. Sie rief Merkur, den Götterboten, herbei und erteilte ihm einen Auftrag. Merkur sauste in Windeseile zu Ios Weideplatz. In der Gluthitze des Tages wartete er, bis der Abend kam und Io sich zur Ruhe legte. Auch der Riese Argus suchte sich einen stillen Platz.

Merkur setzte die Flöte an die Lippen und begann zu spielen. Beim Klang der sanften Musik schlief Argus ein. Ein Auge nach dem anderen klappte zu, bis nur noch eines geöffnet war. Aber dann schloss er auch noch dieses. Der mächtige Riese war eingeschlafen.

Als Merkur sicher sein konnte, dass Argus tief und fest schlief, legte er sein Instrument beiseite und zog stattdessen das Schwert, um das Haupt des Riesen abzuschlagen. In diesem Augenblick erwachte der Riese und stieß ein fürchterliches Brüllen aus. Ein Auge nach dem anderen klappte wieder auf. Der Riese versuchte aufzustehen, doch es war zu spät. Merkur holte aus und tötete ihn.

Als Juno von der vollbrachten Tat erfuhr, eilte sie herbei. Argus lag ausgestreckt da und seine hundert Augen starrten blicklos in den Himmel. Juno riss eines nach dem anderen aus und versteckte sie im Gefieder ihres Lieblingsvogels. Und so kommt es…« Ich nahm eine Pfauenfeder und ließ sie sanft durch die Luft gleiten. »So kommt es, dass der Pfau Schwanzfedern mit Augen hat.«

Donna Lisa klatschte in die Hände.

Mein Blick glitt von ihr zu meinem Meister. Er nickte mir zu. Und ich, beglückt über die Wertschätzung der beiden, grinste übers ganze Gesicht.

Von da an forderte mich der Meister häufig auf, ihnen eine Geschichte vorzutragen: ein Abenteuer des Odysseus bei seiner Irrfahrt nach dem Kampf um Troja beispielsweise oder eine Legende oder Fabel.

Diese Angewohnheit behielten wir bei, als er im darauf folgenden Frühling die Arbeit am Porträt fortsetzte. Noch immer sprach Donna Lisa nur wenig, und auch er starrte oft in Gedanken vertieft auf das Bild, ohne einen Pinselstrich zu machen. Die Stille war jedoch niemals bedrückend. Wurde hingegen Zerstreuung gewünscht, kramte ich in meinem Gedächtnis nach den Sprösslingen der Geschichten, die meine Großmutter in mich hineingepflanzt hatte. Versehen mit meinen eigenen Zutaten, ließ ich sie heraussprudeln wie das Wasser einer Fontäne.

Eines Tages, kurz vor dem Osterfest, drückte Donna Lisa mir etwas in die Hand, bevor sie sich auf ihren Platz am Fenster setzte.

»Das ist ein kleines Heft aus einer dieser neuen Druckpressen, die Bücher in unserer Sprache herstellen. Es ist eine Geschichte, die meine Mutter mir immer erzählte, als ich klein war. Ich würde sie so gerne wieder einmal hören. Würde es dir etwas ausmachen, sie uns heute Morgen vorzulesen, Matteo?«

Verwirrt ließ ich den Kopf hängen.

Behutsam mischte sich der Meister ein. »Matteo trägt lieber Geschichten aus dem Gedächtnis vor.«

Nachdem er mich aus der peinlichen Situation errettet hatte, warf er mir einen ernsten Blick zu, der besagen sollte: Siehst du, jetzt hast du die Dame enttäuscht. Sie hätte dir so gerne beim Vorlesen zugehört.

Ich gab also erneut eine meiner Geschichten zum Besten, und als es Zeit war, zu gehen, wollte ich Donna Lisa das Büchlein zurückgeben.

»Aber nein, Matteo, du darfst es behalten«, sagte sie. »Ich möchte es dir schenken. Hoffentlich bereitet es dir ebenso viel Vergnügen wie mir.«

Ich trat ungeschickt einen Schritt zurück und warf dem Meister hilfesuchend einen Blick zu. Er neigte den Kopf, dann zog er eine Augenbraue hoch. »Bedanke dich bei der Dame«, sagte er ruhig.

»Ich danke Euch«, stieß ich hervor. Als ich mich vor ihr verbeugte, spürte ich, wie mir die Tränen in die Augen schossen.

Vielleicht hatte Donna Lisa etwas bemerkt, denn sie drehte sich weg und redete mit dem Meister. Sie war eine vornehme Dame, diese Donna Lisa. Nicht hochgeboren wie Prinzessinnen oder Königinnen, aber mit einem inneren Adel und dem Takt einer Frau mit Herzensgüte.

In dieser Nacht lag ich auf meinem Strohsack und betrachtete das Buch ganz genau. Ich konnte die Worte *die*, *und*, *von* entziffern. Mit dem Finger tippte ich jedes Wort an, das ich wiedererkannte, und sprach es vorsichtig laut aus. Plötzlich verschwamm alles vor meinen Augen. Erst jetzt bemerkte ich, dass ich weinte.

Und wie ich weinte! Ich weinte um die Mutter, an die ich mich nicht erinnern konnte, um den Vater, den ich nie gehabt hatte, und um die tote Großmutter. Ich weinte um Rossana, meine erste Liebe. Um Rossana, ihre Eltern und den kleinen Bruder. Ich weinte, weil ich von Elisabetta und Paolo getrennt war. Und ich weinte um das, was mein gewesen war und mir genommen wurde, und um das, was ich nie besessen hatte. Ich weinte über mein ganzes Elend.

Am darauf folgenden Tag trug ich das Büchlein zu Sinistro, dem Schreiber. Er sah es sich an. »Woher hast du das?«, wollte er wissen.

»Eine Dame hat es mir geschenkt.«

»Welche Dame würde einem Jungen wie dir so ein Geschenk machen?«

»Das verrate ich nicht«, sagte ich. »Aber ich habe es nicht gestohlen.«

»Ich glaube dir«, erwiderte er. »Das macht es umso rätselhafter.«

»Ich will wissen, was darin steht.«

Er fing an, laut daraus vorzulesen.

»Nein«, hielt ich ihn zurück. »Nicht so. Zeig mir, was da steht und wo es steht.«

Er deutete mit dem Finger auf die Worte und las: »In einem fernen Land lebte ein Drache …«

»Bist du sicher, dass genau das die richtigen Worte sind?«

»Selbstverständlich bin ich das«, sagte er entrüstet. »Ich bin bei Bruder Anselm in die Lehre gegangen in dem …«

»… in dem berühmten Kloster Sankt Bernhard in Monte Cassino«, vollendete ich den Satz für ihn. »Ich weiß, ich weiß. Also gut.« Ich spähte über seine Schulter. »Woher weißt du, wie jedes Wort ausgesprochen wird?«

»Weil ich die einzelnen Buchstaben kenne«, sagte er. »Jeder Buchstabe hat seinen eigenen Klang. Zusammengesetzt ergeben sie das Wort.«

Ich lachte. »Das ist alles? Dann kann es ja nicht so schwer sein.«

»Meinst du?«, sagte er freundlich.

»Ja. Und jetzt mach weiter.«

»Das kostet etwas.«

»Ich werde dich bezahlen.« Ich zog die Soldi aus der Tasche, die der Meister mir zum Fest der Erscheinung des Herrn gegeben hatte. »Hier, es ist genau so viel wie damals, als du mir den Brief vorgelesen hast.«

»Oh nein«, erwiderte er. »In diesem Fall geht es nicht darum, ein paar Zeilen zu entziffern. Du verlangst etwas ganz anderes von mir.«

»Und das wäre?«

»Du bittest mich, dir das Lesen beizubringen. Dafür verlange ich einen Soldo für die halbe Stunde.«

Ich trat ein paar Schritte zurück und zählte mein Geld. »Wie lange wird es dauern, bis ich sämtliche Wörter kenne?«, fragte ich.

Der Schreiber lächelte und sagte: »Matteo, wie lange ist dein Leben?«

KAPITEL 41

Das geheime Vorhaben begann Gestalt anzunehmen. Verborgen vor den Augen der Öffentlichkeit und von den sorgsamen Anweisungen des Meisters begleitet, entstand eine großartige, elegante Konstruktion aus hölzernen Latten und Bespannungen. Die wenige freie Zeit, die ich hatte, verbrachte ich bei Sinistro, dem Schreiber, der mich in der Kunst des Lesens unterwies, aber den größten Teil verwandte ich darauf, Zoroastro dabei zu helfen, das großartige Gebilde, das sich mein Meister ausgedacht hatte, zusammenzubauen. Wir begannen schon beim ersten Morgenlicht mit unserer Arbeit, und als der Frühling seine Herrschaft über das Land angetreten hatte und die Tage allmählich länger wurden, arbeiteten wir bis in die späte Nacht.

Wir hatten beschlossen, dass ich meine Matratze und den Rest meiner Habseligkeiten an meine neue Wirkungsstätte bringen sollte. Und bei dieser Gelegenheit bemerkte Felipe die winzigen Papierschnipsel mit den Buchstaben und einfachen Wörtern, die mir Sinistro zum Lernen aufgeschrieben hatte.

»Was ist das, Matteo?«, fragte er mich, nahm einige der Zettelchen und betrachtete sie.

Ich blickte mich um. Salai war mit Graziano zum Palazzo gegangen, um einige Dinge zu erledigen, und der Meister und Zoroastro saßen in der gegenüberliegenden Ecke, um etwas zu besprechen.

»Das sind die Buchstaben, die ich lernen muss«, erklärte ich Felipe mit gedämpfter Stimme. »Vielleicht erinnerst du dich noch daran, wie ich dir von Sinistro, dem Schreiber, erzählt habe? Von jenem Alten, der mir zu Anfang des Winters den Antwortbrief an meine Freunde geschrieben hat? Ich bezahle ihn dafür, dass er mir das Lesen beibringt, und wenn du später Zeit hast, mir einen Lehrer zu suchen, kann ich schon einiges.«

Felipe sah mich ernst an. »Es freut mich sehr, dass du das tust, Matteo.«

Mehr sagte er nicht, aber am nächsten Tag fand ich auf meiner Matratze einige Blätter Papier und eine Schiefertafel, wie sie die Schüler benutzen.

Sinistro, der Schreiber, war nicht der geduldigste Lehrer, und meistens kam mir sein Unterricht langweilig und eintönig vor, insbesondere da er sich nicht auf Erklärungen einlassen wollte. Wie war es eigentlich dazu gekommen, dass wir gerade diese und keine anderen Zeichen zum Schreiben benutzten? Wer hat beschlossen, welcher Laut zu welcher Form gehört? Und wie wurde festgelegt, wie sie zusammengesetzt werden müssen, damit daraus ein Wort wird?

»Weshalb ist das so?«, löcherte ich ihn immer und immer wieder mit meinen Fragen.

Dann gab mir der Schreiber jedes Mal eine Kopfnuss. »Versuch nicht, mich mit unsinnigen Fragen abzulenken«, grummelte er. »Lass etwas Nützliches in deinen Dickschädel hinein. Und nun mach weiter, bevor ich dich in den Arno werfe.«

Aber ich glaube, ein bisschen Spaß hat es ihm auch gemacht, mich zu unterrichten. Als es wärmer wurde, gelang es mir gelegentlich, ihn abzulenken. Dann erzählte er mir aus seinem Leben und so wurden wir allmählich vertrauter miteinander. Doch gleichzeitig ließ meine Aufmerksamkeit nach, und ich achtete nicht mehr so sehr darauf, was ich ihm erzählte, und sprach von meiner eigenen Vergangenheit. Als der Schreiber mich wie beiläufig fragte, woher die Briefe stammten, die ich erhalten hatte, berichtete ich ihm von Elisabetta, erzählte, wer sie war und wie ich sie kennen gelernt hatte.

Es kam mir nicht in den Sinn, dass das von seiner Seite aus mehr als nur belangloses Gerede sein könnte, weil er Nachrichten über Menschen sammelte wie das Eichhörnchen Nüsse für den Winter. Ich konnte mir beim besten Willen nicht vorstellen, dass Sinistro, der Schreiber, auch ein Spitzel sein könnte.

Die behutsamen Versuche des alten Mannes, mich auszuhorchen, bezogen sich meist auf die Angelegenheiten Meister Leonardos, aber ich war klug genug, nichts zu erzählen, von dem der Meister nicht wollte, dass darüber außerhalb seines Hauses gesprochen wurde.

Von Zeit zu Zeit sezierte der Meister Leichen im Spital, und die Notizen und Zeichnungen, die er sich dabei gemacht hatte, waren zu einem großen Schatz an Wissen über alle Bereiche des menschlichen Körpers herangewachsen. Wenn ich ihm dabei half, empfand ich jetzt nicht mehr so viel Entsetzen und Widerwillen wie anfangs im Spital von Averno – ich begann mich für diese Dinge zu interessieren. Aber davon erwähnte ich dem Schreiber gegenüber kein Wort, geschweige denn erzählte ich von der geheimnisvollen Maschine, die wir bauten.

Zoroastro war hocherfreut, an einer Aufgabe arbeiten zu können, bei der er seine Fähigkeiten als Baumeister beweisen konnte. Das machte ihn viel glücklicher, als Farben zu mahlen und zu mischen. Als es auf den Sommer zuging, wurde er immer ungeduldiger und wollte die neue Erfindung ausprobieren. Ich kam dazu, wie er eines Tages im Spätfrühling den Meister damit bestürmte.

»Er wird fliegen. Dieser Vogel wird *fliegen*! Ich versichere es Euch!«

»Aber noch nicht jetzt, Zoroastro«, beschwichtigte ihn der Meister.

Obwohl die beiden Männer nun schon seit fünfundzwanzig Jahren Freunde waren, stritten sie noch immer häufig miteinander. Immer wenn er sich aufregte, war Zoroastros Gesicht blutunterlaufen und seltsam fleckig. Teilweise rührte dies von den Unfällen her, die ihm beim Mischen seiner alchemistischen Stoffe zugestoßen waren, teilweise aber auch von seiner Sorglosigkeit, die er in seiner Schmiede an den Tag legte, wenn Funken in die Höhe stoben und – noch glühend heiß – wieder auf ihn herabfielen. In seinem dunklen, zerfurchten Gesicht sah man Brandverletzungen, die von Schießpulver herrührten, und an einer Hand fehlten ihm zwei Fingerglieder. Aber seine Augen waren jederzeit wachsam und hell.

»Schaut sie Euch an!« Zoroastro streckte die Hand nach der Maschine aus, die wie ein großer Vogel an einem eisernen Haken von der Decke herabhing. Als er sie berührte, bewegte sich das Gestänge, und die Bespannung zitterte. »Der Vogel kann nicht mehr ruhen. Er will sein Nest verlassen und sich in die Lüfte erheben.«

»Die Maschine ist noch nicht fertig, Zoroastro«, gab ihm der Meister zur Antwort. Er stand unter dem Gerät und nahm den Teil in Augenschein, in dem später ein Mensch sitzen sollte. »Wir müssen sicher sein, dass derjenige, der die Schwingen bewegt, aufrecht darin sitzen kann.«

»Ihr seid so starrköpfig«, rief Zoroastro.

»Ich bin nicht starrköpfig, ich bin nur vorsichtig.« Der Meister legte Zoroastro die Hand auf die Schulter. »Erinnere dich, dass Giovan Battista Danti, der im vergangenen Jahr das Gleiche ausprobieren wollte, vom Glockenturm gestürzt und auf das Kirchendach gefallen ist.«

»Dann sollten wir unseren Versuch auf einem Berg wagen«, sagte Zoroastro und fügte lauernd hinzu: »Der Monte Cecerini liegt in der Nähe von Fiesole.«

Wir wussten, dass der Meister noch immer gern nach Fiesole zu seinem Stiefonkel ging. Als Leonardo zögerte, bestürmte Zoroastro ihn sofort weiter: »Ihr habt immer gesagt, dass der Mensch fliegen kann, vorausgesetzt, er hat die richtige Ausrüstung. Und wir haben die beste Flugmaschine gebaut, die man sich vorstellen kann.«

»Davon bin ich auch überzeugt, aber der Bau eines Vogelflügels ist viel komplizierter, als wir ahnen.«

»Die Flügel von Vögeln bestehen aus vielen einzelnen Federn«, sagte ich. »Jede ist anders, aber miteinander verbunden sind sie eine Einheit, mit der man fliegen kann.«

»Matteo versteht allmählich, was es mit dem Luftwiderstand auf sich hat«, sagte der Meister zufrieden.

Ermutigt fuhr ich fort: »Ich beobachte die Vögel und stelle fest, dass es ihr Flügelschlag ist, der sie fliegen lässt...« Ich zögerte einen Augenblick. »Sie benutzen den Aufwind, um zu schweben. Aber was ich nicht verstehe: Wie kann es sein, dass sie überhaupt fliegen, wo sie doch schwerer sind als Luft und nichts haben, das sie stützt?«

»Die Wirkkräfte der Luft heben sie in die Höhe«, erklärte der Meister. »Sie werden umso stärker, je schneller der Vogel fliegt. Sieh dir einen Adler an, der einen Hasen oder ein junges Lamm in seinen Fängen trägt, wie der sich in der Luft halten und in großer Höhe zu seinem Horst zurückfliegen kann.«

Ich betrachtete die Maschine. Es schien undenkbar, dass Luft ein so schweres Gewicht zu tragen imstande war.

Mir fiel plötzlich Perela ein. Dort im Burghof hatte ein kleiner Bergahorn gestanden. Die Herbstwinde hatten die Blätter von den Zweigen gerissen, als wir dort spielten. Paolo und ich warfen ganze Hände voll von Blättern und Samen für Rossana und Elisabetta in die Luft und die Mädchen rannten ihnen dann nach und versuchten, sie zu fangen. Der kleine Dario, der auf seinen strammen Beinchen herumtappte, kreischte vor Begeisterung, wenn der Blätterregen auf seinen Kopf prasselte. Der Meister, der uns zufällig einmal beim Spielen zugesehen hatte, war stehen geblieben und hatte beobachtet, wie die Ahornsamen mit spiralförmigen Drehungen zu Boden fielen. Er hatte einen aufgehoben und erklärt, dass die Form der Flügel die Drehung im Fallen hervorruft. Später ging er ins Haus, und als er zurückkehrte, rief er uns zu sich. Er zeigte uns, wie man aus Zweigen, die mit Wolle zusammengebunden waren, kleine Männchen bastelte. Dann band er diese Männchen mit einem dünnen Faden an allen vier Enden eines viereckigen Tuchs fest. Wir waren damit bis zum höchsten Turmfenster hinaufgestiegen und ließen abwechselnd unsere Astmännchen hinuntersegeln. Sie schwebten lange Zeit in der Luft, bis sie schließlich weit entfernt zu Boden fielen. Als er uns sagte, dass ein Mensch das Gleiche tun könnte, aus einer großen Höhe springen, ohne sich etwas zu brechen, haben wir nur gelacht. Ich erinnere mich noch, wie Dario, als er an der Reihe war und sein Männchen fliegen lassen sollte, so aufgeregt war, dass Paolo den strampelnden kleinen Kerl festhalten musste, damit er nicht in die Schlucht stürzte.

»Mit diesem Gerät werden wir uns in die Luft erheben, auf und ab, hin und her fliegen, und von oben auf alles herabschauen.« Zoroastro tanzte mit ausgestreckten Armen in der Werkstatt umher und tat, als wäre er ein Vogel. »Wir werden sehen, wer von uns am höchsten fliegen kann. Möchtest du es nicht auch probieren, Matteo?«

Ich verdrängte den Gedanken an Perela. »Ja, vielleicht.«

»Es muss nämlich jemand sein, der klein ist.« Zoroastro zwinkerte mir zu. »Und nicht so groß und schwer wie ein erwachsener Mann.«

»Nein«, sagte der Meister scharf. »Nicht der Junge.«

Zoroastro lachte. »Ich würde das Leben von niemandem aufs Spiel setzen, der Euch lieb und teuer ist.«

»*Du* bist mir ebenso lieb und teuer, mein Freund«, entgegnete der Meister.

»Es muss jemand machen, der stärker ist als Matteo«, fuhr Zoroastro fort. »Jemand, der stark genug ist, um die Seilrollen zu bewegen.« Er zog schwungvoll seine Mütze vor uns. »Hiermit präsentiere ich mich als Anwärter für den ersten fliegenden Menschen der Welt.«

»Die Maschine ist noch nicht fertig«, wehrte der Meister ab, aber diesmal klang er nicht mehr so entschieden.

»Angenommen, Ihr entschließt Euch, nach Mailand zu gehen«, überlegte Zoroastro weiter. »Dort wird es nicht möglich sein, die Maschine unbemerkt zu erproben.«

»Vielleicht hast du Recht. Wir müssen auch an das Wetter denken. Wenn wir warten, bis der Mai vorüber ist, kann es im Sommer vielleicht zu heiß werden.«

»Matteo kennt sich doch gut mit dem Wetter aus«, sagte Zoroastro. »Was sagst du dazu? Wird es dieses Jahr einen heißen Sommer geben?«

»Die Bäume sind schon verblüht«, antwortete ich. »Und die Vögel haben ihre Nester hoch in den Ästen gebaut. Das sind Vorzeichen für heißes Wetter mit wenig Wind.«

»Ihr habt das Wetter studiert«, sagte Zoroastro zum Meister. »Ihr wisst um die Strömungen der Luft. Entscheidet selbst. Aber ich sage: Jetzt ist die rechte Zeit!«

Als ich zu der Flugmaschine hinaufschaute, war mir nicht wohl zu Mute. Der Meister hatte zwar die Strömungen des Windes studiert, aber ich kannte die Geschichte von Ikarus.

Ikarus war der Sohn des Dädalus gewesen und sie lebten vor langer, langer Zeit. Dädalus, ein sehr kunstfertiger Mann, hatte von Minos, dem König von Kreta, eine besonders wichtige Aufgabe übertragen bekommen. Er sollte ein Labyrinth erbauen, um den Minotaurus, ein schreckliches Ungeheuer mit dem Kopf eines Stiers und dem Körper eines Menschen, darin einzusperren. Als er das Labyrinth vollendet hatte, sorgte sich König Minos, dass Dädalus anderen den Weg durch den Irrgarten verraten könnte. Um zu verhindern, dass Dädalus mit seinem Sohn Ikarus die Insel Kreta verließ, ließ König Minos deshalb alle Schiffe zerstören.

Dädalus sann auf einen Ausweg, wie er dennoch über das Meer fliehen könnte. Da er sehr erfindungsreich war, baute er Flügel für sich und seinen Sohn. Eines frühen Morgens erhoben sich Dädalus und Ikarus von einem steilen Felsen aus in die Luft. Dädalus flog niedrig über das Wasser und landete sicher. Doch Ikarus wollte mehr.

Die Sonne stand am Himmel und Ikarus wollte höher und höher fliegen. Aber die Hitze der Sonnenstrahlen ließ das Wachs schmelzen, das die Flügel an seinen Schultern zusammenhielt, und so stürzte Ikarus ins Meer und ertrank.

Einige behaupten, es sei nicht die Sonne gewesen, die das Wachs zum Schmelzen brachte. In Wahrheit seien die Götter zornig auf Ikarus gewesen, so wie sie zornig auf jeden Menschen sind, der sich erdreistet zu fliegen.

Als ich in dieser Nacht auf meinem Strohsack lag, musste ich noch lange über die Geschichte nachdenken. Der Luftzug, der durch die Ritzen in Fenstern und Türen drang, ließ den großen, gefiederten Vogel, der über meinem Kopf hing, leise knarren und schwanken. Mir fielen die schlimmen Vorzeichen von jenem Freitag, dem sechsten Juni des letzten Jahres ein, als mein Meister, ungeachtet meiner und Zoroastros Warnungen, in der dreizehnten Stunde mit dem Fresko begonnen hatte. Und Zoroastro hatte Recht behalten. Es war nicht klug, solche Vorzeichen zu missachten. Der Meister hatte sie missachtet und nun war sein großartiges Bildnis zerstört. Die Menschen, so dachte ich, sind nicht mit Flügeln auf die Welt gekommen. Wenn aber ein Mensch dennoch danach trachtet, zu fliegen, könnte es da nicht geschehen, dass Gott seine Hand vom Himmel herabstreckt, um den Vermessenen zur Erde zu schleudern und zu zerstören?

KAPITEL 42

Er rückte ihren Schleier zurecht.

Das tat er bereits zum sechsten oder siebten Mal. Als er wieder vor die Leinwand trat, betrachtete ich den Schleier ganz genau. Warum war der Meister nicht zufrieden? Für gewöhnlich schaffte Donna Lisa es auch alleine, das zarte Tuch so zu drapieren, wie er es wollte.

An den Tagen, an denen der Meister sie malte, sandte er mich ohnehin immer schon voraus, damit sie bereit war, wenn er kam. Dann zog sie das schlichte Kleid an und wartete in der Werkstatt auf ihn. Mit Hilfe ihrer Zofe richtete sie das Kleid und nahm die gewünschte Sitzposition ein – wie schon so viele Male zuvor. Der Meister musste dann nur noch geringfügige Änderungen vornehmen und konnte rasch mit der Sitzung beginnen. Ich blieb, je nach Wunsch, entweder da oder ließ die beiden allein.

Manchmal blieb er kaum eine halbe Stunde, dann wieder verbrachte er den ganzen Tag dort. Beim Malen verharrte er oft minutenlang und starrte entweder sie an oder das Porträt. Donna Lisa ließ sich davon nicht aus der Ruhe bringen; sie war eine Frau, die über lange Zeit schweigend dasitzen konnte. Irgendwann tauchte dann der Meister aus seinen Grübeleien wieder auf und sagte etwas, woraufhin sie die Unterhaltung nahtlos fortsetzte, so als sei inzwischen nur ein Augenblick und nicht eine Stunde vergangen. Während dieser Sitzungen begriff ich es: Donna Lisa lebte in ihrer eigenen Zeit und Welt und störte sich deshalb auch nicht an seiner wortkargen Art.

Was war denn nur verkehrt mit dem Schleier? Hatte sie ihn heute mehr als sonst aus dem Gesicht gezogen?

Er malte weiter, aber nach wenigen Minuten legte er den Pinsel beiseite. »Ihr müsst mir sagen, was fehlt.«

»Es fehlt nichts, Messer Leonardo.«

»Irgendetwas beunruhigt Euch.«

»Ganz und gar nicht.«

»Die Dame, die ich hier auf dem Bild sehe, sitzt heute nicht vor mir.«

Er neckte sie. Und sie ging darauf ein. »Ich bin mir selbst die beste Gefährtin, und ich versichere Euch: Auf diesem Bild seht Ihr mich.«

Er seufzte und nahm den Pinsel zur Hand.

Etwas war tatsächlich anders als sonst. Ich sah sie forschend an und versuchte herauszufinden, was es war. Ihr Kleid war dasselbe wie sonst auch. Ihr Haar, ihr Schleier, ihr Gesichtsausdruck …

Sie schaute zur Zofe, die immer auf einem Stuhl neben der Tür saß. »Zita«, sagte sie. »Wenn du dich zurückziehen und ein wenig ausruhen möchtest, kannst du das gerne tun. Hier im Haus bin ich sicher und in guter Gesellschaft. Ich werde Matteo zu dir schicken, wenn ich dich wieder brauche.«

Dankbar stand die Zofe auf und ging über den Hof ins Gesindehaus.

Der Meister sah mich an. »Matteo«, sagte er langsam, »ich sehe gerade, dass ich noch etwas Alabasterweiß brauche. Sei so gut und hole es für mich.«

Ich starrte ihn an. Es gehörte zu meinen Aufgaben, mich um die Farben und Pinsel zu kümmern, und ich nahm meine Pflicht immer sehr ernst. Er wusste genau, dass noch genug von dieser Farbe vorhanden war. Von meinem Platz aus konnte ich sie sogar sehen. Ich machte den Mund auf, aber bevor ich auch nur ein Wort sagen konnte, fuhr der Meister fort: »Ich benötige frisch angerührte Farbe. Du brauchst dich nicht zu beeilen. Es reicht, wenn du in einer Stunde wieder da bist.«

Ich nickte nur und ging.

Eine Stunde hatte ich nun für mich. Auf dem Weg über San Lorenzo in die Stadt hinein überlegte ich, was ich mit der gewonnenen Zeit anfangen sollte. Ich konnte zu unserer geheimen Werkstatt im Kloster gehen. Auch wenn Zoroastro meine Hilfe nicht brauchte, fand ich es faszinierend, ihm zuzuschauen. Aber es war ein milder Tag, und deshalb entschied ich, lieber die frische Luft zu genießen.

Schließlich gab es da noch etwas anderes, das meine Gedanken beschäftigte. Was als schwierige Aufgabe begonnen hatte, war, ohne dass es mir recht bewusst geworden wäre, zu einem Vergnügen geworden. Das Alphabet und eine wachsende Zahl von Wörtern tanzten durch meinen Kopf, und es machte mir immer mehr Spaß, zu lesen. Waren die ersten Versuche noch holprig gewesen, so nahm inzwischen mein Selbstvertrauen zu, und jedes Mal, wenn ich zum Fluss hinunterging, betrachtete ich die Anschläge und Handzettel an den Mauerwänden und pickte mir bekannte Wörter heraus. Und je öfter ich das tat, desto mehr wurden es.

Ich fand den Schreiber an seinem gewohnten Platz vor, direkt neben der Ponte Vecchio. Nachdem er einmal begriffen hatte, dass Felipe mir wertvolles Papier gab, um ihn damit zu bezahlen, hatte er sich rasch bereit erklärt, mich zu unterrichten, so oft ich mich von meinen Pflichten freimachen konnte. Felipe, der mit den Reparaturarbeiten des Freskos beschäftigt war und damit, die Ratsherren zu vertrösten, war ebenfalls einverstanden mit diesem Geschäft. Mit dem ersten Blatt Papier hatte der Schreiber an Weihnachten und am Dreikönigstag einträglich verdient. Seine Bildchen von den drei Weisen aus dem Morgenland und die Schriftzeichen darunter sahen auf dem guten Papier so prächtig aus, dass er diesmal auch Abnehmer fand, die einen höheren Preis dafür bezahlten. Davon konnte er sich besseres Essen und Feuerholz kaufen.

»Ah, Matteo«, sagte er, ohne den Kopf zu heben.

Für einen alten Mann hatte er ein erstaunlich gutes Gehör. Er war nun schon so lange an seinem Platz neben der Brücke, dass ihn die Leute, die vorbeikamen, nicht weiter beachteten. Auf diese Weise schnappte er allerlei Gesprächsfetzen auf, sorglos Dahingesagtes, und gab es an andere weiter für einen Schluck in der Schänke oder ein Stück Brot. In mageren Zeiten war das für ihn wohl die einzige Möglichkeit, nicht zu hungern.

Ich wusste, was es hieß, Hunger zu haben. Es war noch nicht allzu lange her, dass ich mich in einem Hungerwinter dazu verleiten ließ, einen Diebstahl zu begehen. Diese Tat hatte den Tod von mindestens einem Menschen nach sich gezogen: dem des Priesters, den Sandino zu Tode geprügelt hatte.

Ich setzte mich und wartete, bis der Schreiber seine Zeilen fertig geschrieben hatte. Unterdessen nahm ich das kleine Buch zur Hand.

»Wie weit bist du gekommen?«, fragte Sinistro.

»Ich bin auf der vierten Seite, und da stehen sechs Wörter, die ich nicht kenne.«

»Dann werden wir von vorn anfangen.« Der Schreiber legte das Papier zum Trocknen aus. »Also, lass hören.«

»In einem fernen Land lebte ein Drache«, begann ich. »Der Drache war ein wildes Ungeheuer mit einem langen, langen Schwanz. Er hatte große rote Flügel und sein Leib war mit Schuppen bedeckt. Wenn er das Maul aufriss, spie er Feuer mit lautem Gebrüll. Seine Füße hatten scharfe Krallen, und er tötete jeden, der ihm in den Weg kam.«

Das Buch von Donna Lisa handelte von Sankt Georg und dem Drachen und zum ersten Mal lernte ich eine Geschichte nicht nur vom Hörensagen kennen.

»Dieser Drache lebte in einem Sumpf am Rande einer Stadt. Jeden Tag opferten die Einwohner zwei Schafe für ihn, damit er nicht in die Stadt kam und alle Menschen dort tötete. Aber eines Tages war kein einziges Schaf mehr da. Es blieb ihnen nichts anderes übrig, als nun ihre eigenen Kinder zu dem Drachen zu schicken...«

Ich brach ab und sog die Luft ein.

»Nicht so hastig, Matteo.«

»Aber ich will doch wissen, was mit den Kindern passiert.«

Der Schreiber lachte. »Das wirst du auch. Lies weiter.«

Ich fuhr fort, stolperte von einem Satz zum nächsten und buchstabierte mit Hilfe des alten Mannes auch die schwierigeren Wörter.

»So ging es weiter, bis schließlich keine Kinder mehr da waren, bis auf eines. Und das war die Prinzessin Cleodolinda. Der König und die Königin weinten bitterlich, als man ihre Tochter hinaus in den Sumpf führte. Doch dann, gerade als das Untier die Prinzessin auffressen wollte, kam ein Ritter in einer schimmernden Rüstung herbeigeritten. Es war der fromme Georg und er besaß die Kraft von zehn Männern. Vom Schloss aus sahen der König und die Königin voller Entsetzen, wie der Drache sich ihrem Kinde näherte.«

Ich hielt inne und schaute mir das dazugehörige Bild von dem schreckensbleichen Königspaar auf den Zinnen an. Wie es wohl war, wenn man eine Mutter und einen Vater hatte, die sich um einen sorgten?

»Sankt Georg galoppierte heran, stieg ab und löste die Fesseln der Prinzessin. Dann stellte er sich zwischen sie und den Drachen, zog das Schwert und schlug auf das Untier ein. Nicht nur einmal, sondern viele Male. Aber die Schuppen waren wie eine Rüs… wie eine Rüs…«

»Wie eine Rüstung«, half der Schreiber aus.

»…wie eine Rüstung«, wiederholte ich. »Aber die Schuppen waren wie eine Rüstung. Da bestieg Sankt Georg abermals sein Pferd. Er nahm seine Lanze und stieß sie dem Drachen an einer Stelle unterhalb der Flügel, wo keine Schuppen waren, tief ins Fleisch. Nun lag der Drache tot zu seinen Füßen. So rettete Ritter Georg die Prinzessin Cleodolinda und die ganze Stadt.«

Ich holte tief Luft.

Der Schreiber nahm mir das Buch aus der Hand. Ich erwartete ein Lob von ihm. Stattdessen sagte er: »Es hat keinen Zweck, lesen zu lernen, wenn du nicht auch schreiben lernst.«

»Viele Leute können nicht schreiben.«

»Es sind Dummköpfe.«

»Wie meinst du das?«

»Denk doch mal nach. Dass du lesen kannst, ist gut und

schön, aber was ist, wenn du einen Vertrag aufsetzen und Geschäfte besiegeln willst oder etwas in der Art? Was, wenn du an einen unehrlichen Schreiber gerätst und er das Geschriebene zu deinen Ungunsten abändert? Was, wenn du Geschichten, Gedichte und Musik erfinden willst? Wie kann ein anderer *deine* Gedanken und *deine* Träume aufs Papier bringen?«

Zuerst wollte er mir nicht seine kostbare Tinte und das Papier anvertrauen.

»Ich werde für dich am Ufer ein Stück Baumrinde suchen«, sagte er. »Du kannst mit einem kleinen Stecken üben, den du in Rußwasser tauchst.«

Das tat ich auch, anfangs noch zögerlich und ungelenk. In der Nacht übte ich bei Kerzenschein mit der Kreide und der Tafel, die Felipe mir gegeben hatte. Der Schreiber war ein strenger Lehrmeister und gab sich nicht mit dem Erstbesten zufrieden. Ich musste einen Buchstaben wohl an die drei Dutzend Mal oder mehr schreiben, ehe ich seinem Anspruch genügte.

Eines Tages hielt er Feder und Tinte für mich bereit. Ich musste mich hinsetzen, er drückte mir die Feder in die Hand und erklärte, heute würde ich mein erstes richtiges Wort schreiben.

Da geschah etwas mit mir. Wie eine Mutter, die zum ersten Mal das Kind in ihrem Leib spürt, kamen mir die Buchstaben plötzlich nicht mehr feindselig und sperrig vor. Ich verband mich mit ihnen, mit dem Kopf und mit der Hand.

Ich begann zu schreiben. Die langen Zickzacklinien am Anfang, die runden Bäuche der Selbstlaute, die Zwillingsbuchstaben in der Mitte, damit das Wort nicht zu weich klang.

Ein Buchstabe nach dem anderen. Da standen sie. So als hätten sie schon immer da gestanden.

Das Wort rief mir entgegen, so klar und rein wie Glockengeläut an einem Wintermorgen.

Matteo.

KAPITEL 43

Donna Lisa erwartete ein Kind.

Was die Ärzte für unmöglich gehalten hatten, war dennoch eingetreten. Als sie zwei Jahre zuvor ihr Kind verloren hatte, war man davon ausgegangen, dass sie nie mehr schwanger werden könnte. Sie hatte es dem Meister zugeflüstert, damals, als wir in dem kalten Raum an dem Tisch gestanden hatten, auf dem ihr toter Säugling lag.

In jener Nacht hatte ich mit einem Feuerstein ein Stück Kohle angezündet, um damit den Wachsblock zu schmelzen, den er mitgebracht hatte. Der Meister hatte schmale Leinentücher über die nicht ganz geschlossenen Augenlider und Lippen gelegt und mit einem Spatel das warme Wachs auf das Gesicht des kleinen Mädchens gestrichen. Als das Wachs hart geworden war, hatte er die Maske abgenommen, sie mit Stroh umhüllt und in der Innenseite seines Umhangs verstaut. Dann erst hatte er die Zofe gebeten, ihre Herrin zu holen.

Das war der Moment gewesen, in dem Donna Lisa ihrem Kummer nachgegeben hatte. Wir hörten ihre

Schluchzer noch, als wir das Haus verließen und in die Winternacht hinaustraten.

Diesmal wollte sie mit niemandem über ihre Schwangerschaft sprechen, bis das Kind in ihrem Leib kräftiger war.

Ich fürchtete zuerst, es würde den Meister verschrecken, aber genau das Gegenteil war der Fall. Er suchte sie noch häufiger auf, meist am frühen Morgen, wenn das Licht noch nicht so streng war wie zur Mittagszeit, und dann wieder am Abend, wenn die Sonne sich langsam über den Hof senkte. Oft nahm er nicht einmal den Pinsel in die Hand, sondern starrte nur auf das Porträt oder betrachtete Donna Lisas Gesicht. Auf Papier zeichnete er immer wieder ihren Mund und die Augen.

Es war so unmerklich, dass ich es zunächst kaum bemerkte. Aber dann fiel es mir schließlich doch auf. Eine Veränderung ging mit ihr vor, sie entwickelte aus sich heraus ein Leuchten, und der Meister versuchte, es in dem Porträt einzufangen.

Aber schließlich kam der Tag, von dem wir wussten, dass er hatte kommen müssen.

Sie sagte: »Es ist Zeit, meinem Mann davon zu erzählen.«

»Ja«, seufzte der Meister.

Dann herrschte Schweigen.

»Ich weiß, er würde es mir erlauben, hiermit fortzufahren …«

»Er ist ein guter Mann«, erwiderte der Meister.

»Aber –« Sie brach unvermittelt ab.

»Ich verstehe.«

Von da an waren die Sitzungen nicht mehr so wie früher. Der Mittelpunkt ihrer Welt hatte sich verändert und vielleicht wollte sie auch nicht mehr an ihren früheren Kummer erinnert werden. Es war Zeit, nach vorn zu schauen. Sie sprach von den Vorbereitungen für die Ankunft des Kindes, öffnete für uns ihre Hochzeitstruhe und zeigte uns die Kindersachen und die Leinenbänder, in die das Neugeborene gewickelt werden würde.

Eines Tages ging der Meister allein in die Via della Stufa und holte das Porträt. Eingeschlagen in ein feines Tuch, das Donna Lisa ihm wohl gegeben hatte, brachte er es in das Kloster. Als er nach Fiesole ging, nahm er es mit sich, noch immer so eingeschlagen wie damals. Hin und wieder wickelte er es aus, manchmal arbeitete er daran, manchmal stand er nur davor und betrachtete es eine Stunde lang und mehr. Es begleitete ihn auf allen seinen Reisen.

Bis zu seinem Lebensende trennte er sich nie mehr von diesem Bild.

KAPITEL 44

Wir warteten bis Mitternacht.

Felipe hatte einen großen Karren und zwei kräftige Zugpferde besorgt. Im Mondlicht und mit abgedunkelten Laternen luden wir die Flugmaschine auf, und noch vor Morgengrauen waren wir stadtauswärts unterwegs, rollten vorbei an schläfrigen Wachposten durchs Tor und die gewundene Straße entlang nach Fiesole.

Felipe, den wieder einmal Geldsorgen drückten, war froh, als wir die Stadt hinter uns ließen. Die Ratsherren hatten nämlich nicht nur die Zahlungen eingestellt, sondern forderten sogar das bereits gezahlte Geld zurück. Als Zoroastro Meister Leonardos Stiefonkel davon erzählte, lud dieser uns ein, zu ihm zu kommen. Als Kanonikus der Kirche hatte er genug Platz für uns alle.

Aus den Nüstern der Pferde stieg der heiße Atem auf, als es die Hügel hinaufging. Ich stand zusammen mit Zoroastro auf dem Karren; wir hielten den Rahmen des Riesenvogels fest, damit die Vorrichtung auf der holprigen Straße keinen Schaden nahm. Kaum spitzten im Osten die ersten Sonnenstrahlen hinter den Hügel hervor, fing Zoroastro an zu singen.

»Psst!«, zischte Felipe von der Stirnseite des Wagens. »Wir sind nicht mitten in der Nacht aufgebrochen, damit du jetzt alle Welt auf uns aufmerksam machst. Dein Gejaule hört man meilenweit.«

»Du bist nur neidisch auf meine schöne Stimme!« Zoroastros weiße Zähne blitzten, als er lachte. Aber dann war er doch still. Von da an hörte man nur noch das angestrengte Keuchen der Pferde und das Trappeln der Hufe.

Der Stiefonkel Meister Leonardos hieß Don Alessandro Amadori. Er war ein Onkel, wie man ihn sich nur wünschen konnte: großzügig, liebenswürdig und freundlich. Er hatte bereits die Unterkünfte für uns herrichten lassen und auch an einen Platz für das Fluggerät gedacht. Wir brachten es in eine abseits gelegene Scheune, damit es weder von der Dienerschaft noch von etwaigen Besuchern gesehen werden konnte.

An diesem Abend aßen wir gemeinsam. Ich half beim Tischdecken. Während ich Teller und Weinbecher verteilte, spürte ich den Blick des Geistlichen auf mir ruhen. Wie kommt es nur, dass der Blick eines Priesters eine Seele so zu erschüttern vermag? Auch später beim Essen schaute er immer wieder in meine Richtung.

»Isabella d'Este.«

Ich hatte mir gerade ein Stück Brot in den Mund gestopft, als der Name der Marchesa von Mantua fiel. Isabella d'Este, Schwester des Alfonso von Ferrara, der Lucrezia Borgia geheiratet hatte.

»Diese Frau ist so überaus beharrlich«, klagte der Kanonikus. »Sie weiß, dass ich mit dir in Verbindung stehe, und hat mich gebeten, dich nach einem Gemälde zu fragen.« Er lachte. »Mir scheint, sie wäre mit irgendeinem Bild zufrieden, was auch immer es ist. Aber bis dahin lässt sie mich nicht in Ruhe. Mittlerweile bedaure ich es fast, anlässlich der Hochzeit ihres Bruders in Ferrara ihre Bekanntschaft gemacht zu haben.«

»Matteo war zu dieser Zeit ebenfalls in Ferrara«, stellte der Meister fest.

Das Brotstück in meinem Mund bewahrte mich davor, eine Antwort geben zu müssen. So nickte ich nur.

»Ah, ja«, erinnerte sich nun auch Felipe. »Matteo wusste Faszinierendes zu berichten über ihren triumphalen Einzug in die Stadt, als die hübsche Lucrezia vom Pferd fiel. Er beschrieb sogar ihr Kleid, goldfarben und mit purpurrotem Satin gesäumt.«

Salai beugte sich vor und flüsterte mir ins Ohr: »Jetzt werden wir ja sehen, was für ein Lügner du bist.«

»Du hast ein ausgezeichnetes Gedächtnis, Matteo«, lobte der Kanoniker. »Genau so war sie gekleidet. Und in der Tat, von den Salutschüssen erschreckt, stieg ihr Pferd hoch und warf sie ab. Aber sie fasste sich rasch wieder und kletterte zurück in den Sattel, was ihr den Applaus der Umstehenden eintrug.«

Salai sah mich finster an.

»Wie kommt es, dass du zu der Zeit in Ferrara warst?«, wollte der Stiefonkel von mir wissen. Das Brotstück schien sich in meiner Luftröhre querzustellen. »Mit wem warst du dort?«

Ich schluckte fest. »Mit meiner Großmutter«, stieß ich hervor.

Der Meister sah mich an. Zu spät bemerkte ich, dass ich ihm seinerzeit erzählt hatte, meine Großmutter sei gestorben, bevor wir Ferrara erreichten.

»Ah, dann habe ich dich wohl dort unter den vielen Leuten gesehen«, sagte der Geistliche. »Irgendwie kam mir dein Gesicht bekannt vor.«

Mein Herz machte einen Satz. Also hatte er mich deshalb so eingehend gemustert! Wie viel wusste er? Immerhin hatte ich das Siegel der Medici aus der Hand eines Priesters erhalten. Zwar war es ein anderer gewesen, aber womöglich war dieser hier in der Nähe gewesen, als ich damals Pater Albieri traf? Ich musste mich zusammennehmen, um nicht an den Beutel zu fassen, den ich um den Hals trug.

Aber der Kanonikus schien schon wieder das Interesse an mir verloren zu haben. Das Gespräch kreiste bereits um andere Dinge.

»Ferrara will dem Papst die Stirn bieten. Es kommen schwere Zeiten auf die Stadt zu«, sagte Felipe.

»Man sagt, Francesco Gonzaga von Mantua, der Bannerträger der päpstlichen Armee, ist in Liebe zu Lucrezia entbrannt. Vielleicht erhofft sie sich davon einen Vorteil«, sagte der Meister.

»Zumindest verwendet sie vergnüglichere Methoden als damals ihr Bruder.«

»Cesare Borgia war ein guter Herrscher«, stellte Felipe fest.

Seine Bemerkung verblüffte mich.

»Diese kleingeistigen Prinzen führen aus Habgier ihre Fehden und öffnen damit ein Einfallstor für jeden Eroberer«, fuhr er fort. »Ihnen geht es lediglich darum, Gold in ihren Schlössern anzuhäufen, aber um ihre Ländereien kümmern sie sich nicht. Il Valentino hingegen ernannte Magistrate und Gesetzesmacher und Geschäftsleute konnten sich auf gerechte Handelsbedingungen verlassen.«

Später, auf dem Weg in die Scheune, ging im Tal die Sonne unter. Die ockerfarbenen Mauern und roten Dächer von Fiesole wetteiferten mit den Farben der Natur. Von der Terrasse aus sah ich den Fluss, die Felder und Bäume und in der Ferne die Türme von Florenz. Über allem ragte der Dom aller Dome; wie Kupfer glühte die Spitze der Kuppel in den letzten Strahlen der Sonne.

Die Schönheit dieses Anblicks ließ mich nach unseren Gesprächen ein wenig zur Ruhe kommen – aber ein letzter Schlag wartete noch auf mich.

Graziano, der noch Angelegenheiten im Kloster zu erledigen hatte, kam nämlich erst spät in Fiesole an. Und er hatte einen Brief für mich dabei.

Felipe kam zu mir in die Scheune und sagte: »Matteo, ich habe schlechte Neuigkeiten. Dem alten Schreiber an der Ponte Vecchio ist etwas sehr Schlimmes zugestoßen.«

»Etwas Schlimmes?«, fragte ich. »Was ist passiert?«

»Es tut mir leid, Matteo, denn ich weiß, er war ein Freund von dir. Der Schreiber ist tot.«

Ahh. Wieder fühlte ich diesen Schmerz. Diesen schrecklichen Schmerz, den ich gefühlt hatte, als meine Großmutter starb.

»Er war alt und gebrechlich«, sagte ich.

»Man zog ihn aus dem Fluss heraus«, sagte Graziano leise.

»Er trank oft mehr Wein, als es gut für ihn war.«

»Ja, aber –«

»Und der Arno fließt sehr schnell«, fuhr ich rasch fort, damit Graziano nicht weiterredete. »Im Frühling kommt das Wasser aus den Bergen geschossen. Er ist hineingefallen, denn auch wenn es abends noch lange hell ist, ist sein Weg am Fluss düster, und an dieser Stelle gibt es nur wenig Uferfackeln. Bestimmt ist er im Dunkeln ausgerutscht und in den Fluss gerutscht.«

»Wie es aussieht, ist er nicht ertrunken.«

Ich wollte den Abgrund vor mir nicht sehen. »Aber er muss ertrunken sein«, beharrte ich.

»Matteo, die Nachtwachen gehen davon aus, dass er in eine Vendetta verwickelt war. Was auch immer mit ihm geschah, die Umstände sind sehr merkwürdig. Als man ihn fand, hatte er keine Augen mehr. Jemand hat sie ihm ausgestochen.«

KAPITEL 45

Seine Augen ausgestochen.

Eine grässliche Art zu sterben.

Und das alles nur, weil sich der Schreiber geweigert hatte, sein Wissen preiszugeben. Aber welches Wissen? Auf seinem Platz sah er alles, hörte alles. Eines Tages hatte er es mir gezeigt: wie der Schall in der Nische einen natürlichen Kreis um ihn bildete und ihm alles von dort zutrug, wo die Menschen dichter nebeneinander gehen mussten, um von der Straße auf den schmalen Brückenzugang zu gelangen.

Wissen kann gefährlich sein.

Das hatte Bruder Benedikt, der Mönch im Spital von Averno, vor vielen Jahren gesagt.

Wer war dem Schreiber auf den Fersen gewesen und hatte ihn ermordet? Und warum?

Ich hielt den Brief, den Graziano mir gegeben hatte, noch immer in Händen. Sicher war er von Elisabetta. Niemand sonst schrieb mir.

Aber es war nicht ihre Handschrift, die sich auf dem Umschlag befand. Dennoch, ich kannte diese Schrift. Und dann sah ich, wessen Hand es war.

Es war eine Botschaft von jenseits des Grabes, geschrieben von Sinistro, dem Schreiber.

Matteo, falls du wirklich so heißt, ich schreibe dir, um dich vor einer großen Gefahr zu warnen.

Du musst Florenz verlassen und so weit wie möglich von hier weggehen. Sag mir nicht, wohin du gehst, und versuche auch nicht, mich wiederzusehen. Ich selbst werde ebenfalls weggehen.

Kürzlich ist ein Mann in Florenz angekommen, der sich nach einem Jungen erkundigt hat, dessen Beschreibung auf dich passt. Früher habe ich alle Neuigkeiten, die ich auf der Straße aufgeschnappt hatte, für Geld an einen Spitzel weitergegeben, wann immer ich etwas zu essen brauchte. Dieser Spitzel hat mir berichtet, dass ein gewisser Mann mich über dich ausfragen will. Ich soll mich heute Abend mit ihm am Fluss treffen, aber ich werde nicht hingehen. Denn ich habe den Mann gesehen, gestern, als er an der Brücke stand. Er hat ein niederträchtiges Gesicht und seine Daumennägel sind wie zwei gekrümmte Krallen.

Wir dürfen uns nicht mehr sehen und nicht mehr miteinander sprechen. Lebe wohl. Du hast einen scharfen Verstand, Matteo. Nutze ihn.

Gib auf dich Acht.
Sinistro, der Schreiber

Vor Angst war ich wie gelähmt.

Seine Daumennägel sind wie zwei gekrümmte Krallen.

Sandino!

Er musste es sein.

Mir fielen die Briefe ein, die Elisabetta mir geschrieben hatte. Der Schreiber kannte ihren Inhalt. Ich schlug mir mit der Faust an die Stirn. Neues Leid, neues Unheil! Und schuld daran waren mein Stolz und mein Eigensinn, die es nicht zugelassen hatten, dass ich lesen lernte, gleich nachdem der Meister zum ersten Mal mit mir darüber gesprochen hatte. Der Schreiber ist – war – ein gescheiter Mann. Er hatte sich sicher an die Namen und die Orte, die Elisabetta erwähnte, erinnert. Und genau das waren Spuren, die es Sandino jetzt ermöglichten, mir nachzustellen.

Ich holte Elisabettas Briefe aus meiner Gürteltasche und betrachtete sie. Sie hatte darin Melte und Perela erwähnt. Meine Hände zitterten. Hatte der Schreiber Sandino verraten, wo ich arbeitete? Wie viel hatte er preisgegeben, ehe er ermordet wurde?

Der Morgen dämmerte schon und ich hatte noch immer nicht geschlafen. Aber ich hatte keine Zeit mehr, darüber nachzudenken, was ich jetzt anfangen sollte. Draußen wurde es unruhig. Zoroastro platzte in die Scheune.

»Er ist einverstanden! Er ist einverstanden!« Er packte mich bei den Armen und stemmte mich in die Höhe. »Heute ist es so weit! Der Vogel wird sich in den Himmel schwingen. Wir werden fliegen, Matteo!«

Wir nahmen die Flugmaschine in die Mitte und schleppten sie an einen Ort über dem Wald und den Steinbrüchen. »Du musst rennen, wenn du dich in die Luft erheben willst«, sagte der Meister.

Zoroastro nickte, während er sich in das Gerüst aus Stangen zwängte. Mit seinen von der Schmiedearbeit gestärkten Armen hielt er sich an den Haltegriffen fest.

Zoroastro machte sich bereit. Dann rannte er los.

Wir rannten hinterher.

Für einen kleinen Mann, wie er einer war, lief er sehr schnell. Die Kante des Abhangs kam näher.

Plötzlich merkte ich, dass ich nicht mehr rechtzeitig anhalten konnte.

Ich würde unweigerlich in die Tiefe stürzen!

Da hielt mich eine Hand am Umhang fest. Felipe. Ich hörte, wie der Stoff zerriss, als der Boden unter meinen Füßen verschwand. Doch eine weitere Hand, weitere Hände packten mich am Gürtel, und Felipe und der Meister zogen mich auf festen Grund zurück.

Mit einem Satz hoben Zoroastro und die Maschine ab und verschwanden hinter der Felskante. Wir warfen uns ins Gras und krochen an den Rand, um besser sehen zu können. Direkt unter uns schwebte er im Wind. Wir hörten, wie er vor Wonne und Entzücken laut schrie.

Er war geflogen. Ja, tatsächlich, er war geflogen, und es würde immer wichtig sein, sich daran zu erinnern.

Aber der Wind, der ihn emporgetragen hatte, schickte dunkle Wolken von den Bergen herab, hinter denen sich Blitze versteckten. Der Himmel selbst erzitterte. Eine launische Brise jagte über uns hinweg.

Wir konnten nichts tun.

Wir konnten nur zusehen, wie der weiße Vogel von den Winden erfasst und wie ein Spielzeug hin und her geschleudert wurde.

Zoroastro stürzte ab.

Fünf Tage lang lag er im Sterben.

Es waren fünf Tage größter Qual.

Der Meister irrte durch die Scheune und zerschlug alles, was ihm in die Hände fiel. »Zerstört diese Sachen! Schafft sie mir aus den Augen!«, schrie er. »Ich will nichts davon jemals wiedersehen!«

Er muss geweint haben.

Gewiss hat er geweint um den Verlust seines Freundes. Er, der so viel vom menschlichen Körper verstand, der so viele Zeichnungen von ihm angefertigt hatte, der konstruieren konnte, was er wollte, musste hilflos danebenstehen, musste die zerschmetterten Knochen seines Freundes sehen und konnte sie dennoch nicht wieder heilen. Sein Schmerz muss unermesslich gewesen sein.

Aber niemand hat gesehen, wie er weinte.

Sein Stiefonkel, der Kanonikus, gab Zoroastro die Sterbesakramente und lag stundenlang in der Kirche auf den Knien und bat Gott, den armen Mann in Frieden sterben zu lassen.

Wir gaben Zoroastro einen Lederriemen; er biss darauf. Von seinem Gesicht, das rot von dem Weiß des Leinentuchs abstach, auf dem er lag, rannen Ströme von Schweiß herab.

Schließlich mussten wir ihn in ein Nebengebäude bringen. Seine Schmerzensschreie erschreckten die Diener zu sehr. »Gebt mir ein Messer, damit ich mir die Adern aufschneiden kann!« Jeden Einzelnen von uns bat er darum.

»Matteo«, fragte mich Graziano, »kennst du nichts, kein Kraut, keinen Saft, der seine Schmerzen lindern könnte?«

»Wenn du mir Mohnblumen bringst …« Ich sprach den Satz nicht zu Ende.

»Würden die ihm helfen?«

»Ich könnte einen Sud davon machen«, sagte ich. »Aber …«

»Aber was?«, fragte mich der Meister mit ernster Miene.

»Es ist sehr gefährlich.«

Er dachte eine Weile nach. Dann sagte er: »Du meinst, es könnte ihn töten?«

»Ja.«

»Wir werden die Zutaten suchen, die du brauchst.« Und damit verließ er den Raum.

Es steht nicht in unserer Macht, Leben zu nehmen.

Davon war ich überzeugt. Mein Glaube – eine Mischung aus dem, was die Kirche lehrte, und uraltem Wissen – sagte mir, dass die Natur das Leben gab, und nur die Natur entschied, wann sie es wieder zurückfordern würde.

Dies sprach ich laut aus.

»Bereite das Getränk, Matteo!«, befahl mir der Meister. »Wir wollen nur seine Leiden lindern. Mach es und ich werde es ihm geben.«

Während ich den Aufguss zubereitete, wünschte ich, das Buch mit den Rezepturen meiner Großmutter zur Hand zu haben. Jetzt, da ich lesen konnte, hätte ich es genau nach ihren Anweisungen tun können.

Und plötzlich sah ich wieder meine Großmutter vor mir, wie sie das Getränk braute. Eines Abends, kurz bevor sie gestorben war, war ein Fremder an unsere Feuerstelle gekommen.

Als sie das Getrappel seines Pferdes gehört hatte, stand sie rasch auf und befahl mir, mich im Wagen zu verstecken. Ich hörte, wie sie und der Fremde sich leise unterhielten, und spähte – neugierig wie Kinder sind – durch ein Loch im Türvorhang. Da schnappte ich auf, wie sie sagte: »Ich will keinen Ärger haben.«

»Dann gib mir, um was ich dich bitte.«

Er hatte ein Messer in der Hand. Sie blieb ganz ruhig, doch mit einem Mal entdeckten sie mich in meinem Versteck.

»Kind«, sagte sie und ihre Stimme war rau vor Angst, »geh hinein und schlafe.«

»Wer war das?«, fragte er.

»Eines meiner Kinder.«

»Du bist zu alt, um ein kleines Kind zu haben.«

»Ein Findelkind.«

»Wie heißt er?«

»Carlo.«

»Ein Zigeunerlümmel?«

Meine Großmutter nickte. Aber ich hieß gar nicht Carlo. Ich hieß Janek. Weshalb also hatte meine Großmutter diesen Mann angelogen? Nach einer Weile kam sie zum Wagen gelaufen, verfrachtete mich ins Innere und gab mir einige Süßigkeiten, die ich mir in den Mund stopfte.

»Bei allem, was heilig ist«, flüsterte sie, »sprich kein Wort mehr, ich flehe dich an.«

Der Mann nahm eine Flüssigkeit, die meine Großmutter ihm bereitet hatte, und ging.

Kaum war er außer Sichtweite, brach meine Großmutter unser Lager ab. Und während sie packte, hörte ich, wie sie leise vor sich hin murmelte.

»So oder so, es ist an der Zeit. Wir müssen zurückkehren.«

Sie hatte einen Pfad eingeschlagen, der hoch hinauf in die Berge führte, einen Pfad, von dem niemand glaubte, dass dort ein Wagen fahren könnte. Wir fuhren auf felsigem Boden, auf dem das Pferd keine Spuren hinterließ.

Dennoch umwickelte sie die Hufe mit dicken Stofffetzen und wählte die steinigsten Wege. Wir hielten weder zum Essen an noch, um uns zu waschen. Nachts schlief ich, doch ich wachte immer wieder auf und hörte, wie sie unablässig das Pferd anspornte, damit es sich den steilen Weg hinaufquälte. Am Tag versteckte sie den Wagen im Wald. Und obwohl es kalt war, machte sie kein Feuer, bis wir sicher auf der anderen Seite des Passes angelangt waren, nahe einem Ort, der Castel Barta hieß.

Dort befiel sie ihre letzte Krankheit.

Ich konnte mich noch sehr genau daran erinnern, doch erst jetzt, als ich zusah, wie der Mohnsaft vor sich hin kochte, fielen mir die Geschehnisse wieder ein. Es war Mohnsaft gewesen, den sie für den Fremden zubereiten sollte.

Mohnsaft, der bei Schmerzen Linderung brachte. Und Schlaf. Und einen leisen Tod.

Nachdem wir Zoroastro beerdigt hatten, sagte mein Meister zu Felipe: »Ich habe mich entschieden. Das Fresko ist nicht mehr zu retten. Donna Lisa braucht mich nicht länger. Ich werde die Franzosen bitten, den Rat von Florenz zu überreden, mich von meinen vertraglichen Pflichten zu befreien. Und ich werde nach Mailand gehen.«

Salai wurde mit Empfehlungsschreiben vorausgeschickt und sollte Quartiere besorgen.

»Was ist mit dir, Matteo?«, fragte Salai betont unschuldig, als er sich zum Aufbruch rüstete. »Was wirst du tun?«

»Ich weiß nicht, was du meinst.« Es war mir noch gar nicht in den Sinn gekommen, dass ich womöglich nicht mit nach Mailand gehen könnte.

»Ich glaube nicht, dass unser Meister dort einen so ungebildeten Diener braucht.«

»Ich bin nicht mehr ungebildet«, erwiderte ich hitzig.

»Du kannst weder lesen noch schreiben«, spottete Salai. »Du glaubst, es ist ein großes Geheimnis, aber jeder weiß, wie dumm du bist. Wir haben über dich gelacht, als du so getan hast, als würdest du deine Briefe lesen.«

»Dann musst du jetzt über andere dumme Scherze lachen«, gab ich zur Antwort, »denn ich *kann* lesen.« Ich zog mein Buch aus meiner Tasche hervor. »Schau her, dies ist die Geschichte vom Heiligen Georg und dem Drachen. Sie beginnt so: In einem fernen, fernen Land lebte ein Drache ...«

Salai lachte verächtlich. »Wir wissen, dass du schlau genug bist, um sogar den längsten Absatz mit den schwierigsten Wörtern auswendig zu lernen. Ich habe gehört, wie das der Meister einmal zu Felipe sagte, als er sich allein mit ihm glaubte. Dass du Geschichten hersagen kannst, ohne zu stocken, obwohl du sie nur einmal gehört hast. Er hat über dein Gedächtnis gestaunt. Ich staune über deine Dummheit.«

»Ich brauche dir nicht zu beweisen, dass es stimmt, was ich sage!«, schrie ich.

»Aber *ich* möchte, dass du es mir beweist«, sagte eine ruhige Stimme von der Tür her.

Salai fuhr herum. Wie lange hatte der Meister schon dort gestanden? Wie viel hatte er gehört?

Der Meister beachtete Salai nicht und ging zum Schreibtisch. Er hob eine Feder auf. »Nun, Matteo, lass mich sehen, wie du schreiben kannst.«

Meine Hände zitterten, als ich nach der Feder griff. Ich schrieb meinen Namen auf das Blatt, *Matteo*.

Dann zog er ein Buch aus dem Regal und schlug die erstbeste Seite auf. »Und jetzt lies.«

Ich stolperte über den Text, aber ich schaffte es, ein oder zwei Zeilen zu lesen.

Er lächelte nicht. »Das ist gut«, sagte er. »Aber es muss noch besser werden. Wenn du als Mitglied meines Haushalts mit nach Mailand kommen willst, musst du mir dein Ehrenwort geben, dass du dich anstrengst und lernst, was ich wünsche.«

Ich musste an den Brief denken, den ich unter meiner Tunika versteckt hielt, an die Warnung des Schreibers. Ich nickte.

»Sag es laut.«

»Ich verspreche es.«

»So sei es denn.« Ohne ein weiteres Wort ging er hinaus.

Salai verließ uns am folgenden Tag. Noch in der gleichen Woche wurde unser Gepäck von Trägern abgeholt und Anfang Juni 1506 brachen wir nach Mailand auf.

TEIL 5

Krieg

Mailand, 1509, drei Jahre später

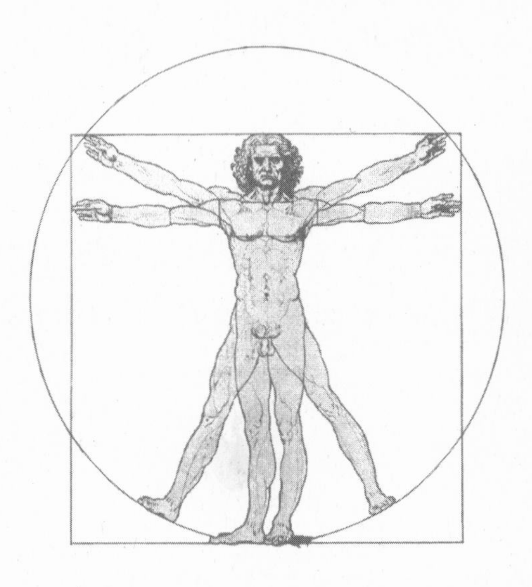

KAPITEL 46

Schritt, eins, zwei. Und jetzt vorwärts, drei, vier. Und jetzt – Halt! Matteo, du bist wie ein plumper Ochse, der mit einer Ladung Ziegelsteinen über die Piazza San Marco trottet.«

Ich ließ die Hände herabfallen und meine Schultern sackten nach unten.

»*La Poursuite* ist ein Tanz voller Anmut, Stil und Geist«, erklärte Felipe. »Wenn du nächste Woche auf einen Ball der Franzosen gehen willst, musst du eine gewisse Eleganz an den Tag legen. Versuch bitte, nicht so auszusehen, als würdest du bei der Weinlese Trauben stampfen.«

»Du musst kleinere Schritte machen, Matteo«, empfahl Graziano geduldig. »Stell dir vor, du näherst dich einer Dame. Einer Dame, verstehst du? Und du bist ein Herr.«

»Noch gehen wir davon aus, dich zu einem machen zu können«, sagte Felipe trocken.

Graziano achtete nicht auf ihn. »Also, Matteo, streck die Hand aus. So…« Graziös reichte er mir seine. »Nicht wie ein Bär, der mit seiner Pranke herübergreift.«

Trotz seiner Leibesfülle war Graziano erstaunlich leichtfüßig. Er übernahm die Rolle der Frau, tänzelte mit winzigen Schritten auf mich zu und reichte mir die Hand mit gestreckten Fingerspitzen.

Ich bemühte mich, seine Bewegungen nachzuahmen, trippelte auf Zehenspitzen und stieß die Faust nach vorn.

Er fing an zu lachen und Felipe ebenfalls.

Ich zögerte, dann stimmte ich in ihr Lachen ein. Obwohl ich die beiden nun schon jahrelang kannte, wusste ich mit ihrem toscanischen Humor nach wie vor nicht viel anzufangen. Ich hörte mich lachen, aber es klang künstlich und gezwungen. Inzwischen war ich sechzehn Jahre alt und hielt mich für einen erwachsenen Mann. Was nichts daran änderte, dass ich mich sehr leicht angegriffen fühlte.

Ich unternahm einen neuen Versuch.

»Das ist schon besser«, sagte Graziano. Er richtete es so ein, dass meine Finger die seinen nur hauchzart berührten. »Und jetzt geh zurück und komm dann wieder auf mich zu. Aber diesmal tritt der Herr etwas näher an die Dame heran.«

Mit wilder Entschlossenheit nahm ich die richtige Position der Füße ein, hielt den Körper gerade und vollführte die Tanzschritte. Angeleitet von Felipe, der rhythmisch klatschte, trat ich auf Graziano zu und bot ihm die erhobene Hand dar. Das alles schaffte ich in einer einzigen Bewegung. Ich war sehr zufrieden mit mir.

»Nein, nein, nein!«, schrie Felipe verzweifelt. »Wenn du die Füße so über den Fußboden schleifst, ist der Tanz zu Ende, noch ehe er begonnen hat.«

»Wenn er das doch nur wäre«, seufzte ich resigniert.

Von all den neuen Aufgaben, die der Meister mir hier in Mailand gestellt hatte, mochte ich das Tanzen am allerwenigsten. Ich sah den Nutzen darin, lesen und schreiben zu können oder auch ein Instrument zu erlernen, aber Tanzen war meiner Ansicht nach die reinste Zeitverschwendung. Je eher ich es hinter mich brachte, umso besser. Genau das sagte ich meinen beiden Lehrmeistern.

»Beim Tanzen geht es aber nicht darum, es möglichst schnell hinter sich zu bringen«, erklärte Felipe. »Man tanzt nicht, um die Zeit totzuschlagen. Du musst die Bewegungen genießen und es zulassen, dass dein Körper auf die Musik reagiert.«

»Und auf die Damen oder Herren, mit denen du tanzt«, kicherte Graziano.

»Ich habe weder ein Interesse an Damen noch an Herren.«

Felipe schnalzte mit der Zunge. »Matteo, ganz gleich, was du in Herzensdingen für dich selbst beschließt, du musst tanzen können. Es sei denn, du trägst dich mit dem Gedanken, in ein Kloster zu gehen.«

»Wenn ich mir so manchen Ordensmann ansehe, ist das Klosterleben gar nicht so abschreckend«, meinte Graziano daraufhin. Dann sagte er zu mir: »Tanzen zu können ist eine besondere Fertigkeit. Und gerade dieser Tanz ist sehr wichtig. Die Schritte bilden ein Muster aus Annäherung und Rückzug. Es ist eine Lektion fürs Leben.«

»Wie kann ein Tanz eine Lektion fürs Leben sein?«

»Nun, man könnte es als Übung ansehen, wie man einer Frau den Hof macht.«

»Ich will aber keiner Frau den Hof machen.«

»Ah, das behauptest du jetzt, aber beizeiten wird dein Herz dir etwas anderes sagen.«

»Wenn ich eine Frau umwerben will, dann werde ich ihr das sagen und damit basta.«

»Das wäre eine riesige Dummheit«, sagte Graziano kopfschüttelnd. »Du kannst die Frau nicht einfach wissen lassen, dass du von ihrem Aussehen oder ihrem Charme bezaubert bist.«

»Warum nicht?«

»Auf diese Weise hätte sie noch mehr Macht über dich.«

»Aber Frauen haben keine Macht oder nur sehr wenig.«

Beide Männer lächelten.

»Und ich dachte, du hättest Lucrezia Borgia mit eigenen Augen gesehen«, sagte Felipe augenzwinkernd.

Der Name war wie ein Klang aus weiter Ferne. Mein Leben hatte sich sehr geändert, seit ich vor drei Jahren nach Mailand gekommen war. In dieser Stadt erfreute sich Leonardo da Vinci großer Wertschätzung durch die Franzosen, die das Herzogtum regierten. Charles d'Amboise, der Gouverneur, bewunderte den Meister sehr. Und das galt auch für den, in dessen Diensten er stand: König Ludwig von Frankreich. Meister Leonardo wurde mit Ehrungen geradezu überhäuft, hatte ein ordentliches Einkommen und genoss entgegenkommende Gastfreundschaft, was auch für alle Mitglieder seines Haushalts galt.

In Mailand begann, so wie der Meister es gesagt hatte, meine Ausbildung. Felipe hatte gute Lehrer aufgetrieben. Trotz des späten Zeitpunkts und meines anfänglichen Widerstands konnten sie auf den Grundsteinen aufbauen, die Sinistro, der Schreiber, gelegt hatte. Ich konnte inzwischen recht gut schreiben und flüssig lesen, daher versuchten sie, mir die Grundzüge des Griechischen, Lateinischen, der Mathematik, Geschichte und Philosophie nahe zu bringen.

Ich musste noch viel lernen, das war mir klar. Während die anderen in der Künstlerwerkstatt arbeiteten, bekam ich Unterrichtsstunden oder saß über meinen Büchern. Falls ich zurückfiel oder schlechte Ergebnisse erzielte, würde es schwierig werden, meinen Platz bei Meister Leonardo zu behaupten. Hier war alles anders als in Florenz. Anfangs wohnten wir im Schloss, in unmittelbarer Nähe des französischen Hofs. Meine Aufgaben dort waren sehr begrenzt. Es gab genug Pagen, Köche, Mägde, und andere, die sich um alles kümmerten. Später, als der Meister sich in San Babila einrichtete, erfüllte Charles d'Amboise ihm jeden Wunsch. Er sorgte dafür, dass es an keiner Bequemlichkeit fehlte, sandte regelmäßig Dienerschaft – Wäscherinnen, Schneider, Köche und sogar seinen eigenen Barbier.

Salai hatte Recht gehabt mit seiner Warnung, der Meister hätte in Mailand keine Verwendung für mich. Überdies kümmerte sich sein neuer Schüler, Francesco Melzi, um alles, was mit seiner künstlerischen Arbeit zusammenhing. Dieser Francesco war ein gut aussehender, talentierter junger Mann ungefähr in meinem Alter und sein Vater war mit dem Meister befreundet. Francesco war gescheit und höflich. Er malte und schrieb gleichermaßen gut und machte sich daran, die umfangreiche Sammlung des Meisters an Notizen, Niederschriften und Büchern zu ordnen. Er kümmerte sich darum, dass der Meister Verabredungen einhielt, setzte Briefe auf und erledigte so manches, was ich nicht konnte. Von Zeit zu Zeit bat man mich, das Zeichenmaterial für den Meister zurechtzulegen oder ihn auf einem Ausflug zu begleiten, aber selbst ich begriff nun endlich, wie wichtig eine gute Ausbildung für mich war.

Was ich allerdings nicht erwartet hatte, war der Reiz, den die Unterrichtsstunden auf mich ausübten. Die endlose Plackerei mit der Grammatik, die anstrengenden Stunden des Vorlesens und Auswendiglernens regten ebenso sehr an, wie sie ermüdeten. Über geschichtliche Ereignisse Bescheid zu wissen, bedeutete für mich, dass ich mich an Gesprächen beteiligen konnte, die mich ebenso verwirrten wie faszinierten. Und der Auslöser für all das war ein kleines Buch über Sankt Georg mit dem Drachen gewesen!

Manchmal, wenn er unterwegs zu einer Abendeinladung war, ließ der Meister mich seine Schultertasche mit den Zeichnungen tragen, die er vorzeigen wollte. Bei einer dieser Gelegenheiten begegnete ich dem Mathematiker Luca Pacioli. Doch nun stand ich nicht länger unbeteiligt daneben, sondern lauschte der Unterhaltung über die vielfältigsten Dinge, die so interessant schienen, wie die unerforschte neue Welt jenseits der Meere es zu sein versprach. Der Meister debattierte mit Dichtern wie Gian Giorgio Trissino und dem Maler Bernardino Zenale. Ich begann, den Forscherdrang des Meisters zu verstehen. Wie er wollte nun auch ich alles wissen.

Ja, mich interessierte alles, ausgenommen die Torturen des Tanzes. Angesichts meiner inneren Abwehrhaltung wie auch der immer noch vorhandenen unterschwelligen Angst vor Entdeckung konnte ich mir beim besten Willen nicht vorstellen, jemals in der Öffentlichkeit tanzen zu wollen.

»Hör zu«, sagte Graziano und legte den Kopf schief. Er trat ans Fenster und öffnete den Laden.

Der gleichmäßige Rhythmus einer Marschtrommel dröhnte von der Straße zu uns herauf. Wieder kehrte ein Trupp französischer Soldaten von ihrem jüngsten Sieg gegen die Venezianer zurück.

»Wenn König Ludwig in der Stadt eintrifft, wird es einen Maskenball geben«, fuhr Graziano fort. »Ich bin sicher, das wird dir gefallen, Matteo. Und diesmal bestehe ich darauf, dass du mich begleitest und an den Festlichkeiten teilnimmst. Und dazu musst du wenigstens ein klein wenig tanzen können.«

KAPITEL 47

Am darauf folgenden Tag, dem vierundzwanzigsten Juli, zog König Ludwig von Frankreich in Mailand ein. Wir sahen von der Dachterrasse aus zu. Von Meister Leonardo stammten die Entwürfe für einige der Umzüge und Spektakel im Umfeld des Triumphzugs, bei dem der französische König an der Spitze seiner Truppen in die Stadt einritt. König Ludwig kehrte von einem ruhmreichen Sieg bei Agnadello zurück, einer kleiner Ortschaft nordöstlich von Mailand. Die Macht Venedigs war dort im Schlamm des Schlachtfelds niedergetrampelt worden und die französischen Soldaten kehrten mit Kriegsbeute beladen zurück. Zu ihrer Begrüßung wurden Kanonenschüsse abgefeuert, und eine Eskorte, auf deren Waffenröcken die französische Lilie prangte, geleitete den Zug zum Schloss, nicht ohne zuvor Münzen und Zuckerwerk unters Volk zu werfen.

In dieser Nacht der Fröhlichkeit ging ich mit Graziano hinaus auf die Straße, jedoch nicht wie ein Kind, sondern wie ein erwachsener Mann. Statt wie ein kleiner Junge herumzutollen und Schabernack zu treiben, zog ich einen langen Umhang an und setzte eine Maske auf.

Es war das erste Mal, dass ich eine richtige Karnevalsmaske trug, und der Anblick der goldenen Larve mit der langen krummen Nase war verstörend und erheiternd zugleich. Vor dem großen Spiegel in der Eingangshalle blieb ich stehen. Den alten Ängsten entwachsen, konnte ich mich darin betrachten, ohne augenblicklich der Furcht zu verfallen, meine Seele zu verlieren. Ich betrachtete meine eigene Gestalt. Groß genug, um als ein paar Jahre älter durchzugehen, ausgestattet dazu mit der Maske und einem weiten Umhang, der mich stattlicher erscheinen ließ, würde man mich für mindestens achtzehn halten.

Aufregung packte mich, als ich mit Graziano zur Tür hinaustrat. In meiner Verkleidung war ich ein Unbekannter, für die anderen wie auch für mich selbst. Sofort verschluckte uns das bunte Treiben in den Straßen und wir wurden Teil des Frohsinns und der Lustbarkeiten. Staunend erlebte ich, wie bei einem Karneval ehrbare Männer und Frauen Kostüme anzogen, in eine andere Rolle schlüpften und sich unters Volk mischten, wo der Wein floss und die Menschen sich gehen ließen.

Eine Schar Festbesucher zog an uns vorbei, blies in Trompeten und warf Papierschlangen in die Luft. Die Musik wurde lauter, je näher wir zum großen Marktplatz kamen. Auf der Piazza del Duomo ließen Jongleure Teller wirbeln und warfen bunte Bälle in die Luft, während ihre Gehilfen sich unter die Zuschauer mischten, um ihnen eine Münze abzuschwatzen. Stelzenläufer staksten über ein Meer von Farben, in dem purpurrote, gelbe, hellgrüne und rote Stoffe durcheinanderwogten. Übermütige Possenreißer und Narren trieben ihr Spiel mit den Leuten. Der Geruch der Freudenfeuer und des Weines, der aneinandergedrängten Leiber mit ihrer Mischung aus scharfem Schweiß und süßem Parfüm, das alles versetzte mich in Hochstimmung.

Eine Tanzgruppe marschierte in einer Reihe auf. An ihrem Ende hatte sich eine Frau eingereiht. Sie trug eine Seidenmaske, die die obere Hälfte ihres Gesichts bedeckte. Ihr Mund war leuchtend rot. Durch die Augenschlitze musterte sie mich ungeniert. Sie ging ein paar Schritte weg, blieb stehen und winkte mir zu.

Graziano knuffte mich in den Rücken. »Geh schon«, sagte er.

»Ich kenne die Schritte doch gar nicht«, wehrte ich ab.

»Matteo, Matteo«, sagte er und lachte, »jeder Mann und jede Frau auf dieser Welt kennen diesen Tanz. Du erlernst ihn, indem du mitmachst.«

Die Frau nahm meine Hand und zog mich fort. Ihr Griff war fest, und als wir hier und da kurz stehen blieben, gab sie mir aus einem Weinschlauch zu trinken, den sie in einer Tasche ihres Umhangs trug.

Sie führte mich mitten in einen großen Tanzkreis. Jemand fasste meine andere Hand. Wir wirbelten wie verrückt umher, sodass ich bald gar nicht mehr wusste, mit wem ich gerade tanzte. Drückte die Frau ihren Körper absichtlich gegen meinen? Ich spürte ihre Finger in meinem Nacken, während wir uns drehten und drehten. Als sie sich zu mir beugte und der Musik applaudierte, fiel der

Ausschnitt ihrer Bluse auf und ich sah ihre Brüste. Die Frau machte eine Bewegung und der Schatten zwischen ihnen vertiefte sich.

Wir wurden aus dem Kreis gespült, aber sofort schloss sich ein anderer um uns. Hände zerrten an meinem Umhang und zogen mich fort. Der Wein, der wilde Tanz, die Gegenwart der Frau, all das machte mich ganz schwindelig.

Die Frau lachte mich an, kniff mir in die Wange und wirbelte davon. Ich rannte hinterher.

Ich konnte tanzen! Ich konnte sogar sehr gut tanzen. Ich tanzte mit jedem, der es zuließ, mit Männern, Frauen, Mädchen, Knaben, bis in die frühen Morgenstunden, und hörte erst auf, als mir alles vor den Augen verschwamm und ich die Sinne verlor.

Irgendwann hatte ich inmitten von alledem Graziano verloren.

Ich richtete mich Halt suchend an einer Mauer auf. Torkelnd stolperte ich über den Platz bis zu einer Gasse. Dort war es ruhig, fast menschenleer. Ich stieß auf einen offenen Hof, in dem ein Brunnen plätscherte. Ich nahm die Maske ab, beugte mich über den Brunnenrand und trank.

Neben mir war eine Frau.

»Ist alles in Ordnung, junger Herr?«

Ihr Stimme klang heiser.

»Ich brauche frische Luft.« Mein Kopf fuhr zwar Karussell, aber mein Verstand war immerhin klar genug, um zu erkennen, dass es die Frau war, mit der ich lange getanzt hatte. Sie musste mir hierher gefolgt sein. Was wollte sie von mir? Wir kannten uns nicht und ich hatte keine Börse dabei.

Ihr war meine Handbewegung zum Gürtel nicht verborgen geblieben, denn sie lachte und sagte: »Ich interessiere mich nicht für das, was du *an* deinem Gürtel hast.«

Sie betonte das Wort *an* so, dass es mir auffallen musste. Als sie sah, dass ich die Bedeutung ihrer Worte erfasst hatte, lachte sie erneut, und ihr Lachen kam tief aus der Kehle. Sie streckte die Hand aus und streichelte meine Wange. Ich spürte ihren warmen Atem. Sie zog ihre Augenmaske ab und sah mich an.

Dann küsste sie mich mitten auf den Mund.

Ich war so überrumpelt, dass ich still hielt.

Danach stand ich mit offenem Mund da. Ich war noch nie geküsst worden. Zumindest nicht so. Ich kannte allenfalls die Liebkosungen meiner Großmutter und das war ein zarter Kuss auf Stirn oder Wange gewesen.

Die Lippen der Frau waren angemalt, das schmeckte ich. Und ich schmeckte noch etwas anderes. In ihrem Atem lag der Duft einer Frucht, die sie gegessen hatte, und darunter war noch etwas, das durchdringend und gefährlich war.

»Mach den Mund zu!« Sie stupste mich am Kinn. »Du siehst aus wie ein Dorsch auf dem Fischmarkt.«

Ich klappte den Mund zu und machte ihn gleich darauf wieder auf, weil sie mir den Weinschlauch reichte. Ich trank einen Schluck daraus.

Ohne mich aus den Augen zu lassen, nahm sie den Schlauch, wischte ihn ab und trank ebenfalls. Dann legte sie ihn neben den Brunnen und drehte sich zu mir. Sie legte die Hände auf meine Brust. Ihr Fingernägel waren lang und farbig angemalt.

Plötzlich bog eine lärmende Schar in den Hof. Sie tanzten wild und ausgelassen. Einer der Tänzer rief der Frau neben mir etwas zu und dann kamen zwei von ihnen herbei und zogen sie mit sich. Zuerst wollte sie nicht mitgehen, doch dann zuckte sie mit den Schultern, warf mir einen Kuss zu und tanzte mit den anderen davon.

Meine Beine waren wacklig und in meinem Kopf pochte es. Ich ging zurück in die kleine Gasse. Die Mauer dort war kühler als die Luft und ich presste das Gesicht dagegen. An dem festen Gestein Halt suchend, tastete ich mich voran. Schließlich erreichte ich eine der großen Hauptstraßen und ging von dort nach Hause zurück.

In meinem Zimmer angekommen, fiel ich ins Bett, fand aber keinen Schlaf, bis die Morgendämmerung heraufzog und auch die letzten Zecher verstummten.

KAPITEL 48

»Gestern habe ich dich mit der Kurtisane gesehen, Matteo.«

Ich wurde dunkelrot im Gesicht.

»Oh, was für eine prächtige Farbe deine Wangen haben!«, neckte mich Graziano. Er nahm einen Apfel aus einer Schale auf dem Frühstückstisch und hielt ihn neben mein Gesicht. »Siehst du? Im Vergleich dazu ist dieses Obst fahl und blass. Wenn ich doch nur Matteos Teint auf meine Farbpalette brächte, dann würden meine Sonnenuntergänge viel herrlicher leuchten.«

»Eine Kurtisane?«, stieß ich hervor.

»Du wirst mir doch nicht erzählen wollen, dass du das nicht wusstest?«, sagte Graziano mit gespieltem Erstaunen.

»Welche andere Frau würde einen Mann mitten auf der Straße auf diese Weise küssen?«

»Die Frage ist doch, hat sie auch *dich* geküsst, Graziano?«, kam Salvestro, einer der Schüler Meister Leonardos, mir zu Hilfe.

»Aber selbstverständlich!«, erwiderte Graziano mit einem Augenzwinkern. »Und bis die Nacht vorüber war, ist es nicht bei diesem einen Kuss geblieben, das versichere ich euch.«

Ich war wie vor den Kopf geschlagen. Die Frau, die durch meine Träume gegeistert war, hatte auch Graziano geküsst. Graziano! Nicht dass er kein netter Mann war. Er war sehr liebenswert. Aber er war so viel älter als ich und so dick.

»Oh! Seht doch nur Matteo an! Jetzt ist der Junge enttäuscht. Dachtest du etwa, sie hat ihren Mund ganz allein für dich reserviert, mein Kleiner?«

Das kam von Salai. Und wie immer tat sein Spott weh.

Er beugte sich über den Tisch und schnipste mir gegen das Ohr. Ich stieß seine Hand weg, was ihn nicht davon abhielt, mich weiterzunecken.

»Ich wette, sie hat ein Dutzend andere Männer geküsst, ehe das Fest vorüber war.«

Andere Männer.

Wie dumm von mir.

Ich hatte nicht nachgedacht. Natürlich hatte die Frau auch andere geküsst.

»Matteo!« Felipe kam herein und unterbrach die Hänseleien. »Der Meister wird in Kürze verreisen und möchte, dass du ihn begleitest.« Er sah mich an, bemerkte mein verzerrtes Gesicht und zog die Augenbraue hoch. »Vielleicht wird es dir guttun, ein Zeit lang aus Mailand wegzukommen?«

»Ja«, sagte ich eifrig. »Ich werde gleich packen.«

»Bei den vielen Frauen, die Matteo neuerdings umschwärmen, möchte man doch meinen, er bliebe lieber hier«, sagte Salai. »Es sei denn, unser Matteo fürchtet sich vor Frauen.«

Wie bei so manchen seiner Seitenhiebe lag in Salais Worten ein Körnchen Wahrheit verborgen. Weil ich nur sehr selten mit jungen Mädchen zusammentraf, fühlte ich mich bei den wenigen Gelegenheiten unwohler als andere junge Männer in meinem Alter.

»Nimm deine Schulbücher mit und ausreichend Kleidung für mehrere Monate«, fuhr Felipe fort. »Meister Leonardo möchte länger in Pavia bleiben.«

»Gibt es einen bestimmten Grund, warum er ausgerechnet nach Pavia reist?«, fragte ich.

Felipe nickte. »Ein Freund von ihm lehrt dort an der Universität. Messer Marcantonio della Torre ist Arzt und leitet die Medizinschule. Ich nehme an, der Meister will die Gelegenheit nutzen, um sich wieder etwas mit der Anatomie zu befassen.«

Mein Interesse war geweckt. Unser letzter Besuch im Leichenhaus war schon lange her. In den vergangenen Jahren hatte der Meister sich ganz seinen bodenkundlichen Forschungen gewidmet und war der Frage nachgegangen, wie man die Bewässerung verbessern und Kanäle für den Lastenverkehr bauen konnte. Die Aussicht, ihm wieder einmal bei einer Obduktion über die Schulter zu sehen, sagte mir zu. Wenn ich aber für längere Zeit aus Mailand weggehen würde, musste ich erst noch etwas erledigen.

»Wenn du nichts dagegen hast«, sagte ich zu Felipe, »würde ich zuvor gern meine Freunde auf ihrem Hof besuchen und mich von ihnen verabschieden.«

Felipe nickte. »Du kannst dir den Tag morgen freinehmen. Aber danach brauche ich dich wieder. Du musst mir dabei helfen, die Sachen für den Meister einzupacken.«

Ich schaute hinüber zu Francesco Melzi, der noch am Frühstückstisch saß. Eigentlich war dies seine Aufgabe und ich wollte mich nicht dazwischendrängen. Aber Francesco war nicht so eifersüchtig wie Salai, sondern freundlich und liebenswürdig.

»Es ist gut, wenn du dich wieder einmal darum kümmerst, Matteo«, stimmte er bereitwillig zu. »Ich glaube, der Meister vermisst dich ein wenig. Er tadelt mich, wenn ich etwas falsch auslege, und behauptet, dir wäre das nicht passiert. Er hat mir erklärt, dass du seine Utensilien in einer ganz bestimmten Reihenfolge anordnest, an die er sich auch weiterhin hält, weil es so am sinnvollsten ist.«

Seine Worte erfüllten mich mit einer kindlichen Genugtuung. Falls Francesco sie sich nur ausgedacht hatte, war es sehr nett von ihm, falls nicht, war es großzügig, dass er mir die Anerkennung gönnte.

Am darauf folgenden Tag ging ich zu den Ställen im Schloss und bat um ein Pferd, damit ich nach Kestra zum Hof von Elisabettas Onkel reiten konnte.

Gleich nach unserer Ankunft in Mailand hatte ich Paolo und seine Schwester dort besucht. Der Hof lag im Südosten der Stadt und hin und wieder ritt ich dort vorbei. Ihr Onkel war alt und übellaunig und war seiner Nichte und seinem Neffen gegenüber sehr streng. Seit Monaten hatte ich die beiden nun nicht mehr gesehen, aber ich war mir sicher, dass mein Besuch eine willkommene Abwechslung für sie sein würde.

Im Stall traf ich den Oberstallmeister, mit dem ich mich gut verstand, seit ich eine Arznei für eines seiner Lieblingspferde zubereitet hatte, das unter Koliken litt. Wann immer ich nach Kestra reiten wollte, stellte er mir nun genau dieses Pferd zur Verfügung. Ich führte die kastanienbraune Stute in den Hof und erfuhr vom Stallmeister, dass ein junger französischer Offizier, ein gewisser Charles d'Enville, gerade eben von einer Kriegsverwundung genesen, seinem Pferd ein wenig Bewegung verschaffen wolle und mich gerne begleiten würde. Ein Stallbursche würde mit uns kommen.

Zu dritt verließen wir die Stadt am frühen Morgen eines klaren Sommertages. Wir ritten über den Paradeplatz des Schlosses und unter dem Bogen des Filarete-Turms hindurch. Die französischen Soldaten hatten ihn einst unter Beschuss genommen und beschädigt, trotzdem war die sich windende Schlange auf dem Wappen der Sforza-Familie unter der Kuppel unverkennbar. Ludovico Sforza hatte das Herzogtum regiert, bis die Franzosen ihn vor etwa zehn Jahren aus der Stadt gejagt hatten. Der französische König machte seinen Anspruch auf diesen Teil Norditaliens geltend, aber Ludovicos Sohn Massimiliano plante aus dem Exil heraus den Umsturz, so wie auch die Medici Florenz für sich zurückerobern wollten.

In Mailand herrschte das gleiche emsige Treiben in den Straßen wie in Florenz. Der König von Frankreich gefiel sich als Förderer der Künstler, und so wimmelte es in den Malwerkstätten von jungen Männern, die in die Lehre gehen wollten. Soldaten und ihre Damen schlenderten plaudernd durch die Straßen, Dienstjungen erledigten Botengänge, Händler wickelten ihre Geschäfte an den Verkaufsständen rund um den Dom ab und boten die Beutestücke der rückkehrenden Truppen feil.

Ich selbst zog das Land der Stadt vor. Unter freiem Himmel wurde mein Kopf wieder klar und meine gute Laune kehrte zurück. Der Hof, auf dem Paolo und Elisabetta dell'Orte jetzt lebten, war ein gutes Stück von Mailand entfernt, daher galoppierten wir unverzüglich los und genossen den Ausritt.

Reiten war eine Fähigkeit, für die ich keine Anleitung brauchte. Mit donnernden Hufen und wehenden Mähnen jagten die Pferde davon. Bei diesem Tempo würden wir den Hof noch vor der Mittagszeit erreichen, gerade rechtzeitig für eine Mahlzeit.

Eine Stunde verging. Wir verließen die Hauptstraße in östlicher Richtung. Die Landschaft veränderte sich; üppige Felder und Weinberge wichen felsigem Gelände mit kargem Bewuchs. Wir waren einige Meilen von der Kreuzung entfernt, an der wir auf eine schmale Landstraße biegen würden. Von der aus würde uns schließlich ein Feldweg zum Hof führen. Das Land war spärlich bewaldet, und wir zügelten die Pferde, um ihre Schritte dem unwegsamen Untergrund anzupassen. Unterwegs plauderten wir, wobei der Stallbursche und ich meist zuhörten, während der gut gelaunte Offizier uns von seinen Erfolgen in der Schlacht von Agnadello berichtete. Wir trotteten entlang des Weges, als wir an einer Biegung unvermittelt auf fahrendes Volk stießen. Im Windschatten einer kleinen Anhöhe hing zwischen Bäumen ein Kessel über glühenden Kohlen.

»Was haben wir denn da?« Der Offizier zügelte sein Pferd.

»Zigeuner«, sagte der Stallbursche und spuckte auf den Boden.

Ich fühlte, wie mein Herz zu flattern begann.

»An einer öffentlichen Straße dürfen diese Leute ihr Lager nicht aufschlagen«, sagte der Bursche. »Es gibt einen entsprechenden Erlass. Sie müssen einen Landbesitzer um Erlaubnis fragen und die darf nur unter bestimmten Voraussetzungen gewährt werden.«

»Ich würde es kaum als Lager bezeichnen«, sagte der Hauptmann.

Als notdürftigen Unterschlupf hatten sie die Äste zweier junger Pappeln zueinandergezogen, zusammengebunden und Decken darüber geworfen.

»Sie dürfen das nicht«, wiederholte der Stallbursche.

Der Offizier schüttelte den Kopf. Ich glaube, er wäre am liebsten einfach weitergeritten, da aber der Stallbursche so beharrlich war, durfte er es nicht an Autorität mangeln lassen. Er lenkte sein Pferd vorwärts und rief laut. Ein Mann trat aus dem Deckenzelt hervor, eilends gefolgt von zwei zerzausten Jungen. Ich blieb etwas zurück. Ich kannte den Mann weder von den Zusammenkünften der Fahrenden noch von einem der großen Lager. Aber das hieß nichts. Selbst nach all den Jahren konnte es sein, dass, wenn schon nicht ich ihn, so er mich erkannte.

Seit unserem Weggang aus Florenz lebte ich in Frieden in Mailand. Das Schicksal des alten Schreibers hatte mich so erschüttert, dass ich es anfangs nicht gewagt hatte, das Schloss zu verlassen. Felipe hatte unter den Schlossbewohnern einen Lehrer für mich aufgetrieben, also bestand auch gar kein Grund dazu. Dann kamen mir Neuigkeiten über Cesare Borgia zu Ohren. In seinem Exil in Spanien, so hieß es, sei er in eine Auseinandersetzung verwickelt worden und in einem Hinterhalt in Navarro gestorben. Seine Angreifer ließen ihn nackt in einer Grube liegen, von fünfundzwanzig Messerstichen getroffen. Ein gewaltsamer Tod für einen Mann, der in seinem Leben selbst keine Gnade kannte.

Als der Meister später das Schloss verließ und seine eigene Haushaltung in einem anderen Viertel der Stadt einrichtete, fühlte ich mich daher sicher. Ich war überzeugt, dass Sandino meine Spur nicht bis nach Mailand verfolgt hatte, denn davon hätte ich mittlerweile etwas gehört. Vermutlich hatte der Brigant alle Hände voll zu tun. Alle Parteien in dem drohenden Krieg hatten gute Verwendung für Spione. Während also der Papst den Großteil der Romagna beherrschte und sich mit den Franzosen gegen Venedig verbündete, fand ich Ruhe und Geborgenheit. Der abgetragene Lederbeutel an meinem Hals war ein Teil von mir geworden. Ich legte ihn niemals ab, dachte aber auch nicht länger über seinen Inhalt nach.

Bis jetzt.

»Es ist ein armseliges Häuflein«, sagte der Franzose leise zu mir.

Ein Mädchen zog die Decke zurück und blieb am Zelteingang stehen.

»Armselig würde ich das nicht gerade nennen«, sagte der Stallbursche und starrte ungeniert auf ihre Figur.

Sie bemerkte seinen Blick und trat zurück in den Schatten. Ich spürte, wie erniedrigt sie sich durch seine Bemerkung fühlte.

Ihr Vater trat einen Schritt näher an das Feuer heran. Er witterte Gefahr und suchte nach einer Waffe. Mein Blick fiel auf die lange Eisenstange, an der der Kessel hing. Und dann bemerkte ich noch etwas anderes.

Ein roter Schal flatterte vor dem Zelt.

Ich lenkte mein Pferd näher an den Franzosen heran und sagte ruhig: »Es blieb ihm keine andere Wahl, als hier sein Lager aufzuschlagen. Seine Frau bekommt ein Kind.«

Mit einem Ruck drehte der Vater des Mädchens sich um und sah mich an.

Aus dem Zelt drang der durchdringende Schrei eines Neugeborenen.

»Meine Frau ...«, sagte der Mann in gebrochenem Französisch. »Sie hat gerade ein Kind zur Welt gebracht.«

Der Hauptmann lächelte. »Einen Sohn, hoffe ich?«

»Ein Mädchen.«

»Habt ihr schon einen Namen ausgesucht?«

»Dalida.«

Dalida. Ein Zigeunername. Er bedeutete so viel wie »Bäume an einem Gewässer«. Ich schaute mich um und sah einen kleinen Bach. Es war ein treffender Name und erinnerte an den Ort, an dem das Kind auf die Welt gekommen war.

Erst jetzt fiel mir auf, dass der Mann mich beobachtete. Er hatte begriffen, dass ich die Bedeutung des Namens kannte und auch das Zeichen des roten Schals über dem Zelteingang. Unruhig wich ich seinem Blick aus.

»Ein Mädchen kann ebenso viel Freude schenken wie ein Junge.«

Der Hauptmann war kein unfreundlicher Geselle, er zog eine Münze hervor und warf sie dem Mann vor die Füße. »Nimm das für ihre Aussteuer.« Er sah den Stallburschen an, wurde sich wieder seiner Stellung bewusst und fügte streng hinzu: »Und jetzt sieh zu, dass du fortkommst. Auf meinem Rückweg will ich euch nicht mehr hier sehen.«

Ich wusste, es würde mir schwer fallen, mit anzusehen, wie der Zigeuner sich nach dem Geld bücken würde.

Aber er tat nichts dergleichen.

Seine zwei kleinen Jungen rannten zu der Stelle, wo die Münze im Dreck glitzerte. »Lasst es liegen!«, hörte ich ihn in seiner eigenen Sprache sagen. Er sah mich dabei unverwandt an. Dann hob er die Hand und sagte etwas zu dem Franzosen.

Der Hauptmann tippte sich an den Hut, als Zeichen, dass er den Dank des Mannes entgegennahm.

Ich aber, der ich die Worte des Zigeuners verstanden hatte, wusste, dass er dem Offizier nicht dankbar war. Vielmehr hatte er ihn mit einem Fluch bedacht für die Mühsal, die seine Frau seinetwegen auf sich nehmen musste.

Ohne noch länger zu zögern, lenkte ich mein Pferd zurück.

»Diebisches Gesindel«, brummte der Stallbursche. »Dieses Ungeziefer sollte man beseitigen.«

Zu meiner eigenen Schande widersprach ich ihm nicht.

Ich blickte zurück und sah, wie der Mann seine Kinder ins Zelt rief. Im Lauf der nächsten Stunde würden sie von hier verschwinden. Der Zigeuner, da machte ich mir nichts vor, hatte sich alles gemerkt, jede Einzelheit, auch unser Alter und das Aussehen der Pferde. Ebenso wenig würde er das Gesicht des jungen Mannes vergessen, der seine Sprache verstand und die Sitten des fahrenden Volks kannte.

KAPITEL 49

Am späten Vormittag kamen wir auf dem Bauernhof in Kestra an.

Elisabetta trat gerade mit einem Korb voll nasser Wäsche aus dem Haus, die sie zum Trocknen auf die Leine hängen wollte. Sie stellte ihre Last ab, rannte auf mich zu, um mich zu begrüßen, und küsste mich auf beide Wangen, kaum dass ich vom Pferd gestiegen war.

Während der Stallbursche unsere Pferde tränkte, stellte ich ihr Charles d'Enville vor. Der französische Hauptmann zog schwungvoll seinen federgeschmückten Hut und verbeugte sich mit einer weit ausholenden Geste. Dann nahm er Elisabettas Hand, verneigte sich und küsste ihre Fingerspitzen.

»Es ist eine Schande, Matteo!«, rief er aus. »Eine so schöne Blume auf dem Lande blühen zu lassen, wo ihre Pracht doch am Hofe zu Mailand erstrahlen sollte.«

Ich betrachtete das Mädchen, das für mich immer wie eine Schwester gewesen war, mit seinen Augen und sah, dass Elisabetta im Laufe der Zeit tatsächlich noch schöner geworden war. Ihr goldenes Haar, locker im Nacken zusammengebunden, umrahmte ihr zartes Gesicht, und ihre Figur hatte weibliche Formen angenommen. Ihre Augen, wiewohl noch immer ein wenig überschattet, waren groß und ausdrucksstark, ihre Augenbrauen anmutig geschwungen.

Bei den Worten des Franzosen errötete sie, und ich fragte mich, wann ihr zum letzten Mal ein Mann Komplimente gemacht hatte. Sie ging mit uns zu ihrem Onkel, der gerade mit Baldassare sprach, der den Nachbarhof bewirtschaftete. Beide hatten sie ein gemeinsames Bewässerungssystem, das das Wasser vom Fluss auf ihre Felder brachte. Sie hatten die Hemdsärmel hochgekrempelt und suchten ein Leck in einem der Wasserrohre. Baldassare war ein untersetzter Mann mittleren Alters, hatte ein freundliches, offenes Gesicht und angenehme Umgangsformen. Elisabettas Onkel war viel älter, er ging gebückt und war gezeichnet von der harten Arbeit. Beide legten ihre Schaufeln weg, als wir näher kamen.

»Onkel …« Elisabetta stellte sich auf Zehenspitzen und drückte ihm einen Kuss auf seine wettergegerbte Wange. »Matteo ist zu Besuch gekommen und hat einen Freund mitgebracht. Ich möchte ihn gern zu unserem Mittagsmahl einladen.«

Der Onkel murmelte etwas, was wohl Zustimmung bedeuten sollte.

Elisabetta entschuldigte sich für die schlechten Manieren ihres Onkels, als wir zum Bauernhaus zurückgingen. »Er war fast sein ganzes Leben allein, deshalb ist er Besuchern gegenüber sehr unbeholfen.«

Als wir uns zum Essen setzten, musste ich darüber nachdenken, wie anders es für Charles, der an die strengen und gezierten Sitten des französischen Hofes gewohnt war, hier sein musste.

»Ihr wart mit der französischen Armee bei Agnadello

dabei?«, fragte Paolo, der ebenfalls zum Essen hereingekommen war. Kaum hatte er erfahren, wer der Fremde am Tisch war, überschüttete er ihn schon mit Fragen. »Habt Ihr richtige Schlachten gesehen?«

»Schlachten *sieht* man nicht«, antwortete Charles ernst. »Wenn man kämpft, hat man keine Zeit, Maulaffen feilzuhalten.«

Alle warteten, dass er weitererzählte.

Sein Blick glitt zu Elisabetta und er zögerte.

»Erzählt ruhig weiter, Monsieur.« Sie wich seinem Blick nicht aus. »Ich habe schon selbst Erfahrungen in diesen Dingen sammeln müssen. Die Burg meines Vaters ist angegriffen worden, meine Eltern und mein kleiner Bruder wurden getötet. Meine Schwester, die später starb, und ich mussten Grässliches von der Hand der Angreifer erdulden.«

Sie hatte ihr ganzes Leben in wenigen Worten offen vor ihm ausgebreitet und wartete nun, was er darauf sagen würde.

Der ritterliche Hauptmann enttäuschte sie nicht. »Im Krieg benehmen sich manche Männer wie Tiere«, erwiderte er. »Im Namen meines Geschlechts möchte ich Euch mein aufrichtiges Bedauern aussprechen. Solche Vergehen sind unentschuldbar. Man kann seinen Gegner besiegen, auch töten, aber man muss dies ritterlich tun.«

»Ja«, stimmte ihm Paolo zu. »Ein Ritter kämpft ehrenhaft für eine ehrenhafte Sache.« Mein Freund Paolo träumte noch immer von ruhmreichen Kämpfen wie in seiner Kinderzeit.

Charles d'Enville seufzte. »Meine Erfahrung lehrt mich leider, dass ehrenhafte Gründe selten sind. Die Menschen kämpfen um ihren persönlichen Vorteil, nicht um Ruhm, und selbst wenn man ehrenhaft kämpft, ist es ein schmutziges und blutiges Geschäft.«

Ich musste an die Schlacht von Anghiari denken, besonders an die Freskoszene, die den Kampf um die Standarte zeigte. Die Leiber der Soldaten waren verrenkt, ihre Gesichter im Todeskampf verzerrt.

»In einem richtigen Krieg kämpfen die Männer ritterlich«, beharrte Paolo.

»Aber er ist dennoch entsetzlich«, erwiderte Charles. »Trotz unseres Sieges in Agnadello hatten wir großes Glück. Ich war bei der Reiterei unter Charles d'Amboise, dem Grafen von Chaumont, und wir wussten, dass sich das feindliche Heer in zwei Abteilungen gespalten hatte, als sie zum Angriff gegen uns bliesen. Der Anführer des ersten Trupps bezog auf einem Hügel über dem Dorf Stellung. Wir hatten den Befehl erhalten, den Berg zu stürmen, doch wir konnten ihre Linien nicht durchbrechen. Es regnete sehr stark und unsere Pferde blieben im Schlamm stecken. Dann kam der König mit dem Rest der französischen Armee. Ein blutiger Kampf begann, in dem wir mehr als viertausend von ihren Soldaten getötet und ihre gesamte Reiterei vernichtet haben. Als der Hauptmann des zweiten Trupps davon erfuhr, ergriffen seine Söldner die Flucht.« Charles blickte Paolo mit ernster Miene an. »Wenn es diesen Männern gelungen wäre, ihre Kräfte gegen uns zu vereinen, wäre es vielleicht anders für uns ausgegangen.«

»Aber es war ein großer Sieg«, sagte Paolo. »So viele Gegner auf einmal zu schlagen.«

»Jeder stirbt für sich allein«, entgegnete Charles leise.

»Du hast jemand sehr Seltenes an unseren Tisch gebracht, Elisabetta«, stellte ihr Onkel fest. »Einen Franzosen, der nicht nur Unsinn erzählt.«

Charles verbeugte sich. »Ich fasse dies als Kompliment auf, mein Herr.«

»Fasst es auf, wie Ihr wollt«, antwortete Elisabettas Onkel knapp und stand auf. »Ich muss mich wieder an die Arbeit machen.«

Beschämt senkte Elisabetta den Kopf, aber Charles tat so, als hätte er die Worte ihres Onkels überhört, und sagte zu Paolo: »Ich möchte Euch nicht betrüben, aber ich denke, es ist nur recht und billig, wenn ich Euch warne, dass das Soldatenleben hart ist. Viele sterben früh.«

Aber Paolo ließ sich von dem düsteren Bild, das Charles vom Krieg zeichnete, nicht abschrecken. »Ihr selbst wurdet verwundet, habt aber überlebt«, sagte er. »War die Verwundung sehr schwer?«

Charles erhob sich. »Ich sehe, dass mir nichts anderes übrig bleibt, als Euch die Ehrenmale meiner Kämpfe zu zeigen.« In seinen Augen konnte man deutlich sein Unbehagen lesen. Er riss sein Hemd auf. Eine große, gezackte Narbe verlief quer über seinen Bauch und hob sich blass von seiner gebräunten Haut ab.

Elisabetta presste die Hand vor den Mund.

»Meine Kriegswunden verfehlen ihren Eindruck auf die Damen nie«, sagte Charles mit einem Augenzwinkern. »Ein Schweizer Söldner hat versucht, mich mit seiner Hellebarde aufzuspießen«, erklärte er vergnügt. »Ich konnte meine eigenen Eingeweide sehen und schrie lauthals um Hilfe. Wenn mein Vetter, der Comte de Céline, mich nicht gehört und seinen eigenen Arzt mitgebracht hätte, der mich wieder zusammenflickte, wäre ich auf dem Schlachtfeld zugrunde gegangen.«

»Hat es sehr weh getan?«, fragte Elisabetta.

»Es hat schrecklich weh getan«, gestand Charles ein. »Als man mich wieder zusammennähte, habe ich geplärrt wie ein kleines Kind.«

Mir lief eine Gänsehaut über den Rücken, als ich mir vorstellte, wie das für ihn gewesen sein musste. Eine Nacht im Leichenhaus des Klosters der Heiligen Jungfrau Maria in Florenz fiel mir ein. Der Meister hatte die Eingeweide, die im Magen eines Mannes verschlungen lagen, entfernt, um sie zu untersuchen. Daran musste ich jetzt denken. Charles' Angreifer hatte wohl das Bauchfell durchstochen, nicht aber die Eingeweide selbst. Sonst hätte der Franzose beim Essen nicht so herzhaft zulangen können. Auf jeden Fall musste der Wundarzt des Comte de Céline ein sehr geschickter Mann gewesen sein, wenn er Charles' Verwundung kurieren konnte.

Baldassare, der uns beim Essen Gesellschaft geleistet hatte, hüstelte unauffällig. Charles beeilte sich, sein Hemd wieder zuzuknöpfen, und setzte sich.

»Ich bitte um Entschuldigung«, sagte er. »Manchmal kann ich nicht mehr aufhören, wenn ich von meinen Heldentaten erzähle.«

Später half ich Elisabetta, das Geschirr abzutragen. Der ungewohnte Besuch hatte ihre Augen zum Leuchten gebracht, und sie schwatzte und berichtete mir von den Fortschritten, die ihr Kräutergarten gemacht hatte, seit ich sie Ostern besucht hatte.

Von draußen war inzwischen das Klirren von Schwertern zu hören. Trotz der Nachmittagshitze hatte Paolo

Charles überredet, ihm ein paar Schwertattacken beizubringen.

»Erinnerst du dich noch daran, Matteo«, fragte mich Elisabetta, »wie du Paolo mit dem Dolch bedroht hast?«

»Sehr gut.«

Der Blick, den sie mir zuwarf, war reifer und verständiger als zu der Zeit, von der sie sprach. »Du warst es gewohnt, mit so einem Ding zu hantieren, Matteo.«

Es war eine Feststellung und keine Frage.

Ich brachte es fertig, gleichzeitig mit den Achseln zu zucken und zu nicken. »Wenn man den ganzen Tag auf der Straße ist«, sagte ich leichthin, »muss man lernen, auf sich selbst aufzupassen.«

»Du bist übers Land gezogen?«

Mir stockte das Blut in den Adern. Was hatte ich da eben gesagt? Ich versuchte, mir eine Erklärung auszudenken.

»Ja, warum nicht?«, erwiderte ich. »Als ich meinem Onkel davonlief, war ich lange unterwegs, ehe ich eine Arbeit fand.« Fieberhaft überlegte ich, wie ich die Rede auf ein anderes Thema bringen konnte. »Aber du«, fragte ich, »fühlst du dich wohl hier bei deinem Onkel?«

»Ja«, sagte sie. »Es geht mir nicht schlecht. Er ist sehr übellaunig, aber mit ein paar netten Worten kann ich ihn meistens doch für mich gewinnen. Paolo ist zu stolz dafür. Und er verabscheut die Arbeit auf dem Bauernhof. Er träumt immer noch davon, zu den Waffen zu greifen und unsere Familie zu rächen.«

»Aber wie kann er die Leute finden, an denen er sich rächen will?«, fragte ich. »Diese Männer sind längst in alle Winde verstreut, vielleicht sind sie schon tot.«

»Paolo glaubt inzwischen, dass sie nicht nur im Dienst Cesare Borgias standen. Vielleicht besteht auch eine Verbindung zu den Medici. Erinnerst du dich an den Mönch in Averno, der uns versteckte, als sie hinter uns her waren?«

Ich nickte. Mein Magen krampfte sich zusammen. Die Nacht, in der wir uns bei den Pestopfern versteckt hatten. Wie könnte ich das je vergessen?

»Dieser Mönch hat seiner Schwester im Konvent von Melte einen Brief geschrieben und sie hat wiederum mir geschrieben. Bruder Benedikt hat herausgefunden, dass der Anführer der Leute ein Bandit namens Sandino war.«

Sandino.

Meine Kehle war wie zugeschnürt. Dieser Name aus Elisabettas Mund ließ mein Herz sogar an einem heißen Sommertag vor Kälte erstarren.

»Besagter Sandino ist ein Spion und Meuchelmörder«, fuhr sie fort. »Der Mönch ließ mir ausrichten, der Mann sei ein Brigant, der einfach für denjenigen arbeitet, der ihn am besten bezahlt. Und obendrein sei er ein Verräter, der ein doppeltes Spiel treibt.«

»Wie kann der Mönch dann wissen, in wessen Dienst dieser Mann stand, als er Perela überfiel?«, fragte ich.

»Du kennst Bruder Benedikt besser als ich«, gab mir Elisabetta zur Antwort. »Aber er ist ein ehrenwerter Mann und ich glaube ihm aufs Wort. Seiner Meinung nach hat Sandino im Auftrag der Borgia gehandelt, als er Perela überfiel.«

»Aber das ist Unsinn«, sagte ich, um sie absichtlich in Verwirrung zu stürzen. »Perela war eine Bastion der Borgia. Mein Meister hatte den Auftrag, die Befestigungsanlagen dort zu verbessern. Cesare Borgia wollte die Burg stärken, er wollte sie nicht zerstören.«

»Irgendetwas muss ihn dennoch dazu veranlasst haben«, überlegte Elisabetta laut. »Abgesehen davon haben sie die Burg ja nicht zerstört. Es war etwas *in* der Burg, nach dem sie suchten.«

Ich brachte kein Wort hervor.

»Aber wer kann ahnen, was damals in Cesare Borgias Kopf vorging.«

»Ja, wer kann das?«, stieß ich hervor. »Jetzt ist Il Valentino tot. So hat Paolos Wunsch nach Wiedergutmachung wohl ein Ende.«

Elisabetta sah mich erstaunt an. »Aber du weißt doch sicher, Matteo, dass Paolo dem Papst die Schuld an unserem Unglück gibt? Ihm zu schaden, wo immer er kann, das ist es, woran mein Bruder Tag und Nacht denkt. Und er wird nicht eher ruhen, bis sein Rachedurst gestillt ist.«

KAPITEL 50

Charles musste wieder in die Kaserne zurück und sich bei seinem Vorgesetzten melden, aber Elisabetta bat mich, noch etwas länger zu bleiben.

Im Hof machte Charles sich bereit, mit dem Stallburschen nach Mailand zu reiten. Wieder ergriff der Franzose Elisabettas Hand und verbeugte sich.

»Es ist sehr schwierig für einen Soldaten im Feld, mit einer Dame Korrespondenz zu führen. Darf ich dennoch um die Erlaubnis bitten, Euch zu schreiben?«

»Mein Herr, ich freue mich schon jetzt auf Eure Briefe.«

Charles lächelte. »Und ich würde mich geehrt fühlen, wenn Ihr sie einer Antwort würdig fändet.«

Als er in den Sattel stieg, sagte sie: »Bitte, versucht in Zukunft Schweizer Söldnern aus dem Weg zu gehen.«

Sie schaute lächelnd zu ihm hoch, und in diesem Augenblick fiel mir auf, dass ich sie schon sehr lange nicht mehr so heiter erlebt hatte.

Nachdem die beiden fortgeritten waren, spazierten Elisabetta und ich schweigend in den Garten. Dort zeigte sie mir ihre Kräuterbeete, und wir sprachen darüber, wie man am besten Pflanzen trocknete und verschiedene Arzneien daraus zubereitete. Ich kramte aus meiner Hemdtasche Samen hervor, den ich für sie auf dem Markt in Mailand gekauft hatte.

»Du musst bis zum Frühling warten«, sagte ich. »Sie wachsen gut, brauchen aber ein schattiges Plätzchen.«

»Der Garten ist mein Zufluchtsort geworden«, sagte sie. »Mein Onkel hat nichts dagegen, wenn ich hier meine Zeit verbringe, denn mit dem Ertrag lässt sich ein wenig Geld verdienen. Die getrockneten Kräuter verkaufe ich im Dorf und einen Apotheker in der nahe gelegenen Stadt versorge ich mit ganz bestimmten Heilpflanzen.«

Ihre Aufgabe schien ihr Freude zu bereiten, und ich versprach, mich in Mailand umzuhören, ob es auch dort Apotheker gab, die sie beliefern konnte.

Ehe ich mich verabschiedete, sprach ich noch einmal mit Paolo. Er war nicht ganz so schwermütig wie sonst. Aber das lag nicht an mir, sondern an dem Gespräch und der Übungsstunde mit dem französischen Hauptmann.

»Charles sagte, einem kampfeswilligen Mann böten sich jede Menge Möglichkeiten«, sagte er zu mir.

Wir waren auf dem Weg zu meinem Pferd im Stall stehen geblieben.

»Den französischen Truppen willst du aber nicht beitreten?«, fragte ich ihn.

»Auf die Seite des Papstes stelle ich mich ganz gewiss nicht. Aber es gibt viele unabhängige Condottieri, die einen kräftigen Mann mit einer gewissen Erfahrung im Schwertkampf brauchen können.« Verdrossen versetzte Paolo der Stalltür einen Tritt. »Wenn ich doch nur genug Geld hätte, um Waffen und ein Pferd zu kaufen!«

Es dämmerte bereits, als ich mich auf den Rückweg nach Mailand machte.

Etwas zögerlich näherte ich mich der Wegbiegung, wo wir am Morgen das fahrende Volk angetroffen hatten. Aber wie erwartet, war keine Spur mehr von ihnen zu sehen. Sie hatten die jungen Pappeln losgebunden, ihre Habseligkeiten zusammengepackt und das Feuer ausgetreten. Es war, als hätte es sie nie gegeben.

Abgesehen von der Münze.

Die lag immer noch da.

Ich wusste genau, warum der Mann, wie arm er auch sein mochte, sie liegen gelassen hatte. *Wir sind keine Hunde, denen man einen Knochen vorwirft, damit sie im Dreck danach kriechen.* Hätte Charles einen Weg gefunden, wie der Mann das Geld annehmen konnte und zugleich seine Würde bewahrte, hätte dieser es nur zu gerne angenommen. Der französische Hauptmann hätte so tun können, als wollte er ihm etwas abkaufen, oder er hätte um irgendeine Auskunft gebeten oder vielleicht sogar so getan, als wolle er sich die Zukunft wahrsagen lassen. Auf jeden Fall aber hätte er vom Pferd steigen müssen. Es dem Mann jedoch einfach vor die Füße zu werfen, war beleidigend.

Auch ich ließ die Münze liegen.

Das war ein Fehler.

Ich hätte sie aufheben sollen. Später diente sie anderen als Wegmarkierung.

Sie zeigte einen Ort an, an dem ich vorbeigekommen war, und war daher von Interesse, denn es konnte ja sein, dass ich irgendwann erneut diesen Weg einschlug.

Sie zeigte die Stelle an, die für einen Hinterhalt geeignet war.

KAPITEL 51

Noch vor Jahresende reiste der Meister mit mir und seinem Gefolge nach Pavia.

Sein Freund, Professor Marcantonio della Torre, unterrichtete an der Universität und nahm Leichenöffnungen vor in einem großen Saal, der speziell zu diesem Zweck eingerichtet worden war. Wenn wir die öffentlichen Vorführungen besuchten, war für den Meister stets ein Ehrenplatz reserviert. Sein Stuhl befand sich vor den Sitzbänken der Studenten, ganz nah am Tisch, auf dem die Leiche lag, und ich stand neben ihm. An diesen Tagen zwängten wir uns durch Scharen wartender Studenten und anderer Interessierter, die viel Geld für eine Eintrittskarte bezahlten. Vor den Toren der Universität tummelten sich feilschende Hausierer, die parfümiertes Papier anboten, Schals und kleine Seidenbeutelchen mit Weihrauch – alles Mittel, um den fauligen Gestank zu ertragen.

Die erste Leichenöffnung, der ich in Pavia beiwohnte, wurde an einem jungen Mann vorgenommen, der an einem inneren Abszess gestorben war. Sein Magen war schrecklich aufgebläht und voller Eiter. Der Gestank war so widerwärtig, dass ich mir wünschte, eine Münze dabeizuhaben, um mir eines der seidenen Säckchen zu kaufen. Der Meister schien den Gestank gar nicht zu bemerken. Er stand auf und warf einen Blick auf den Mageninhalt, während ein Gehilfe die grünliche Flüssigkeit in einen Glasbehälter goss. Professor della Torre thronte auf einem erhöhten Podest. Neben ihm stand ein nackter Mann und auf der anderen Seite hatte man ein Skelett aufgestellt. Mit einem langen Zeigestab deutete er abwechselnd auf beide, während der Wundarzt seine Schnitte setzte, und erörterte die Bedeutung der Organe. Eine Frau fiel auf der öffentlichen Galerie in Ohnmacht und musste aus dem Saal getragen werden. Ihren Platz nahm sofort einer der draußen vor der Tür Wartenden ein.

Der Meister stieß mich an und zeigte auf mehrere Gehilfen, die Essig versprengten und in Kohlebecken Rosmarin verbrannten.

»Das ist sicher angenehmer, als den eigenen Urin einzuatmen«, meinte er. »Aber ich vermute, wenn der Wundarzt erst einmal die inneren Organe freilegt, wird es nicht mehr viel nützen.«

Und tatsächlich, immer mehr Zuschauer fingen an zu husten und zu würgen. Ich hörte, wie die Leute, die dicht gedrängt auf den Bänken saßen, flüsterten, dass der Leichnam bereits anfing zu verwesen und wohl aus einem Grab hervorgeholt worden war.

Beim Abendessen sprach der Meister mit Professor della

Torre darüber. Grabschändung war ein Vergehen, auf das die Todesstrafe stand. Der Professor erklärte uns, dass die Studenten oft von weit her einen Leichnam stahlen und ihn heimlich selbst untersuchten.

»Was nicht ohne Risiko ist«, fügte er hinzu. »Das Landvolk bewacht inzwischen die Friedhöfe und greift jeden an, der sich nachts dort zu schaffen macht.«

»Empfehlt Euren Studenten, den Soldatentrupps durchs Land zu folgen«, sagte der Meister mit ernster Miene. »Da wird es bald genug Leichen geben.«

»Glaubt Ihr, der Sieg der Franzosen hat diesem Krieg noch immer kein Ende gesetzt?«

»Ihre Allianz mit dem Papst lässt die Franzosen glauben, ihre Stellung im Land sei gesichert«, sagte Graziano. »Aber sie haben sich mit einem Fuchs eingelassen. Einem schlauen alten Fuchs. Er wird ihnen in den Rücken fallen.«

»Der Heilige Vater strebt nach Einheit«, versicherte Felipe, der ein frommer Kirchgänger war. »Aber dazu muss er fremde Besatzer vertreiben, Republiken wie die in Florenz zu einem Ende bringen und in den Stadtstaaten Regenten einsetzen, die dem Papsttum wohl gesonnen sind.«

»Heißt das, er will die Sforza zurück nach Mailand holen?«, fragte della Torre.

»Ich bin überzeugt davon«, sagte Felipe. »Und Florenz will er den Medici zurückgeben.«

Von den Leichenöffnungen abgesehen, saß der Meister die meiste Zeit über seinen Notizbüchern und beschäftigte sich mit Gewässern oder dem Licht. Und er malte an dem Porträt von Donna Lisa weiter.

Er hatte sie aufgesucht, als er nach Florenz zurückgekehrt war, um einen Streit mit seinen Brüdern über das Erbe seines Onkels beizulegen. Der Meister hatte nicht offen darüber gesprochen, aber es ging um ein Stück Land, und ich hörte, wie Felipe zu Graziano sagte, der Meister sei gezwungen, vor Gericht zu gehen. Einem ehelich Geborenen wäre das nicht passiert. So verfolgte ihn der Makel seiner Geburt bis ins hohe Alter.

In der Via della Stufa in Florenz erfuhr er, dass Donna Lisa wohlbehalten ein Kind zur Welt gebracht hatte. Es trug den Namen Giocondo.

Den Winter verbrachten wir in Pavia. Es stellte sich heraus, dass der Meister nicht nur wegen seiner Studien in die Stadt gekommen war, sondern auch meinen Nutzen im Sinn hatte. Die Bibliothek beherbergte wundervolle Bücher und unter seiner Anleitung vertiefte ich meine Leseerfahrungen.

Eines Tages – ich legte Tinte und Feder für ihn bereit, denn er wollte die Sehnen eines Männerarms in allen Feinheiten zeichnen – sagte er zu mir: »Sieh dir das an und staune!« Seine Aufforderung bezog sich nicht auf seine eigene künstlerische Fertigkeit, sondern auf das feine und wirkungsvolle Zusammenspiel des menschlichen Körpers. »Der Mensch ist eine Maschine«, sagte er. »Eine vollendete, perfekte Konstruktion.«

Ich musste an die Hühnerbeine in Perela denken. Der Meister hatte damals Hühnerbeine eines frisch geschlachteten Kapauns genommen und an die Sehnen dünne Schnüre gebunden. Paolo und ich hatten sie unter den Ärmeln versteckt und waren leise zu Elisabetta und Rossana geschlichen. Mit den Stümpfen berührten wir den Nacken der beiden Mädchen und zogen an den Schnüren, damit die Krallenfüße sich bewegten. Die beiden waren kreischend davongerannt – mir aber war nicht bewusst gewesen, dass dieses kindische Spiel eine Lehrstunde über den Körperbau gewesen war.

Ich streckte die Hand aus und hielt sie gegen das Sonnenlicht. Durch die Haut schimmerten dunklere Stellen, an denen sich die Knochen befanden. Wenn es ein Licht gäbe, dass hell genug wäre, um hindurchzuscheinen, bräuchte man keine Toten mehr aufzuschneiden, um herauszufinden, wie der menschliche Körper sich selbst in Bewegung setzt. Ich schloss die Finger zur Faust und streckte sie wieder.

»Woran denkst du, Matteo?« Er beobachtete mich.

»Ich überlege gerade, wie es kommt, dass ich eine Faust ballen kann, ohne darüber nachzudenken.« Dann erzählte ich ihm von Perela und dem kleinen Dario in seinem Kinderbettchen. Einmal wollten die Mädchen ihn aufwecken. Sie streckten beide den kleinen Finger aus und berührten damit seine Handflächen. Im Schlaf schlossen sich seine winzigen Fingerchen und hielten die Finger der Schwestern umklammert. »Warum hat er das gemacht?«

»Ich denke, das geschah unbewusst. Diese unwillkürliche Bewegung dient vermutlich einem bestimmten Zweck in der Entwicklung eines Kindes. Aber«, er zögerte kurz, »ein Kirchenmann würde entgegenhalten, dass Gott es eben so gewollt hat.«

»Ja, aber warum hat Gott es so gewollt?«

Er schaute mich belustigt an. »Es gab eine Zeit, Matteo, da hättest du eine solche Frage für Ketzerei gehalten.«

»Ich kann nicht nachvollziehen, was falsch daran sein soll, den Dingen auf den Grund zu gehen.«

»Es gibt viele, die anderer Meinung sind. Sie fürchten sich vor dem, was sie herausfinden könnten.«

»Aber Gott muss sich nicht vor seiner eigenen Schöpfung fürchten«, wandte ich ein.

Meister Leonardo nickte zustimmend. »Nicht, wenn er die Wahrheit ist, wie die Kirche behauptet.«

»Es gibt eine alte Sage, wonach Prometheus den Menschen aus Lehm gemacht habe und dafür bestraft wurde.«

»Ja. Er galt als geschickter Metallhandwerker und Alchemist.«

»Wie Zoroastro«, sagte ich.

»Ja«, seufzte der Meister. »Wie Zoroastro.« Ein Schatten glitt über sein Gesicht und die Falten an Mund und Augen vertieften sich.

Bisher war er mir nie alt vorgekommen. Sein Gesicht war voller Leben, insbesondere die Augen funkelten stets aufmerksam und wissbegierig. Aber nachdem ich den Namen seines Freundes erwähnt hatte, der so grausam in Fiesole zugrunde gegangen war, sah man ihm plötzlich sein Alter an.

»Ob der Mensch wohl je ein Heilmittel für so schlimme Verletzungen finden wird?«

»Vielleicht«, sagte er. »Aber nun bin ich müde, Matteo. Geh und lass mich ein wenig ausruhen.«

Am darauf folgenden Morgen stand ich zeitig auf und setzte mich an meine Bücher. Abends wurde es jetzt früher dunkel und ich musste das Tageslicht ausnutzen. Ich saß in einem Innenhof, vermummt gegen die morgendliche Kühle, als Graziano zu mir kam.

»Der Bote hat gerade einige Päckchen gebracht. Und diesen Brief. Er ist für dich.«

Ich erkannte die Schriftzüge sofort. Es war ein Brief von Elisabetta dell'Orte.

KAPITEL 52

Mein lieber Matteo,

ich schreibe, um dir mitzuteilen, dass mein Onkel sehr krank geworden ist. Aus heiterem Himmel brach er bei der Feldarbeit zusammen. Paolo war auf dem Markt in Mailand und ich war im Haus beschäftigt. Mein Onkel konnte sich weder mehr bewegen noch um Hilfe rufen, sodass er womöglich längere Zeit hilflos dalag.

Als er zum Mittagessen nicht nach Hause kam, ging ich aufs Feld hinaus und sah, was geschehen war. Da ich ihn nicht allein aufheben konnte, rannte ich zum Nachbarhof. Baldassare nahm eine Decke mit, und gemeinsam schafften wir es, den Onkel darauf zu legen und ins Haus zu schleifen. Mein Onkel kann seine Glieder auf einer Seite nicht mehr bewegen und nur sehr undeutlich sprechen. Er gibt mir mit Zeichen zu verstehen, was er möchte.

Baldassare ist sehr gut zu uns gewesen und hat den Arzt bezahlt. Der hat meinen Onkel zweimal zur Ader gelassen, was aber nicht viel geholfen hat, sondern, wie ich glaube, meinen Onkel noch mehr schwächte. Ich behandle ihn mit heißen Umschlägen und flöße ihm Gerstensuppe ein und Milch mit Kamille und Baldrian. Ich weiß mir keinen anderen Rat mehr, wie ich meinem Onkel wieder gesund machen oder zumindest seine Beschwerden lindern kann.

Matteo, da du dich mit Heilkräutern auskennst, bitte ich dich um deinen Rat. Allerdings wird dich der Unterricht sehr in Anspruch nehmen, sodass dir nicht viel Zeit übrig bleibt, weshalb ich es natürlich verstehe, wenn du mir nicht sofort antworten kannst.

Deine dich liebende Schwester und Freundin
Elisabetta

Ich zeigte den Brief Meister Leonardo.

»Mit Eurem Einverständnis«, sagte ich, nachdem er ihn zu Ende gelesen hatte, »werde ich Messer della Torre bitten, ob er mir in dieser Angelegenheit einen Rat geben kann.«

Er gab keine Antwort, sondern trat an ein Regal, zog einen Stapel Papier heraus und blätterte ihn durch, bis er schließlich gefunden hatte, was er suchte.

»Hier, Matteo, sieh dir das an.«

Ich sah mir die Skizze an, auf die er gedeutet hatte.

»Warst du bei dieser Leichenöffnung dabei? Es handelte sich um einen alten Mann von über hundert Jahren, der im Spital in Florenz starb.« Der Meister schlug ein kleines Notizbuch auf, das zwischen den Blättern lag. »Ich habe meine Beobachtungen niedergeschrieben. Seine Arterien waren dünn und brüchig. Wie bei einem verstopften Kanal hinderten sie den Blutfluss.«

»So wie bei Umberto, dem alten Mann, den Ihr im Leichenhaus in Averno untersucht habt?«

»Ja«, stimmte er mir zu. »Dieser Anfall, den Elisabettas Onkel erlitt, kommt häufig im Alter vor«, fuhr er fort. »Wenn der Blutfluss gestört ist, beeinträchtigt das auch das Zusammenspiel anderer Körperteile.«

Die Zeichnung, die er mir zeigte, war mir unbekannt. Offenbar hatte er den Leichnam untersucht, als er wegen der Erbstreitigkeiten nach Florenz gereist war. Mir fiel auf, dass er seine Vorgehensweise weiterentwickelt hatte. Die Organe waren von verschiedenen Blickwinkeln aus gezeichnet. Unwillkürlich legte ich die Hand auf meinen Arm. Ich spürte die Sehnen und Muskeln und sogar noch tieferes Gewebe. Er hatte die einzelnen Schichten unter der Haut gezeichnet; es war gewiss das Ergebnis endlos vieler Stunden Arbeit, in denen er selbst Hand angelegt hatte und nicht, wie es bei anderen üblich war, einen Wundarzt die Schnitte setzen und die Organe entnehmen ließ.

»Schau es dir an, Matteo«, sagte er. »Einige meiner Beobachtungen stehen im Widerspruch zu überliefertem Wissen. Wenn du nichts in Frage stellst, setzen sich Irrtümer immer weiter fort, von einem Gelehrten zum nächsten.«

»Eure Erkenntnisse verhelfen uns zu einem besseren Verständnis, warum etwas passiert.«

»Du bist immer auf der Suche nach dem Warum, nicht wahr, Matteo?«

Ich fing seinen Blick auf und sah den Stolz in seinen Augen. Aber es war nur ein kurzer Moment, sodass ich mir gleich danach nicht mehr sicher war.

»Aber warum ist der Mann nur auf einer Seite gelähmt?«, murmelte er halblaut vor sich hin. Er schrieb an den Rand des Blatt Papiers: *Diese Frage prüfen.* »Woran könnte es liegen?«, überlegte er weiter. »Was löst die Symptome aus, die Elisabetta beschrieben hat? Uns sind verschiedene Krankheiten bekannt, die sich auf diese Weise äußern. Julius Caesar litt beispielsweise unter Fallsucht. Aber …« Er sah mich an. »Matteo, du hast doch diesen Onkel kennen gelernt. Ist dir an ihm irgendetwas aufgefallen?«

Ich schüttelte den Kopf.

»Wie alt ist er?«

»So um die sechzig, vielleicht auch älter. Das ist schwer zu sagen. Er hat sein ganzes Leben lang unter freiem Himmel hart gearbeitet.«

»Wie ist seine Gemütsverfassung?«

»Er ist sehr schroff.«

»Missgelaunt?«

»Ein wenig…«, sagte ich zögernd. Ich dachte darüber nach, wie es dazu kam, dass ein Mensch den einen oder anderen Ruf erwarb. Der eine galt als faul, der andere als habgierig. Manchmal beruhte diese Einschätzung aber auch auf dem bösen Willen anderer. Tatsächlich hatte ich Elisabettas Onkel nie jähzornig erlebt, vielmehr waren seine Gesichtszüge weich geworden, wann immer er seine Nichte ansah. Vielleicht erinnerte sie ihn an seine tote Schwester, Donna Fortunata. Er war einsam und alt, er arbeitete schwer und verhielt sich abweisend gegenüber allen, die das nicht taten.

»Ich sehe, du denkst über meine Frage nach, Matteo«, sagte der Meister. »Das ist gut so. Jeder noch so kleine Hinweis kann zur Heilung beitragen.«

»Meint Ihr, seine brüske Art hat etwas mit dem Fortschreiten der Krankheit zu tun? Könnte es nicht sein, dass er lediglich ein düsteres Gemüt hat?«

»Ja und nein«, sagte der Meister. »Alles hat seinen Grund. Auch seine seelische Verfassung kann ihre Ursache in einer schleichenden Erkrankung des Körpers haben. Cesare Borgia, ein der Fleischeslust zugetaner Mann, litt sehr unter dem, was man die Französische Krankheit nennt. Sie fängt mit Furunkeln an und kann zum Tod führen, darüber hinaus zersetzt sie jedoch, wie ich glaube, auch das Gehirn. Sie beeinflusst das Verhalten des Kranken bis hin zu Anfällen von Wahnsinn.« Er sah mich eindringlich an. »Vergiss das nicht, Matteo. Du bist in einem Alter, wo du erste Liebesbande knüpfst. Lass dir gesagt sein: Flüchtige Abenteuer bergen allerlei Gefahren.«

Seine Worte machten mich verlegen, was er aber nicht zu bemerken schien, weil er sich ohne ein weiteres Wort bereits wieder seinen Studien zugewandt hatte. Selbst in Zeiten der Gefahr, wurde mir nun klar, hatte er Il Valentino und dessen Verhalten genau beobachtet.

Der Meister ließ mich allein zurück mit der Aufforderung, mich wieder meinen Lehrbüchern zu widmen, und dem Versprechen, sich später um die Angelegenheit zu kümmern.

Nach Elisabettas Brief fiel es mir schwer, mich zu konzentrieren und nicht an ihre Sorgen zu denken. Der Text von Petrarch, der mich vorher so neugierig gemacht hatte, fesselte mich nicht mehr. Wenn doch nur meine Großmutter noch gelebt hätte! Sie hätte die passende Arznei gefunden. Ich hatte miterlebt, wie sie alte Leute, die unter ähnlichen Beschwerden litten, versorgte. Einmal, in einem großen Lager in Bologna, traf sie auf einen Anführer eines bedeutenden Familienclans, der seine Glieder nicht mehr bewegen konnte und auf einem Auge blind war. Kaum hatten seine Angehörigen erfahren, dass meine Großmutter in der Nähe war, schickten sie nach ihr und baten sie um Hilfe. Lange brütete sie über ihrem Arzneibuch und suchte nach einem Mittel zur Linderung seines Gebrechens.

Ihr Arzneibuch!

Es lag noch immer in der Holzkiste, tief unter der Erde, irgendwo nördlich von Bologna. Ich war mir sicher, die Stelle wiederzufinden, aber sie war zu weit weg von hier, als dass ich einfach so dorthin gehen und ihr Buch ausgraben könnte.

Etwa eine Stunde später – ich saß noch immer über meinen Büchern und grübelte – riss Felipe mich aus meinen Gedanken.

»Matteo, der Meister hat mir aufgetragen, dir das hier zu geben.« Er reichte mir ein Päckchen. »Darin ist eine Medizin aus der Universitätsapotheke sowie genaue Anweisungen, wie sie anzuwenden ist.«

Ich sah ihn überrascht an, aber Felipe sprach sofort weiter. »Der Meister gibt dir die Erlaubnis, deine Freunde zu besuchen. Ich habe bereits mit dem Hufschmied gesprochen. Er wird dir sagen, wie du von hier aus zum Hof kommst. Der Meister hat das Pferd mehrere Tage für dich gemietet, damit du die Arznei überbringen kannst.«

Ich sprang auf die Füße. »Ich … ich danke dir dafür«, stammelte ich.

»Danke nicht mir.« Felipe hob abwehrend die Hände. »Danke Meister Leonardo, wenn du zurückkommst.«

Ich nahm das Päckchen an mich.

»Nun geh schon, Matteo«, sagte Felipe und scheuchte mich davon. »In der Hufschmiede wartet ein Pferd auf dich. Gib Acht, wenn du unterwegs bist, und gute Reise.«

KAPITEL 53

Um von Pavia aus nach Kestra zu gelangen, musste ich südlich von Mailand einen Bogen schlagen, vorbei an der Stadt Lodi.

Auf den Straßen waren weniger Soldatentrupps unterwegs, was erleichternd war. Die Lombardei sieht etwas anders aus als die Toskana, aber als ich Lodi hinter mir gelassen hatte und nach Süden in die Poebene ritt, bot sich mir eine wunderschöne Landschaft dar. Meine Wegstrecke führte durch eine Felsrinne mit hohen Böschungen. Tief in einer Schlucht rauschte und gurgelte das Wasser. An so einem Ort, unter einem Wasserfall, hatte damals mein neues Leben begonnen.

Den Hinweisen des Hufschmieds folgend, erreichte ich schließlich die Straße, die von Süden aus zum Hof von Elisabettas Onkel führte.

Es war unverkennbar, dass die zupackende Hand des Besitzers fehlte. Das Gras war inzwischen viel zu hoch und die Hühner rannten aufgeregt im Hof herum. Niemand trat vor die Tür, um mich zu begrüßen.

Elisabetta war im Haus und kümmerte sich um ihren Onkel; Baldassare, ihr Nachbar, war ebenfalls da. Neben dem Krankenbett standen zwei Stühle und darauf saßen die beiden, Tag und Nacht, und wechselten sich bei der Pflege des Kranken ab. Der alte Mann war nur noch ein Schatten seiner selbst. Er erinnerte mich an eine der verdrehten, grotesken Figuren, die der Meister gern zeichnete. Seine Augenlider hingen herab, der Mund war auf einer Seite schief und das Gesicht war schrecklich verzerrt. Aber Elisabetta umsorgte ihn, als würde ihr das alles nichts ausmachen.

Als ich das Krankenzimmer betrat, legte sie die Hand auf seinen Kopf. »Onkel«, sagte sie laut und deutlich, »Matteo ist da, um dich zu besuchen.«

Der alte Mann rührte sich nicht.

Elisabetta stopfte ihm ein Kissen in den Rücken. »Hilf mir, Baldassare«, sagte sie, »damit mein Onkel sich aufsetzen kann.«

Der Kranke stöhnte und keuchte, als sie ihn aufrichteten. Baldassare redete ihm gut zu, woraufhin sein Blick etwas klarer wurde. Er öffnete die Augen, starrte mich an und versuchte, etwas zu sagen, aber es floss nur Speichel aus seinem Mund.

»Siehst du?«, sagte Elisabetta munter. »Er erkennt dich, Matteo.«

»Onkel…« Sie beugte sich zu ihm hinunter. »Matteo hat eine Medizin von den besten Ärzten mitgebracht. Stell dir vor, ein Freund von Meister Leonardo hat sie ihm gegeben. Ruh dich aus, ich werde dir einen Aufguss zubereiten.«

»Ich muss dir etwas sagen, Elisabetta«, begann ich, als wir hinausgingen und Baldassare am Krankenlager zurückließen. »Alles, was du tun kannst, ist, deinem Onkel etwas Bequemlichkeit zu verschaffen. Die Kräuter werden ihm guttun, aber der Schaden, den sein Körper genommen hat, wird nicht zu heilen sein.«

Wir traten hinaus in den Hof. »Das war zu erwarten«, sagte sie. »Er ist alt.«

Ich spürte, dass noch etwas anderes sie beunruhigte. »Wo ist eigentlich Paolo?«, fragte ich.

»In einem Wirtshaus in Lodi.«

»Ah.« Ich wartete ab, ob sie noch mehr sagen würde.

»Er verbringt viel zu viel Zeit in schlechter Gesellschaft. Ich mache mir Sorgen um ihn.«

Ehe ich etwas erwidern konnte, wurden wir von einem ungebetenen Besucher unterbrochen. Ein Mann kam in den Hof geritten und stieg ab. Hochmütig ließ er den Blick über das Anwesen schweifen und schritt dann zielstrebig auf die Scheune zu. Ich rief ihn zurück und fragte, was er hier wolle.

»Ich bin Rinaldo Salviati«, verkündete er. »Wie ich hörte, ist der Hofbesitzer krank. Ich bin gekommen, um mich ein wenig umzuschauen, im Hinblick auf einen möglichen Kauf.«

»Hier gibt es nichts zu kaufen«, sagte Elisabetta ärgerlich.

»Jetzt noch nicht, aber bald«, erwiderte er und trat näher. »Du bist also das Mädchen Elisabetta.« Er musterte sie ungeniert. »Ich bin unverheiratet. Ich könnte dir ein Angebot machen und dich mitsamt dem Hof übernehmen.«

Ich ballte die Faust und holte aus.

Noch nie hatte ich jemanden ernsthaft geschlagen, aber dieser Treffer saß. Blut schoss aus seiner Nase, und er schrie vor Schmerz auf, aber ich muss es gestehen: Sein Anblick verschaffte mir eine solche Befriedigung, dass ich nicht zurückschreckte. In diesem Moment erlag auch ich dem verführerischen Reiz der Gewalt über einen anderen Menschen.

Er zog sich mühsam in den Sattel hoch, packte die Zügel und ritt ohne ein weiteres Wort davon.

»Nun, Matteo«, sagte Elisabetta. »Was meine Heiratschancen anbelangt … so hast du sie im Handumdrehen zunichte gemacht.«

»Wenn der das beste Angebot war, ist es nicht schade drum.«

»Er war nicht das beste, er war das einzige. Es ist hier allgemein bekannt, was mir damals in Perela passiert ist, und ich kann es mir nicht erlauben, in diesem Punkt wählerisch zu sein.«

Ihre Worte trafen mich. Natürlich, daran hatte ich nicht gedacht: Der Mann, den ich gerade niedergeschlagen hatte, war vielleicht der Einzige, der über Elisabettas Vergangenheit hinweggesehen hätte. »Es tut mir Leid …«

Verblüfft stellte ich fest, dass sie lachte.

»Ich würde mich eher mit einem Misthaufen verbinden als mit diesem Grobian«, erklärte sie. »Am liebsten hätte ich ihm selbst einen Kinnhaken verpasst.«

Nun musste auch ich lachen. »Mich wundert nur, dass du das nicht getan hast.«

»Es tut gut, zu lachen«, sagte sie. »Das habe ich schon lange nicht mehr gemacht.« Sie packte mich am Arm. »Komm, lass uns Beeren sammeln.«

»Jetzt, um diese Jahreszeit?«

»Komm mit!«

»Dein Onkel«, sagte ich. »Können wir ihn denn allein lassen?«

»Baldassare hat sich in den vergangenen Wochen als treuer Freund erwiesen. Ich vertraue ihm völlig.« Sie zog mich zu einem Hoftor, das hinaus aufs Weideland führte. »Komm, Matteo. Lass uns gehen.« Sie nahm meine Hand. »Und lass uns rennen.«

Wir rannten und rannten und rannten, bis sie nicht mehr konnte.

»Halt, Seitenstechen«, keuchte sie.

Ich drehte mich zu ihr um. Und plötzlich hatte ich den starken Wunsch, sie zu küssen. Nicht weil sie Elisabetta war, sondern weil sie eine junge Frau war und so hübsch und weil sie errötete und mein Blut in Aufruhr brachte. Es war Sommer und sehr warm und...

Ich packte sie am Handgelenk und zog sie weiter.

Wir rannten bis zum Fluss. Eine ausladende Weide bog sich über dem Ufer. Ausgelassen planschten wir im Wasser unter ihrem grünen Baldachin, da, wo es kühl ist, und dann fielen wir atemlos ins Gras.

Dort blieben wir keuchend liegen. Aus einem Grund, den ich selbst nicht recht verstand, stiegen mir Tränen in die Augen. Ich legte die Hand übers Gesicht und atmete ganz langsam, bis ich mich wieder gefasst hatte. Dann rollte ich mich zur Seite und betrachtete Elisabetta.

Sie war eingeschlafen.

Wie ein kleines Kind lag sie da und schlief. Die Arme über den Kopf gestreckt, sah sie fast aus wie ihr kleiner Bruder Dario.

In Florenz und Mailand hatte ich viele, viele Gemälde von Frauen gesehen – Damen mit sittsam niedergeschlagenen Augen, nackte Frauen, hübsche junge Mädchen, Kurtisanen – Abbilder der Weiblichkeit, geschaffen von den besten Künstlern der Welt. Aber all das war nichts im Vergleich dazu, neben einem schlafenden Mädchen zu liegen, einem atmenden, lebendigen Wesen aus Fleisch und Blut. Die Schatten der Wimpern, die zarte Röte der Wangen, der leicht geöffnete Mund mit dem sanften Schwung der

Lippen – lange Zeit lag ich nur da und schaute Elisabetta an. Dann stand ich auf, setzte mich an einer anderen Stelle ans Ufer und tauchte die Finger ins Wasser.

Bei unserer Rückkehr trafen wir Baldassare draußen im Hof an. Er half gerade Paolo vom Pferd.

Paolo schwankte und geriet ins Stolpern. »Mein Bruder!«, rief er und fuchtelte wild mit den Armen.

»Paolo.« Ich streckte den Arm aus, um ihn zu stützen.

Er sah mich an. »Mein Bruder, Matteo.« Seine Augen funkelten wie glühende Kohlen. »Ich hatte noch einen anderen Bruder. Aber er ist tot.«

»Ich weiß«, sagte ich leise.

»Ich habe ihn umgebracht.«

»Das stimmt nicht.«

»Doch. Ich habe ihn getötet. Meine Feigheit hat sie alle getötet.«

»Nein, nein, Paolo«, mischte Elisabetta sich ein. »Du hättest nichts dagegen tun können.«

»Doch, das hätte ich.«

»Nein«, beharrte sie. »Es gab keine Rettung, niemand hätte das Unglück verhindern können.«

»Aber ich war ein Feigling«, sagte er. »Ich hätte es wenigstens versuchen müssen.«

Elisabetta schüttelte nur stumm den Kopf.

Ein Blick von ihr genügte, und sofort trat Baldassare hinzu, schob den Arm unter Paolos Achseln und überredete ihn, ins Haus zu gehen und sich auszuruhen. An der Art, wie sich die beiden stumm verständigten, merkte ich, dass Paolo nicht zum ersten Mal in diesem Zustand aus der Schänke nach Hause kam.

Mit einem Mal befreite sich Paolo aus Baldassares Griff und sprang auf mich zu, gerade als ich in den Sattel steigen wollte, um nach Pavia zurückzureiten. Er stellte sich ganz nah vor mich hin und in seinen Augen brannte ein unheimliches Feuer.

»Bald«, sagte er und seine Worte waren klar und deutlich. »Bald ist es Zeit für meine Rache.«

KAPITEL 54

Ich kehrte auf demselben Weg nach Pavia zurück, auf dem ich hergekommen war.

Auf der großen Straße nach Norden waren jetzt Soldaten mit Pferdekarren für den Nachschub unterwegs. Als ich sie aus der Ferne in einer langen Reihe marschieren sah, zügelte ich mein Pferd, bog nach Westen ab, um ihnen aus dem Weg zu gehen, und kehrte erst an einer anderen Stelle auf die Straße zurück. Dort begegnete ich mehreren berittenen Boten, zumeist in den französischen Farben, die es sehr eilig hatten. Außerhalb der Stadtmauern saßen einige Söldner am Wegesrand und ließen ihre Pferde grasen. Sie standen auf, als sie mich sahen. Der wild aussehende Anführer musterte erst mich, dann mein Pferd – und forderte mich umgehend auf, seiner Truppe beizutreten.

»Holla! Du da!«, rief er. Er hielt einen mit Edelsteinen besetzten Weinpokal in die Höhe. »Dir winkt reiche Beute, wenn du dich uns anschließt. Gold! Und natürlich Frauen! Ein Leben voller Abenteuer, gerade recht für einen jungen Mann mit so einem Pferd. Komm und mach mit!«

Mit einer knappen Handbewegung erwiderte ich seinen Gruß und schüttelte stumm den Kopf. Ich war froh, als ich die Türme der Stadt sah, und spornte mein Pferd an, um die Universität zu erreichen. Dort traf ich auf Felipe, der gerade seine Sachen zusammenpackte. Auch viele der Studenten waren eilends aufgebrochen.

»Es scheint, als hätte sich der Papst gegen die Franzosen gestellt und sich stattdessen mit den Venezianern verbündet«, erklärte er mir.

»Mit den Venezianern!«, rief ich erstaunt. »Ich dachte, der Papst ist mit ihnen verfeindet.«

»Nur wenn es darum geht, sich die Romagna einzuverleiben«, erwiderte Felipe. »Offenbar wollen sie sich nun aus den Städten zurückziehen, die der Papst für sich beansprucht.«

»Die Franzosen werden sich verraten fühlen. Glaubst du wirklich, Papst Julius riskiert es, den Zorn König Ludwigs auf sich zu ziehen?«

»Es sieht ganz danach aus.« Felipe zuckte mit den Schultern. »Wie auch immer, Pavia ist angreifbar. Es liegt an der wichtigen Verbindungsstraße von Nord nach Süd, und trotz aller Wachtürme ist es nicht gut genug gerüstet, um einen Angriff abzuwehren. Wir kehren nach Mailand zurück.«

»Und was ist mit den Franzosen in Mailand?«, fragte ich.

Felipe streckte die Hände von sich. »Ich habe nicht die geringste Ahnung.«

Die Lage in Mailand war äußerst angespannt – aber das spiegelte nur die Stimmung im ganzen Land wider. Die

Herrschenden der italienischen Städte fürchteten die päpstliche Armee und waren drauf und dran, sich zu ergeben. Einzig Ferrara war entschlossen, Widerstand zu leisten. Herzog Alfonso verkündete, dass die Familie d'Este an Rom keinen Tribut entrichten würde und er sich jede Einmischung von außen verböte. Es hieß, ein Grund, warum Ferrara sich so unerschrocken zeigte, sei Lucrezia Borgia selbst. Die Herzogin stellte sich furchtlos jedem Eindringling entgegen und legte mit ihren Damen selbst Hand an beim Bau der Barrikaden.

Aber es waren zuallererst die Franzosen, denen Gefahr drohte. Papst Julius hatte alle Nichtitaliener als Barbaren bezeichnet und erklärt, dass Italien die Fremden loswerden müsse.

Barbaren? Die Franzosen? Ich dachte an die Eleganz des französischen Hofs in Mailand. An die ausgezeichneten Manieren des französischen Hauptmanns, der, als er Elisabetta kennen gelernt hatte, ihre von der Arbeit rau gewordenen Hände geküsst hatte. Dieser Vorwurf würde die Franzosen hart treffen.

Einige Zeit später traf ich Charles außerhalb des Schlosses an der Porta Tosa. Französische Soldaten waren in ihrer freien Zeit nicht mehr ganz so selbstverständlich in den Straßen unterwegs, und falls doch, wurden sie von manchen Bewohnern der Stadt unverhohlen angefeindet. Ich aber konnte Charles gut leiden. Er hatte sein Versprechen gehalten und Elisabetta hin und wieder geschrieben, ja ihr sogar ein kleines Geschenk geschickt als Dank für die Einladung zum Essen. Daher sprach ich ganz offen mit ihm.

»Wie kommt der Papst dazu, es mit der großen französischen Armee aufnehmen zu wollen?«, fragte ich ihn. »Es ist die stärkste weit und breit.«

»Er hat Schweizer zu Hilfe geholt«, erwiderte Charles. »Sie haben sich das Söldnertum zum Lebensinhalt erkoren. Kein Wunder, wenn sie so den strengen Wintern in ihrem Land entgehen können. Der Papst hat das erkannt und rekrutiert seine persönliche Leibgarde aus Schweizern.«

Ich verstand nur sehr wenig von militärischen Dingen, aber immerhin so viel, dass Frankreich viel größer war als die Schweiz und viel mehr Soldaten hatte. Das sagte ich auch zu Charles.

»Du vergisst das Königreich Neapel«, entgegnete er. »Da wimmelt es nur so von spanischen Truppen. Mit ihrer Hilfe könnte Papst Julius die Franzosen einkesseln.«

»Habt Ihr keine Angst?«

»Aber natürlich. Doch ich bin eben nun mal Soldat, Matteo. Es ist mein Leben, auch wenn es für dich nicht das Richtige sein mag.« Er zögerte. »Paolo sähe es allerdings gern, wenn du ein Soldat würdest, weißt du das?«

Ich nickte.

»Er hat mich in der Kaserne aufgesucht und auch mit dem Kommandanten gesprochen. Er wollte wissen, ob wir einen Waffentrupp in unseren Diensten gebrauchen könnten.«

»Aber er würde Elisabetta doch nicht allein bei ihrem kranken Onkel zurücklassen«, sagte ich.

In unserer Werkstatt in San Babila drehten sich die Gespräche beim Essen ebenfalls um politische Dinge und die unterschiedlichen Meinungen erhitzten alle Gemüter.

»Der Papst will dem Land Sicherheit geben«, erklärte Felipe.

»Aber er ist nicht mehr jung. Der alte Krieger ist müde geworden.«

»Was ihn umso gefährlicher macht«, warf der Meister ein.

An den Hauswänden in der Stadt sah man jetzt überall Schmierereien mit dem Wappen der Sforza-Familie – gemalt von den Anhängern von Herzog Ludovicos Sohn, der noch immer in der Verbannung lebte. Die französische Garnison fürchtete, von ihrem Nachschub abgeschnitten zu werden. Papst Julius hatte die Schweizer dazu aufgefordert, im Norden Italiens einzumarschieren, um die Verbindungslinie zwischen Frankreich und den französischen Truppen in Italien zu kappen.

Inmitten solcher Ereignisse und Diskussionen half ich Francesco Melzi dabei, unsere Reisekisten aus Pavia auszupacken. Erstaunt blätterte er in den Seiten mit den anatomischen Studien. Als er sah, wie viele es waren, seufzte er übertrieben und sagte: »Mit zwei Kisten seid ihr abgereist, mit vierzehn kehrt ihr zurück.« Aber zu Felipe sagte er: »Mein Vater hat ein Haus in Vaprio am Ufer des Adda. Das wäre ein sicherer Ort für Meister Leonardos Manuskripte. Und falls es hier zum Schlimmsten kommen sollte, würde er den Meister bei sich aufnehmen.«

Als ich das hörte, fragte ich mich unwillkürlich, was dann wohl aus mir werden sollte.

Am Abend rief Felipe mich zu sich. Er saß hinter seinem Schreibtisch und kam sofort zur Sache.

»Matteo, ich weiß, dass du dich in Pavia sehr gelehrig gezeigt hast. Der Meister sagt, du interessierst dich besonders für die Anatomie? Stimmt das?«

»Nicht so sehr für das Sezieren selbst«, antwortete ich ihm ehrlich. »Mehr für das, was sich aus den Beobachtungen für das bessere Verständnis des menschlichen Körpers ableiten lässt.«

»Nun gut«, fuhr er fort. »Würdest du dich gerne ausführlicher damit befassen, wenn du die Möglichkeit hättest, dich an der Universität einzuschreiben?«

Mein Herz schlug schneller. »Ich wüsste nicht, wie das möglich sein könnte.«

Felipe schnalzte missbilligend mit der Zunge. »Es ist nicht deine Sache, Junge, zu sagen, was sein kann und was nicht.«

»Verzeih mir«, sagte ich. »Ich meinte ja nur …«

»Tu mir den Gefallen und beantworte meine Frage.«

»Wenn es möglich wäre«, sagte ich rasch, »dann würde ich sehr gerne in Pavia studieren.«

»Dann will ich dir Folgendes sagen: Professor Marcantonio della Torre hat sich aus Gefälligkeit gegenüber seinem Freund bereit erklärt, dich zu seinen Vorlesungen zuzulassen. Er wird dich unter seine Fittiche nehmen und dir in Pavia zur Seite stehen.«

Am liebsten wäre ich schnurstracks zum Meister gelaufen und hätte mich vor ihm auf die Knie geworfen und ihm gedankt. Genau das sagte ich Felipe auch.

»Das dachte ich mir«, erwiderte er. »Ich nehme an, um das zu verhindern, hat der Meister mich gebeten, dir von deinem Glück zu berichten. Du kannst es ihm danken, indem du fleißig bist. Und jetzt solltest du dich um unseren schmutzigen Fußboden kümmern.«

Als Felipe gegangen war, nahm ich sofort den Besen zur Hand.

Einige Tage später besuchte mich Charles d'Enville. Er hatte Befehl zum Aufbruch erhalten, denn die Franzosen sandten Truppen zur Unterstützung nach Ferrara.

»Sei vorsichtig, wenn du auf den Straßen unterwegs bist«, sagte er zu mir. »Die Stadt ist nicht mehr sicher.«

»Ihr zieht also wieder in den Krieg?«

»Ich hoffe es«, sagte er mit erwartungsvoll funkelnden Augen. »Es macht mir schlechte Laune, tatenlos herumzusitzen. Da bin ich schon lieber auf dem Schlachtfeld, um das zu tun, was ich am besten kann.«

»Aber der Papst hat viele Divisionen«, erinnerte ich ihn.

Charles lachte. »Die französischen Soldaten sind keine Hasenfüße. Soll der Papst nur aufbieten, wen er will – die Spanier aus Neapel, die Venezianer, die Schweizer, seine päpstlichen Soldaten. Wir haben dafür bald den besten Oberbefehlshaber der Welt, Gaston de Foix, der noch dazu der Neffe des Königs ist.«

Er umarmte mich. »Ich hoffe, wir sehen uns wieder.«

Ein seltsame Stimmung befiel jetzt die Stadt, eine Mischung aus Erwartung und Furcht. In manchen Bereichen kam der Handel zum Erliegen und sogar die Kurtisanen auf den Straßen schienen sich zurückzuhalten und Soldaten zu meiden. Falls die Franzosen sich ganz aus Mailand zurückzogen, würde es Übergriffe gegen alle geben, die ihnen freundlich gesonnen waren.

Zu denen, die ihre Geschäfte auch weiterhin betrieben, gehörten die Apotheker. Ich erinnerte mich an das Versprechen, das ich Elisabetta gegeben hatte, und suchte die nächstgelegene Apotheke auf.

Es dauerte nicht lange und ich war mit dem alten Apotheker handelseinig geworden.

»Wie schlecht die Zeiten auch sein mögen, ich habe immer genug zu tun«, erklärte er. »Es werden Soldaten kommen, ob nun französische oder italienische, ob Sieger oder Besiegte, Verwundete gibt es immer. Ich kann also die Heilkräuter gut gebrauchen.«

Genau das schrieb ich Elisabetta.

Kurz vor Ostern erhielt ich einen Brief von ihr, in dem sie mir mitteilte, dass ihr Onkel verstorben war. Er endete mit den Worten: *Matteo, ich möchte dich bitten, baldmöglichst herzukommen.*

Es schien sehr dringend zu sein. Nie zuvor hatte sie mich so deutlich um etwas gebeten.

In der französischen Garnison schienen alle Verrat zu wittern und im Schloss rüstete man sich gegen einen Angriff. Nur unter Mühen und allein aufgrund meiner freundschaftlichen Beziehungen gelang es mir, die kastanienbraune Stute zu bekommen, um nach Kestra zu reiten.

Das Wetter war trüb und von den Bergen blies ein kalter Wind herüber. Da ich das Pferd bis zum Abend wieder zurückbringen musste, hielt ich mich nirgends unnötig auf, auch nicht an der Stelle, an der wir im Sommer das fahrende Volk getroffen hatten. In Gedanken war ich bei Elisabetta und ihrem Brief. Und so kam es, dass ich den Mann nicht bemerkte, der im Dickicht zwischen den Bäumen wartete und mich beobachtete.

KAPITEL 55

Auf dem Bauernhof waren die Zeichen der Vernachlässigung jetzt unübersehbar. Die Schafe liefen frei auf den Getreidefeldern, kostspielige landwirtschaftliche Geräte und Werkzeuge lagen achtlos auf dem Boden. Im Inneren des Hauses saßen sich Elisabetta und Paolo am Küchentisch gegenüber, und es sah aus, als hätten sie sich gerade gestritten.

Paolo sprang auf, als er mich in der Tür stehen sah. »Na endlich!«, rief er. »Du musst meine Schwester zur Vernunft bringen!«

Ich blickte von einem zum anderen. Anders als unter Geschwistern üblich, stritten diese beiden so gut wie nie miteinander – für kleinliche Meinungsverschiedenheiten hatten sie in ihrem Leben einfach zu viel gemeinsam durchgemacht. Es musste schon etwas Ernstes passieren, um sie auseinanderzubringen.

Paolo zog mich zu einem Stuhl. »Gerade habe ich mit Elisabetta über meine Pläne mit dem Geld unseres Onkels gesprochen. Der alte Geizkragen hatte es unter seinem Bett versteckt.«

»Sprich nicht so über ihn, er war ein sehr umsichtiger Mann«, wies Elisabetta ihren Bruder zurecht. »Wenn er geizig gewesen wäre, hätte er uns beide nicht bei sich aufgenommen und uns mit Nahrung und Kleidung versorgt.«

»Er hat mir kein Geld gegeben, als ich ihn darum bat«, sagte Paolo stur.

»Er war der Ansicht, du würdest es leichtsinnig verschwenden«, erwiderte Elisabetta ruhig. »Jetzt brauchen wir das Geld, um die Abgaben und Pachtzinsen zu bezahlen.«

»Es ist gerade so viel, dass ich meinen eigenen Waffentrupp auf die Beine stellen kann«, erklärte Paolo mir aufgeregt. »Ich werde ein Condottiere und schließe mich den Franzosen an. Gemeinsam mit ihnen gegen den Papst! Ein Papst und seine Leute waren schuld an unserem Unglück, aber jetzt kann ich dabei sein, wenn es darum geht, die Pläne eines Papstes zu durchkreuzen.«

»Der Papst ist der Statthalter Christi auf Erden«, ermahnte Elisabetta ihn.

Aber Paolo hatte in ihm ein Ziel für seinen Zorn gefunden und eine Ablenkung von seiner Trauer.

»Mein Pläne stehen fest. Ich werde Waffen kaufen und Männer anwerben. Man wird mich Condottiere dell'Orte nennen. Wir werden schwarze Uniformen tragen mit einer leuchtend roten Schärpe, die quer von der Schulter bis zur Taille verläuft. An den roten Bändern soll man uns erkennen und uns fürchten. Die *Bande Rosse*, das ist unser Name. Siehst du, Matteo, ich habe bereits den Stoff gekauft und Elisabetta gebeten, die Schärpen für uns zu nähen.«

Ich schaute fragend zu Elisabetta, die neben sich eine Schere und einen Ballen purpurroter Seide liegen hatte. Ihre Antwort war lediglich eine hilflose Geste.

»Wer wird sich dir anschließen?«, fragte ich Paolo.

Er beugte sich über den Tisch und ergriff meine Hände. »Du wirst der Erste sein, Matteo! Das haben wir doch immer gewollt. Weißt du noch, was wir uns in den Bergen bei Perela geschworen haben? Ich habe noch das Schwert meines Vaters und ich werde es bald tragen. Meine Männer werden gegen die Leute des Papstes kämpfen. Das wird meine Rache sein. Und du bist der zweite Befehlsmann nach mir. Mein treuer Leutnant.«

Wieder schaute ich seine Schwester an. Sie wich meinem Blick aus und sagte kein Wort.

»Ich habe noch etwas in der Scheune zu erledigen. Komm zu mir nach draußen, Matteo, wenn ihr alles besprochen habt.« Paolo stand auf und verließ das Zimmer.

Nachdem er gegangen war, herrschte lange Zeit Schweigen. Schließlich sagte ich: »Du kannst dich weigern, ihm zu helfen.«

Sie hob den Kopf und sah mich an. »Wie könnte ich das – nach allem, was er in Perela erlitten hat? Es hat ihn beinahe umgebracht. Um ehrlich zu sein, manchmal denke ich, es wäre besser gewesen, er wäre an der Seite unseres Vaters gestorben.«

»Er hat nur den ausdrücklichen Befehl eures Vaters befolgt.«

»Ich glaube, Vater hat tatsächlich geglaubt, sie würden seine Frau und seine Kinder ungeschoren davonkommen lassen.«

»Diese Briganten kannten weder Skrupel noch Ehrgefühle.«

»Ja. Du und ich, wir wissen das.«

Mein Herz machte einen Satz. Was meinte sie mit: »Du und ich, wir wissen das«? Ich sah sie von der Seite her an, aber sie hatte sich abgewandt und starrte aus dem Fenster.

»Von hier aus kann ich die Berggipfel sehen«, sagte sie. »Allerdings glaube ich nicht, dass es die Berge von Perela sind.« In ihrer Angst vor dem, was die Zukunft für sie bereithalten würde, suchte sie Trost in den Erinnerungen an ihre Kindheit. »Ich weiß nicht, was aus mir wird. Schon jetzt hat Paolo einen Teil des Gehöfts verpfändet. Es ist ein gutes Anwesen, braucht aber einen guten Bauern.«

»Es gibt viele Männer, die sich einem Soldatenleben verschreiben.«

»Ja, aber so ein Leben hätten sich unsere Eltern für Paolo nicht gewünscht. Die Arbeit auf dem Hof ist zwar schwer, aber sie wirft genug ab ...« Ihre Stimme erstarb. Sie wusste, dass Paolo sich nie mit dem Leben eines Bauern zufrieden geben würde.

Ich versuchte es erneut. »Männer können sehr wohl beides sein«, sagte ich. »In Florenz hat man unter Anleitung von Niccolò Machiavelli eine eigene Stadtarmee aufgestellt. Das scheint mir vernünftig zu sein. Auf diese Weise kämpfen die Soldaten zum Schutz ihres Eigentums und nicht für fremde Belange.«

»Ha!«, schnaubte Elisabetta. »Wir werden ja sehen, was passiert, wenn diese feine Armee auf die Probe gestellt wird. Gegen mordlüsterne Schurken, was wollen da Bauern, Handwerker und Zunftleute schon ausrichten?«

»Sie sind nicht ungeübt«, sagte ich. »Sie haben sogar eine eigene Uniform.«

»Ja«, stimmte Elisabetta mir zu. »Stecke einen Mann in eine schmucke Uniform ...« Sie hielt den roten Seidenstoff hoch. »Hefte ihm eine hübsche Feder an den Hut und drücke ihm eine Hellebarde in die Hand, dann wird er marschieren, wenn die Kriegstrommel ihn ruft. Aber wir beide wissen, wie es dann weitergeht. Charles d'Enville hatte Recht, als er sagte, auf dem Schlachtfeld ginge es wenig glorreich zu. Viele der Soldaten sind nichts weiter als gemeine Räuber mit dem Freibrief, zu schänden und zu morden. So sieht die Zukunft meines Bruders aus. Mit solchen Männern wird er es zu tun haben.« In ihren Augen standen Tränen. Erregt stand sie auf. »Paolo kennt nur ein Ziel in seinem Leben, und er wird zugrunde gehen, wenn er nicht ein Condottiere wird. Aber wenn er es wird, dann verliere ich ihn auf eine noch viel schlimmere Art und Weise.« Sie fing an zu weinen. Ihre Tränen tropften auf die rote Seide.

Ich eilte zu ihr. »Der feine Stoff«, sagte ich. »Er bekommt Flecken.«

Ich streckte die Hand aus, um ihn beiseitezuschieben, aber plötzlich lag ihr Kopf an meiner Schulter.

Sie drückte ihr Gesicht in meine Halsbeuge und lehnte sich an mich, sodass ich sie festhalten musste. Ein paar Haarsträhnen lösten sich und ihr schwerer Zopf fiel über mein Handgelenk und den Arm. So verharrten wir wortlos für einige Augenblicke, bis wir Paolo rufen hörten.

Ich musste mir seine Pferde anschauen und die Waffen und Ausrüstung, die er zusammengetragen hatte. Dazu gehörten eine gute Hakenbüchse, Schwerter und ein paar Schilde.

»Komm her und sieh dir das an! Ich habe im Stall ein Schmiedefeuer eingerichtet. Der Hufschmied ist schon eifrig bei der Arbeit.«

Paolo führte mich herum. Der Schmied hämmerte eine Schwertklinge und mehrere junge Burschen und ein paar finster dreinblickende Männer lungerten biertrinkend um ihn herum.

»Das ist mein Freund«, verkündete Paolo, als wir zu ihnen traten. »Er wird mein Stellvertreter sein.«

»Paolo …«, begann ich.

Aber er redete weiter, als hätte er mich gar nicht gehört. »Matteo ist ein geübter Reiter und sehr geschickt mit dem Dolch.«

»Ich kann nicht einfach weggehen«, warf ich ein. »Paolo, du weißt doch, dass ich in Diensten stehe …«

Er wirbelte zu mir herum. »Ist es das, was du ein Leben lang sein willst? Ein niederer Diener?«

Röte stieg mir ins Gesicht. So sah er mich? Als Diener niedrigsten Rangs?

Er legte den Arm um meine Schulter. »Ich dachte, wir hätten ein Abkommen. Uns verbindet das Band einer ganz besonderen Bruderschaft. Mehr als das, uns verbindet der Schwur, den wir beide in jenem Kloster in Melte geleistet haben.«

Ich befreite mich aus seiner Umarmung und lief ohne ein Wort davon.

Am Abend aßen wir gemeinsam. Das Essen schmeckte und war gut zubereitet. Es war nicht Paolos Art, lange zu schmollen, und bald schon plauderte er entspannt. Elisabetta hingegen war still und beobachtete mich. Ich musste mich dazu zwingen, ihrem Bruder zu antworten und so zu tun, als würde ich seine Pläne ernst nehmen.

Als ich mich von ihnen verabschiedete, zog sie mich zur Seite.

»Du musst dich nicht an Paolos Vorhaben beteiligen.« Sie zögerte, dann fügte sie hinzu: »Du hast keinerlei Verpflichtung. Daran ändern auch die Umstände nichts, die unser Leben miteinander verknüpften.«

Aber ich wusste, dass das nicht stimmte.

Ich trug Schuld am Tod ihrer Eltern, ihres kleinen Bruders und ihrer Schwester.

Mein Gemüt war so düster wie der Himmel, als ich nach Mailand zurückritt. Was sollte ich nur tun? Der Meister hatte mir großzügig ein neues Leben in Aussicht gestellt, wie ich es mir nie erträumt hätte. Aber Paolo hatte die Wahrheit gesagt, ich hatte mich ihm verpflichtet. Ein Priester würde zweifellos einwenden, ein Versprechen unter Nötigung sei keineswegs bindend. Nur warum fühlte ich mich dann so elend bei der Vorstellung, es nicht einzulösen?

Ich ritt über Feldwege bis zu der Stelle, an der mein Pfad die Straße nach Mailand kreuzte. Gefangen in meinen trüben Gedanken, das Kinn halb auf die Brust gesunken, achtete ich nicht auf die Umgebung.

Und bevor ich noch recht wusste, wie mir geschah, waren meine Angreifer schon über mir.

KAPITEL 56

Der erste Mann sprang von der Straßenseite aus auf mich zu und ergriff die Zügel meines Pferdes.

Vor Schreck schrie ich laut auf.

Er brachte mein Pferd zum Stehen. Ich versuchte, ihm die Zügel wieder zu entreißen, aber er hielt sie mit eisernem Griff fest. Um ihn abzuwehren, zögerte ich nicht lange, sondern trat nach seinem Gesicht. Aber er hatte wohl mit meiner Gegenwehr gerechnet und sich geduckt, während er weiterhin wie besessen an den Zügeln meines

Pferdes zerrte. Ich hatte keine zweite Möglichkeit, ihn abzuschütteln, denn jetzt schwang sich ein zweiter Angreifer hinter mir aufs Pferd und wollte mich zu Boden reißen. Ein erbittertes Handgemenge begann. Mein Pferd wieherte und drehte sich im Kreis, schlug mit den Hufen aus und leistete gemeinsam mit mir Widerstand. Mit seiner freien Hand hielt der Mann auf der Straße mein Bein fest, während der andere hinter mir an meinem Umhang und meinem Gürtel zerrte. Mit ihren vereinten Kräften wäre es ihnen fast gelungen, mich zu überwältigen.

Aber die kastanienbraune Stute war ein kluges Tier, sie ließ es sich nicht gefallen, dass man so mit ihr umsprang. Sie schnappte heftig nach dem Mann, der sich an ihre Zügel geklammert hatte, und als sie ihn biss, schrie er laut auf. Dann stieg sie mit den Vorderbeinen auf.

Der Mann ließ die Zügel los und brachte sich mit einem Sprung vor den wirbelnden Hufen in Sicherheit. Der andere Schurke hatte sich an meiner Hüfte festgeklammert und konnte sich hinter mir auf dem Pferd halten. Seine groben Hände zerrten an mir. Halb aus dem Sattel gerutscht, krallte ich mich in die Mähne des Pferdes, das in vollem Galopp davonstob.

Der Mann hinter mir riss mir den Dolch aus dem Gürtel. Ich wartete darauf, dass er zustach, doch er tat es nicht. Verwundert dachte ich: »Er hat mein Messer. Warum benutzt er es nicht?«

Das Pferd war inzwischen in wilder Panik, und als die Straße wieder in gerader Richtung verlief, beschleunigte es sein Tempo. Jetzt schlang der Mann mir einen Arm um den Nacken. Ich konnte ihn nicht abschütteln, war ich doch voll und ganz damit beschäftigt, mich auf dem Pferd zu halten. Er fasste mir ins Gesicht, und ich spürte, wie seine Finger nach meinen Augen tasteten.

Ich stieß einen Angstschrei aus und riss beide Hände hoch. Im nächsten Augenblick wurde ich mit einer solchen Gewalt zu Boden geschleudert, dass ich sekundenlang benommen liegen blieb.

Kaum war ich wieder bei mir, sprang ich auf die Füße. Meinem zweiten Verfolger war es gelungen, sich auf der Stute zu halten – und die stürmte in wildem Galopp weiter die Straße entlang. Ich vermutete, dass er mit allen Kräften versuchte, sie zu zügeln, denn sie wurde tatsächlich etwas langsamer, während ich ihnen hinterherschaute. Wenn er es schaffte, würde er wahrscheinlich umdrehen. Aber ich hatte einen kleinen Vorsprung.

Ich musste mich so schnell wie möglich verstecken. In seiner Angst hatte das Pferd eine gehörige Strecke von dem Wäldchen an der Straßenbiegung bis hierher zurückgelegt. Also war ich zumindest für den Augenblick vor dem ersten Angreifer sicher.

Da tauchte plötzlich ein Reiter zwischen den Bäumen auf.

Ich schaute mich um. Nicht allzu weit von mir entfernt ragten Felsenbrocken auf; das war der einzige Ort, an dem ich mich verstecken konnte. Ich rannte so schnell ich konnte darauf zu.

Als ich die Felsen erreicht hatte, schaute ich mich nach meinem Verfolger um. Es war ein Mann auf einem großen Pferd, der schnell näher kam. Und hinter ihm, etwas weiter entfernt, ein weiterer Mann, der rannte. Was hatte das zu bedeuten? Hatten mir drei Männer zwischen den Bäumen aufgelauert?

In der Ferne konnte ich meinen zweiten Angreifer erkennen; er hatte das Pferd gewendet und kam den gleichen Weg zurückgaloppiert. Er hielt auf den ersten der Angreifer zu, um ihn aufsitzen zu lassen. Dann folgten sie dem Reiter, der mir auf den Fersen war. Sie würden nicht lange brauchen, bis sie mich eingeholt hatten.

Ich warf mich zwischen die Felsbrocken. Dahinter ging es steil abwärts. Ein kleiner Wasserlauf floss durch eine Bodenrinne. In etwas weiterer Entfernung erblickte ich einen Kirchturm und eine Landschaft, die mir bekannt vorkamen. Als ich von Pavia nach Kestra unterwegs war, hatte ich hier in der Nähe gerastet und an einem Fluss etwas gegessen. Der kleine Bach zu meinen Füßen mündete vermutlich in diesen Fluss, der wiederum ein Nebenfluss des Po war.

Ich kletterte über die Felsen, sprang über den Bach und hatte das andere Ufer erreicht, als ich ihre Rufe hörte. Ich schaute mich nicht um, sondern richtete meine Aufmerksamkeit darauf, den Fluss zu erreichen. Der Reiter musste auf sein Tier Rücksicht nehmen und langsamer reiten, damit es sich in diesem Gelände kein Bein brach. Doch die anderen beiden konnten die Stute stehen lassen und mich überallhin verfolgen. Ich war sicher, dass sie dies auch tun und mich von zwei Seiten aus in die Zange nehmen würden.

Ich kletterte, so schnell ich konnte, den Graben entlang, rutschte und stolperte dabei, während ich dem Wasserlauf folgte. Es war zwecklos, mich leise davonzustehlen. Sie hatten mich gesehen und riefen mir wüste Drohungen hinterher. Aber immerhin war ich jünger und kräftiger als sie und ich konnte meinen Vorsprung halten.

Doch plötzlich nahm der Bach einen unterirdischen Verlauf und ich stand vor einer zerklüfteten Felswand. Es gab kein Weiterkommen mehr. Der Wasserlauf war viel zu schmal – kaum größer als ein Kaninchenbau –, als dass ich mich hätte durchzwängen können, und der Abhang war zu glatt, um hinaufzuklettern. Ich legte den Kopf in den Nacken. Wenn ich nur dort hinaufkönnte! Ich hörte schon, wie sie näher kamen, keuchend und fluchend vor Anstrengung.

Ich blieb stehen und fischte einen flachen, scharfkantigen Kieselstein aus dem Bachbett, dann begann ich den Aufstieg. Ungefähr einen Fuß breit über meinem Kopf befand sich eine kleine Spalte. Dort grub ich mit meinem Stein die Erde weiter auf. Ich griff in die Mulde, streckte meine andere Hand nach einem kleinen Strauch aus, der zwischen dem Geröll wuchs, und zog mich daran ein kleines Stück nach oben. Aber ich musste noch höher hinauf. Ich kratzte eine weitere Griffmulde aus, gerade in dem Augenblick, als sie unter mir ankamen.

Einer der beiden Männer machte sich daran, den Felsen zu erklimmen. Kurz bevor er mich zu fassen bekam, zog ich mich weit genug hoch, dass ich nicht mehr in seiner Reichweite war. Er rutschte ab und schlug mit dem Kopf auf dem Boden auf.

Sein Spießgeselle kümmerte sich nicht im Geringsten um ihn, sondern suchte den Boden ab. Dann hob er einen Steinbrocken auf, der klein genug war, um ihn ein großes Stück weit werfen zu können, aber groß genug, um mich zu verletzen, wenn er mich treffen sollte. Der Mann stellte sich mit gespreizten Beinen hin und holte aus.

»Nein!«

Es war der dritte Mann zu Pferd, der dies gerufen hatte. Er winkte mit den Armen. »Nein!«, rief er nochmals.

Vorsichtig ritt er das Bachbett entlang. Ich wartete nicht ab, sondern kratzte eine weitere Griffmulde aus, an der ich mich emporziehen konnte. Je höher ich kam, desto zuversichtlicher wurde ich. Die beiden Schurken mochten vielleicht geübte Mörder sein, aber ich war jünger als sie, beweglicher und wusste noch gut, wie man einen Abhang erklimmt. Erst, als ich ganz oben war, hielt ich einen Moment lang inne, um hinabzuschauen.

Die beiden Verfolger waren verschwunden. Der Reiter hatte sie vermutlich weggeschickt, um einen anderen Weg zu suchen, während er unten wartete. Ich betrachtete ihn genau und versuchte dabei, wieder zu Atem zu kommen. Er passte nicht zu ihnen. Er ritt einen Vollblüter, ein schwarzes Rennpferd, dessen Geschirr üppig mit rotem Samt verziert war.

Als er bemerkte, dass ich zu ihm hinabschaute, rief er mir etwas zu. Aber er war zu weit weg, als dass ich es hätte verstehen können. Er winkte mit der Hand und gab mir ein Zeichen, dass ich zu ihm kommen sollte.

Hielt er mich für wahnsinnig? Ich trat ein paar Schritte vom Felsabhang zurück und überlegte, welchen Weg ich jetzt einschlagen sollte. Hinter mir erstreckte sich eine Ebene, die sanft in ein dicht bewaldetes Tal abfiel. Ich sah die Stelle, an der der unterirdische Bach wieder zum Vorschein kam und in den Fluss mündete.

Ich fing an zu laufen. Wie viel Vorsprung blieb mir, ehe sie auf dem Umweg, den sie einschlagen mussten, ebenfalls hier ankamen und der Dritte mir zu Pferde folgen konnte? Sie hatten keine Spürhunde, deshalb nützte es auch nichts, am Ufer entlangzulaufen. Ich entschied mich daher, nicht dem Flusslauf zu folgen, denn genau das würden sie vermuten. Der Fluss floss durch eine Stadt, in der ich in der Menschenmenge untertauchen konnte. Es war der nahe liegende, einfachste Fluchtweg. Deshalb wählte ich einen anderen.

Im Schutz der Bäume lief ich weiter, bis ich auf einen Pfad stieß. Ich folgte ihm und rannte durch den Wald, ohne ein einziges Mal anzuhalten. Schließlich kam ich zu einer Lichtung, auf der ein paar Hütten standen. Ich machte einen großen Bogen um sie. Falls die Verfolger hierher fanden, würden ihnen die Leute wahrheitsgemäß sagen, dass sie mich nicht gesehen hatten. Vielleicht dachten meine Verfolger dann, sie verfolgten die falsche Fährte.

Kaum hatte ich die Lichtung wieder verlassen und war zu dem Waldweg zurückgekehrt, hörte ich Hufetrappeln. An dem Weg stand eine Eiche in vollem Sommerlaub; ich kletterte in ihre Äste hinauf und blieb reglos sitzen, als der Reiter auftauchte.

Es war der Mann mit dem schwarzen Hengst.

Wie töricht von mir, nicht daran zu denken! Sie hatten sich aufgeteilt. Er hatte die beiden Strauchdiebe sicherlich am Fluss entlang geschickt, während er selbst diesen Weg hier absuchte.

Inzwischen war er nur noch wenige Fuß von mir entfernt. Ich konnte deutlich seinen kostbaren, pelzbesetzten Umhang erkennen, seine teuren Handschuhe und seinen Hut, der nach der Mode der Edelleute verziert war – mit einer langen Kordel, die von der Krempe herabhing.

Langsam ritt er den Pfad entlang. Als er außer Sichtweite war, sprang ich vom Baum und verwischte meine Spuren auf dem Weg, den ich gekommen war. Dann kletterte ich auf einen anderen Baum.

Der Reiter war noch immer in der Nähe!

Ich beobachtete, was er tat. Er suchte den Waldboden ab, spähte nach rechts und nach links, ob er abgebrochene Zweige oder etwas anderes fände, das auf meine Gegenwart hindeutete. Er war ein Mann, der jagte und im Spurenlesen erfahren war.

Er kniete sich nieder, hob einige Blätter auf und sah sich anschließend um.

Ich öffnete meinen Mund ein kleines Stückchen, um besser atmen zu können. Nun war er so nahe, dass ich ihn fast berühren konnte. Wenn er jetzt nach oben blickte, dann war ich erledigt.

Ein Fasan stob aus seinem Versteck am Wegesrand. Sofort bestieg der Mann sein Pferd und ritt in diese Richtung.

Ich ging auf dem gleichen Weg zurück, den ich gekommen war, diesmal aber vorsichtiger, ohne mit dem Dickicht in Berührung zu kommen. Plötzlich sah ich zwischen Büschen eine Mauer. Es war ein großes Haus, ein Landhaus vielleicht, vermutlich hatte es auch Nebengebäude, in denen ich mich verstecken konnte.

Aus dem Wald ertönte schon wieder Pferdegetrappel.

Ich hatte keine Wahl, ich musste mein Heil hinter dieser Mauer suchen. Niemand hatte mich gesehen; kein Hund hatte angeschlagen. Wie also sollte der Reiter wissen, dass ich hier entlanggekommen war?

KAPITEL 57

Die Mauer war schon verwittert und leicht zu erklimmen. Ich brauchte nur Sekunden, um darüber zu klettern. In meiner Hast sprang ich, ohne mich erst umzusehen, auf der anderen Seite wieder hinunter.

Vor einer Mauernische saß ein junges Mädchen und nähte. Es trug eine Nonnenkutte, ganz in Weiß. Überrascht blickte es auf, als ich direkt vor seine Füße fiel.

Meine Hand fasste nach meinem Gürtel.

»Rührt Euch nicht oder ich töte Euch!«, stieß ich hervor.

Sie starrte mich an.

»Ich habe ein Messer«, fügte ich hinzu.

»Ich bin bereit, um Christi willen zu sterben«, sagte sie ruhig.

Ihre Antwort verblüffte mich, aber ich fasste mich schnell. »Ihr müsst nicht sterben«, sagte ich, »wenn Ihr tut, was ich sage.«

»Wollt Ihr mir Gewalt antun?«

»Wie?«

»Das wäre das Schlimmste, was ich zu befürchten habe.« Sie schaute mich an. Sie hatte grüne Augen mit bernsteinfarbenen Sprenkeln darin. »Wenigstens *denke* ich, dass es das Schlimmste wäre. Ich bin in derlei Dingen unerfahren, deshalb kann ich es nicht mit Bestimmtheit sagen. Obwohl ich gehört habe, dass es unter anderen Umständen eine erfreuliche Erfahrung sein kann. Aber wenn es mich erfreuen würde, dann wäre es ja wohl eine Sünde, oder nicht? Andererseits, kann es Unrecht sein, etwas Verbotenes zu genießen, wenn man es sich selber gar nicht wünscht? Sollte man nicht vielleicht sogar das Beste daraus machen, wenn man in eine missliche Lage gerät? Denn schließlich trage ich keinerlei Schuld an dem, was passiert ist. Ihr seid vom Himmel herabgefallen. Was soll ich also machen?«

Schreien. Das war der Gedanke, der mir durch den Kopf schoss. Jedes andere Mädchen hätte auf der Stelle zu schreien angefangen. Aber diesen Vorschlag würde ich ihr gewiss nicht unterbreiten.

Sie plapperte weiter ohne Pause. »Ich werde meinen Beichtvater Pater Bartolomeo fragen müssen. Andererseits, er ist schon so alt, ich möchte ihn nicht mit kniffligen Fragen behelligen. Er soll ein schwaches Herz haben. Es wäre nicht schön, ihm Angst einzujagen.«

»Ich ...«, setzte ich an.

Sie hob die Hand und unterbrach mich sofort. »Da ist jetzt ein junger Priester, der uns manchmal die Beichte abnimmt, wenn sich Pater Bartolomeo nicht wohl fühlt. Sein Name ist Pater Martin. Vielleicht frage ich ihn. Unsere Äbtissin erlaubt es den jüngeren Nonnen und Novizinnen nur selten, bei Pater Martin zu beichten. Er darf meist nur die älteren Nonnen besuchen. Aber Schwester Maria vom Heiligen Erlöser – sie ist zweiundachtzig – hat mir erzählt, dass sie, nachdem sie bei Pater Martin gebeichtet hatte, anschließend auch noch dem Pater Bartolomeo beichten musste, was ihr beim Anblick von Pater Martin durch den Kopf gegangen war. Das ist in meinen Augen Zeitverschwendung und nützt Pater Bartolomeo gar nichts, wenn er krank ist, im Gegenteil, er hat sogar noch mehr Arbeit. Das verstehe, wer will. Ich jedenfalls nicht.«

Das Mädchen hob seine Näharbeit höher, öffnete den Mund und biss mit seinen makellosen weißen Zähnen den Faden ab. Dann steckte es die Nadel in ein winziges Nadelkissen und stand auf.

»Ihr seht aus, als ob Ihr hungrig wärt. Wartet hier, ich hole Euch etwas Brot.«

»Nein«, sagte ich und wollte ihr den Weg verstellen, aber sie war schon weg.

Ich blieb mit offenem Mund zurück. Auf der anderen Seite der Mauer hörte ich Lärm, eine Faust, die gegen das Eingangstor schlug. Jetzt saß ich in der Falle. Verzweifelt schaute ich mich um.

Das Mädchen kam zu mir zurückgeeilt. »Als ich in der Küche war und Brot für Euch holen wollte, war ein Aufruhr am Eingang und ich wagte einen schnellen Blick nach draußen. Ist Euch jemand auf den Fersen?«

Ich nickte.

»Und wird er Euch töten, wenn er Euch findet?«

Ich dachte an Sandino und seine Art, diejenigen, die ihm in die Quere kommen, zu bestrafen. »Von diesem Mann nur getötet zu werden, wäre ein Glück«, entgegnete ich.

»Wenn er so unbarmherzig ist, dann wird er sich durch niemanden abweisen lassen.« Sie blickte sich suchend um.

Ich machte Anstalten, wieder über die Mauer zu klettern, doch sie hielt mich am Arm fest. Ihre Hände waren lilienweiß, aber ihre Finger waren kräftig.

»Wenn ich hier bleibe, bringe ich Euch in Gefahr«, sagte ich.

»Wenn Ihr geht, dann seid Ihr verloren. Legt Euch unter die Bank«, befahl sie mir. »Ich werde meine Röcke über Euch stülpen. Das ist das Beste, was wir tun können.«

»Wenn er mich entdeckt, dann wird er Euch umbringen. Es wird Euch nichts helfen, dass Ihr eine Nonne seid.«

»Erstens«, sagte sie brüsk, »bin ich keine Nonne. Noch nicht. Zweitens werde ich dann sagen, Ihr hättet mich mit Eurem Messer bedroht.«

»Ich habe gar kein Messer«, bekannte ich.

»Dann nehmt meines.« Unter ihrem Umhang zog sie ein Schnitzmesser hervor. Als sie meinen Gesichtsausdruck sah, zog sie verwundert die Augenbrauen hoch. »Als ich in der Küche Brot für Euch holte, dachte ich, es sei eine gute Idee, ein Messer mitzunehmen.«

Ich nahm das Messer und kroch schnell unter die Bank.

Laute Stimmen und Schritte waren zu hören. Dann rief eine ältere Frau: »Ihr entweiht diese ehrwürdigen Mauern, wenn Ihr hier nach einem Flüchtigen sucht.«

»Mutter Äbtissin, der Mann, den ich suche, ist sehr gefährlich«, erklärte eine Männerstimme geduldig.

Wer war dieser Mann, der sich das Recht herausnehmen konnte, Zutritt zu einem Kloster zu verlangen? Keiner von Sandinos Handlangern – dazu waren seine Umgangsformen viel zu gepflegt.

»Er würde Euch und Eure Mitschwestern im Schlaf umbringen, wenn ich ihm seine Freiheit ließe.«

»Dann sucht, wo Ihr suchen müsst.«

»War diese Nonne die ganze Zeit hier im Garten?«, wollte der Mann wissen.

»Ja«, erwiderte die Äbtissin. »Schwester, du hast gehört,

was dieser edle Herr gesagt hat. Hat jemand deinen Frieden heute gestört?«, fragte sie freundlich.

»Kein Schurke kam dieses Wegs, Ehrwürdige Mutter«, antwortete die kleine Novizin demütig. »Ich habe hier viele Stunden lang friedlich genäht.«

»Es ist gut, du warst fromm und fleißig. Geh nun ins Haus. Es ist bald Essenszeit.«

Hinter ihrer Kutte, unter der Bank, machte ich mich bereit davonzulaufen.

»Ah ...« Die kleine Novizin holte tief Luft. »Ihr müsst wissen, Ehrwürdige Mutter, bei meiner letzten Beichte hat mir Pater Bartolomeo als Buße auferlegt, mich einer Mahlzeit in dieser Woche zu enthalten. Deshalb möchte ich hier bleiben und das Licht, das Gott uns geschenkt hat, nutzen, um weiterzunähen, wenn Ihr es gestattet.« Sie senkte den Kopf.

»Natürlich, mein Kind.« Ich hörte, wie die Äbtissin dem Mann folgte, als er den Gartenweg entlang zum Haus ging.

»Ich denke, Ihr solltet Euch noch eine Weile ruhig verhalten«, sagte sie, als der Mann ins Haus stapfte. »Wenn er Euch so grimmig verfolgt, wird er sicher unsere Pforte nicht aus den Augen lassen. Er wird Unterstützung anfordern. Dann wird er alle Wege in der Umgebung bewachen lassen. Und morgen wird er zurückkommen, um alles noch gründlicher zu durchsuchen. Am besten, Ihr wartet bis zum Einbruch der Dunkelheit.«

»Ich werde auf der Stelle gehen.« Ich schämte mich jetzt dafür, mich hinter einer Nonne versteckt zu haben. Ich steckte meinen Kopf unter der Bank hervor.

»Psst!«, sagte sie energisch. »Wir wollen unsere gute Arbeit doch nicht zuschanden machen. Ich habe einen Plan. Bei Sonnenuntergang kommt ein Mann, der den Garten gießt, wenn die Schwestern in der Kapelle sind und die Komplet singen. Er heißt Marco und war einmal bei meinem Vater als Diener beschäftigt; er hat mich sehr gern. Ich werde versuchen, mit ihm zu sprechen, und ihn bitten, Euch hier herauszuschmuggeln.«

»Wie soll er mich denn verstecken?«

»Er bringt die Wasserfässer auf einem Handkarren.«

»In einem leeren Wasserfass werden sie mich als Erstes suchen.«

»So klug bin ich auch.« Die kleine Novizin warf mir einen erbosten Blick zu. Sie hatte die Lippen zusammengepresst und ihre Augen blitzten. »Als Teil seines Lohns darf Marco etwas von unserem Eselmist mitnehmen. Unter dem werdet Ihr Euch verstecken. Marco wird Euch bis zu seiner Hütte in der Nähe der Steinbrüche von Bisia mitnehmen. Oder wisst Ihr eine bessere Möglichkeit, von hier zu fliehen?«

Ich schüttelte den Kopf und kroch unter die Bank zurück.

»Ich bin neugierig«, fuhr sie fort. »Ihr habt mir gesagt, dass der Mann, der nach Euch suchte, mordgierig sei. Und ihr hattet Recht, er ist es wirklich. Aber Euren Worten nach hielt ich ihn für einen groben Briganten, nicht für einen bekannten Edelmann.«

»Von welchem Edelmann sprecht Ihr?«

»Von dem Mann, der Euch im Garten suchte. Kennt Ihr ihn denn nicht?«

»Ich weiß nicht. Wie heißt er?«

»Er heißt Jacopo de Medici.«

Später an diesem Abend lag ich unter einem Berg von alten Säcken auf Marcos Handwagen und ließ mich mit Mist überhäufen. Die Novizin sah uns dabei zu. Schmunzelnd beugte sie sich über den Karren, um sich von mir zu verabschieden.

»Der liebe Gott muss es gut mit Euch meinen«, flüsterte sie.

»Ich glaube eher, ich bin dem lieben Gott ziemlich egal, wenn er mich in einem Karren voller Mist landen lässt«, flüsterte ich zurück.

»Seid froh, dass Ihr am Leben seid«, entgegnete sie. »Unser Herr leitete Eure Schritte in dieses Nonnenkloster. Was wäre gewesen, wenn Ihr über die Mauern eines Konvents geklettert wärt, dessen Ordenshabit nicht so weite und bequeme Röcke zulässt? Denkt daran, wenn Ihr das nächste Mal Zuflucht in einem Kloster sucht.«

Ich hörte, wie sie lachte, und als wir davonratterten, rief sie mir nach: »Geht auf keinen Fall zu den Karmeliterinnen.«

Kaum hatten wir den Klosterbezirk verlassen, wurden wir auch schon angehalten. Alles ging wortlos vor sich. Marco war ein zu schlichtes Gemüt, als dass er gefragt hätte, weshalb man seinen Karren durchsuchte. Ich kniff die Augen noch fester zu und machte mich so klein wie möglich. Aber die Novizin hatte Recht gehabt. Jedes Fass wurde geöffnet und durchsucht, aber im Mist stocherten sie kaum. Dann durften wir weiterfahren.

Marco ließ sich Zeit. Vielleicht war es seine Art, sich nicht aus der Ruhe bringen zu lassen, vielleicht war er auch so langsam, weil er keine Aufmerksamkeit erregen wollte – ich weiß es nicht. Aber in der guten Stunde, die wir brauchten, bis wir bei seinem Haus angelangt waren, hatte ich Zeit zum Nachdenken. Und je mehr ich über die Ereignisse dieses Tages nachdachte, umso mehr unbeantwortete Fragen türmten sich vor mir auf.

Meine drei Verfolger waren keine gewöhnlichen Räuber, die leichtsinnige Reisende aus dem Hinterhalt überfielen, so viel stand fest. Sie hatten genau gewusst, wer ich war. Sie hatten bestimmt beobachtet, wie ich am Morgen diese Straße entlanggeritten war, und auf meine Rückkehr gewartet. Und woher konnten sie wissen, dass es meine Gewohnheit war, gerade diesen Weg einzuschlagen? Ich kannte die Antwort in dem Augenblick, in dem ich mir die Frage stellte. Der Mann aus dem fahrenden Volk. Die kleine Familie, die ihr Lager aufgeschlagen hatte, damit die Frau ihr Kind zur Welt bringen konnte. Wohin der Mann auch gekommen war, überall hatte er die Geschichte erzählt – die Geschichte von dem französischen Offizier, der ihn gezwungen hatte, mit einem neugeborenen Säugling weiterzuziehen, und von dem jungen Mann in seiner Begleitung, der die Sprache und die Gebräuche der Fahrenden kannte. Und so war Sandino, dessen Spione ihre Augen und Ohren überall hatten, auf meine Spur gekommen.

Sie hatten gehört, wie ich näher kam. Aber sie hatten keinen Draht über die Straße gespannt, über den ich hätte straucheln können. Und der Mann, der ihr Anführer bei diesem Unternehmen war, hatte ihnen Einhalt geboten, als sie Steine auf mich schleudern wollten. Was hatte der Priester in Ferrara zu mir gesagt, damals, als ich noch ein Junge von neun Jahren war? »Derjenige, der das Siegel in Händen hält, hat die Medici in seiner Hand.«

Jetzt wurde mir klar, dass es um mehr als das Siegel ging, das ich um den Hals trug. Sie hatten mich so weit und so lange verfolgt, sie hatten Sinistro, den Schreiber, umgebracht. Das alles konnte nur eines bedeuten: Vendetta, Rache.

Aus diesem Grund hatten sie mein Leben geschont. Bei dem Gedanken daran gefror mir das Blut in den Adern. Jetzt, da ich wusste, dass dieser Mann ein Medici war, begriff ich auch, warum seine Familie mich lebend haben wollte. Ihre Ehre verlangte, dass sie an mir persönlich Rache nahmen. Und wenn sie mich fingen, welche Qualen würden sie sich für mich ausdenken? Die Folterbank? Rot glühende Beißzangen, mit denen sie mir das Fleisch vom Leibe rissen? Oder die Foltermethode, die bei den Medici und den Florentinern besonders beliebt war – den Strappado? Gefesselt an den Handgelenken in die Höhe gezogen und fallen gelassen. Wieder und wieder, bis auch der letzte Knochen gebrochen und das letzte Gelenk ausgekugelt war.

Zwar war ich ihnen diesmal entkommen, aber wohin sollte ich jetzt gehen? Wenn ich versuchte, nach Mailand zurückzukehren, würden sie mich finden. Auch wenn Mailand noch immer unter französischer Herrschaft war, hatten die Medici doch Macht und Reichtum genug, um Spione an den Stadttoren aufzustellen.

Es gab für mich nur noch einen Weg. Ich musste Felipe und dem Meister eine Botschaft schicken und ihnen mitteilen, was ich zu tun gedachte. Eines Tages würde ich sie vielleicht wiedersehen, dann konnte ich ihnen erklären, dass mir keine andere Wahl geblieben war. Das Schicksal hatte es so gewollt, dass ich nun für die Fehler meiner Kindheit büßen musste.

Ich würde Paolo als meinen Hauptmann anerkennen und zweiter Kommandant seiner bewaffneten Schar werden.

Ich würde die rote Schärpe anlegen und mit der Bande Rosse reiten.

TEIL 6

Die Bande Rosse

Ferrara, 1510

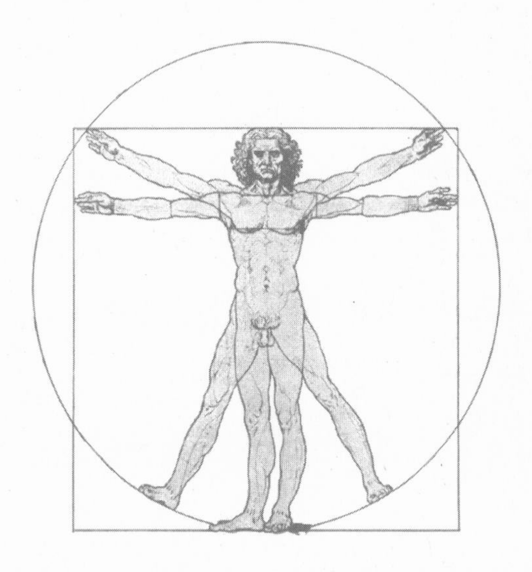

KAPITEL 58

Pfeilgerade durchschnitt die Via Aemiliana, die alte Römerstraße, das weite Flusstal des Po.

Auf dieser Straße kehrte ich nach sieben Jahren wieder in die Romagna zurück. Diesmal ritt ich stolz mit einem Trupp Bewaffneter auf die Städte und Stadtstaaten zu, die so heftig umkämpft waren.

Hinter Bologna lagen die Orte, die Cesare Borgia einst so rücksichtslos erobert hatte. Von seinem Hauptsitz in Imola bis hinab zur Adria kündeten ihre Namen von ihrer blutigen Geschichte.

Faenza, die Stadt, in der Astorre Manfredi sich Cesare Borgia angeschlossen hatte und einer seiner Hauptleute wurde, um die eigene Stadt vor den Plünderungen und Morden zu bewahren. Dann aber hatte man ihn aus seiner sicheren Stadt nach Rom gelockt, gefesselt und in den Tiber geworfen.

Dann Forlì, wo die tapfere Caterina Sforza dem Borgia bis zuletzt getrotzt hatte. Als seine Leute ihre Kinder gefangen genommen hatten, riefen sie, sie solle auf die Mauern ihrer Zitadelle kommen. Dann hielten sie die Kinder in die Höhe, damit Caterina sie sehen konnte, und drohten damit, sie vor ihren Augen zu ermorden. Als Antwort hob sie ihre Röcke und schrie: »Dann verrichtet euer grausames Werk. Ich kann noch mehr davon machen!«

Und schließlich Senigallia, wo ich zugegen war, als Cesare Borgia seine eigenen Hauptleute erschlagen ließ …

Auch das geschah in einem Herbst, wie ich mich erinnerte. Plündernde Heereshaufen stürzten das Landvolk damals in Angst und Schrecken; nie wussten die Menschen, bei welchem der Kriegsherren sie gerade Schutz suchen sollten. Während dieser Jahre tobte der Kampf um ihr Land hin und her und die Armen wurden so noch ärmer. Mein Meister hatte Recht, wenn er beklagte, welchen Preis der Krieg forderte.

Doch jetzt, als wir nach Süden zogen, hingen die Früchte überreich an den Bäumen, und ohne Zweifel hatten sich die Menschen in den abgelegeneren Plätzen wieder in ihrem Alltag eingerichtet und füllten ihre Scheunen mit Vorräten für den bevorstehenden Winter. In Dörfern wie dem, in dem die dell'Ortes gelebt hatten, hofften die Menschen, ihr Leben in Ruhe führen zu können.

Solche Gedanken mussten auch Paolo durch den Kopf gegangen sein, als er sein Pferd neben meines lenkte.

»Wir nähern uns Perela, Matteo«, begann er.

»Ich weiß«, erwiderte ich. Und mein Gefühl sagte mir, was nun folgen würde.

»Ich würde gerne einen Umweg dorthin machen.«

Ich erwiderte nichts. Das war vermutlich nicht sehr freundlich, denn nun musste er mich geradeheraus fragen.

»Begleitest du mich?«

»Was willst du dort machen?«

Er sah mich überrascht an. »Nichts. Warum fragst du?« Dann, nach einem kurzen Augenblick, fuhr er fort. »Ah, ich begreife, weshalb du zögerst. Du denkst, ich will jeden vertreiben, der als Nachfolger meines Vaters auf der Burg eingesetzt wurde?«

Ich schwieg weiter. Ich wusste nicht, was ich von seinem Einfall halten sollte, die Stätte seiner Kindheit aufzusuchen. Ich wusste nur, dass ich mich bei dem Gedanken daran nicht wohl in meiner Haut fühlte.

Wir ließen unsere Leute in einer Schänke nahe der Hauptstraße zurück. Paolo drückte dem Wirt Geld in die Hand, damit sie ein gutes Essen und Wein bekamen, und gab seinen Leuten den strikten Befehl, die Mägde, die das Essen auftrugen, nicht zu behelligen. Wir hatten keine Bedenken, die Männer alleine zurückzulassen. Die meisten von ihnen waren zahme Kerle, wie Stefano und Federico, Nachbarn aus Kestra, die von Ruhm und Vermögen träumten und froh waren, der Schinderei des bäuerlichen Lebens gerade zur arbeitsreichsten Zeit des Jahres entronnen zu sein.

Paolo und ich ritten schnell, bis wir an die Flussmündung kamen, an der wir die Brücke, die nach Perela führte, überqueren mussten. Den Weg zur Burg hinauf legten wir langsam zurück. Ich sah, wie er zur Schlucht blickte. Keiner sagte ein Wort. Beide wussten wir, dass hier in dieser Gegend wilde Tiere hausten, und nach so langer Zeit würden wir bestimmt keine Überreste von seiner Mutter und seinem kleinen Bruder mehr finden.

Ich gestehe, dass ich erleichtert war, als ich feststellte, dass die Burg dem Verfall nahe war. Die Mauern waren eingestürzt, das Burgtor war verschwunden, vermutlich hatte man es zu Feuerholz gemacht. Die Einheimischen hatten die Burg als Steinbruch gebraucht und alles, was irgendwie von Wert war, weggeschleppt. Der Eingang ins Wohngebäude stand offen. Wir ritten durch den Torbogen in den Hof ein.

Mein Herz klopfte vor Angst.

Zwischen zwei Pfählen war ein zerschlissenes Zelt aufgeschlagen worden und eine alte Frau kauerte neben einem kleinen Häufchen brennender Äste.

Ich wendete mein Pferd. »Ich bleibe hier keinen Augenblick länger«, sagte ich entschlossen.

Zu meiner Überraschung war auch Paolo einverstanden. »Ja, auch ich habe hier nichts mehr verloren.« Sein Blick schweifte umher. Türen und Fenster waren verschwunden, ebenso die meisten Dachziegel. Das Haus stand offen für Regen und Wind. »Warum sollen wir diese arme Zigeunerin aufscheuchen, wenn sie hier etwas Schutz vor dem Winter gefunden hat?«

Wir kamen schnell voran, als wir wieder auf der Hauptstraße ritten, um uns mit Charles d'Enville und seiner Reiterei zu treffen.

Der Papst war schwer erkrankt, und es war bekannt, dass die Bologneser gerne mit französischer Hilfe ihren früheren Stadtherrn wieder eingesetzt hätten. Sie zogen die Familie der Bentivoglio jedem päpstlichen Legaten vor. Doch bei unserer Ankunft erreichten uns schlechte Nachrichten. Der Papst hatte sich wieder von seinem Krankenbett erhoben, Rom verlassen und war in Bologna angekommen, um seinen Soldaten Mut zu machen. Er war nicht nur entschlossen, jeden Angriff auf Bologna entschieden abzuwehren, sondern er wollte seinen Feldzug sogar noch ausweiten. Nun, da er sich der Hilfe Venedigs versichert hatte, sah er keinen Grund, weshalb er nicht auch Ferrara unterwerfen und die Familie der d'Este vertreiben sollte.

Die Anwesenheit des Papstes in Bologna veränderte die Situation. Das Wetter war bitterkalt geworden, und die französischen Truppen wollten den Winter in einem angenehmen Quartier verbringen und nicht auf freiem Feld überwintern, während die päpstliche Armee gemütlich in der Stadt das Weihnachtsfest feierte. Dann trafen Boten ein, die berichteten, dass die Venezianer Soldaten geschickt hätten, um dem Papst zu Hilfe zu kommen. Und so kam es, dass die Franzosen gerade den Rückzug vorbereiteten, als wir eintrafen.

Paolo brach das Herz. Er hatte sich schon darauf gefreut, dass es endlich losgehen sollte, und den Geschichten geglaubt, denen zufolge es ein Leichtes sei, Bologna einzunehmen. Er hatte unseren Männern versprochen, sie würden an einer bedeutenden Schlacht teilnehmen und zum Fest der Erscheinung des Herrn reich mit Schmuck und anderer Beute beladen heimkehren.

Sogar Charles d'Enville war niedergeschlagen.

»Das Gleiche ist den Venezianern bei Agnadello passiert«, sagte er. »Man braucht eine starke Führung, sonst müssen wir uns zurückziehen wie sie und werden schließlich in die Flucht geschlagen.«

Wir schlossen uns Charles' Reiterei an und zogen uns zusammen mit den französischen Truppen nach Norden zurück. Die päpstliche Armee vereinigte sich mit ihren Verbündeten und folgte uns nach.

Die Absicht des Papstes war klar: Er wollte Ferrara dem Erdboden gleichmachen. Die Herrschaft des Papsttums sollte sich von Rom bis an die Grenzen von Venedig erstrecken. Aber das kleine Ferrara widersetzte sich diesen Absichten. Als der Papst erfuhr, dass die Franzosen jetzt Herzog Alfonso unterstützten, bekam er einen seiner berüchtigten Wutanfälle und schrie, dass er Ferrara zu einer Wüste machen werde.

Charles berichtete uns, dass der Papst einen Gesandten nach Ferrara geschickt hatte, der seine Drohungen überbringen sollte. Aber der Herzog und die Herzogin hatten ihm nur ins Gesicht gelacht. Sie hatten dem päpstlichen Legaten ihre Befestigungsanlagen und ihre Geschütze gezeigt und der Herzog hatte eine seiner Kanonen getätschelt und dazu gesagt: »Damit werde ich Eurem Heiligen Vater die Antwort zurückschicken.«

Der Gesandte hatte daraufhin die Flucht ergriffen, da er glaubte, der Herzog wolle ihn mit der Kanone zurückschießen.

Dies war eine der vielen Geschichten, die sich die Soldaten nachts am Lagerfeuer erzählten. Aber es gab auch andere und am beliebtesten waren die über die schöne Herzogin Lucrezia. Niemand wusste, ob sie wirklich wahr waren, aber man berichtete, dass die Herzogin Francesco Gonzaga, den Bannerträger des Papstes, so verzaubert hatte, dass er ihr und ihren Kindern freies Geleit anbot, sollte sie Ferrara verlassen wollen. Aber Lucrezia hatte ihr Herzogtum nicht verlassen. Sie blieb und sprach ihren Untertanen Mut zu. In diesem leidvollen Winter, als alle Städte rund um Ferrara erobert wurden, war Lucrezia in der Stadt mit ihren Damen ausgeritten. In ihrem besten Aufputz konnte das Volk sie bestaunen, als sie den Bedürftigen Almosen und den Kindern Konfekt austeilte. Ihre Gelassenheit und Standfestigkeit ließen die Stadtbewohner neue Hoffnung schöpfen.

Während des ganzen Novembers und Dezembers rückte uns die Armee des Papstes beständig näher. Sie nahm Sassuolo, dann Concordia ein, Städte, die Verbündete Ferraras waren. Um die Weihnachtszeit hatten sie ihr Lager nur dreißig Meilen westlich von Ferrara aufgeschlagen, und die Bande Rosse wurde ausgesandt, um bei der Verteidigung des belagerten Mirandola zu helfen.

Anfang Januar des Jahres 1511 vereinigten wir uns mit Charles' Kavallerie und am darauf folgenden Tag schauten wir von einer Anhöhe auf die gegnerischen Truppen hinab.

Das Zelt des Papstes stand zwischen all den anderen. Die Fahne mit den beiden gekreuzten Schlüsseln wehte vom Dach, darum herum die blauen und gelben Banner der Schweizer Garde.

»Das ist eine Finte«, sagte Charles. »Unsere Spione berichten, dass er in einer unscheinbaren Hütte schläft. Seine Soldaten sollen sehen, dass er unter den Entbehrungen eines Winterfeldzugs genauso leidet wie sie.«

»Damit gibt er ein gutes Beispiel«, sagte ich. »Seine Männer werden für einen solchen Anführer in den Tod gehen.«

»Er ist zu schwach, um ein Pferd zu besteigen«, sagte Charles. »Wenn er bald stirbt, kann er uns viele Unannehmlichkeiten ersparen.«

»Möge ihn mein Schwert durchbohren!«, rief Paolo aus.

»Er hat Krampfadern, deshalb wird jeder Stich ihm äußerst unangenehm sein«, witzelte Charles unter großem Gelächter.

Aber der unbeugsame alte Papst war zäh. Zwar war er immer noch nicht in der Lage, ein Pferd zu besteigen, aber er bestand darauf, von einer Trage aus der Belagerung von Mirandola zuzusehen.

Wir warteten ab. Unsere Aufgabe war es, die Flanken zu schützen. Aber wir durften nur dann losstürmen, wenn sie angriffen. Spione liefen zwischen den feindlichen Linien hin und her.

Eines Morgens, Mitte Januar, war es so weit. Unsere Gegner stellten sich zum Kampf auf. Dann kam ein Reiter, der einen Befehl in die Höhe hielt, und rief: »Sie greifen an! Sie greifen an!«

KAPITEL 59

Charles lief auf Paolo und mich zu. Er fasste uns bei den Händen. »Möge Gott mit euch sein.«

Seine Miene war angespannt. Der bevorstehende Kampf ließ alles andere unwichtig erscheinen.

Mir ging es nicht viel anders. Aber ich war nicht nur aufgeregt – böse Vorahnungen quälten mich. In meinem Magen grummelte es und aus Angst wäre ich am liebsten davongelaufen. War ich ein Feigling?

In unserem Lager wurde Alarm gegeben, die Trommeln dröhnten und riefen die Männer zum Kampf.

Wir sollten die Fußsoldaten auf dieser Seite der belagerten Stadt in Bedrängnis bringen. Indem wir sie an den Flanken angriffen, sollten wir sie daran hindern, die Stadt zu beschießen. Falls eine Lücke in der Befestigung aufbrechen sollte, hatten die Verteidiger Zeit, sich wieder zu sammeln und den Schaden zu beheben. Unser Hauptangriffsziel war eine Gruppe Musketiere, die mit schweren Hakenbüchsen bewaffnet war. Sie feuerten tödliche Salven, und wenn sie ihre Waffen laden mussten, gaben ihnen Pikenträger Deckung. Diese Langspieße maßen sechs Fuß oder mehr, und wenn die Männer dicht aneinander gedrängt im Viereck standen, waren sie beinahe undurchdringlich. Trotzdem hofften wir, ihre Deckung zu durchstoßen.

Aber dies war unsere erste Schlacht und bald mussten wir eines erkennen: Mit Lanzen auf Strohsäcke einzustechen und mit hölzernen Schwertern zu fechten, war keine ausreichende Vorbereitung für einen lauten, Angst einflößenden echten Kampf. Stefano und Federico ritten dichter zueinander und unbewusst machten Paolo und ich dasselbe.

Mirandola lag vor uns. Die Stadt sah klein und verletzlich aus. Die Rauchwolken der Gewehrsalven stiegen in den wolkenlosen Himmel. Durch die frostige Luft drang der Kanonendonner zu uns. Als wir näher kamen, sahen wir, was für ein großes Heer die Stadt belagerte. Wälder von Lanzen glitzerten in der Sonne, die Rüstungen blinkten und blitzten, Tausende von Fußsoldaten hatten sich aufgestellt. Ich sah schweizerische und venezianische Fahnen und viele andere Landesherren in ihren eigenen Farben.

Charles lachte. »Das wird ein lustiger Tag.« Er zog sein Schwert und küsste die Klinge. »Auf zum Sieg!«, rief er.

Paolo folgte seinem Beispiel. »Auf zum Sieg!«

Auch ich zog mein Schwert. »Auf zum Sieg«, sagte ich.

Paolo wendete sich in seinem Sattel um. Laut rief er seinen Leuten zu: »Zum Sieg!«

Sie zogen ihre Schwerter und wie aus einem Munde kam der Ruf: »Zum Sieg!«

Auf einem Hügel vor dem Schlachtfeld hielten wir an. Die Reihen der Fußsoldaten, die in den Farben der d'Este gekleidet waren, schwenkten ihre Banner und riefen: »Ferrara! Ferrara!«

Charles ritt vor und seine Reiter stellten sich hinter ihm in Formation. Paolo machte es ebenso. Er ritt an die Spitze unserer Leute.

Ich ritt neben ihn.

Er lächelte mich an.

Meine Kehle war vor Furcht wie zugeschnürt.

Charles schwenkte sein Schwert hoch über dem Kopf. Bevor er es senkte und das Zeichen zum Angriff gab, rief er: »Für König Ludwig und für Frankreich!«

Paolo gab seinem Pferd die Sporen. Als es losstürmte, hob er ebenfalls sein Schwert und rief: »Dell'Orte! Dell' Orte!«

Unsere Männer stimmten ein in den Ruf.

Und auch ich hörte mich rufen, so laut wie alle anderen: »Dell'Orte! Dell'Orte!«

KAPITEL 60

Das Donnern der Hufe war vor mir, hinter mir, neben mir.

Klirrendes Zaumzeug, schwitzende Menschen. Einige weinten; die Tränen liefen ihnen über die Wangen, als wir angriffen. Einige jauchzten vor Freude, andere schrien, verrückt vor Zorn und Aufregung. Die Pferde rempelten sich an, ihre Hufe trommelten auf dem harten Boden. Wir stürzten uns auf unsere Beute hinab wie hungrige Wölfe auf eingepferchte Schafe.

Wir hatten den Vorteil auf unserer Seite, denn unser Angriff kam für sie überraschend. Ihre Spießträger waren gerade dabei, sich aufzustellen, stachelig wie Igel sahen sie aus.

Hundert Fuß … achtzig … sechzig.

Mit entsetztem Geschrei wandten sie sich zur Flucht.

Aber da waren wir schon über ihnen.

Ihr Anführer schrie einen Befehl, und die hinterste Linie hatte gerade noch die Zeit, ihn zu befolgen.

Anstatt ihren Kameraden zu Hilfe zu eilen, rammten sie ihre Spieße in den Boden. Wir konnten den Galopp der Pferde nicht mehr bremsen. Die Waffen standen schräg, sie zielten auf unsere Tiere.

Der Aufprall war fürchterlich. Die Pferde brüllten vor Schmerz und wieherten, als die Spieße ihre Flanken aufrissen. Unsere Pferde waren auf den Kornfeldern um Ferrara groß worden, wir hatten sie gestriegelt und gebürstet und gehegt und sie hatten uns vertraut. Wie übel hatten wir ihre Treue missbraucht, indem wir sie in ein solches Gemetzel führten.

Die Männer pressten die Hände gegen Kopf oder Hals, als sie in die herabsausenden Schwerter liefen. Mein Schwert zerschmetterte den Knochen eines Gegners, und die Wucht war so groß, dass es mir selbst durch Mark und Bein fuhr. Ein Lanzenträger drehte blitzschnell seine Waffe um und fing meine Zügel mit einem Haken ein, der eigens zu diesem Zweck angebracht war. Er zog den

Kopf meines Pferdes zu sich herab. Dann zückte er ein langes Messer. Sein Atem schlug mir in der eiskalten Luft heiß ins Gesicht.

Ich hatte mein Schwert in der Hand. Aber dies war etwas anderes, als wahllos auf unbekannte Gegner einzuschlagen. Mir stand ein Mensch gegenüber. Ein Mensch, der atmete und lebte. Seine Augen schimmerten hinter den Schlitzen seines Helmvisiers.

Er war wie eine der Figuren im Fresko der Anghiari-Schlacht.

So wie ich auch.

Die Farben blendeten mich. Ich stand wieder vor dem Bild des Fahnenträgers auf der Wand des Ratssaales von Florenz. Sein Gesicht war verzerrt von der Anstrengung, die Fahne zu verteidigen. Alles war ein wirbelndes Durcheinander.

In diesem Augenblick verstand ich, warum der Meister das Bild so und nicht anders gemalt hatte, mit all seinen Bedeutungen.

Der Soldat packte mich an der Kehle und hob seinen Dolch.

Plötzlich ein Taumeln und Knirschen, der Aufprall von Pferdeleibern.

Ich war gerettet.

Paolo war in mein Pferd geritten, gerade so heftig, dass der Mann loslassen musste und mir Zeit verschaffte. Jetzt ließ Paolo sein Schwert herabsausen.

Der Lanzenträger schrie auf, ein Blutstrahl schoss aus seiner Kehle.

»Zu mir, Matteo, her zu mir!«, schrie Paolo. »Bleib dicht bei mir, ich beschütze dich.«

Er trieb sein Pferd voran. Ich packte meine Zügel fest und folgte ihm.

Wir hatten es geschafft.

Dann hörte ich, wie Charles' Trompeter zum Sammeln blies, und ich schlug mich zu ihm durch.

»Rückzug!« Er zeigte mit seinem Schwert auf den Hügel, von dem wir gekommen waren.

»Es wurde zum Rückzug geblasen!«, schrie ich Paolo zu.

»Wir sollten ihnen nachsetzen«, rief Paolo zurück.

»Wir müssen dem Befehl gehorchen.«

»Sie fliehen.«

»Komm!« Ich griff ihm in die Zügel.

Er versuchte, sich loszureißen. »Warum sollen wir unseren Vorteil verspielen?«

»Wir wissen nicht, was woanders geschehen ist.«

Seine Hände trieften vor Blut. Ich schaute an mir hinab. Meine auch.

»Jetzt komm!«, schrie ich ihn an.

Er funkelte zornig und entriss mir die Zügel. Aber er folgte mir, als ich das Schlachtfeld verließ.

Einige seiner Leute waren vom Pferd gestiegen, um die Rangabzeichen von den Waffenröcken und Ringe von den Fingern der Getöteten zu reißen.

»Sitzt auf! Sitzt auf!«, befahl er ihnen.

»Die Siegeszeichen! Sie stehen uns zu.«

Einer der Männer schnauzte Paolo an: »Ohne meine Beute gehe ich nicht von hier weg.«

Paolo trat nach ihm. »Sitz auf!«, schrie er. »Ich, Paolo dell'Orte, befehle es dir!«

Der Mann nahm eine Lanze, die herumlag.

Ich ritt auf die andere Seite des Mannes. »Die Beute wird gerecht aufgeteilt«, rief ich. »Aber wer weiter hier bleibt, geht leer aus.«

Ich gab meinem Pferd die Sporen und ritt voraus. Auf dem Hügel angelangt, ritten wir zu Charles, der sein Pferd bereits angebunden hatte.

»Sieg!«, winkte Paolo ihm zu. »Sieg!«

Aber Charles blickte ernst. Ein französischer Offizier ritt zu ihm und sie besprachen sich. In dem Augenblick traf ein Bote ein, dann noch einer.

»Wir sollen uns zurückziehen«, erklärte er.

»Was?« Paolo konnte nicht länger an sich halten. »Das werde ich ganz bestimmt nicht tun.«

»Zieht euch auf der Stelle zurück!« Der französische Offizier gab den Befehl mit einer Stimme, die keinen Widerspruch duldete.

»Aber wir haben das Scharmützel gewonnen«, entgegnete Paolo. »Wir sollten unsere Überlegenheit ausnutzen.«

Der Offizier sprach in scharfem Ton mit Charles.

»Ihre Fußsoldaten haben die Verteidigungsmauern auf der anderen Seite der Stadt durchbrochen«, erklärte Charles. »Während wir hier reden, rücken die päpstlichen Truppen auf die Stadt vor.«

Wir waren geschlagen worden.

»Wir haben gewonnen«, sagte Paolo trotzig. »Dort unten haben wir ihre Soldaten zu dutzenden getötet. Die wenigen, die noch übrig waren, haben die Flucht ergriffen. Dieses Gefecht haben wir gewonnen.«

Charles zuckte mit den Schultern. »Vielleicht wurden diese Männer nur geopfert, um anderswo einen größeren Sieg zu erringen.«

»Wir können uns doch nicht davonschleichen wie geprügelte Gassenköter!«

»Hol deine Männer und folge mir«, sagte Charles kalt.

»Was wird mit unseren Toten – und den Verwundeten?«

»Sie bleiben liegen, wo sie sind«, sagte Charles. Und er fügte barsch hinzu: »So ist der Krieg.«

Er ritt davon und Paolo folgte ihm widerstrebend. Nach ein paar Schritten brachte Charles sein Pferd erneut zum Stehen.

»Hör mir zu«, zischte er. »Wir spielen nicht Krieg, wir sind im Krieg. Das hier ist kein höfischer Zweikampf, bei dem zur Unterhaltung der Damen ein paar Männer vom Pferd gestoßen werden. Es ist Krieg. Und wie ich dir schon auf eurem Hof in Kestra gesagt habe: Krieg ist eine blutige und hässliche Angelegenheit.«

Bei diesen harschen Worten wich Paolo erschrocken zurück.

»Nun sammle deine Leute, die übrig geblieben sind, und folge mir.«

Paolo starrte ihm mit jämmerlicher Miene nach, als Charles seinem Pferd die Sporen gab und davonpreschte. Ich brachte ein bisschen Ordnung in unsere Abteilung und dann folgten wir ihm.

Später wurde folgende Geschichte berichtet: Noch bevor die übrigen Truppen durch das große Loch, das in die Verteidigungsmauern gerissen wurde, eindrangen, habe Papst Julius eine Leiter an der Mauer aufstellen lassen. Dann sei er, von Helfern gestützt, durch das Loch geklettert, um den Sieg selbst zu verkünden.

Am neunzehnten Januar war die Belagerung vorüber. Mirandola hatte sich ergeben.

KAPITEL 61

Wir zogen uns mit der französischen Armee geordnet nach Ferrara zurück.

Während des Ritts hatte Paolo seine Fassung wiedergefunden, und als wir unser Quartier erreichten, sprachen er und Charles bereits wieder miteinander.

»Was geschieht mit den Verwundeten, die wir zurückgelassen haben?«, fragte ich Charles.

»Hoffen wir, dass sich jemand um sie kümmert«, antwortete er. »Wichtige Gefangene werden manchmal wie Gäste behandelt. Besonders dann, wenn man sie gegen andere Gefangene austauschen oder ein hohes Lösegeld fordern kann.«

Ich musste an unsere jungen Männer denken. Wenn sie nicht ohnehin an ihren Verletzungen starben, waren sie für das gegnerische Heer nicht von großem Wert, und das sagte ich Charles auch.

»Sei nicht so besorgt«, gab er mir zur Antwort. »Ich glaube nicht, dass man sie einfach niedermetzelt.«

Wir hatten sechs Mann verloren; Federico war einer von ihnen. Wir mussten Stefano zurückhalten, damit er ihn nicht suchen ging. Seit frühester Jugend waren sie Freunde gewesen, und sie hatten gehofft, als siegreiche Krieger mit Schätzen beladen nach Kestra zurückzukehren.

»Einen guten Kämpfer zu retten, lohnt sich«, fuhr Charles weiter. »Und wenn eure Leute klug sind, werden sie das Gleiche tun, was die anderen Überlebenden auch tun: Sie werden sich bereit erklären, für den Papst zu kämpfen.«

»Dann ist es also nichts Ungewöhnliches, die Seiten zu wechseln?« Paolo klang entsetzt.

»Wenn man ein Söldner ist, nicht«, sagte Charles. »Es ist ein Geschäft. Man bietet seine Dienste demjenigen an, der am meisten dafür bezahlt, oder dem, der siegreich ist.« Er gab Paolo einen Klaps auf den Rücken. »Komm, suchen wir uns etwas zu essen«, sagte er. »Ich könnte ein gebratenes Schaf an einem Stück verschlingen.«

Anders als in Mirandola, wo die Menschen Hunger litten, gab es in Ferrara Essen im Überfluss. Die Stadt lag an einer Stelle, an der der Po besonders breit war, in der Nähe des Meeres, und da Herzog Alfonso die Wasserstraße gesichert hatte, waren die Nachschubwege offen. Dennoch war die Stadt – eine Garnisonsstadt, die von französischen Soldaten überquoll – gefährdet und deshalb hatte man riesige Lagerhäuser eingerichtet.

Monatelang hatten Baumeister die Wehranlagen der Stadt verbessert, Häuser eingerissen und die Befestigungen verstärkt. Die Mauern der Wehranlagen waren dreimal so dick wie üblich und mit massiven Erdwällen verstärkt. Die Feuer in Herzog Alfonsos Schmieden brannten bei Tag und bei Nacht, sie stellten Kanonen, schwere und leichte Geschütze her. Man munkelte, dass Alfonso sogar am Tag seiner Hochzeit mit der schönen Lucrezia in seinen Gießereien gewesen sein soll. Aber nun erwies sich diese Leidenschaft als ein unschätzbarer Vorteil. Nur wenige Wochen nach dem Fall von Mirandola brachte der Herzog seine Geschütze den Po entlang nach La Bastia, um dort bei der Verteidigung der Stadt mitzuhelfen. Paolo und ich begleiteten ihn samt unseren Männern.

Es war ein Scharmützel, das Paolo ungeheuer aufheiterte. Der Herzog war ein umsichtiger Mann und ließ sich nicht unbedacht auf Auseinandersetzungen ein. Und so wurden die päpstlichen Truppen, die gegen ihn ausgeschickt worden waren, zurückgeschlagen, und der Herzog wurde bei seiner Rückkehr in Ferrara wie ein Held empfangen. Nach einem Winter der Niederlagen und der wachsenden Hoffnungslosigkeit war auch ein kleiner Sieg ein Anlass zur Freude. Die Menschen strömten auf die Straßen und feierten ihren tapferen Herrscher, der sich für sie gegen das mächtige Rom erhoben hatte.

In La Bastia war Paolo von der Kugel einer Muskete verletzt worden, die mitten in seinem Oberschenkel stecken geblieben war. Zwar wurden die Soldaten von Wundärzten begleitet – und auch Barbiere waren dabei, die Amputationen vornahmen –, aber ihr Ruf war so schlecht, dass Paolo darauf bestand, ich solle seine Wunde versorgen. Eine Kugel, die im Fleisch stecken geblieben war, behandelte man üblicherweise mit heißem Öl. Aber an der Universität in Pavia hatte ich auch von anderen Heilmethoden gehört. Ich verließ mich darauf und auf die Heilkünste meiner Großmutter, entfernte die Kugel, säuberte die Wunde mit Salz und verband sie mit Moos. Paolo bekam keinen Wundbrand, nur eine Narbe blieb zurück.

Die Wunde machte Paolo gar nichts aus – im Gegenteil, er betrachtete sie als ein Zeichen von Männlichkeit. Nach zwei Gefechten, an denen er nun teilgenommen hatte, hielt er sich für ein altes Schlachtross. Und Elisabettas Hoffnung, dass die Begeisterung ihres Bruders durch die Erfahrung wirklicher Kämpfe vielleicht geschwächt würde, erwies sich als falsch. Paolo lebte förmlich auf in unserer Männerkameradschaft, die von schwierigen Situationen noch fester zusammengeschweißt wurde. Er putzte sein Schwert und sandte eine Nachricht an Elisabetta, in der er sie bat, noch mehr Schärpen anzufertigen, denn diejenigen, die wir trugen, waren inzwischen fleckig und zerrissen.

Auch schickte sie ihm einen Wechsel, den er einlösen konnte. Mir fiel auf, dass er mich ihren Brief nicht lesen ließ. Ich konnte nur raten, was darin stand, aber den Briefen nach zu schließen, die sie mir schrieb, war sie unglücklich darüber, wie er ihr Hab und Gut verschwendete.

Die Grundschulden, die Paolo aufgenommen hat, werden unseren Hof zu einer leichten Beute für unsere Gläubiger machen.

Etwas Ähnliches musste sie auch ihrem Bruder geschrieben haben, denn als ich ihn danach fragte, erklärte er: »Ich habe Elisabetta gesagt, dass das französische Heer unbesiegbar ist. Frankreich ist viel größer als seine Gegner. Wen hat der Papst zu Hilfe geholt? Die Spanier? Pah!«

Wir hatten inzwischen noch mehr Männer um uns versammelt. Es war nicht schwer, Freiwillige zu finden, denn die Männer sahen, dass Paolo genügend Geld zu haben schien und sie ihren Sold auch dann bekämen, wenn sie nicht kämpften. Ich mochte unsere neuen Rekruten nicht. Sie stammten aus einer anderen Gegend und ihre Sprache war ungehobelt. Sie waren auch nicht so umgänglich wie die Männer, die wir in Mirandola verloren hatten. Wir waren nicht mehr der Bund von Brüdern, der einst so voller Hoffnung in Kestra aufgebrochen war. Aber Paolo war glücklich, noch mehr Leute unter seinem Befehl zu haben, zumal alles darauf hindeutete, dass wieder ein Kampf bevorstand.

Von Spitzeln aus Bologna hatten die Franzosen neue

Nachrichten erhalten. Der Papst werde nach Rom zurückkehren. Sobald dies geschehen sei, wollten sie die Bewohner Bolognas aufhetzen, damit die sich gegen ihren Statthalter auflehnten. Wir sollten uns bereithalten, um sie zu unterstützen.

In Ferrara konnte man unterdessen den Eindruck gewinnen, als sei der Krieg schon gewonnen.

Sogar in der Fastenzeit veranstaltete die Herzogin Lucrezia üppige Feste und Spektakel, um die Soldaten bei guter Laune zu halten. Die Zeit nach dem Osterfest erklärte sie zu einer besonderen Festzeit, in der gefeiert werden sollte, dass die Herrschaft des Papstes über die Romagna allmählich einzubrechen begann. Als Charles d'Amboise, der Gouverneur von Mailand, gestorben war, beachtete sie zwar die übliche, wenn auch kurze Trauerzeit, um sein Andenken zu ehren. Als sie aber den jungen französischen Kommandanten Gaston de Foix, den Herzog von Nemours, willkommen hieß, gab sie einen rauschenden Ball, zu dem alle Offiziere eingeladen waren.

Ich war ebenfalls unter den Gästen.

So kam es, dass ich wieder einmal in ihrer Gesellschaft war. Als ich sie zum letzten Mal gesehen hatte, feierte sie gerade Hochzeit, aber damals galt meine Aufmerksamkeit zuallererst anderen Dingen. In Sandinos Auftrag sollte ich den Priester finden, der das Siegel hatte. Ich war zwar noch ein Junge gewesen, trotzdem hatte mich – wie auch heute – ihr Charme verzaubert.

Obwohl sie mehrere Kinder geboren und schwierige Schwangerschaften hinter sich gebracht hatte, war sie schlank wie ein junges Mädchen. Sie war außerordentlich schön und kleidete sich nach der neuesten Mode. Auf den Straßen erzählte man sich, dass eine Schar von Schneidern und Putzmachern die ganze Nacht hindurch nähen musste, damit sie stets die hübschesten Kleider tragen konnte.

»Sie will die Franzosen mit ihrem Glanz blenden«, sagte ein Höfling auf dem Ball an diesem Abend.

»Wir wollen dankbar sein, dass es den Franzosen gefällt«, antwortete sein Gefährte. »Solange es so bleibt und sie eine Dame in der Stunde der Not nicht im Stich lassen, sind wir sicher.«

Ich beobachtete die Herzogin aus der Nähe. Sie sprach fließend Französisch. Im Gegensatz zu Graziano war ich völlig unerfahren darin, einer Dame den Hof zu machen, aber ich sah, wie die Herzogin den Arm eines Offiziers nahm, sich gleich darauf ganz nah zu einem anderen hinbeugte und vergnügt lachte, wenn sie mit ihnen sprach. Es war deutlich zu sehen, welchen Eindruck sie auf diese Männer machte. Alle drängelten sich nach vorne, um diese Frau – die Tochter eines Papstes und die Schwester des berüchtigten Cesare Borgia – mit eigenen Augen zu sehen. Sie erwarteten, ein Ungeheuer zu erblicken. Wenn schon nicht einen wirklichen Teufel, der Feuer und Rauch spie, dann wenigstens eine dunkle Frau mit kohlschwarzen Augen, roten Lippen und Wangen. Stattdessen standen sie einer reizenden Frau gegenüber, mit hübschem Gesicht und Haaren, die bronzefarben, blond und weißgold schimmerten.

Ihre Augen glänzten. Ein zartes Lächeln umspielte ihr Gesicht. Sie konnte Gedichte zitieren, Instrumente spielen und tanzen. Tanzen liebte sie besonders. Wenn sie tanzte, trat jeder zurück, damit sie alleine, mit ihren Damen oder mit einem Edelmann, dem sie gerade ihre Gunst geschenkt hatte, dahinschweben konnte.

An diesem Abend hatte sie sich Gaston de Foix auserkoren. Dieser Mann, ein Neffe von König Ludwig, sollte die französische Armee in Italien befehligen. Er war groß gewachsen und stattlich, ein Anführer, der seine Leute begeistern konnte und kenntnisreich war; er hatte seine eigene Taktik der Kriegsführung entwickelt, die auf flinke Vorstöße und schnelle Rückzüge setzte und mit der er seine Truppen mit großer Geschwindigkeit von da nach dort führte.

Jetzt führte Gaston de Foix Lucrezia zum Tanz. Während alle ihnen dabei zusahen, bemerkte ich Charles, der neben einem jungen Mädchen stand, das mir den Rücken zukehrte.

Er winkte mich herbei, und als ich näher trat, sagte er zu ihr: »Hier ist ein Freund von mir, den Ihr kennen lernen müsst.«

Sie drehte sich zu mir um.

Und ich schaute direkt in ein Paar grüne Augen mit bernsteinfarbenen Sprenkeln darin.

KAPITEL 62

»Eleanora d'Alciato da Travalle.«

Mit großer Geste stellte Charles mir das Mädchen vor, das ich einige Zeit zuvor im Ordensgewand einer Nonne gesehen hatte.

Sie gewann als Erste die Fassung wieder. Mit festem

Blick wiederholte sie meinen Namen. »Leutnant Matteo von der Bande Rosse.«

Aber Charles war meine Verblüffung nicht verborgen geblieben.

»Ihr seid euch bereits begegnet?« Er musterte uns abwechselnd.

»Das kann ich mir nicht vorstellen«, sagte sie nach kurzem Zögern. »Den Großteil des Jahres habe ich in einem Konvent verbracht. Nach dem Tod meines Vaters ging ich ins Kloster, um über meine Zukunft nachzudenken und mein Innerstes zu erforschen.«

»Im Namen aller Männer darf ich zum Ausdruck bringen, wie froh wir sind, dass Ihr Euch wieder der Welt zuwendet«, erwiderte Charles galant.

»Und Ihr, mein Herr?« Sie wandte sich zu mir. »Womit habt Ihr Eure Zeit verbracht?«

»Ich habe mich der französischen Reiterei angeschlossen«, brachte ich mit Mühe hervor.

»Matteo ist viel zu bescheiden«, mischte sich Charles ein. »Er ist Leutnant unter dem Condottiere Paolo dell'Orte, der die Bande Rosse kommandiert. Davor war er Schüler und Gefährte des berühmten Leonardo da Vinci und ging ihm zur Hand bei seinen anatomischen Studien in der Medizinschule von Pavia.«

»Ah, Messer Matteo, dann seid Ihr gewiss geschickt im Umgang mit einem Dolch, nicht wahr?«, fragte sie wie aus der Pistole geschossen.

»Nur insofern es die Situation erfordert.« Meine Erwiderung kam nicht minder schnell.

Charles spürte die Spannung zwischen uns beiden. Allerdings nahm ich seine Neugier nur nebenbei wahr – ich hatte genug anderes zu beobachten. Eleanoras Haar war straff aus der Stirn gestrichen und kunstvoll geflochten. Ihre Locken glänzten wie poliertes Kupfer. Darüber trug sie einen zarten, mit winzigen Perlen bestickten hellgrünen Schleier.

Charles sagte: »Darf ich Euch um den nächsten Tanz bitten?«

»*Enchantée, Monsieur.*« Sie schenkte ihm ein charmantes Lächeln. »*Connaissez-vous La Poursuite?*«

»*Mais oui, Mademoiselle*«, sagte Charles. »*Je la connais très bien.*«

»*Moi aussi*«, warf ich ruhig ein. Glaubte sie etwa, mit mir spielen zu können? »*Si vous voulez danser, je serais enchanté de vous accompagner.*«

Erstaunt riss sie die Augen auf und das leuchtende Grün darin vertiefte sich.

Charles zog sich auf der Stelle zurück.

Sie reichte mir die Hand.

Ich verbeugte mich.

Und jetzt, wenn Ihr wollt, stellt mich mit Latein auf die Probe, dachte ich, während ich sie zur Tanzfläche führte. Zur Not auch mit Griechisch. Ihr werdet sehen, werte Dame, dass ich nicht hintanstehen muss.

La Poursuite.

Der Tanz der Annäherung und des Rückzugs.

Ihre Finger streiften meine.

Ich sah ihr fest in die Augen.

Sie senkte den Blick.

Ich behielt eine ernste Miene, aber innerlich schmunzelte ich.

Graziano. Wie gut du mich unterrichtet hast.

Sie blickte auf.

Ich schaute weg.

Jetzt hatte ich ihre ganze Aufmerksamkeit.

Im Geiste hörte ich Grazianos lachende Stimme. »Wenn du eine Dame umwerben willst, musst du manchmal in die entgegengesetzte Richtung gehen.«

Ich begegnete ihrem Blick möglichst unbeteiligt – und wurde mit einem Anflug von Verwirrung in ihren Augen belohnt. Oder war es Verärgerung? Vielleicht sogar Verdruss?

»Gib Acht, dass du den Bogen nicht überspannst, mein Freund.«

Ich zuckte zusammen, als Charles mir dies ins Ohr flüsterte, während ich ganz nah an ihm vorbeitanzte. Amüsiert sah er meinen Bemühungen zu.

Später kam er zu mir. Ich stand da und beobachtete Eleanora, wie sie der Herzogin das Kleid richtete, als diese auf einem vergoldeten Stuhl Platz nahm, um sich auszuruhen.

»Wenn du um diese junge Frau werben willst, musst du stets alle deine Sinne beieinanderhaben«, sagte Charles. »Sie ist kein empfindsames Seelchen, das sich an höfischen Spielereien erfreut.«

»Du kennst sie näher?«

»Nein, aber ich habe so einiges über sie gehört. Donna Eleanora gehört zu den Hofdamen der Herzogin, aber sie ist klüger und gewitzter als die meisten anderen aus Lucrezias Gefolge.«

»Sie ist von adeliger Abstammung und ich bin der Leutnant eines Condottiere«, sagte ich niedergeschlagen.

Charles lachte. »Du bist ein freier Mann und sie ist eine Frau. Nur zu, Matteo. Lass sie nicht entwischen. Schon scharen sich andere Bewerber um sie.«

Ich postierte mich neben einer Säule, von wo aus ich gesehen werden konnte, aber doch etwas abseits von den anderen war.

Fast eine Stunde verging, bis sie schließlich, bei einer älteren Dame untergehakt, an mir vorbeiflanierte. Die andere Frau kannte das Spiel und wusste, was von ihr erwartet wurde.

»Ah, da ist ja einer unserer jungen Leutnants!«, rief sie. »Es geht nicht an, dass er hier so ganz allein steht, wo er doch auf dem Schlachtfeld sein Leben für uns riskiert. Eleanora, wir müssen uns mit ihm unterhalten, alles andere wäre äußerst unhöflich.« Sie führte Eleanora zu mir, und nachdem einige Freundlichkeiten ausgetauscht worden waren, trat sie beiseite, blieb jedoch in der Nähe, um auf ihren Schützling aufzupassen.

Nun, da Eleanora vor mir stand, wusste ich nicht, was ich sagen sollte. Ich hatte alles das, was ich mir für ein geistreiches Gespräch im Geiste zurechtgelegt hatte, vergessen. Schließlich platzte ich heraus: »Donna Eleanora, gefällt Euch Euer Leben hier bei Hofe?«

Sie legte den Kopf etwas schief, so als überlege sie, ob sie meine Frage ernst nehmen sollte oder nicht. »Es hat seine amüsanten Seiten«, antwortete sie langsam. »Aber es ist nicht leicht, das Leben zu genießen, wenn so viele andere ihr Leben lassen müssen.« Sie zögerte, dann fügte sie hinzu: »Aber das wisst Ihr sicher besser als ich.«

Ich sah mich um. Die leuchtenden Farben der Seiden- und Satinkleider der Damen wetteiferten mit den prachtvollen Offiziersuniformen, den geschlitzten Ärmeln, Reithosen, den mit Zierfedern geschmückten Hüten. Was für einen glorreichen Eindruck alles zu erwecken versuchte.

»Ich war in Mirandola«, sagte ich.

»Die Stadt, die an den Gegner verloren ging?«

»Ja«, sagte ich. »Und wir haben sechs unserer Männer verloren.«

Mitfühlend streckte sie die Hand aus und berührte meinen Arm.

Ihre Begleiterin räusperte sich. Eleanora ließ die Hand sinken.

»Die eigenen Kameraden sterben zu sehen, muss der Seele tiefe Wunden schlagen.«

Ich sah sie forschend an. Ihre Worte waren nicht nur so dahingesagt, sondern entsprangen einem aufrichtigen Mitgefühl. Ich dachte an den toten Federico und daran, dass sein Freund Stefano nicht mehr länger mitsang, wenn wir früh am Morgen unsere Pferde striegelten.

»Die Erkenntnis, dass Kriegswunden nicht nur den Körper versehren, zeugt von einem tiefen Verständnis.«

Sie errötete, und ich sah, dass sie meine Worte als das Kompliment aufgefasst hatte, als das sie gedacht waren. Eleanora, stellte ich erfreut fest, war nicht so wie die anderen jungen Frauen, die von einem Mann Schmeicheleien über ihre Kleider und die Farbe ihrer Haare erwarteten.

Unter den Offizieren und ausländischen Gesandten entstand plötzlich Unruhe. Herzog Alfonso trat zu seiner Gemahlin und sprach hastig auf sie ein. Offensichtlich suchte er das Gespräch mit seinen Beratern. Die Herzogin scharte ihre Damen um sich und zog sich zurück.

Paolo eilte herbei mit Neuigkeiten.

»Der Papst ist auf dem Rückweg nach Rom. Morgen reiten wir gegen Bologna!«

KAPITEL 63

»Charles behauptet, Bologna sei der Schlüssel zu allem anderen«, erklärte Paolo mir am darauf folgenden Morgen, während wir unsere Männer zum Appell antreten ließen. »Es ist die reichste Stadt der Romagna.«

Von der Mauer des Kastells verkündete ein Herold den Einwohnern von Ferrara den Entschluss des Herzogs, Bologna anzugreifen. Er ließ keinen Zweifel daran, dass es sich um eine gerechte Sache handelte. Dann lobte er die Tapferkeit der Soldaten, pries den Edelmut und die Ehrenhaftigkeit ihres Handelns. Ein Kanonenschuss von den Zinnen unterbrach seine Rede. Es war das Zeichen zum Aufbruch. Sein Versuch, die Ansprache fortzusetzen, ging in den Hurrarufen der Soldaten und dem Jubel der Menge unter. Ein zweiter Schuss wurde abgefeuert und dann ging es los.

Die Bande Rosse ritt in eindrucksvoller Formation durch das Stadttor, das Klappern der Hufe und das Klirren von Waffen und Rüstung gaben den Takt vor.

Im Gegensatz zu der rauen Kälte bei der Winterattacke war das Wetter jetzt, Mitte Mai, sehr angenehm. Paolo summte eine kleine Melodie im Gleichklang mit dem Klingeln des Zaumzeugs und den Schlägen der Trommel. Diese Seite des Soldatendaseins ließ das Herz jedes jungen Mannes höher schlagen. In schmucker Uniform, eine

Hand in die Seite gestützt, die andere fest am Zügel, ritten wir an den Balkonen und Dachterrassen vorbei, wo die Damen uns mit Tüchern zuwinkten und Blütenblätter auf uns herabwarfen.

Ich stellte mich in die Steigbügel, drehte mich um und ließ den Blick über unsere Truppe schweifen. Sogar Stefano war heute in besserer Stimmung als sonst. Seine Augen leuchteten und er tippte grüßend an seinen Helm. Ich erwiderte den Gruß und grinste breit.

Bald tauchten die roten Backsteintürme von Bologna am Horizont auf. Von weitem hörten wir bereits den Kampfeslärm. Unsere Männer gaben ihren Pferden die Sporen, denn sie konnten es kaum erwarten, sich ins Getümmel zu werfen. Aber Paolo und ich hatten mittlerweile genug Erfahrung und wollten alles tun, damit sich das wüste Handgemenge von Mirandola nicht wiederholte. Als er seine Befehle gab, lag in seiner Stimme eine Entschlossenheit, die ich zuvor noch nicht gehört hatte. Ich bemerkte den anerkennenden Blick, den Charles d'Enville ihm zuwarf.

Der päpstliche Legat hatte sich bereits nach Ravenna abgesetzt, einer Küstenstadt etwa dreißig Meilen östlich von hier. Die verbleibenden Soldaten verbarrikadierten sich im Castello di Galliera und wehrten die Angreifer tapfer ab, bis Herzog Alfonso schließlich seine fahrbare Kriegskanone aufstellen ließ und damit begann, den Schutzwall aufzusprengen. Es dauerte nicht lange, bis ein Zugang geschlagen worden war.

Im Innern der Festung hörten wir eine Reihe von Explosionen.

Wenig später erhielt Charles eine Nachricht. »Sie jagen

ihre Munition in die Luft«, teilte er uns mit. »Wir haben den Auftrag, sie davon abzuhalten.« Er zog sein Schwert und küsste die Klinge. Mit funkelnden Augen gab er das Zeichen zum Angriff.

Die Verteidiger hatten uns nicht viel entgegenzusetzen und wir galoppierten mitten durch ihre Linien. Den Fußsoldaten blieb die Aufgabe, die verbleibenden Gegner niederzukämpfen und die Festung zu sichern. Und natürlich Beute zu machen.

Als die Neuigkeit vom Fall des Castellos sich unter der Bevölkerung verbreitete, strömten die Menschen auf die Straßen der Stadt, und bald darauf schleppten sie Geschirr, Trinkpokale und Möbelstücke aus der Festung weg. Einige Söldner, die eigentlich den Auftrag hatten, die Festung gegen Plünderer zu sichern, warfen ihre Waffen weg und beteiligten sich an den Beutezügen.

»Hier finden sich genug Waffen und Kleidung, dass es für den kommenden Winter reicht«, stellte Paolo fest. »Wenn nicht gar für die nächsten Jahre.«

Erschrocken sah ich ihn an. Wir hatten uns den Franzosen für ein Jahr verpflichtet. Noch immer hegte ich die stille Hoffnung, an die Universität von Pavia zu gehen, wenn unser Vertrag erst einmal abgelaufen war. Und dieser Zeitpunkt rückte näher.

»Aber wir haben Bologna eingenommen«, sagte ich. »Unsere Aufgabe ist damit erledigt.«

Er gab mir keine Antwort und so folgte ich ihm schweigend in die Waffenkammer.

In der Festung hatte sich bereits eine aufgebrachte Menge zu schaffen gemacht. Die Leute stießen Statuen um, rissen Seidenbehänge ab und stemmten mit Äxten

Holzdielen auf. Wandteppiche, die zu groß waren, um sie wegzutragen, schnitten sie kurzerhand in Stücke. In einem Gang traf ich auf Stefano, von dem ich wusste, dass er bei seiner Rückkehr nach Kestra heiraten wollte. Er trug ein zusammengerolltes Bündel unter dem Arm. Es waren Priestergewänder.

»Die nehme ich mit nach Hause für meine Beatrice. Daraus kann sie ein seidenes Laken nähen für unsere Hochzeitsnacht.«

Paolo und ich sammelten Schwerter und Lanzen ein und ließen sie auf einem Karren in unser Quartier schaffen: Paolo wählte für sich selbst Teile von Waffenrüstungen aus. Über sein dick gefüttertes Wams zog er einen prunkvollen Schweizer Brustharnisch und einen eisernen Ringkragen. Es stand ihm gut, und er stolzierte damit auf und ab wie ein junges Mädchen, das seine neue Halskette präsentiert.

Als die Nacht hereinbrach, machte sich Zügellosigkeit in der Stadt breit. Die Stimmung war wild und gefährlich. Ich entschloss mich, in unserem Quartier zu bleiben, und spielte mit den französischen Offizieren Karten. Mitternacht war schon vorüber, wir waren noch immer in unser Spiel vertieft, als einer von Charles' Kameraden, ein Mann mit dem Namen Thierry, zur Tür hereinkam. Er war im Spital gewesen, um nach einem Freund zu schauen, der eine Musketenkugel an der Schulter abbekommen hatte.

»Wie geht es Armand?«, fragte Charles.

»Er liegt im Sterben«, antwortete Thierry mit brechender Stimme.

Charles trat an das Fenstersims, nahm die Karaffe und schenkte seinem Kameraden etwas Wein ein.

»So eine leichte Verwundung.« Thierry schlug mit der Faust gegen seine Handfläche. »Man würde meinen, dass sie sich heilen lässt.«

»Es sind nicht sehr viele Wundärzte hier«, stellte ein Mann fest, der sich zu unserem Kartenspiel gesellt hatte. »Die Mönche tun ihr Möglichstes, aber es kommt ungefähr einer von ihnen auf hundert Verwundete.«

»Matteo«, sagte Charles zu mir, »ich habe gesehen, wie du Paolo in Ferrara verarztet hast, als die Musketenkugel in seinem Bein steckte. Du kennst dich mit diesen Dingen aus. Würdest du dir den Verwundeten einmal anschauen?«

KAPITEL 64

Thierrys Freund Armand ging es sehr schlecht. Er hatte hohes Fieber, was auf eine Entzündung schließen ließ. Damit hatte man bei Musketenkugel zu rechnen. Die Wunde war mit heißem Öl behandelt worden und hatte angefangen zu eitern. Das Wundgift hatte sich im Körper ausgebreitet und war wohl auch bis ins Gehirn vorgedrungen. Er stammelte unverständlich, und ab und zu bäumte er sich auf, als sähe er Dämonen, die uns verborgen waren.

Thierry, der mich zu dem Kranken geführt hatte, stand neben dem Bett und sah so elend aus, dass ich es fast nicht über mich brachte, seine Befürchtungen zu bestätigen. Wie es aussah, waren wir zu spät gekommen.

Trotzdem rührte ich eine Salbe aus Honig und Alaun an und säuberte damit die Wunde. Ich bat die Mönche, kein Öl mehr darauf zu träufeln, und empfahl ihnen, wie sie stattdessen verfahren sollten.

Anfangs beschwerte sich Thierry noch. »Das ist gegen jede Regel. Wir Soldaten haben genaue Anweisungen, wie Wunden zu behandeln sind.«

»Es ist die Methode, die ich für die beste halte«, erklärte ich und ließ ihn stehen.

Am nächsten Morgen sah ich nach dem Verwundeten, aber sein Zustand hatte sich nicht merklich gebessert. Aber auch nicht verschlechtert. Am darauf folgenden Tag verhielt es sich nicht anders. Am Nachmittag dann kam Thierry zu mir, um mir mitzuteilen, dass die schwärende Wunde zwar noch nicht frei von Eiter sei, er seinen Freund jedoch wach und ansprechbar vorgefunden habe.

Ich ging ins Spital, um mir Armands Wunde anzuschauen, und stellte zufrieden fest, dass die Haut an den Rändern anfing zu heilen. Während ich noch dastand, trat ein Mönch zu mir und fragte, ob ich mich um zwei weitere Soldaten kümmern könnte, deren Verletzungen ähnlich waren. Ich muss zugeben, der Erfolg meiner Behandlung befriedigte mich außerordentlich, und ich war neugierig, ob sie auch bei den anderen Verwundeten Wirkung zeigen würde. Statt Geld am Kartentisch zu verlieren und mich nach Eleanora d'Alciato zu sehnen, konnte ich ebenso gut meine Zeit im Spital verbringen, bis wir von den Franzosen weitere Befehle erhielten.

Etwa eine Woche später, ich war gerade auf dem Weg ins Spital, erhielt ich die Nachricht, dass eine einflussreiche Persönlichkeit mich zu sprechen wünschte. Der Mann wartete in der Besucherstube des Spitals und stellte sich als Doktor Claudio Ridolfi von der Medizinschule in Bologna vor. Er wollte von mir Genaueres zu meinen Behandlungsmethoden bei den Musketenwunden wissen.

»Ich habe mich nicht danach gedrängt«, wehrte ich sofort ab. Von meiner Zeit in Pavia wusste ich, dass es strenge Regeln gab, was die Ausübung ärztlicher Tätigkeiten anlangte. Barbieren war es nicht erlaubt, Arzneien zu verteilen, und Apotheker unterlagen den Anordnungen der Zunft. Auch die Geistlichkeit durfte sich nicht ärztlich betätigen, und jedem, der diesen Bestimmungen zuwiderhandelte, drohte Gefängnis oder Schlimmeres.

»Ich habe kein Geld dafür genommen«, versicherte ich. »Ohnehin habe ich mich nur auf Bitten der Mönche um die Verwundeten gekümmert.«

»Seid ohne Sorge, ich bin nicht hier, um Euch zu tadeln«, sagte Doktor Ridolfi. »Ich möchte vielmehr von Euch lernen. Für einen so jungen Mann habt Ihr ein ganz erstaunliches Wissen.«

»Ich wuchs auf dem Land auf«, erklärte ich nun schon etwas ruhiger. »Von Kindesbeinen an bin ich vertraut mit den Heilmitteln der einfachen Leute. Und ich habe mir einige Kenntnisse über das innere Zusammenspiel des menschlichen Körpers erworben, indem ich die öffentlichen Leichensektionen eines Professors in Pavia besuchte.«

»Sprecht Ihr von Marcantonio della Torre?«

»So ist sein Name, ja.«

»Dann habt Ihr einen großen Vorzug genossen; seine Arbeiten sind über die Grenzen hinaus bekannt.«

Ich nickte. »Er ist ein sehr kenntnisreicher und gelehrter Mann.«

»Er *war* es«, sagte Doktor Ridolfi betrübt. »Wenn Ihr mit Messer della Torre bekannt wart, muss ich Euch leider mitteilen, dass er verstorben ist.«

»Er ist tot?« Ich konnte es nicht fassen. Er war noch nicht sehr alt gewesen, allenfalls Ende zwanzig.

»Es tut mir Leid«, sagte der Arzt.

»Woran ist er gestorben?«

»An der Pest. Er steckte sich an, während er sich um Pestkranke in Verona kümmerte. Er hatte in der Gegend Verwandte und erlag dort der Krankheit.«

Ja, das entsprach ganz seinem Wesen. Als guter Arzt hatte er anderen beigestanden, ohne auf seine eigene Sicherheit zu achten. Dieser Schicksalsschlag hatte den Meister gewiss tief getroffen, zumal auch noch Charles d'Amboise, der Gouverneur von Mailand, der ihn in seiner Stadt so herzlich aufgenommen hatte, vor kurzem gestorben war. Und nun Professor della Torre. Zwei seiner Freunde, Männer, mit denen er seine Gedanken austauschte, waren tot.

Doktor Ridolfi ließ mir einen Augenblick, um meine Fassung zurückzugewinnen, dann sagte er: »Ich möchte gerne wissen, wieso Ihr die Musketenwunde nicht mit der herkömmlichen Methode behandelt habt.«

»Ich weiß nichts von der herkömmlichen Methode.«

»Sagtet Ihr nicht, Ihr hättet in Pavia die Medizinschule besucht?«

»Ich blieb nur ein paar Monate, solange mein Meister sich mit anatomischen Studien beschäftigte.«

»Euer Meister?«

»Zu der Zeit stand ich im Dienst Leonardo da Vincis.«

»Der große Leonardo! Ihr habt Euch wahrlich in bester Gesellschaft bewegt.«

»Ja«, sagte ich. »Erst jetzt, da ich älter bin, weiß ich das recht zu schätzen. Meister Leonardo hatte sich bereit erklärt, mir eine Ausbildung in Pavia zu ermöglichen, aber ... «

Aber Sandinos Rachegedanken hatten mir einen Strich durch die Rechnung gemacht, vollendete ich den Satz im Stillen. Sandino und meine Verpflichtung Paolo gegenüber. Dennoch hatte ich stets daran geglaubt, dass mein Ausflug ins Soldatenleben nur vorübergehend sein würde. Mit dem Leichtsinn der Jugend hatte ich gehofft, eines Tages nach Mailand zurückkehren zu können, um den Meister zu bitten, mich doch noch nach Pavia zu schicken. Doch nun war Marcantonio della Torre tot, von der Pest dahingerafft. Die Welt hatte einen guten Arzt verloren und ich meine Hoffnungen für die Zukunft.

Ich setzte mich an den Schreibtisch. »Ich werde Euch meine Behandlungsschritte aufschreiben«, sagte ich zu Doktor Ridolfi. »Ihr könnt damit ganz nach Eurem Belieben verfahren.«

Kaum hatte ich meine Niederschrift beendet, als Paolo und einige seiner Männer herbeieilten.

»Komm mit!«, rief Paolo. »Das musst du dir ansehen, Matteo. Sie stürzen die Statue des Papstes.«

Wir gingen auf die Piazza, wo sich bereits eine große Schar versammelte hatte, zwängten uns zwischen den Wartenden hindurch und fanden einen guten Platz auf einer Dachterrasse.

Man hatte dicke Seile um die von Michelangelo geschaffene kolossale Bronzestatue geschlungen. Sie war dreimal so groß wie ein Mann, daher waren mehrere Leute nötig, um das Werk zu verrichten. Ein dicker Stadtverordneter schlug die Trommel und rief: »Hebt an!«

»Hebt an! Hebt an!«, feuerten nun auch die umstehenden Leute die Männer an.

Paolo umklammerte meinen Arm, als das Standbild anfing zu wackeln.

»Hebt an! Hebt an!«, scholl es von allen Seiten.

Einige Ratsherren schwärmten aus und befahlen den Soldaten, den großen Platz frei zu räumen. Die Männer versuchten daraufhin, die Zuschauer in die Seitenstraßen zurückzudrängen, jedoch ohne Erfolg. In den Bäumen hockten vorwitzige Burschen, ja die Leute kletterten sogar auf Dächer der umstehenden Häuser und rangelten um die besten Plätze.

»Hebt an! Hebt an!«, dröhnte es über die Piazza.

Zuerst schwankte die Statue nur bedrohlich, doch dann stürzte sie plötzlich krachend zu Boden. Splitter von zerborstenen Pflastersteinen flogen durch die Luft, so hart war der Aufprall.

Die Leute hoben ihre Kinder hoch, damit sie es mit eigenen Augen sehen konnten, und riefen: »Seht ihr? Bologna holt den Papst auf die Erde zurück. An uns können sich alle ein Beispiel nehmen.«

Ein Trompetenstoß ertönte, und auf Befehl der Ratsherren eilten Soldaten auf den Platz, um die Menschen davon abzuhalten, sich auf die Statue zu stürzen. Hufschmiede wurden herbeigeholt, damit sie den Kopf der Papststatue abschlugen. Danach schleifte man ihn durch die Straßen. Die Leute warfen Steine auf ihn und Dung und riefen: »Hier, Julius, nimm den Zehnten, den du von uns gefordert hast.«

Der Rat der Stadt entschloss sich, das Standbild Herzog Alfonso zu überlassen, woraufhin dieser es unverzüglich wegschaffen ließ. Er wollte, hieß es, die Statue einschmelzen und eine Kriegskanone daraus gießen, die den Namen des Papstes tragen sollte. Das neue Geschütz sollte feuergefährlich und laut sein und Il Julio genannt werden.

KAPITEL 65

Ein nur zu diesem Zweck gebauter großer Karren sollte die Papststatue nach Ferrara bringen. Ausgestattet mit eisenbeschlagenen Rädern und gezogen von zwölf Ochsen, rollte er über die Via Montegrappa und durch das Tor von San Felice in Richtung Ferrara.

Die gesamte Bevölkerung schien auf den Beinen, um den ungewöhnlichen Aufmarsch mitzuerleben: Zunftleute und Wäscherinnen, Markthändler und Kaufleute, Künstler, Kurtisanen, Geistliche, Handwerker, Edelleute und Bettler. Die Bande Rosse war zum Geleit abkommandiert worden und so setzten wir uns an die Spitze des Zugs. Ein Arbeitstrupp eilte uns jeden Tag voraus, um die Straßen auszubessern, damit das Pflaster in einem guten Zustand war und das enorme Gewicht des Karrens aushielt. Begleitet wurden sie von Fußsoldaten, die dafür sorgten, dass weder Reisende noch Fuhrwerke die Arbeiten behinderten.

Die Bauern auf dem Feld hielten bei der Arbeit inne, wenn wir vorbeiritten, und die Dorfbewohner in den Ortschaften entlang des Weges kamen aus ihren Häusern, um uns zu begrüßen. Sie warfen uns kleine Sträußchen aus gelbem Hahnenfuß, weißen Gänseblümchen und anderen Wiesenblumen zu. Als der Blütenregen auf uns herabrieselte, lachten wir und wischten die Blüten von Kopf und Händen. Die Menschen hatten sehr unter dem strengen Winter gelitten, aber nun, da die Familie Bentivoglio die Herrschaft zurückgewonnen hatte, hofften sie auf einen Sommer in Frieden und Eintracht.

Paolo strahlte übers ganze Gesicht und die jungen Burschen seines Trupps pfiffen und johlten den Bauernmädchen auf den Feldern zu. Es war unser Triumphzug, wir hatten ein eindrucksvolles Siegeszeichen dabei und genossen den Jubel und die Dankbarkeit unserer Bewunderer.

»Wir sind ein Teil der Geschichte«, sagte Paolo stolz zu mir, während wir auf Ferrara zuritten, wo eine große Menschenschar an der Stadtmauer auf uns wartete.

Am Abend fand ein Fest unter freiem Himmel statt. Ein riesiges Freudenfeuer brannte vor dem Palazzo di Diamanti und die Stadtbewohner tanzten um die Bronzestatue.

Besonders in der Stadtmitte drängten sich die Menschen. Als Charles und ich bei Einbruch der Dämmerung unser Quartier verließen, hatten wir Mühe, zur Piazza del Castello zu gelangen, wo die offiziellen Feierlichkeiten abgehalten wurden. Ein Bereich des großen Platzes diente als Tanzfläche, Musikanten spielten auf und unterhielten das Publikum mit schwungvollen Weisen.

Der Herzog und die Herzogin ließen es sich nicht nehmen und beehrten das Fest mit ihrer Anwesenheit. Sie saßen auf einem erhöhten Podest und sahen dem ausgelassenen Treiben zu. Den Herzog ermüdete das Spektakel recht bald, und er stahl sich davon, zweifellos um zu den Schmiedeessen zu eilen, wo er, und sei es auch nur symbolisch, den Papst im Feuer rösten würde. Donna Lucrezia hatte man die Krone der Maienkönigin aufgesetzt. In ihrem Haar steckten Blumen und sie trug ein Kleid aus fließendem weißem Batist. Die Hofdamen an ihrer Seite waren ähnlich gekleidet.

Charles stieß mich an. Aber ich hatte die eine, die ich suchte, bereits erspäht.

Eleanora d'Alciato.

»Ich lasse dich jetzt allein«, flüsterte Charles mir zu. »Heute Nacht steht mir der Sinn nach einer anderen Beute. In der Schänke dort drüben ist schon der Spieltisch gerichtet. Glückliche Jagd, mein Freund.«

Trotz aller hilfreichen Ratschläge von Graziano und Felipe war ich mir nicht sicher, was die Etikette anging. Während des Karnevals oder auf einem Fest wie diesem, so nahm ich an, wurden einem nicht ganz so viele Beschränkungen auferlegt. Wo war Charles, wenn man ihn brauchte? Und Paolo? Bestimmt polierte er seine Rüstung für die nächste Schlacht. Durfte ich mich einer Hofdame unaufgefordert nähern?

Eine Maske, fiel mir ein, verschaffte einem ungewohnte Freiheiten.

Bei einem Straßenverkäufer erstand ich für ein paar Münzen eine schmale Augenmaske. Ich legte sie an und trat kühn an Eleanora heran.

»Darf ich die holde Dame um einen Tanz bitten?«, fragte ich und reichte ihr die Hand.

Sie wich einen Schritt zurück und zog ihren Umhang enger.

Einer der Höflinge griff unwillkürlich zu seinem Schwert in der Scheide. Da ich, was Waffen anging, nicht ganz unerfahren war, erkannte ich auf den ersten Blick, dass es sich lediglich um eine leichte Zierwaffe handelte, die als Schmuck diente. Bestimmt handelte es sich bei dem Mann um einen der vielen Poeten, die für gewöhnlich die Herzogin umschwirrten.

»Ich hatte gehofft, die Dame würde mich wiedererkennen«, sagte ich leise. »Wir haben schon einmal miteinander getanzt. Damals war es allerdings La Poursuite und wir tanzten in einem Saal.«

Eleanora holte überrascht Luft.

»Die Schritte dieses Reigens sind recht einfach, bereiten aber dennoch Vergnügen«, fuhr ich fort. »Unter meiner Anleitung, da bin ich sicher, werdet Ihr sie rasch erlernen.«

Ihr Augenlider flatterten.

Ah! Dieser Stich hatte gesessen!

Eleanora wandte sich fragend an Donna Lucrezia. Die Herzogin von Ferrara sah uns schmunzelnd an. »Kennst du diesen Mann?«, fragte sie.

»Ja. Wir haben uns unter höchst ehrenwerten Umständen in Eurem Palast kennen gelernt, Herzogin.«

Donna Lucrezia nickte großzügig. »Ihr dürft mit Donna Eleanora tanzen«, sagte sie zu mir. »Aber so, dass ich Euch in Auge behalten kann, und auch nur einen einzigen Tanz.«

Ich willigte ein und reichte Eleanora den Arm.

Ich führte sie auf die Piazza.

Der Tanz war ein Bauernreigen, wie man ihn in den Weinbergen beim Traubenstampfen aufführte. Wir stellten uns im Kreis auf, und ich spürte einen Stich der Eifersucht, als ich bemerkte, dass sich ein Mann neben sie einreihte. Ich nahm ihren Arm und führte sie zu einer anderen Stelle, wo sie zwischen mir und einer anderen Frau stand.

Amüsierte sie sich insgeheim über mein Vorgehen? Ich hatte keine Zeit, ihre Gesichtszüge zu betrachten, denn der Tanz begann sehr schwungvoll.

Bei der ersten Runde stampften wir mit den Füßen, und sie beschwerte sich, dass ihre Schuhe nicht robust genug waren für die harten Pflastersteine.

»Seht nur!« Sie hob ihre Röcke ein wenig und zeigte mir die rosenfarbenen Seidenschuhe und ihre hübschen Fußknöchel in weißen Strümpfen.

Ich bot ihr meine Stiefel an.

Sie lachte. Ich sah ihre gleichmäßigen weißen Zähne und dazwischen die Zungenspitze. Ihre Hand kam mir in der meinen so klein und weich vor. In ihren Augen spiegelte sich der Lichtschein des Feuers wider. Wir wirbelten so schnell im Kreis herum, dass ihr Haar sich löste und kleine Löckchen ihr Gesicht umrahmten. Ihre Lippen waren feucht, und ich wollte nichts anderes im Leben, als sie zu küssen.

KAPITEL 66

Als der Tanz vorüber war, tauchte neben uns ein herzoglicher Diener auf, um Eleanora abzuholen. Es war nicht der schmalbrüstige Dichter, sondern ein stattlicher FerraresER von kräftiger Statur. Es blieb keine Zeit mehr für ein paar Worte unter vier Augen, denn er folgte uns auf dem Fuße, als ich Eleanora zu den Hofdamen zurückbrachte.

Wir waren schon beinahe dort angelangt, als sie mit gedämpfter Stimme sagte: »Ich muss noch das Rätsel lösen, Messer Matteo, warum Ihr im vergangenen Jahr einen so außergewöhnlichen Weg gewählt habt, um mich im Konvent meiner Tante zu besuchen.«

Gleich darauf rief die Herzogin sie zu sich und mit einem Kopfnicken verabschiedete sich Eleanora von mir.

In den folgenden Tagen machten sich die Bronzegießer ans Werk. Nur mit einem Lendenschurz bekleidet, schufteten sie schweißüberströmt unter der Anleitung des Herzogs, um Michelangelos Meisterwerk in ein Kriegsgerät zu verwandeln. Ich schaute eine Zeit lang dabei zu und sah im Geiste Zoroastros heiteres Gesicht vor mir, wenn er sich über das Schmiedefeuer beugte.

Die geschmolzene Bronze glühte rot, als sich das heiße Metall in die in den Boden eingelassene Form ergoss. Die unglaubliche Hitze, die Kraft und Majestät der Elemente – mit einem Mal begriff ich, warum die Menschen an die Magie der Alchemie glaubten. Wir erschufen etwas, indem wir die Beschaffenheit eines Stoffs veränderten, verfügten über die Elemente nach unserem Willen. Wer außer Gott vermochte so etwas zu tun?

Als die neue Kanone fertig war, sandte der Herzog einen Botschafter nach Rom zum Papst, um ihm mitzuteilen, dass seine Heiligkeit jetzt in veränderter Gestalt Ferraras Verteidigung diente. Dann ließ er in der ganzen Stadt verkünden, dass Il Julio bereit sei. Das große Geschütz wurde auf den großen Platz gerollt, damit alle es bestaunen konnten. An diesem Tag gab es Spiele und ein Turnier auf der weiten Flur nahe am Castel Tedaldo.

Begleitet von ihrem Gefolge führten die französischen Edelleute den Paradezug an. In prachtvolle goldfarbene Seidenumhänge gekleidet, saßen sie auf ihren Schlachtrössern, die mit reich verzierten Schabracken und schweren Samtdecken geschmückt waren, und ritten in langsamem Schritt über das Feld. Ihnen folgten Pferdeknechte, die auf leichtfüßigeren Tieren ihre Kunstfertigkeiten vorführten. Sie ritten eine Runde, fielen in einen schnellen Galopp, zügelten die Pferde für einen eleganten Trab oder ritten einen Kreis ab und ließen sie dabei ihre dicken Mähnen schütteln. Alle, die zusahen, staunten darüber, nur ich schmunzelte insgeheim. Das waren recht einfache Kunststückchen, die jedes Zigeunerkind konnte.

Die Soldaten der verschiedenen Condottieri traten gegeneinander zum Zweikampf mit hölzernen Lanzen an. Schließlich war auch die Bande Rosse an der Reihe. Im Zeughaus in Bologna hatte Paolo ein Buch mit den Schweizer Armeeregeln gefunden und seither hatte er mit seinen Männern Formationen eingeübt. Im Leichtgalopp ritten wir los und warfen mit einem lauten Schrei unsere Hüte in die Luft. Dann machten wir eine Kehrtwende, nur um gleich darauf in scharfem Galopp übers Feld zu jagen. Im Gleichklang zügelten wir unsere Pferde plötzlich, machten kehrt, ließen sie sich verneigen und beugten uns aus dem Sattel, um unsere Hüte aufzuheben. Ich bildete mir ein, mich von uns allen als bester Reiter gezeigt zu haben.

Sah sie mir vom Podest der Herzogin aus zu?

Zum Abschluss des Turniers wurde der Ehrenpreis der Damen vergeben. Mitten auf dem Feld wurde ein langer Holzstamm in die Erde getrieben. Er war mit Nägeln versehen, damit die Damen ihre Bänder daran festmachen konnten. Die Männer ritten dann in einem Pulk daran vorbei und versuchten, das Band ihrer Wahl zu ergattern.

Die Damen, die sich an dem Spiel beteiligten, nahmen Bänder aus ihrem Haar oder von ihrem Kleid und hielten sie hoch, damit alle sehen konnten, wem das Ehrenpfand gehörte und welche Farbe es hatte. Ein Page verkündete dies laut, und die Zuschauer wiederholten vergnügt Name und Farben der jeweiligen Dame, während sie vortrat und ihre Bänder befestigte.

Es forderte den Damen einigen Mut ab, das zu tun. Einige weigerten sich denn auch, entweder weil sie zu schüchtern waren oder weil sie fürchteten, dass kein Mann nach ihrem Band greifen würde. Manch eine schreckte davor zurück aus Angst, einige Witzbolde unter den Zuschauern könnten, wenn ihr Name aufgerufen wurde, Anspielungen auf die neuesten Skandalgeschichten machen. Mitunter erfuhr auf diese Weise der ahnungslose Ehemann erstmals von der Untreue seiner Gattin.

Ich hielt Ausschau nach einer ganz bestimmten Person. Mein Pulsschlag beschleunigte sich, als ich sie tatsächlich zwischen den anderen Damen erspähte.

Die Herzogin hatte ihre eigenen Borgia-Farben, maulbeerfarben und gelb, an die Spitze des Stamms geheftet. Kaum hatten sich die Mitstreiter mit ihren Pferden am anderen Ende der Rennstrecke aufgestellt, ging das Gerangel um den günstigsten Platz los, denn natürlich wollte jeder Lucrezias Pfand wegschnappen. Ich jedoch ließ die Bänder in Flieder und Hellgrün nicht aus den Augen, die etwas tiefer am Stamm hingen. Eleanora trug ein Brokatkleid, dessen Hals- und Ärmelausschnitte mit fliederfarbener Seide und weißer Spitze unterlegt waren. Als Eleanora an der Reihe gewesen war, hatte sie ihre Bänder nicht in die Höhe gehalten und auch nicht abgewartet, bis ihr Name genannt wurde, sondern war zum Holzstamm gerannt, hatte die Bänder um den Nagel geschlungen und war sofort wieder davongeeilt. Und dabei hatte sie kein einziges Mal in meine Richtung geblickt.

Auf dem Rennfeld drängten sich die Bewerber. Die meisten von ihnen hatten sich für den letzten Wettkampf des Tages umgezogen. Ich trug ein weißes Leinenhemd, das an Handgelenken und Kragen gerafft war, ansonsten jedoch locker fiel, damit ich genug Bewegungsfreiheit hatte. Dazu trug ich eine schwarze Wildlederhose und hohe Stiefel bis über die Knie. Meine Handschuhe waren aus weichem Leder. An den Arm, mit dem ich das Zaumzeug hielt, hatte ich einen Metallschutz gebunden, damit ich das Pferd besser führen konnte, denn wir mussten ohne Sattel und Steigbügel reiten. Ich presste die Knie gegen seine Flanken und spürte die ungestüme Kraft meines Hengstes.

Das war das Zeichen!

Mein Pferd machte einen Satz nach vorn und los ging's.

Zwanzig Männer und nur fünf Ehrenpreise.

Ich ritt vorne mit, durfte jedoch auf keinen Fall das Rennen gewinnen. Wenn ich als Erster den Holzstamm erreichte, musste ich das Band der Herzogin herunterholen. Die anderen Reiter drängten sich um mich, während ich versuchte, sie in Schach zu halten und zugleich einem Edelmann aus Ferrara zu gestatten, vor mir ans Ziel zu gelangen.

Die Pferdehufe schleuderten dicke Erdklumpen in die

Luft und das Publikum feuerte uns lautstark an. Wir waren fast am Ziel.

Wie ich vorausgesehen hatte, nahm der Sieger die Bänder der Herzogin ab. Jetzt war der Weg für mich frei.

Ich griff nach dem fliederfarbenen Band.

Da tauchte neben mir ein anderer Mann auf, älter und kräftiger als ich, und schlug mir mit der Faust ins Gesicht.

Die Zuschauer bedachten ihn mit wüsten Beschimpfungen.

Ich wich zur Seite aus.

Er griff nach den Bändern. Sie waren festgeknotet, und er schaffte es nicht sofort, sie abzunehmen, sehr zur Freude der Zuschauer, die ihn auslachten. Ich gab mich nicht geschlagen, sondern versuchte, ihn wegzudrängen. Sein Tier biss nach meinem Pferd. Aber ich hatte meinen Hengst nicht umsonst jeden Tag gestriegelt, die Steine aus den Hufen gekratzt und in den kalten Winternächten vor Mirandola an seiner Seite gelegen. Er ließ mich nicht im Stich.

Ich streckte mich und packte die Bänder.

Jetzt hatte ich sie!

Ich hatte die Bänder!

Nun musste sie zu mir kommen und sie holen.

Die fünf Männer stellten sich in einer Reihe auf. Eine Fanfare erklang und rief die Damen aufs Feld, damit sie ihr Pfand wieder in Empfang nahmen.

Die Herzogin gestattete es ihrem Sieger, ihre Fingerspitzen zu küssen.

Unter dem Johlen der Zuschauer schlüpfte die nächste Dame aus ihrem Schuh und bot ihren Fuß zum Kuss an.

Die beiden anderen streckten huldvoll die Hand aus.

Und dann ertönte die Trompete zum letzten Mal.

Der Page rief: »Donna Eleanora d'Alciato!«

Sie kam die Stufen herab.

Ich gab meinem Hengst ein Zeichen und gehorsam beugte er sein Vorderbein und verneigte sich vor ihr. Das Publikum lachte vergnügt und klatschte Beifall.

Ich war sicher, dass es ihr gefallen hatte, obwohl sie versuchte, gelassen und überlegen zu wirken. Doch die aufsteigende Röte und die Grübchen, die sich immer dann zeigten, wenn sie lächeln wollte, straften sie Lügen.

»Ich fordere meinen Kuss ein.«

Meine Kehle war wie ausgedörrt und ich brachte die Worte nur mit einem Krächzen hervor.

Sie wich meinem Blick nicht aus. Die Luft zwischen uns schien zu knistern. Ihre Augen verdunkelten sich. Und obwohl es helllichter Tag war, weiteten sich ihre Pupillen.

Dann drehte sie das Gesicht zur Seite.

Und ich küsste sie auf die Wange.

Am Abend gab es ein weiteres großes Fest auf der Piazza. Ich war frühzeitig da, um mir einen Platz zu sichern, von wo aus, wie ich hoffte, die Herzogin und ihre Hofdamen gut zu sehen sein würden. Aber ich wartete vergebens, die Herzogin kam nicht. Ich befragte einen Höfling und erfuhr, dass die Aufregungen des Tages zu viel für Donna Lucrezia gewesen seien. Sie fühle sich unwohl und habe sich zurückgezogen, um Ruhe zu finden.

KAPITEL 67

Nach einigen Tagen wurde bekannt, dass die Herzogin eine Fehlgeburt erlitten hatte. Sie und ihr Gefolge hatten sich für längere Zeit in das Kloster von San Bernardino zurückgezogen.

Auf diese Weise Eleanoras Anwesenheit beraubt, fing ich an zu glauben, ich hätte mir ihre Zuneigung nur eingebildet. Vielleicht fand sie in San Bernardino ja sogar Gefallen am Klosterleben. Womöglich blieb sie gleich dort und ich sah sie nie mehr wieder. Ich vermisste Eleanora, und meine Gemütsverfassung entsprach der Stimmung am Hofe, denn dort vermisste man die Herzogin.

Ohne Lucrezia, die die Befehlshaber mit ihrem Liebreiz bezauberte, wurden die Franzosen ruhelos. Charles teilte uns mit, dass sie noch einen Winter abwarten wollten. Falls dann noch immer keine entscheidende Schlacht gewonnen werden konnte, würden sich die französischen Truppen zurückziehen. König Ludwig verlor allmählich das Interesse an Italien und sorgte sich mehr um die Sicherheit im eigenen Land.

Auch in Abwesenheit seiner Gemahlin war Herzog Alfonso d'Este nicht gewillt, sich Papst Julius zu beugen. Der Fall von Bologna und das neue Geschütz erfüllten ihn ebenso sehr mit Stolz, wie sie den Papst erzürnten.

»Im Grund genommen könnte der Heilige Vater sich geschmeichelt fühlen«, scherzte Charles, »dass eine so gefährliche Waffe seinen Namen trägt.«

Obwohl der Papst erneut erkrankt war, steckte in ihm mehr Feuer als in jeder Kanone. Er war außer sich, dass

Ferrara ihm so trotzig die Stirn bot. Als er hörte, dass die Bentivoglio-Familie in Bologna mit Hilfe von Ferrara die Herrschaft zurückerobert hatte, schwor er Rache. Herzog Alfonsos Gesandte kehrten mit der Nachricht zurück, Julius habe sich von seinem Krankenlager erhoben. Es hieß, er sei durch die Gänge des Vatikans gestürmt und habe geschrien, er werde Ferrara in die Knie zwingen, und wenn es das Letzte wäre, was er auf dieser Welt tun würde.

Das heizte den Widerstand der Ferraresen nur noch mehr an. Und Paolo war beglückt, Teil davon zu sein. Ich hingegen fragte mich bang, wie es weitergehen sollte.

Bei unserer Rückkehr aus Bologna hatte ich zwei Briefe aus Mailand vorgefunden. Einer kam von Meister Leonardo, der andere von Felipe.

Nun endlich – schrieb der Meister – *haben wir erfahren, wo sich der Junge herumtreibt! Meine Stifte sind in Unordnung geraten und meine Feder mit der Silberspitze ist seit Tagen unauffindbar. Warum ist das so? Weil derjenige, der für diese Dinge verantwortlich ist, es sich in den Kopf gesetzt hat, ohne ein Wort wegzulaufen. Wie soll ich da vernünftig arbeiten können?*

Gestern spazierte ich am Kanal draußen vor der Stadt entlang, und mir fiel auf, wie träge das Wasser dahinfloss. Ich dachte an den alten Mann im Leichenhaus, dessen verengte Blutgefäße wir damals mit einem versandeten Fluss verglichen hatten. Ich drehte mich zur Seite, um meine Erinnerung mit dir zu teilen, aber du warst nicht da, Matteo.

Ich spürte, wie mir die Tränen in die Augen stiegen, und strich über das Blatt Papier. Es rührte mich an, dass man mich nicht vergessen hatte.

Pass gut auf dich auf, endete der Brief, *denn ich kann es mir nicht leisten, einen neuen Gehilfen anzulernen.*

Scherzte er? Ich nahm es jedenfalls an und musste schmunzeln. Später wurde mir klar, dass auch Trauer und Bedauern in seinen Worten mitschwangen.

Felipes Brief war knapper und weniger gefühlvoll.

Zweifellos ist dir bereits zu Ohren gekommen, dass die französischen Truppen in Mailand in Bedrängnis geraten sind. Graziano lässt dich herzlich grüßen und – bei den folgenden Worten musste ich unwillkürlich lachen – *bittet dich, der schönen Lucrezia seine Empfehlung zu übermitteln. Er fühlt sich in letzter Zeit nicht wohl, sonst hätte er dir selbst geschrieben. Er hofft, dass du seine Ratschläge beherzigst, was deine Manieren bei Hofe angeht.*

Dann fügte er hinzu:

Der Meister möchte, dass du eines weißt, Matteo. Ganz gleich, was auch geschehen ist, du bist jederzeit bei uns willkommen, falls du zurückkehren möchtest.

Aber ich konnte nicht zurückkehren. Paolo wollte einen weiteren Vertrag mit den Franzosen abschließen. Unsere Männer mussten ebenfalls ihr Zeichen unter die Vereinbarung setzen. Sie hatten den strengen Winter und die Schlacht bei Mirandola überstanden, hatten den Erfolg vor Bologna und die glanzvollen Feste in Ferrara miterlebt. Jetzt waren sie bereit für neue Wagnisse. Mir gefiel die Arbeit eines Arztes besser als das Soldatentum, aber mir blieb keine andere Wahl. Und dann war da noch Eleanora d'Alciato. Sie allein war Grund genug, in Ferrara zu bleiben.

Unsere Vereinbarung mit den Franzosen sah vor, dass wir eine bestimmte Anzahl von Männern und Pferden aufbringen mussten. Einer unserer Leute war in Bologna desertiert, ein anderer hatte sich verliebt und wollte nicht mehr mitmachen. Diese Männer mussten wir nun ersetzen und die Pferde mit dazu. Also machte ich mich auf die Suche nach den besten Pferden, die aufzutreiben waren, während Paolo Männer rekrutierte.

Die neuen Söldner waren heimatlose Gesellen. Sie boten demjenigen ihre Dienste an, der auf der Seite der Gewinner zu stehen schien. Paolo hatte alle Hände voll zu tun, um sie im Zaum zu halten, aber er war zu einem echten Condottiere gereift und erwies sich als guter Anführer.

Paolo gab viel Geld aus, um uns angemessen auszustatten. Er kaufte Pistolen und Munition, Schießpulver und Kugeln. Damit wir in Zukunft besser geschützt waren, tauschte er unsere dicken Lederhelme gegen geschmiedete Helme aus, die mit einem Wangen- und Nackenschutz versehen waren. Er besorgte Uniformen aus festem Leder und getrennte Brust- und Rückenpanzer, die man darüber trug. Dazu gehörten noch Stulpenhandschuhe, Reithosen sowie hohe Reitstiefel.

Während wir uns für die Winterkampagne vorbereiteten, berief König Ludwig eine Synode ein und verlangte von den Bischöfen, auf den Papst einzuwirken, dass er seine Truppen aus den Gebieten zurückzog, die Frankreich für sich beanspruchte. Woraufhin Julius, so erzählte man sich, zur Antwort gab: »Ich bin der Papst!

Und der Papst ist nicht der Kaplan des Königs von Frankreich!«

In der Zwischenzeit bewegte er geschickt seine Truppen durch Italien, als handelte es sich um Figuren auf einem Schachbrett. Er ging ein neues Bündnis ein, das sich die Heilige Liga nannte und neben dem Kirchenstaat die Schweiz, England und Spanien umfasste. Jetzt war Frankreich von feindlichen Ländern umgeben. Und Spanien sandte die Soldaten, die in Neapel stationiert waren, um den Papst zu stützen.

In Ferrara bereiteten wir uns auf den unausweichlich scheinenden Krieg vor.

Da erreichte mich ein Brief von Felipe. Er hatte ihn kurz vor Weihnachten des Jahres 1511 geschrieben. Darin sprach er davon, dass es zu gefährlich sei, noch länger in Mailand zu bleiben.

Die Schweizer haben vor den Toren der Stadt Feuer angezündet. Vom Dach des Doms kann man die Gehöfte und Weinberge brennen sehen. Der Meister hat sich entschlossen, nach Vaprio auszuweichen; Francesco Melzis Vater hat ihn dorthin eingeladen. Wir brechen so bald wie möglich auf, denn es steht zu befürchten, dass Mailand von den päpstlichen Truppen eingeschlossen wird.

Mir stockte der Atem, als ich die Zeilen las.

Kestra lag vor den Toren der Stadt.

Elisabetta war in Gefahr.

KAPITEL 68

Paolo war in Ferrara unabkömmlich, denn er musste die neuen Rekruten ausbilden, daher brach ich in Begleitung von Stefano und zwei anderen Männern nach Kestra auf.

Ich hatte Stefano mit Absicht ausgewählt, denn ich wollte ihm die Gelegenheit geben, sich von der Bande Rosse zurückzuziehen. Der Tod seines Freundes Federico hatte ihn tief getroffen, und ich dachte, wenn er seine Familie und seine Verlobte wiedersah, würde er vielleicht zu Hause bleiben und nicht mehr nach Ferrara zurückkehren wollen. Aber ich hatte mich getäuscht.

Stefano, der nach der Schlacht von Mirandola geschworen hatte, sollte er je den Hof seines Vaters wiedersehen, ihn nie wieder verlassen zu wollen, hatte eine innere Wandlung durchgemacht. Nach dem mühelosen Sieg in Bologna und den folgenden Plünderungen hatte er seine Meinung geändert. Er brüstete sich mit seiner Kriegsbeute, und seine Heldentaten wurden immer grandioser und waghalsiger, je näher wir unserem Ziel kamen. Als er auf dem Gehöft seiner Familie ankam, das Pferd schwer beladen mit Geschenken, wurde er als tapferer Held begrüßt. Seine Familie war stolz auf ihn, und beim Anblick seiner Kriegsbeute bestanden sie darauf, dass ich auf meinem Rückweg nicht nur ihn, sondern auch seinen Bruder Silvio mit nach Ferrara nehmen sollte.

In Kestra angekommen, dachte ich zuerst, das Gehöft sei menschenleer. Nirgends war ein Zeichen von Leben. Ich wies die beiden Männer an, das Gepäck vom Sattel zu schnallen und die Pferde in den Stall zu bringen, und betrat das Haus. Elisabetta war in der Küche und mühte sich gerade damit ab, ein Feuer unter dem Kessel zu entfachen.

Ich trat hinter sie und nahm ihr den Feuerstein aus der Hand.

»Die Späne sind zu feucht«, sagte ich. »Ein Mädchen vom Land müsste das eigentlich wissen.«

Sie stieß einen kurzen Schrei aus, so erschrocken war sie. Als sie sah, wer sie so überrascht hatte, brach sie in Tränen aus.

»Was für ein Willkommensgruß!«, rief ich. »Für mich, den armen Soldaten, der aus dem Krieg zurückkehrt.«

Sie wischte die Tränen fort und wir umarmten uns.

»Oh Matteo«, sagte sie. »Matteo, Matteo, Matteo.«

»Mir scheint, du freust dich, mich wiederzusehen«, neckte ich sie. »Hoffentlich freust du dich noch mehr, wenn ich dir sage, dass es deinem Bruder Paolo gut geht und er dich herzlich grüßen lässt. Er hat mir viele Geschenke für dich mitgegeben.«

Inzwischen waren die beiden Männer dabei, hinter dem Haus die Waren aufzustapeln, die ich aus Ferrara mitgebracht hatte. Ich forderte sie auf, von den Lebensmitteln, die sich darunter befanden, etwas zu nehmen und sich in der Scheune ein ruhiges Plätzchen zu suchen und auszuruhen. Dann trug ich die Sachen ins Haus. Als Erstes holte ich mein Geschenk für Elisabetta hervor. Es war ein feiner Stoff von einem Tuchhändler in Ferrara, für den ich eine stolze Summe bezahlt hatte.

»Was hältst du davon?«, fragte ich sie und hielt den Stoff in die Höhe.

Sie strich mit den Fingern darüber. »Er ist sehr schwer«,

sagte sie bewundernd. »Damit lässt sich ein guter Preis erzielen.«

»Du wirst ihn doch nicht verkaufen wollen!«, rief ich. »Dieser Brokat ist für ein Kleid gedacht, das du an Weihnachten tragen sollst.«

Sie faltete den Stoff zusammen und legte ihn auf den Tisch. »Mir scheint, mein Bruder hat dich nicht auf dem Laufenden gehalten, was den Zustand des Hofs anbelangt«, sagte sie. »Aber lass uns zuerst essen, danach können wir reden.«

Sie schnitt ein Stück von dem gebeizten Schinken ab, den ich mitgebracht hatte, und kochte ihn mit süßen weißen Zwiebeln. Beim Essen musste ich ihr von unseren Abenteuern erzählen, und es freute sie, dass ihr Bruder mir in Mirandola das Leben gerettet hatte. Man hat mir schon das eine oder andere Mal gesagt, ich sei ein guter Geschichtenerzähler; es mag also sein, dass ich die Ereignisse von damals ein wenig geschönt dargestellt habe, was Paolos Rolle anging.

»Er preschte heran, um mir beizustehen«, sagte ich. »Es war wie damals in Perela bei unserem gemeinsamen Spiel. Paolo war der edle Ritter auf Kreuzzug. Er war ein Löwe. Er war ein wilder Tartarenfürst. Er rettete mein Leben.« Und das stimmte ja auch. Im Kern war die Geschichte nicht erfunden. Ohne ihn hätte ich den Tag damals nicht überlebt.

Später berichtete Elisabetta mir, wie die Dinge standen. Der Verkauf ihrer Heilkräuter an den Apotheker in Mailand brachte einen schmalen Erlös, der allerdings nicht ausreichte, um den Hof zu erhalten. Sie führte mich durchs

Haus. Die Räume waren verschlossen, der Großteil des Mobiliars verkauft. Wir hatten von einfachen Tellern gegessen, weil sie das gute Geschirr schon vor Monaten verpfändet hatte. Im Laufe des Jahres, so erfuhr ich, hatte Paolo die Felder nacheinander verkauft und schließlich sogar eine Grundschuld auf das Haus aufgenommen. Die Zuschreibung hatte Rinaldo Salviati inne.

»Ist das der Mann, der dich damals so schlimm beleidigt hat?«, fragte ich Elisabetta.

»Ja«, antwortete sie. »Der Mann, dem du die Nase gebrochen hast. Paolo hat noch nichts zurückgezahlt, sodass dieses Haus uns bereits nicht mehr gehört. In einem Monat wird Rinaldo Salviati kommen und …« Ihr Stimme versagte.

»Und was?«, fragte ich besorgt. »Hat er irgendetwas von dir gewollt?«

»Er hat angedeutet, dass wir unter gewissen Umständen zu einer Einigung kommen könnten.«

»Darauf wirst du dich nicht einlassen, das musst du ihm sagen.«

»Das sagst du so einfach!«, schrie sie mich plötzlich an. Es war das erste Mal, dass ich sie so wütend erlebte. »Du hast mehr Einfühlungsvermögen als andere Männer, Matteo, aber du bist keine Frau, und daher weißt du auch nicht, wie das für uns ist. Ich habe kein Geld, keinen Besitz, keinen Titel, gar nichts. Was soll ich nur tun? Wohin soll ich gehen? Was soll ich essen? Wovon soll ich leben?«

KAPITEL 69

Am nächsten Morgen verließ ich Kestra und versprach, so bald wie möglich wiederzukommen.

Wir gingen nach Mailand, nahmen aber einen Umweg nach Süden, weit weg von der Straße, auf der man mir im vergangenen Herbst aufgelauert hatte. In der Stadt angekommen, ließ ich meine Männer zurück, um zum Domviertel zu gehen. Ich befahl ihnen, auf der Hut zu sein und kein Unheil anzurichten, aber die Augen und Ohren offen zu halten. Dann begab ich mich in die Werkstatt des Meisters in San Babila.

Dort traf ich nur Felipe an, der in der ausgeräumten Werkstatt umherspazierte und die Sachen ordnete, die sie in die Villa Melzi nach Vaprio mitnehmen wollten. Er begrüßte mich herzlich, und ich musste daran denken, wie ich von allem Anfang an in diesem Haushalt willkommen gewesen war und wie mich Leonardo da Vinci stets behandelt hatte – freundlich und streng wie ein Vater.

Felipe berichtete mir, dass Graziano vor einem Monat gestorben war. Und dass der Humor unseren dicken Freund bis zum Ende nicht verlassen hatte. Graziano hatte dem Meister erklärt, dass er ihn nach seinem letzten Atemzug aufschneiden müsste, damit alle sehen könnten, dass sein dicker Bauch eher von einem Geschwür herrührte als von seiner Leidenschaft fürs Essen und Trinken.

Dann fragte mich Felipe, ob es wahr sei, dass die Bologneser das große Papststandbild umgestürzt hätten. Als ich das bejahte, ging er aus dem Zimmer. Ich folgte ihm nach draußen in den Garten. Ich vermutete, dass allein der Gedanke daran, ein Kunstwerk wie das des wunderbaren Michelangelo zu zerstören, ihm körperliche Pein bereitete. Felipe hatte schon viele Jahre mit dem Meister zusammengearbeitet. Er wusste um den körperlichen und geistigen Einsatz, ohne den man ein Kunstwerk von dieser Größe nicht schaffen konnte. Und er konnte sich auch vorstellen, wie es einem Künstler zu Mute sein musste, wenn er hört, dass sein Werk zerstört ist. Vor vielen Jahren in Mailand hatte Leonardo da Vinci ein Gipsmodell für ein bronzenes Reiterstandbild entworfen; Soldaten hatten es zerstört und es als Zielscheibe für ihre Übungen benutzt.

Wir standen eine Weile schweigend beieinander.

Es wird oft berichtet, dass die beiden begabtesten Männer der Zeit, Leonardo da Vinci und Michelangelo, verfeindet waren. Und in der Tat, sie hätten unterschiedlicher nicht sein können. Mein Meister, hieß es, soll über die Bildhauerei gelacht und gesagt haben, dass man mit ihrer Hilfe nicht die Seele abbilden könne; dies könne nur die Malerei, da nur sie die Augen des Porträtierten zeigt. Michelangelo dagegen soll behauptet haben, dass allein die Darstellung des Körpers in den drei Dimensionen das wahre Leben abbildet und große Kunst ermöglicht. Dennoch hat der Meister Statuen gemeißelt und Michelangelo gehorchte dem Befehl des Papstes und malte ein Fresko an die Decke der Sixtinischen Kapelle.

»Wir sind Barbaren«, sagte Felipe, »dass wir solche Freveltaten zulassen.« Er sah mir ins Gesicht. »Du hast es doch mit eigenen Augen gesehen, Matteo. War irgendjemand traurig über diesen Verlust?«

»Sie haben gejubelt in den Straßen, als die Statue zu Boden fiel«, sagte ich wahrheitsgemäß. »Und Herzog Alfonso ließ sie in seinen Gießereien einschmelzen und machte eine riesige Kanone daraus.«

Felipe setzte sich auf einer Bank nieder. Er legte die Hand aufs Herz. »Ach, ich werde alt«, sagte er. »Und«, fügte er nach einem Augenblick hinzu, »dein Meister auch.«

Ich setzte mich neben ihn. »Hat er mir wirklich verziehen, dass ich nicht an die Universität von Pavia gegangen bin?«

»Das solltest du ihn selbst fragen«, antwortete Felipe. »Er ist in Santa Maria delle Grazie. Die Dominikaner dort haben sich beschwert, dass das Fresko, das er vor vielen Jahren an die Wand ihres Refektoriums gemalt hat, abzublättern beginnt.«

»Wie geht es ihm?«, fragte ich Felipe.

»Es hat ihn schwer getroffen, dass seine Freunde Marcantonio della Torre und Charles d'Amboise gestorben sind, und den Tod unseres fröhlichen Graziano haben wir immer noch nicht verwunden.«

Tod. Dieser grausame und unwiderrufliche Herrscher, der Freunde für immer voneinander scheidet.

Tod. Der stumme Gefährte in den Leichenhäusern wie dem von Averno.

»Aber Vaprio ist ein friedvoller Ort«, fuhr Felipe fort. »Und er will wieder bodenkundliche Studien treiben. Das wird ihm guttun.«

»Was wird er machen, wenn sich die Franzosen aus Mailand zurückziehen?«

»Er muss Gelddinge klären. Sobald die Straßen wieder sicher sind, werde ich nach Florenz gehen und mich um seine Geschäfte kümmern. Und dann müssen wir uns überlegen, wie wir neue Auftraggeber finden und die Gegenden vermeiden, in denen Krieg herrscht.«

»Wo gibt es heute noch Gegenden, in denen kein Krieg herrscht?«, fragte ich ihn.

Ich hatte einen Hintergedanken bei dieser Frage, denn ich sorgte mich auch um Elisabetta. Ich wusste, dass Paolo nicht die Absicht hatte, das Gehöft zu behalten. Ich verstand nun, dass das auch der Grund gewesen war, weshalb er mich gebeten hatte, nach Kestra zu gehen, während er selbst in Ferrara zurückblieb. Auf diese Weise konnte er einem Streit mit seiner Schwester über diese Angelegenheit aus dem Weg gehen.

Mir widerstrebte es, Elisabetta nach Ferrara mitzunehmen, weil ich nicht glaubte, dass sie dort sicher war.

»Es ist gewiss schwer, das Geschehen in der großen Politik zu verfolgen, wenn man selbst auf dem Schlachtfeld steht«, sagte Felipe. »Aber du solltest wissen, dass die Franzosen sich aus Italien zurückziehen werden. Sie können ihre Armee nicht hier im Land lassen, während der Papst den jungen König Heinrich von England drängt, mit seinen Truppen von Norden her nach Frankreich zu marschieren.«

»In Ferrara hält man den Papst für einen üblen Ränkeschmied.«

»Der damalige Herzog von Ferrara hat sich mit Rodrigo Borgia, dem früheren Papst Alexander VI, verbündet und seinen Sohn mit Lucrezia Borgia vermählt. Doch unser jetziger Papst Julius scheint das Wohl des Ganzen im Blick zu haben. Er hat eine Klosterreform begonnen und ein Gesetz gegen den Ämterkauf erlassen. Im Gegensatz zu anderen in diesem hohen Amt hat er seine Stellung nicht dazu missbraucht, um seiner eigenen Familie Vorteile zu verschaffen.« Felipe lächelte. »Und er liebt die Künste. Vielleicht ist das der Grund, warum ich ein wenig für ihn eingenommen bin.«

Ein weiteres Mal hatte mir Felipes klares Denken die Augen für eine andere Sichtweise geöffnet. »Du glaubst also, dass der Weg, den Papst Julius eingeschlagen hat, der beste für das Land ist?«

»Ich denke, dass Julius eigene Regenten einsetzen will, die über die Stadtstaaten herrschen«, sagte Felipe. »Und dann möchte er sie alle der Macht Roms unterstellen. Er hat erklärt, dass italienische Angelegenheiten wieder von Italienern geregelt werden müssten. Ich denke, dem kann man nicht widersprechen. Vielleicht erleben wir gerade die Geburtsstunde eines geeinten Italiens mit.«

Während wir uns unterhielten, kam mir ein Gedanke. Ich hatte Felipe von meiner Sorge um Elisabetta erzählt und nun machte ich ihm einen Vorschlag.

»Ich könnte für euren Schutz auf der Reise nach Florenz sorgen, wenn du Elisabetta mitnimmst. In Florenz wäre sie zurzeit sicherer als an jedem anderen Ort.«

Er dachte eine Weile nach. Dann sagte er: »Es wäre gut, wenn ich möglichst bald nach Florenz reise. Wir haben dort noch etwas Geld, das wir jetzt gut gebrauchen können. Und«, fügte er hinzu, »ich habe Freunde in der Nähe der Stadt, bei denen Elisabetta unterkommen könnte. Sie führen ein ehrenhaftes Haus, und es ist groß genug, um noch einen Bewohner aufzunehmen.«

Nachdem ich dies mit Felipe vereinbart hatte, machte ich mich auf nach Santa Maria delle Grazie, um den Meister zu suchen. Als ich am Laden des Apothekers vorbeikam, der die Kräuter aus Elisabettas Garten kaufte, kam mir eine weitere Idee. Auf meinem Rückweg nach Süden würde ich einen Abstecher machen und die Kiste mit dem Rezeptbuch meiner Großmutter suchen. Damit konnte sich Elisabetta ein kleines Einkommen sichern, das es ihr ermöglichte, auf eigenen Füßen zu stehen.

KAPITEL 70

Das Dominikanerkloster Santa Maria delle Grazie lag auf der anderen Seite der Burg, und ich spürte förmlich die argwöhnischen Blicke der französischen Wachen, mit denen sie meine Uniform musterten, als ich an ihnen vorbeiging.

Ich fand den Meister, wie er auf einem Stuhl im Refektorium saß und sein Fresko vom Letzten Abendmahl betrachtete.

Leise betrat ich den Raum und schloss die Tür hinter mir. Einen Augenblick lang stand ich nur da und schaute ihn an, denn ich war so von Liebe und Zuneigung zu ihm überwältigt, dass ich gar nicht weitergehen konnte.

Der Meister bemerkte, dass jemand hereingekommen war, und schaute sich um.

»Matteo!« Er streckte beide Hände nach mir aus. »Du bist es!«

Ich lief durch den Raum und fiel vor ihm auf die Knie.

»Steh auf, Matteo«, sagte er. »Nur vor Gott muss man die Knie beugen.«

»Ich habe Angst, dass ich Euch verärgert habe, weil ich nicht an die Universität gegangen bin.«

»Ich bin traurig darüber, weil du eine Gelegenheit versäumt hast, deinen scharfen Verstand zu schulen.« Er fasste mich an den Schultern und zog mich hoch. »Aber du lebst noch und das ist das Wichtigste. Und es ist mir eine große Freude, dich wiederzusehen.« Er ließ mich einen Schritt zurücktreten, damit er meinen eleganten Waffenrock und die rote Schärpe betrachten konnte.

»Es tut mir Leid, wenn ich die Hoffnungen, die Ihr in mich gesetzt habt, enttäuscht habe«, sagte ich demütig.

»Auch das Leben eines Condottieri-Hauptmanns birgt so manche Möglichkeiten.« Der Meister zeigte mit einer ausholenden Bewegung auf die andere Seite des Speisesaals, wo sich Montorfanos Kreuzigungsfresko befand. »Auf beiden Seiten des Kreuzes siehst du Ludovico *Il Moro* Sforza und seine Familie. Die Sforza waren ebenfalls Condottieri-Führer und haben es bis zu Herzögen von Mailand gebracht. Und wenn es nach Papst Julius geht, dann werden sie hier auch wieder regieren, wenn die Franzosen die Stadt verlassen müssen.«

»Eigentlich wollte ich gar kein Soldat werden. Ich bin mit Paolo dell'Orte geritten, weil ...« Ich sprach nicht weiter. Ich konnte es ihm nicht erklären, ohne ihm zugleich auch meine Angst und meine Schuld einzugestehen.

»Du hattest sicher deine Gründe für das, was du tatest«, sagte er nachdenklich. Und dann fügte er hinzu: »Du hattest schon immer deine Gründe.«

Ich wusste nicht genau, was er damit sagen wollte, aber ich spürte, dass ich Gefahr lief, mich auf unsicheres Gebiet zu begeben, deshalb betrachtete ich sein großartiges Fresko des Letzten Abendmahls. »Ist es wahr, dass sich die Farbe von der Wand löst?«

»Die Feuchtigkeit im Gemäuer bereitet Ärger. Genauer gesagt ...« Er lächelte. »Genauer gesagt macht sie dem Abt des Klosters Ärger. Ich weiß nicht, ob es sich lohnt, das Bild zu überarbeiten, noch dazu, wo man damit rechnen muss, dass es in den Kriegswirren zerstört wird.«

Er erhob sich und trat an das Fresko. Ich stellte mich neben ihn. Es war, als ob wir tatsächlich in dem Raum stünden, in dem das Letzte Abendmahl stattfand und sich die dreizehn Männer leibhaftig um den Tisch versammelt hatten. Die Wirkung der Worte Jesu – *Einer von euch wird mich noch in dieser Nacht verraten* –, die sie wie ein Donnerschlag erschüttert haben mussten, war noch an den Gesten der Apostel abzulesen. Und an ihren Mienen, in denen sich Fassungslosigkeit, Entsetzen und Verzweiflung spiegelten. Die Haltung der ausgestreckten Finger von Christi rechter Hand entsprach genau der Haltung der Finger von Judas Ischariot.

Judas.

Der Verräter.

Ich schrak zusammen, als mir der Meister die Hand auf die Schulter legte. »Dies hier ist dein Namenspatron, Matteo.« Er deutete auf einen der Apostel zur Linken. Ein Mann, von der Seite dargestellt, in einem hellblauen Umhang und mit würdiger Erscheinung. »Der heilige Matthäus«, fuhr er fort, »dessen Zeichen Felipe auf dem Mantel trägt, weil er diesen Heiligen ganz besonders verehrt. Wusstest du das?«

Mein Herz klopfte wie rasend. Ich schüttelte den Kopf.

»Der Heilige Matthäus war ein Zöllner und er ist der Schutzpatron der Buchhalter. Deshalb hat er es Felipe ganz besonders angetan.«

»Ich verstehe«, gab ich vorsichtig zur Antwort.

Der Meister nahm mein Gesicht in beide Hände. »Du bist ein anständiger Junge, Matteo«, sagte er dann. »Wenn die rechte Zeit gekommen ist, dann weiß ich, dass du zur Wahrheit finden wirst.«

Er streichelte mir mit den Fingern übers Gesicht.

»Matteo«, wiederholte er nochmals meinen Namen, der doch gar nicht mein Name war.

KAPITEL 71

Ich tauschte den Großteil der Geschenke, die ich für Elisabetta mitgebracht hatte, gegen zwei gute Pferde für sie und Felipe ein.

Wir kamen schnell voran, als wir auf der Via Aemiliana zurückritten. Felipe war ein geübter Reiter, und Elisabetta beklagte sich nicht, obwohl sie vor Erschöpfung beinahe vom Pferd fiel, als wir am Abend des ersten Tages Halt machten.

Ich hatte unsere Tiere vorangetrieben, weil ich an diesem Tag noch einen besonderen Ort erreichen wollte. Am darauf folgenden Morgen stand ich in aller Frühe auf und weckte Stefano. Ich sagte ihm, dass ich etwas zu erledigen hätte und er bis zu meiner Rückkehr für die anderen verantwortlich sei.

Wir waren in der Gegend, in der meine Großmutter gestorben war, und ich wollte das Flüsschen suchen, an dem ich ihre Kiste vergraben hatte. Die Stelle würde ich sogar noch nach so vielen Jahren wiederfinden, weil ich sie mit auffälligen Steinen gekennzeichnet hatte.

Und so war es auch. Ich schob die Steine beiseite und kratzte die Erde weg.

Da lag sie, aus Eichenholz geschnitzt, eingewickelt und mit gedrillter Schnur fest verschnürt. In dieser Kiste lagen Großmutters Stößel und ihr Mörser, Löffel und kleine Siebe, mit denen sie ihre Tinkturen hergestellt hatte. Ich hörte, wie sie klapperten, als ich die Kiste anhob. In Ölpapier eingeschlagen, befanden sich auch das Rezeptbuch und andere Aufzeichnungen darin. Die Kiste war nicht sehr schwer und auch nicht sehr groß. Was für einen neunjährigen Jungen eine schwere Last gewesen war, hob ich nun mit Leichtigkeit hoch und band es an meinen Sattelknauf.

Als ich die Kiste Elisabetta gab, überfiel mich eine grenzenlose Traurigkeit. »Warte, bis du in deinem neuen Zuhause bist, bevor du sie öffnest«, bat ich sie. Es machte mich verlegen, dass ich vor ihr, die noch so viel mehr erlitten hatte als ich, meinen Kummer so deutlich zeigte. »Das ist ein Erbstück meiner Großmutter und nun schenke ich es dir. Es sind ihre Gerätschaften, mit denen sie Kräuter verarbeitet hat. Aber das Wichtigste ist ihr Rezeptbuch. Du könntest versuchen, damit ebenfalls Arzneien zu machen, und sie dann verkaufen.«

»Ach, Matteo«, antwortete sie. »Jetzt weiß ich, warum du mir aufgetragen hast, die jungen Pflanzen und Samen aus meinem Kräutergarten mitzunehmen.«

Ich gab Felipe alles Geld, das ich hatte, um damit Elisabettas Unterkunft zu bezahlen, und versprach, so bald wie möglich mehr zu schicken. Dann trug ich Stefano und seinem Bruder Silvio, unserem jüngsten Mitglied, auf, Felipe und Elisabetta durch die Berge bis nach Florenz zu begleiten.

»Mach dir keine Sorgen um Elisabetta«, sagte Felipe. »Die Kinder meiner Freunde sind alle gestorben. Sie werden froh über die Gesellschaft sein.«

Es war Zeit, Lebewohl zu sagen.

Felipe ergriff meine Hand und hielt sie fest. »Pass auf dich auf und geh den Kanonenkugeln aus dem Weg, Matteo.«

Elisabetta war den Tränen nahe, aber sie senkte den Kopf und unterdrückte sie. »Gleich nach meiner Ankunft werde ich dir schreiben«, versprach sie. »Und wenn ich Geld verdiene, werde ich mir ein eigenes Heim suchen und es zu einem Zuhause für dich und Paolo machen. Bring ihn wohlbehalten zurück, Matteo.«

TEIL 7

Das Medici-Siegel

Ferrara und Florenz, 1512

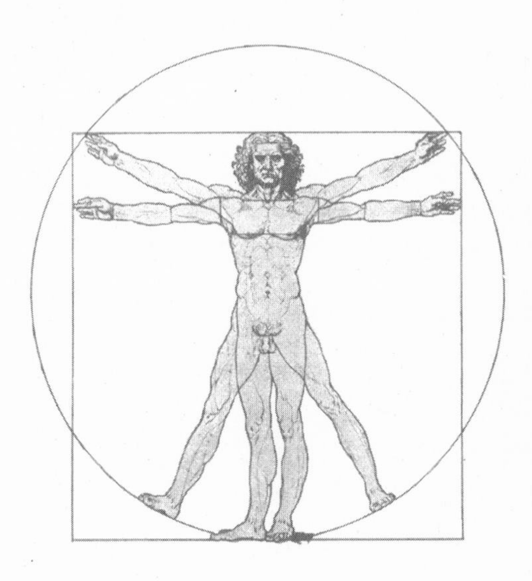

KAPITEL 72

Bei meiner Rückkehr nach Florenz wurde gerade ein Bankett gegeben, um den jüngsten Sieg des neuen französischen Befehlshabers, Gaston de Foix, zu feiern.

Lucrezia Borgia, die nach der Fehlgeburt wieder genesen war, hatte ein Festessen mit hundert Gängen anrichten lassen. Es sollte von Sonnenuntergang bis zum Sonnenaufgang des nächsten Tages dauern und zeigen, wie sehr man das neue Bündnis des Papstes, die Heilige Liga, verachtete.

Viele Räume waren für dieses Festmahl hergerichtet worden. Die Speisen für die zahlreichen Gäste standen auf langen Beistelltischen, die in Weiß und Gold gedeckt waren. Sie waren mit frischem Grün und roten Bändern verziert, denn schließlich wollte man zugleich das neue Jahr feiern. Diener schwirrten unablässig zwischen der Küche und den Sälen hin und her und brachten Speisen und Krüge mit Wasser und kleine Tücher, mit denen man sich die Finger säubern konnte.

Zwischen den Gängen erhoben sich die Damen vom Tisch, um sich frisch zu machen oder um im Garten und auf den Terrassen zu flanieren. Die Herren leisteten ihnen Gesellschaft oder standen in Grüppchen beieinander und sprachen über die neuesten politischen Entwicklungen.

Es war zwar noch kalt, aber im Garten saßen in offenen Zelten Musiker, die diejenigen unterhielten, die es hinaus ins Freie zog. Während dieser Pausen ging ich von Zimmer zu Zimmer, von Saal zu Saal, um eine ganz bestimmte Dame zu finden.

Mitternacht war längst vorüber, als ich endlich Eleanora d'Alciato draußen in Begleitung zweier Damen erspähte. Ich winkte Charles herbei, und wir eilten einen Seitenweg entlang, auf dem wir sie abfangen konnten.

Als wir vor ihnen standen, taten wir, als wären wir höchst erstaunt. Wir tauschten Höflichkeiten aus, dann nahm sich Charles großzügig der anderen beiden Damen an, bot jeder seinen Arm und ging ein Stück voraus.

Jetzt war ich mit Eleanora allein.

Ich bot ihr meinen Arm. Sie nahm ihn an.

Nach dem anfänglichen Eifer, mit dem ich unser Zusammentreffen eingefädelt hatte, wusste ich jetzt nicht mehr weiter. Sollte ich als Erster reden? Was sollte ich sagen? Ich blickte nach vorne zu Charles und sah, dass er sich ganz zwanglos mit den beiden Damen unterhielt. Vielleicht über das Wetter? Ich räusperte mich.

»Nun, Messer Matteo ...« Bevor ich etwas sagen konnte, ergriff Eleanora das Wort. »Erzählt mir doch endlich, wie es dazu kam, dass Ihr Euch unter den Kleidern einer Nonne im Klostergarten verstecken musstet?«

Seit ich ihr zum ersten Mal in Ferrara begegnet war, wartete ich darauf, dass sie mir diese Frage stellen würde. Deshalb hatte ich mir schon eine Geschichte für sie zurechtgelegt. »Ich habe Freunde auf dem Land besucht«, begann ich, »und auf meinem Rückweg nach Mailand haben mir Strauchdiebe aufgelauert.«

»Wie erstaunlich«, sagte sie. »Er ist zwar als rücksichtsloser Mann bekannt, trotzdem hätte ich nicht gedacht, dass Jacopo de Medici sich in einem Hinterhalt verstecken und arglose Reisende überfallen würde.«

»Das hätte ich auch nicht gedacht«, sagte ich ungerührt. »Vielleicht hat er gesehen, wie ich davongelaufen bin, und meine Angreifer haben ihn gebeten, mich zu verfolgen, indem sie ihm Lügen auftischten, zum Beispiel, dass ich sie beraubt hätte.«

»Und habt Ihr sie beraubt?«

»Natürlich nicht!«

Sie schaute mich nachdenklich an.

»Ihr habt ja gesehen, dass ich nichts bei mir hatte«, sagte ich. Dann fügte ich zum Spaß hinzu: »Nicht einmal eine Waffe.«

Sie lächelte. »Das ist wahr. Dennoch habe ich das Gefühl, dass dies nur die halbe Wahrheit ist.«

»Auch Ihr habt mir nicht alles über Euch erzählt«, konterte ich. »Wie kommt es, dass Ihr am Hofe zu Ferrara lebt und dennoch jemanden wie Jacopo de Medici kennt?«

»Er hat meinen Vater einmal in Florenz besucht. Ich war damals noch klein, fast ein Kind; deshalb hat er mich auch nicht wiedererkannt.«

Wir waren an einer Weggabelung angelangt. Charles hatte die Richtung zum Haus eingeschlagen. Ich zögerte, aber dann nahm ich ihren Arm und zog sie sanft in die entgegengesetzte Richtung.

Sie schaute sich nach den anderen um, ließ sich aber wegführen. »Ich darf nicht allzu lange wegbleiben, sonst fällt meine Abwesenheit auf.«

Wir gingen ein Stückchen weiter und kamen zu einem

Springbrunnen. Das Wasser war während des Winters abgestellt worden, und die Pfütze, die sich noch auf dem Grund des Brunnens befand, war gefroren. Eleanora setzte sich auf die Einfassung und strich mit den Fingern über das Eis; dabei zitterte sie vor Kälte. Ich verspürte ein starkes Verlangen, meinen Arm um sie zu legen, sie ganz dicht an mich zu drücken und zu wärmen.

Sie fragte mich nach Leonardo da Vinci. »Mein Vater nahm mich einmal in die Kirche Santissima Annunziata in Florenz mit, als Leonardos Karton mit der Heiligen Jungfrau und der Heiligen Anna dort ausgestellt war.« Sie neigte den Kopf zur Seite. »Ihr kennt ihn. Ist es wahr, dass er die Dreifaltigkeit in diesem Bild darstellen wollte?«

»Er verrät nie, was er mit seinen Bildern ausdrücken will. Wir können nur rätseln.«

»Die Art und Weise, wie er die Liebe zwischen diesen Figuren ins Bild gesetzt hat, ist einzigartig«, sagte sie. »Viele Künstler pilgerten dorthin, um es zu betrachten und davon zu lernen. Sein Talent ist einzigartig.«

»Ja«, erwiderte ich, »das ist es tatsächlich.«

»Möchtet Ihr auch ein Künstler werden?«

»Oh nein. Vielleicht werde ich später einmal Arzt.«

»Man sagt, dass Leonardo da Vinci heimlich Leichen öffnete, um den Sitz der Seele zu suchen.«

»Er hat Leichen seziert, um das Zusammenspiel des menschlichen Körpers zu ergründen.«

»Ihr wart dabei!«

Sie hatte eine schnelle Auffassungsgabe. Ich begriff, dass man sich in ihrer Gegenwart in Acht nehmen musste.

»Und das ist der Grund, weshalb Ihr Arzt werden wollt?«,

fragte sie. »Weil Ihr Einblick hattet in die Maschinerie des Körpers?«

»Wenn Meister Leonardo da Vinci die inneren Organe untersuchte, erklärte er mir stets, welches ihre Aufgabe war und welche Folgen es hätte, wenn sie durch Zufall oder Krankheit Schaden nahmen. Und dann erklärte er mir, welche Möglichkeiten es gab, sie zu heilen. Für kurze Zeit waren wir auch bei einem Freund von ihm, Professor Marcantonio della Torre, der an der Medizinschule in Pavia lehrte.«

»In Pavia gibt es eine berühmte Bibliothek«, sagte sie. »Ist sie wirklich so sagenhaft, wie man sich erzählt?«

»Ja, ich habe einige Bücher dort gelesen.«

»Oh, ich würde sie so gerne sehen!« Ihre Augen leuchteten. »Mein Vater hat mich selbst unterrichtet und er hatte eine große Bibliothek. Ich habe Aristoteles und Petrarca gelesen, auch Dante. Aber wir mussten die Bücher meines Vaters nach seinem Tod verkaufen, um seine Schulden zu bezahlen.« Sie seufzte. »Ein doppelter Verlust für mich. Ich habe ihn so sehr geliebt und auch die Bücher.«

»Wie kommt es, dass Ihr nun am Hof von Ferrara seid?«, fragte ich sie.

»Als mein Vater verarmt starb, nahm mich ein Onkel bei sich auf. Das war sehr großherzig von ihm, denn er hat schon vier leibliche Töchter. Sie sind noch jung, aber bald wird er sie verheiraten. Deshalb will er mich so schnell wie möglich unter die Haube bringen. Nach dem Begräbnis meines Vaters hatte er für mich eine Ehe mit einem angesehenen florentinischen Kaufmann eingefädelt. Dieser Mann war schon dreimal verheiratet und hat von seinen verstorbenen Frauen ein halbes Dutzend Kinder.

Er ist um einiges älter als ich, verfügt jedoch über ein Vermögen. Mein Onkel glaubte, wenn ich mich um seine Kinder kümmerte, würde das meine Trauer um meinen Vater lindern. Ich war bestürzt und wusste nicht, was ich tun sollte. Schließlich erklärte ich ihm, dass ich den Mann nicht heiraten könnte. Ich ging in den Konvent, in dem meine Tante Oberin ist, und sie nahm mich bei sich auf. Aber für das klösterliche Leben war ich auch nicht geschaffen, und deshalb schrieb sie an Herzog Alfonso, einen ihrer Verwandten, und er erlaubte mir, eine Zeit lang hier in Ferrara zu bleiben.« Sie erhob sich. »Jetzt muss ich ins Haus zurückgehen. Der nächste Gang wird schon aufgetragen sein und ich sitze der Herzogin gegenüber. Sie wird sich fragen, wo ich bleibe.«

Sie wollte an mir vorbeigehen, aber ich versperrte ihr den Weg. Sie stand direkt vor mir, und ich konnte nicht anders, als ihr Gesicht zu berühren.

Ihre Haut war so zart. Eleanora legte ihre Hand auf meine und drückte sie gegen ihre Wange.

»Eleanora«, sagte ich leise.

Durch die Nachtluft drang das Läuten der Tischglocke zu uns.

»Ich muss gehen«, sagte sie.

KAPITEL 73

Während ich in Mailand war, hatte die französische Armee eine Reihe erfolgreicher Feldzüge unternommen, um die kleineren Städte in der Umgebung Ferraras zurückzuerobern.

Gaston de Foix erinnerte mich an einen anderen Heerführer, den ich Jahre zuvor in der Romagna beobachtet hatte. Er ließ der Stadtbevölkerung keine Zeit, sich auf seine Angriffe vorzubereiten. Seine Taktik bestand darin, blitzschnell aufzutauchen und über die überraschten Gegner herzufallen. Ganz ähnlich hatte es auch Cesare Borgia gemacht. Bei dieser Art der Kriegsführung bestand die Aufgabe der Bande Rosse darin, das Hauptheer zu unterstützen. Unsere Männer hatten den Ruf, gut ausgerüstet zu sein und ihre Waffen meisterlich zu führen.

Aber die Plünderungen in den Städten stießen mich ab. Hier ging es nicht mehr darum – wie noch in Bologna –, bewaffnete Soldaten zurückzuschlagen. Hier wurden auch die einfachen Menschen zu Opfern des Kriegs. Paolo wollte das nicht wahrhaben, er verschloss die Augen vor Dingen, die ihm unangenehm waren. So wie er das Gehöft verkauft hatte und nicht an die Folgen für seine Schwester gedacht hatte, so hatte er jetzt nur eines im Sinn: sich am Heer des Papstes zu rächen.

Als wir nach unserem letzten kurzen Einsatz wieder nach Ferrara zurückgekehrt waren, fanden wir Briefe von Felipe und Elisabetta vor.

Elisabetta schrieb uns, dass das Haus in Prato, in dem sie jetzt wohnte, einen Garten habe. Felipes Freunde – ein altes Ehepaar und schon gebrechlich – freuten sich über ihre Gesellschaft und Unterstützung. Sie hatten ihr erlaubt, alle Pflanzen anzubauen, die sie nur wollte. Sie hatte auch schon eine Abmachung mit einem Apotheker in Florenz getroffen. Im Frühling, wenn die Pflanzen blühten, wollte sie das Buch meiner Großmutter nehmen und ihre eigenen Tinkturen herstellen.

Felipe hatte seine Geschäfte in Florenz mit Erfolg zum Abschluss gebracht und war sicher nach Mailand zurückgekehrt. Jetzt war er zusammen mit dem Meister in Vaprio.

Im Frühjahr hielten die Franzosen Kriegsrat. Sie wollten Ravenna angreifen. Ravenna war die letzte große und befestigte Stadt in der Romagna, die noch vom Vatikan beherrscht wurde, und zudem ein Bischofssitz.

»Der Papst wird Ravenna mit allen Mitteln verteidigen«, sagte Paolo. »Denn wenn Ravenna erst gefallen ist, wird man ihn aus der Romagna verjagen.«

»Wenn Gaston de Foix Ravenna einnimmt«, sagte Charles, »kann er dem endlosen Erobern, Verlieren und Rückerobern der Städte vielleicht ein Ende setzen.«

So lautete der Plan. Die Franzosen und die Ferrareser waren entschlossen, jeden Mann und jede Waffe aufzubieten, um diesen Krieg zu entscheiden.

Bevor wir aufbrachen, um Ravenna zu belagern, veranstaltete Herzogin Lucrezia einen farbenfrohen Umzug, in dem die Siege der Franzosen unter dem ruhmreichen Gaston de Foix dargestellt wurden. Als Soldaten verkleidete Schauspieler, die auf einer riesigen Bühne auf dem größten Platz der Stadt posierten, stellten Kriegs- und Siegesszenen nach.

Donna Lucrezia saß in der ersten Reihe, um das Schauspiel zu betrachten. Der Abend war lang, und sie und ihre Damen kamen und gingen, während sich die Schauspieler zu neuen Bildern aufstellten. Bei einer dieser Pausen gelang es mir, im Vorhof der Kirche, in die sich die Damen zur Erholung zurückzogen, mit Eleanora zu sprechen.

»Ich bin gekommen, um Lebewohl zu sagen«, rief ich

ihr leise zu, als sie mit einer anderen Dame durch die Tür schritt.

Eleanora blieb stehen und blickte sich suchend um. Ihre Begleiterin sah mich als Erste. Es war ein junges Mädchen mit einem schelmischen Gesichtsausdruck. Sie legte die Finger auf die Lippen und schubste Eleanora in meine Richtung.

Ich zog sie in den Schatten der Klostermauern.

»Morgen bricht die Bande Rosse nach Ravenna auf«, sagte ich. »Ich wollte mit Euch sprechen, bevor ich gehe.«

»Warum?«, fragte sie.

»Weil ...« Ich stockte und sah sie genauer an. Sie schien zornig zu sein. »Bin ich Euch in irgendeiner Weise zu nahe getreten?«, fragte ich sie.

»Beantwortet zuerst meine Frage, mein Herr«, forderte sie.

»Ich empfinde viel für Euch, und ich wollte Euch nochmals sehen und Eure Stimme hören, ehe ich Ferrara verlasse.«

»Habt Ihr Euch schon einmal Gedanken über meine Gefühle gemacht?«

»Die Gedanken an Euch waren es, die mich heute Abend hierher geführt haben.«

»Wenn das stimmte, würdet Ihr nicht wieder in den Krieg ziehen. Warum verlasst Ihr die Bande Rosse nicht?«, fragte sie. »Wie Ihr Euch gewiss erinnert, haben wir darüber gesprochen und sind zu dem Schluss gekommen, dass Ihr nicht zum Soldaten geschaffen seid.«

»Ich habe eine Verpflichtung dem Hauptmann Paolo dell'Orte gegenüber«, erklärte ich ihr. »Er ist davon überzeugt, dass das Papsttum Unglück über seine Familie gebracht hat, und ich habe ihm mein Ehrenwort gegeben, ihm zu helfen und dieses Unrecht zu rächen.«

»Habt Ihr dieses Versprechen nicht bereits in Bologna eingelöst? Der Gesandte des Papstes wurde aus der bedeutendsten Stadt in der ganzen Romagna gejagt. Ist das nicht genug? Habt Ihr nicht das Recht, Euer Leben so zu leben, wie Ihr es selbst wünscht?«

Mir waren die gleichen Gedanken durch den Kopf gegangen. Der Arzt in Bologna, Claudio Ridolfi, hatte mir zu verstehen gegeben, dass er mich in seine Medizinschule aufnehmen würde, wenn ich mein Wissen über Heilmittel mit ihm teilen würde. Nun, da Elisabetta die Rezepturen meiner Großmutter abschrieb, könnte dies wahr werden.

Aber Paolo hatte uns für eine weitere Dienstzeit verpflichtet, und Elisabetta hatte mir befohlen, ihn sicher zu ihr nach Hause zu bringen.

»Es ist so schwierig«, sagte ich zu Eleanora. Ich konnte ihr nicht erklären, welche Schuldgefühle ich der Familie dell'Orte gegenüber empfand. Ich konnte ihr nicht begreiflich machen, welche beschämende Rolle ich bei ihrem Untergang gespielt hatte.

»Der Papst wird Ravenna nicht so leicht aufgeben. Er schickt jeden Soldaten, den er aufbieten kann, dorthin. Wenn Ihr nach Ravenna geht, Matteo, dann werdet Ihr sterben.«

»Ihr wisst, dass ich Verpflichtungen habe«, sagte ich. »Was bleibt mir anderes übrig?«

»Nehmt Euer Leben in Eure eigene Hand«, entgegnete sie leidenschaftlich. »Ein Mann kann das, eine Frau nicht.«

Ich legte meine Hände um ihren Nacken und zog sie

zu mir. Sie stand ganz still da. Ich betrachtete die winzige Sommersprosse neben ihrer Augenbraue, den Flaum auf ihrer Schläfe, jedes einzelne seidige Haar. Ihre Oberlippe zitterte.

Sanft legte ich meinen Mund auf ihren, Oberlippe an Oberlippe, Unterlippe an Unterlippe. Ihr Atem vermengte sich mit meinem. Ich küsste sie. Und sie ließ es geschehen.

Als wir auseinandergingen, sagte ich: »Ich werde zu Euch zurückkommen.«

Ihre Augen waren ein wenig feucht, aber sie blickte mich fest an. »Vielleicht bin ich hier, Matteo, aber vielleicht auch nicht.«

KAPITEL 74

Ich dachte, sie würde nicht kommen, um uns zu verabschieden.

Doch als ich zurückschaute, während wir durchs Stadttor ritten, sah ich, dass Eleanora unter den winkenden Damen war. Ich hob meine Hand zum Gruß und wurde mit dem Schwenken lilafarbener und blassgrüner Bänder belohnt.

Charles hatte es auch gesehen und ritt neben mich, als wir die Stadt hinter uns gelassen hatten und nach Süden ritten, um den Fluss zu überqueren.

»Lilafarbene und grüne Bänder«, sagte er. »Sind das nicht die Farben der Eleanora d'Alciato?«

Ich spürte, wie ich rot wurde.

»Sei auf der Hut, Matteo.«

»Warum das?«

»Ich kenne dich, mein Freund. Du tändelst nicht, sondern nimmst die Liebe ernst. Bei dir heißt es nur alles oder nichts. Es täte mir Leid, dich leiden zu sehen.«

»Warum sagst du das?«, fragte ich verwirrt. »Sie ist anders als die andern Damen bei Hofe, die mit den Gefühlen der Männer nur spielen.«

»Natürlich ist sie anders«, beschwichtigte mich Charles. »Eine Frau kann ihre Liebe jedem Mann schenken, aber sie kann nicht entscheiden, mit wem sie einen Heiratsvertrag schließen will.«

»Ein Heiratsvertrag! Es gibt keinen Heiratsvertrag für Eleanora.«

»Noch nicht«, entgegnete Charles. »Aber sie ist aus dem Kloster ausgetreten und inzwischen beinahe siebzehn, folglich muss ihr Vormund Pläne für ihre Zukunft haben.«

Es war also kein Zufall gewesen, dass Eleanora sagte, Frauen hätten keine Freiheiten. Vielleicht dachte sie, ich wüsste ohnehin, dass ihr Onkel auf der Suche nach einer guten Partie für sie war. Ihre letzten Worte hatten nun plötzlich eine ganz andere Bedeutung bekommen.

Kurz vor Ostern erreichten wir Ravenna.

Charles berichtete uns, dass die Verbündeten der Heiligen Liga an einer Stelle Position bezogen hatten, an der sie sich in Sicherheit wähnten: südlich des Flusses Ronco. Die Franzosen waren dabei, eine Behelfsbrücke zu errichten. Am Morgen des Ostersonntags führte Gaston de Foix seine Truppen über den Fluss und ließ sie in Halbmondform den spanischen Verschanzungen gegenüber Aufstellung nehmen. Zur gleichen Zeit brachte Herzog Alfonso seine Kanone dorthin, wo er eine ungesicherte Stelle an ihrer Flanke entdeckt hatte.

Unsere Fußsoldaten rückten vor. Von den gegnerischen Wällen schlug ihnen ein mörderisches Geschützfeuer entgegen. Viele unserer Leute standen nie mehr wieder auf. Aber auch die Ferrareser waren nicht untätig, und es zeigte sich, was für ein schlauer Fuchs Herzog Alfonso war. Seine Schützen waren so aufgestellt, dass sie die gegnerischen Gräben ins Visier nahmen. So waren die Spanier eingeschlossen und konnten nicht entkommen.

Die Verluste an Menschenleben, das war allen klar, würden sehr hoch sein. Charles, der für gewöhnlich dem Kampf entgegenfieberte, war angespannt und machte eine verbissene Miene.

Es war eine Erlösung, als die französische Reiterei – und mit ihnen die Bande Rosse – endlich die gegnerischen Stellungen angreifen konnte. Wir waren jetzt nicht mehr die unerfahrenen Grünschnäbel von Mirandola, sondern Kämpfer, die entschlossen in die Schlacht stürmten. Aber auch die Männer, denen wir gegenüberstanden, waren erfahren – vor allem ihr Anführer, der Spanier Ramón de Cardona. Er schickte uns seine leichte Reiterei entgegen. Und dann ging es Mann gegen Mann, Pferd gegen Pferd. Im dichten Gewühl blieb keine Zeit, nach rechts oder links zu schauen, um nachzusehen, ob die Kameraden noch am Leben waren, oder gar um jemanden zu retten, der gefallen war.

Plötzlich erhob sich ein lautes Geschrei. Die spanische Infanterie trat den Rückzug an. Wir hatten gewonnen!

Aber dann – was für ein Unglück! Lieber hätten wir

diese Begegnung verloren, als mit anzusehen, was danach geschah.

Als er den spanischen Truppen nachsetzte, von denen er ganz richtig annahm, dass sie erfahrene Soldaten waren und nur zurückgezogen wurden, um sie für einen weiteren Kampf zu schonen, wendete Gaston de Foix sein Pferd. Er trieb seine Leute an und verfolgte die fliehenden Fußsoldaten, um sie völlig aufzureiben. Aber de Cardona und seinen Männern gelang die Flucht und in dem Handgemenge wurde Gaston de Foix überwältigt und getötet.

Ravenna war unser. Der Sieg war unser. Papst Julius geschlagen, doch um welchen Preis?

Der spanische Hauptmann war entkommen und mit ihm seine besten Leute. Frankreich und König Ludwig aber hatten einen herausragenden Soldaten verloren. Erst als man die Gefallenen barg, wurde das Ausmaß des Gemetzels sichtbar. Tausende waren auf beiden Seiten gefallen. Ich wusste ja, dass die Hofdichter, Schreiber und Chronisten immer übertreiben, wenn sie die Opfer aufzählen. So erscheint der Sieg der eigenen Seite größer und die Niederlage der Feinde vernichtender. Aber in Ravenna musste man nicht übertreiben. Die Zahl der Toten machte alle Versuche, sie zu zählen, zunichte. Sicher aber waren es mehr als zehntausend Gefallene. Stefano und sein jüngerer Bruder Silvio waren unter ihnen.

Und Charles d'Enville.

Die Kanonenkugel, die ihn traf, hatte weniger Erbarmen mit ihm als die Hellebarde, die ihn bei Agnadello aufgespießt hatte. Der Schuss hatte seinen Arm und die Hälfte des Gesichts zerfetzt. Am Tag nach der Schlacht starb Charles an seinen Verletzungen.

Unsere Truppen marschierten in Ravenna ein.

Und eine Woche später brach die Pest aus.

KAPITEL 75

»Ich kann hier nicht weggehen.«

Paolo schaute mich an. Er war gekommen, um mir mitzuteilen, dass der armselige Rest unserer Armee nach Ferrara zurückkehren würde.

»Die Menschen hier leiden«, sagte ich. »Ich kann ihnen helfen. Ich muss einfach bleiben.«

Er schien mich zu verstehen, denn er nickte langsam. »Du bist ein Arzt«, sagte er, »so wie ich ein Soldat bin.«

Die Not der Stadtbewohner war größer als die der Überlebenden beider Heere. Die Pest wütete vor allem in den Armenvierteln. Der Rat der Stadt hatte beschlossen, in diesen Gegenden die Häuser zu verbarrikadieren, die Fenster zuzunageln und die Türen mit Balken zu verriegeln, damit die Menschen, die krank in den Häusern lagen, nicht hinauskonnten. Ihre Hilferufe und das klägliche Weinen der Kinder waren herzzerreißend.

Ich erinnerte mich an die Nonnen in Melte. Sie hatten behauptet, die Krankheit werde in den Kleidern verschleppt. Ich befahl, sämtliche Kleidungsstücke der Pesttoten und ihrer Familien zu verbrennen. Dann schickte ich unsere Leute aus, um die Kleidung zu holen, die als Beute aus den Häusern der Reichen fortgeschleppt worden war, und ließ sie unter den Bedürftigen verteilen. Unsere Männer hatten Angst, aber ich machte ihnen deswegen keine Vorwürfe. Marcantonio della Torre, der sicher viel erfahrener gewesen war als ich, war selbst der Krankheit erlegen. Dieser Feind war tödlicher und heimtückischer als alle, die uns auf dem Feld begegnet waren. Aber es war auch ein Kampf, und ich musste Mittel und Wege finden, um ihn zu gewinnen. Und dabei stand mir Paolo tatkräftig zur Seite.

»Wir müssen diese Häuser aufschließen«, sagte ich.

»Nein«, entgegnete er, »das können wir nicht.«

»Wir können doch die Menschen, die darin eingeschlossen sind, nicht verhungern lassen. Vielleicht hat die Pest sie ja verschont.«

»Wenn wir unseren Männern befehlen, diese Häuser zu öffnen, riskieren wir einen Aufstand«, überlegte Paolo.

»Ich kann nicht ruhig zusehen, wie die Menschen Hunger leiden, wenn es genug zu essen für alle gibt.«

»Es gibt vielleicht eine Möglichkeit …«, sagte Paolo.

Er wollte seine Soldaten anweisen, eine Latte aus den Holzläden der Türen herauszubrechen und den Bewohnern zuzurufen, dass man jeden Tag Essen und Wasser durch die Öffnung schieben werde. Aber die Soldaten sollten die Menschen auch davor warnen, die Häuser zu verlassen. Andernfalls riskierten sie es, erschossen zu werden.

»Aber sie brauchen mehr als nur zu essen«, wandte ich ein. »Sie brauchen ärztliche Hilfe.«

»Das ist unmöglich, Matteo.« Paolo blickte mich mit ernster Miene an. »Du musst den Ärzten helfen, die französischen Verwundeten zu pflegen, sonst wird uns deren Quartiermeister den Zugang zu den Vorratshäusern verwehren. Wenn du dich um alle kranken Leute kümmern willst, müsstest du ohne Unterlass von einem Haus zum anderen gehen – du würdest an Erschöpfung sterben, man würde dich töten oder du würdest dir selbst die Pest holen. Es ist besser, wenn du dich an einen sicheren und sauberen Ort zurückziehst.«

»Aber ich –«

»Matteo, es geht nicht anders«, sagte Paolo bestimmt.

Und so gab ich ihm nach. Ich stellte fest, dass viele Menschen nicht an der Pest erkrankt waren, sondern an der Ruhr, an der Krätze oder an anderen Hautkrankheiten litten. Die aufgeschreckte Obrigkeit der Stadt hatte sie vorschnell für unrein erklärt.

Eines Tages kam ein hoher französischer Offizier zu mir und sagte: »Ihr habt spanische Soldaten behandelt, während Franzosen darauf warten, von Euch untersucht zu werden. Ich befehle Euch, dies in Zukunft zu unterlassen.«

»Ich bin kein Arzt«, gab ich ihm zur Antwort. »Ich helfe nur denen, die in ihrer Not zu mir kommen. Wenn jemand nackt zu mir gebracht wird, dann weiß ich nicht, wessen Untertan er ist. Ich behandle jeden Kranken, und wenn Ihr mir das nicht gestatten wollt, dann behandle ich niemanden mehr.«

Er ging wortlos davon.

Die Franzosen beanspruchten den Sieg in der Schlacht von Ravenna für sich.

Als König Ludwig vom Tod seines Neffen Gaston de Foix erfuhr, weinte er. Er sagte, er weine nicht nur um den Verlust, den er selbst erlitten habe, sondern um den Verlust ganz Frankreichs. Er rief einen Tag der Trauer aus. Dann ließ er seine Kriegsminister wissen, er wünsche, dass fortan kein französisches Blut mehr auf italienischem Boden vergossen werde.

Paolo schrieb an die Eltern von Stefano und Silvio, dass ihre Söhne gefallen seien. Ich musste daran denken, wie ich vor wenigen Monaten auf ihrem Hof gewesen war und Stefanos Braut die weiße Seide bewunderte, die er ihr mitgebracht hatte. Damals hatte sie den Stoff an sich hochgehalten und sich vorgestellt, wie sie aussähe, wenn sie die Seide an ihrem Hochzeitstag tragen würde.

Ich schrieb Elisabetta und berichtete ihr von Charles' Tod. Ich wusste, dass sie um ihn trauern würde. Sie hatten sich zwar nur einmal getroffen, danach aber regelmäßig Briefe ausgetauscht. Ich machte einen Helden aus ihm, dichtete ihm wagemutige Taten an und erfand einen raschen und gnädigen Tod für ihn. Ich hatte kein schlechtes Gewissen dabei. Er war ein tapferer und gütiger Hauptmann gewesen und seinem Angedenken waren wir viel schuldig.

Schließlich brach ich nicht mit den anderen nach Ferrara auf, sondern blieb noch eine Weile in Ravenna – einmal, um die Qualen der Kranken zu lindern, aber auch, weil mir der Sinn nicht nach Triumphzügen stand. Deshalb erfuhr ich erst Wochen später, dass in Ravenna ein höchst bedeutender Gefangener gemacht worden war. Es war ein mächtiger Verbündeter des Vatikans. Ein Mann, der mit Hilfe des Papstes seiner Familie das zurückgeben wollte, was ihr seiner Meinung nach von Rechts wegen zukam: die Herrschaft über Florenz. Es war Kardinal Giovanni de Medici.

KAPITEL 76

Entsprechend seiner Stellung als Sohn von Lorenzo *il Magnifico*, dem Prächtigen, dem einstigen florentinischen Herrscher, wurde Kardinal Giovanni de Medici in den fürstlichen Gemächern untergebracht und durfte sich dort frei bewegen.

Sofort nachdem ich in Ferrara angekommen war, wurde ich ins Castello gerufen. Der Kardinal hatte mit Falken gejagt und sich verletzt, als er nach der Jagd vom Pferd abgestiegen war. Er war schrecklich dick und man hätte sich eher um das Pferd als um ihn Sorgen machen müssen.

Der Kammerherr des Herzogs begrüßte mich und sagte: »Ich habe gehört, dass Ihr nicht nur ein gewöhnlicher Hauptmann seid, Messer Matteo. Wir benötigen Eure Hilfe bei der Behandlung des Kardinals. Er hat sich eine Risswunde am Bein zugezogen, die sich entzündet hat. Wie es heißt, verfügt Ihr über ein gewisses medizinisches Talent, deshalb untersucht seine Wunde und seht, wie man sie kurieren kann.«

Ich hätte sagen können: »Ich kann das nicht.« Aber es wäre töricht gewesen, den Herzog und die Herzogin vor den Kopf zu stoßen. Die Nähe eines Medici war für mich Grund genug zur Beunruhigung, und deshalb war ich sehr aufgeregt, als mich der Kammerherr in die Gemächer des Kardinals führte, der auf seinem Bett lag und gerade Besuch von der Herzogin und einer ihrer Nichten hatte.

Ich hatte mich umsonst gesorgt. Er schenkte mir nicht die geringste Beachtung. Er war kurzsichtig und wollte ohnehin nicht hinsehen, als ich sein Bein untersuchte. Er hatte seinen Kopf zur Seite gedreht, während eine von Donna Lucrezias Damen ihm die Hand hielt.

Wäre ich ein Diener gewesen, dann hätte man mich keines Blickes gewürdigt, während ich meiner Arbeit nachging, aber mein Ruf als Heilkundiger brachte mir eine gewisse Achtung ein. Die Herzogin sah mir zu, als ich mich über sein Bein beugte, um es zu untersuchen, dann sagte sie etwas. Sie war sehr gebildet, wechselte mühelos von einer Sprache in die andere, doch um ganz sicher zu gehen, dass niemand sie verstand, und weil sie mit einer ihrer eigenen Verwandten sprach, wählte sie Katalanisch.

Ich verstehe Katalanisch.

»Der junge Doktor, Dorotea…« Donna Lucrezias Stimme war weich und sinnlich. »Er hat wohlgeformte Beine, findest du nicht auch?«

Ich versuchte, mir nichts anmerken zu lassen, konnte aber offenbar nicht verhehlen, dass mir nicht wohl war in meiner Haut.

Die Herzogin betrachtete mich neugierig. Sie ahnte wohl, dass ich sie verstanden hatte.

Ihre Base Dorotea rettete schließlich die Situation. »Er wird rot«, rief sie unbekümmert aus. »Aus Eurer Geste, gnädige Frau, hat er abgelesen, was Ihr gesagt habt.«

Zusammen amüsierten sie sich über mein Unbehagen.

Dorotea kicherte. »Man erzählt sich von Euch, dass Ihr heilende Hände habt, Messer Matteo. Würdet Ihr sie mir ebenfalls auflegen? Ich habe solche Schmerzen.«

»Still, Dorotea«, schalt Donna Lucrezia sie. »Du bist zu vorlaut.«

Als ich ein Rezept aufschrieb und mich zum Gehen

anschickte, erhob sich Donna Lucrezia und drückte mir eine Goldmünze in die Hand. »Für Eure Mühe.«

»Einer großen Dame wie Euch zu Diensten zu sein, ist keine Mühe«, erwiderte ich.

»Ach, jetzt erkenne ich Euch wieder«, rief sie aus.

Mir blieb das Wort im Halse stecken. Das konnte nicht sein. Es war schon so lange her und sie hatte mich nur einmal inmitten einer großen Menschenmenge gesehen.

»Ihr seid der Kavalier, der Eleanoras Band in dem Turnier gewonnen hat.«

Ich holte tief Luft. »Ich … ich bin …« Mehr brachte ich nicht hervor.

»Und …«, sie lachte, »Ihr habt Euren Lohn sehr charmant eingefordert.«

Ich verbeugte mich, um mich für dieses Kompliment zu bedanken.

»Ihr habt Euer Pferd dazu gebracht, sich zu verneigen. Dieses Kunststück bringen die Zigeuner ihren Pferden bei, nicht wahr?«

Ich war froh, dass sie mein Gesicht nicht sah, weil ich meinen Kopf gesenkt hatte, und ich hob ihn nur langsam wieder.

»Ich erinnere mich noch an die Zeit, als ich ein kleines Mädchen war«, fuhr sie fort. »Jedes Jahr wurde in Rom ein Pferdemarkt abgehalten, und wir sahen von den Fenstern des Vatikans aus zu, wie die Zigeuner für uns Kunststücke vorführten. Sie waren die besten Reiter, sie ließen ihre Pferde vor uns auf und ab galoppieren, um sich mit ihren Kunststücken zu brüsten.« Lucrezia Borgia sah mich freundlich an. »In Herzensangelegenheiten bin ich sehr mitfühlend, aber Ihr solltet wissen, dass Eleanora d'Alciato bald heiraten wird. Beide Eltern sind gestorben und ihr Onkel ist ihr Vormund. Sie hat wenig Mitgift, also bleibt ihr entweder das Kloster oder diese Ehe.« Sie machte eine Pause. »Natürlich kann ein Mann auch glücklich werden mit einer Frau, die kein Vermögen hat, doch dann müsste er selbst über etwas Geld verfügen. Wenn so einer käme und einen Antrag machte …« Sie machte wieder eine Pause. »Dann wäre so manches möglich …«

KAPITEL 77

Wie klug der spanische Heerführer Ramón de Cardona gehandelt hatte, wurde bald offenbar. Als er während der Belagerung von Ravenna erkennen musste, dass die Stadt verloren war, hatte er sich zurückgezogen und seine besten Truppenteile für die kommenden Kämpfe geschont. Seine Fußsoldaten waren stark und gut bewaffnet. Sie vereinigten sich mit den päpstlichen Heeren und gemeinsam eroberten sie eine romanische Stadt nach der anderen.

Unsere erschöpften Soldaten wurden in kleinen Abteilungen ausgeschickt, um die Städte in der Nähe von Ferrara zu besetzen. Das sollte nur unserer Verteidigung dienen. Aufgrund der Verluste, die wir in Ravenna erlitten hatten, brachten wir nicht mehr die nötige Stärke auf, um an einer Schlacht teilzunehmen. Die Venezianer und Schweizer verbündeten sich, obwohl sie einander zutiefst misstrauten. Unter der Führung des Papstes kontrollierten sie nun gemeinsam den nördlichen Teil Italiens. Jetzt war es so weit: Die Franzosen mussten aus Ferrara abziehen und versuchen, sich nach Mailand durchzuschlagen, solange ihnen die Straßen noch offen standen.

In dieser Zeit erhielt ich eine Nachricht von Eleanora, in der sie mich bat, in Ferrara nach Einbruch der Nacht am Brunnen im Garten des Castello auf sie zu warten.

Ich ging allein dorthin und wartete auf sie. Es war schon beinahe Mitternacht, als sie kam.

»Ich konnte mich nicht früher davonstehlen«, flüsterte sie.

Ich wollte sie in den Arm nehmen, aber sie wich aus. »Ich bin gekommen, um Euch zu sagen, dass Herzog Alfonso auf dem Weg nach Rom ist.«

»Nach Rom!«

»Psst!« Sie blickte sich um. »Bald werden es die Spatzen von den Dächern pfeifen, aber ich dachte, es wäre gut für Euch, es vorher zu wissen. Er will Frieden schließen mit dem Papst.«

»Ich bin Euch dankbar, dass Ihr mir dies erzählt.« Ich berührte ihren Arm und sie erschauerte.

»Ich bin auch gekommen, um Euch zu sagen, dass ich Ferrara verlassen werde.«

Ich war entsetzt. »Wann? Weshalb?«

Sie wandte sich ab. »Mein Onkel möchte, dass ich heirate. Da gibt es einen alten Mann, dessen Frau gestorben ist. Er hat um mich angehalten. Ich soll in das Haus meines Onkels in der Nähe von Travalle reisen und ihn dort treffen.«

»Eleanora!«

Sie wich meinem Blick aus.

»Eleanora.« Ich ergriff ihre Hand und zwang sie, mich

anzusehen. In ihren Augen standen Tränen. »Wurde der Heiratsvertrag schon unterschrieben?«

»Nein.« Sie runzelte die Stirn und schüttelte den Kopf. »Seine Familie muss mich erst noch prüfen und entscheiden, ob ich seiner überhaupt würdig bin. So ist das nun mal.«

»So muss es nicht sein«, sagte ich. »Wenn ich Geld oder einen Fürsprecher hätte, dann könnte ich zu Eurem Onkel gehen ...«

»Psst.« Sie legte ihren Finger auf meine Lippen. »Es ist sinnlos, Luftschlösser zu bauen, Matteo. Wir können nicht so leben, wie wir wollen.«

»Was würdet Ihr denn wollen, Eleanora?«

»Wenn ich ein Mann wäre?«

»Ich bin ein Mann, aber ich kann auch nicht tun, was mir beliebt.«

»Dann sagt Ihr mir: Welchem Beruf oder welchem Gewerbe würdet Ihr nachgehen, wenn es Euch freigestellt wäre?«

»Ich glaube, ich würde Arzt werden. Und Ihr? Was würdet Ihr mit Eurem Leben anfangen?«

»Ich würde die Schriften der Alten studieren. Uns Frauen bringt man zwar das Lesen bei, aber solange wir nicht in ein Kloster eintreten, haben wir wenige Möglichkeiten, unser Wissen zu vergrößern. Aber ...« Sie brachte es sogar fertig, ein wenig zu lächeln. »Eine Klosterschwester möchte ich nicht werden.«

»Bei den Leichenöffnungen in Bologna waren öfters Frauen zugegen«, sagte ich.

»Ich weiß nicht, ob ich das ertragen könnte, aber ich würde gerne einen der Philosophen dort hören.«

Ich rückte näher zu ihr. »Und wenn Ihr heiraten könntet, wen Ihr wolltet?«

»Wie könnte ich, die ich nur eine Frau bin, darüber entscheiden?«

Ihr Gesicht war ganz dicht vor mir. Ich strich über ihre Oberlippe, dann über die Unterlippe. Dann lehnte ich mich zurück und blickte ihr in die Augen, die so grün waren wie Smaragde. Ich beugte mich vor, ohne sie sonst zu berühren, und presste meinen Mund auf ihre geöffneten Lippen.

Sie stöhnte leise.

Plötzlich hallten die Schritte der Wache auf dem Gehweg wider.

Sie fuhr zurück. »Ich muss gehen«, flüsterte sie.

»Nein, wartet!«, rief ich gedämpft. »Bitte!«

»Ist da jemand?« Der Wachsoldat kam näher, die Hellebarde in der Hand.

Ich trat hervor, damit er mich sehen konnte, und wies mich aus. Als es mir gelungen war, ihn davon zu überzeugen, dass ich kein Spion im Dienste des Papstes sei, war Eleanora schon längst verschwunden.

Paolo war ebenso bestürzt wie ich, als er erfuhr, dass Herzog Alfonso sich nach Rom begeben hatte, um sich mit Papst Julius zu verständigen.

»Wir haben hier keine Zukunft mehr, Matteo.«

»Und ich will nicht nach Frankreich gehen«, sagte ich entschlossen.

»Ich ebenso wenig«, stimmte er mir zu. »Aber ich bin gerne Soldat. Dabei fühle ich mich meinem Vater nahe.«

»Dann hör mir zu.« Ich hatte mir schon ausgedacht, was

ich ihm sagen wollte. »Die Republik Florenz hat eine eigene Bürgerwehr, die Niccolò Machiavelli aufgestellt hat. Ihr könntest du deine Dienste anbieten. Es würde gut zu dir passen und außerdem lebt Elisabetta dort. Und auch ich will nach Florenz gehen«, fügte ich hinzu. Und dann erzählte ich Paolo, dass ich hoffte, bei Eleanoras Onkel um ihre Hand anhalten zu können.

Es gab nur ein Problem: Ich hatte kein Geld. Und ich wusste auch nicht, wie ich welches verdienen sollte.

Aber ich besaß einen Gegenstand, der wertvoll war.

KAPITEL 78

Allein in der kleinen Baracke, in der Paolo und ich schliefen, wickelte ich das Siegel aus. Es passte genau in meine Handfläche; das Gold schimmerte matt im Lichtschein der Laterne.

Die Kugeln auf dem Wappen der Medici prangten erhaben in der Mitte des Schilds, und am Rand waren Buchstaben eingeprägt: M E D I C I…

Wie viel es wohl wert war?

Wenn ein Mann etwas Geld besitzt, dann ist vieles denkbar. *Wenn so einer käme, dann wäre so manches möglich.* So hatten die Worte der Herzogin gelautet.

Eleanoras Onkel sah in seiner Nichte nicht viel mehr als einen Gegenstand, mit dem sich ein Geschäft machen ließ. Das Geld aus dem Verkauf des Siegels würde reichen, um ihn von meinen ehrlichen Absichten zu überzeugen.

Am darauf folgenden Tag verließ Eleanora Ferrara, um zu ihrem Onkel zu reisen.

Unterdessen machte ich mich daran, herauszufinden, welcher Händler in Ferrara mir möglicherweise das Siegel abkaufen würde. Es kostete mich mehrere Tage, bis ich schließlich einen Goldschmied ausgemacht hatte. Frühmorgens betrat ich sein Geschäft an der Ponte d'Oro, nahm das Siegel aus dem Beutel und legte es auf den Ladentisch.

Der Händler bekam große Augen, als er es in Augenschein nahm.

Zuerst wog er es, dann nahm er ein winziges Goldschmiedewerkzeug und kratzte vorsichtig am Rand des Siegels. »Es sieht echt aus.«

»Es ist echt«, versicherte ich ihm. »Aber ich warne Euch: Vergeudet meine Zeit nicht mit Feilschereien. Entweder Ihr unterbreitet mir ein gutes Angebot oder ich versuche es anderswo.«

Er zog eine Augenbraue hoch, schürzte nachdenklich die Lippen und nannte dann eine stattliche Summe.

»Legt noch einmal das Gleiche obendrauf«, sagte ich. »Und zwar in Gold, dann könnt Ihr das Siegel gleich behalten.«

Der Goldschmied spreizte die Finger. »Eine solche Summe bewahre ich nicht hier auf. Kommt morgen wieder.«

»Heute Abend«, sagte ich zu ihm. Ich zog meinen Dolch und hielt ihn an seinen Hals. »Und wenn Ihr auch nur ein Sterbenswörtchen zu irgendjemandem sagt, schneide ich Euch die Kehle durch.«

Paolo und ich nutzten den Rest des Tages, um uns für den Aufbruch zu rüsten. Wir packten ein paar Habseligkeiten auf unsere beiden Pferde und brachten sie an einen Ort außerhalb der Stadtmauern. Ich erklärte Paolo, dass ich noch eine Schuld einzutreiben hätte und er so lange bei den Pferden auf mich warten solle. Bei meiner Rückkehr würden wir unverzüglich nach Florenz aufbrechen.

Bereits eine Stunde vor der Zeit stand ich vor der Goldschmiede. Ich wartete in einer Gasse und behielt den Eingang im Auge, konnte allerdings in dem regen Treiben auf der Straße nichts Auffälliges entdecken.

Da sich nichts Ungewöhnliches tat, kam ich zu dem verabredeten Zeitpunkt aus meiner Deckung hervor, überquerte die Straße und betrat den Laden.

Kaum hatte der Goldschmied mich erspäht, zog er den Vorhang beiseite und führte mich nach hinten in die Werkstatt. »Kommt mit«, sagte er.

Ich legte die Hand ans Schwert.

Er schnalzte mit der Zunge. »Hier lauert niemand, um Euch auszurauben.« Er zog den Vorhang weiter zurück, damit ich sehen konnte, dass die kleine Nische mit der Werkbank tatsächlich leer war. »Ich möchte nur, dass wir ungestört sind und niemand uns von der Straße aus sieht.«

In diesem Moment hörten wir, wie vorne die Eingangstür geöffnet wurde.

Ich hatte meinen Dolch gepackt, noch ehe der Goldschmied mir zuflüstern konnte: »Ich habe Euch nicht betrogen. Ich bin ebenso begierig, das Siegel zu erwerben, wie Ihr begierig seid, es loszuschlagen. Lasst mich zur Tür gehen und ihn abwimmeln, wer immer es ist.«

Er stieß meinen Arm weg, schob den Vorhang beiseite, ging hinaus und begrüßte den Kunden überschwänglich.

Die Stimme eines Mannes war zu hören. »Das Große Siegel der Medici ist hierher gebracht worden. Ich will es haben.«

»Das Große Siegel der Medici?«, sagte der Goldschmied mit gespielter Verblüffung. »Davon habe ich noch nie etwas gehört.«

»Stellt Euch mir nicht in den Weg.« Der Tonfall des Mann zeugte von seiner Ungeduld und seine Worte klangen bedrohlich. »Ich habe sehr lange danach gesucht. Meine Spione haben mir berichtet, dass Ihr Euch heute eine große Summe geliehen habt. Dabei habt Ihr das Siegel als Sicherheit angegeben. Also wisst Ihr auch, wo es sich befindet. Ich habe einen weiten Weg zurückgelegt und bin bereit, Euch für Hinweise gut zu entlohnen.«

Ein Geräusch war zu hören, so als wäre ein Beutel mit Münzen auf den Tisch geworfen worden.

»Hier, das ist für Euch.«

»Eine stolze Summe«, sagte der Goldschmied langsam. »Für so viel Gold werde ich selbstverständlich alles daransetzen, das Siegel für Euch ausfindig zu machen.«

»Wo ist der junge Mann, der es Euch gebracht hat?«

»Wenn ich Euch das Siegel beschaffe, wozu braucht Ihr ihn dann noch?«

»Ich habe meine Gründe.«

»Warum wollt Ihr ihn strafen?« Die Stimme des Goldschmieds klang angespannt, beinahe flehentlich. Er wollte Blutvergießen in seinem Geschäft vermeiden. »Warum gebt Ihr Euch mit dem Kerl ab, wenn Ihr das bekommen habt, wonach Ihr suchtet?«

»Das ist meine Angelegenheit«, sagte der Mann barsch. »Hört zu, Ihr dürft diesen Beutel mit Gold behalten und kriegt noch einen dazu, wenn Ihr mir sagt, wo sich der junge Bursche aufhält.«

Für einen Augenblick herrschte Stille. Gerade so lange, wie es dauerte, um sich über mein Kopfgeld einig zu werden.

Er musste nur seine Augen Richtung Vorhang verdrehen und mein Gegner konnte mich erdolchen, ohne mein Gesicht ansehen zu müssen.

Ich hörte, wie der Fremde tief Luft holte. Da wusste ich, dass der Goldschmied mich verraten hatte.

KAPITEL 79

Ich stürmte los.

Mit geducktem Kopf schnellte ich hinter dem Vorhang hervor und rannte zur Tür. Hände griffen nach mir, mein Umhang zerriss, aber ich machte mich frei und schlug um mich wie ein Wahnsinniger.

»Halt!«, rief der Fremde mir hinterher. »Halt!«

Dann war ich draußen auf der Straße und hatte beide an den Fersen.

»Ein Dieb!«, rief der Goldschmied, um Aufmerksamkeit zu erregen.

Die Nachbarn sahen neugierig aus Fenstern und Türen.

»Ein Dieb!«, stimmten sie ein. »Ein Dieb! Ein Dieb!«

Manche Leute sprangen zur Seite und feuerten mich an – Straßenkinder und junge Männer, die jede Gelegenheit nutzten, um sich den Obrigkeiten zu widersetzen. Andere bewarfen mich mit Abfällen oder Gemüse und Früchten. Einige jagten hinter mir her.

Ich rannte zur Brücke. Wenn ich auf die andere Seite gelangte, konnte ich meine Verfolger vielleicht in dem Wirrwarr an den Anlegeplätzen abschütteln.

»Eine Belohnung!«, hörte ich den Fremden rufen. »Zehn Goldstücke für denjenigen, der ihn fängt.«

Ein Mann rannte aus einem Geschäft auf der anderen Seite der Brücke – ein stämmiger Metzger mit einem Hackbeil in der Hand.

»Tut ihm nichts zu Leide!« Der Fremde hatte aufgeholt. »Ich will ihn unversehrt. Jedem, der ihm ein Haar krümmt, ziehe ich bei lebendigem Leib die Haut ab!«

Der Metzger warf sein Hackbeil fort und breitete die Arme aus, um mich aufzuhalten.

Ich schaute zurück.

Der Fremde, der den Goldschmied und die anderen Leute abgehängt hatte, kam immer näher. Er blieb stehen, als ich mich zu ihm umdrehte. Es war der Mann aus dem Wald bei Kestra, der mich bis in das Kloster verfolgt hatte.

Jacopo de Medici!

Er sah, dass ich ihn erkannt hatte, und lächelte mich an. Dann musterte er mich von Kopf bis Fuß. Ihm entging weder der Dolch an meinem Gürtel noch das Schwert an der Seite. Anders als ich hatte er sein Schwert jedoch gezogen.

Voller Schrecken starrte ich auf die Waffe.

»Ich …«, begann ich.

Hinter mir war ein Geräusch. Ich wirbelte herum. Der Metzger hatte den Augenblick genutzt und sich herangeschlichen. Er befand sich auf dem Mittelteil der Brücke, und ich würde wohl kaum an ihm vorbeikommen, denn er hatte die Statur eines Schranks. Das hieß aber auch, dass er nicht sehr beweglich war. Anders als ich. Wenn ich nicht auf die andere Seite gelangen konnte, blieb mir immer noch ein Ausweg.

»Nein!« Jacopo de Medici ließ sein Schwert fallen und machte einen Satz auf mich zu.

Aber da war ich bereits über die Brüstung geklettert und ins Wasser gesprungen.

Ich versuchte, in die Tiefe zu tauchen.

Es war Sommer, doch das Wasser war eiskalt. Der Schreck bei dem freien Fall und die Kälte hatten mich wie ein Schlag getroffen und gelähmt. Ich hatte keine Zeit, zu Atem zu kommen, denn die Strömung verschlang mich und riss mich mit sich fort. Ich bekam keine Luft. Meine Lungen schmerzten, mein Kopf drohte zu platzen und meine Glieder wollten mir nicht gehorchen. Ich war wieder unter dem Wasserfall, aber diesmal gab es keine Rettung für mich. Diesmal würde ich sterben.

Meine Glieder wurden taub. Über mir war nichts als graue Fläche, so grau wie die Farbe auf Leonardos zerstörtem Fresko, so grau wie Rossanas totenbleiches Gesicht, so grau wie ein Grab. Ich dachte an sie und fragte mich, ob ich sie nach dem Tod wiedersehen würde. Und ich dachte an ihre Schwester Elisabetta und an Eleanora. Und als ich an Eleanora dachte, fing ich an, zu strampeln und mit den Armen zu rudern, um wieder an die Oberfläche zu gelangen.

Die Strömung hatte mich beinahe umgebracht, jetzt

aber rettete sie mich. Denn sie hatte mich so weit abgetrieben, dass meine Verfolger nicht hinterherkamen. Bei der ersten Biegung, als die Strömung nachließ, klammerte ich mich an einen überhängenden Ast. Männer mit Fackeln begannen in einiger Entfernung, die Uferseiten abzusuchen. Ich sah den Lichtschein und hörte sie rufen. Mit neuer Anstrengung schwamm ich ans Ufer und stieg aus dem Wasser. Dann rannte ich so schnell ich konnte zu Paolo und den Pferden zurück.

Es waren Stunden vergangen, aber der getreue Paolo wartete noch immer auf mich. Als er meine durchweichte Kleidung sah, lachte er und sagte: »Mir scheint, du hast das Geld, das du eintreiben wolltest, nicht bekommen, was, Matteo?«

»Nein«, sagte ich. »Und nicht nur das. Man ist hinter mir her. Bis zum Morgengrauen müssen wir so weit wie möglich von Ferrara entfernt sein.«

KAPITEL 80

Wir stiegen in den Sattel und ritten los.

Meine Kleider trockneten, denn es war eine warme Sommernacht und wir schlugen ein hohes Tempo an. Über Seitenpfade, die wir von den Übungsritten mit unseren Männern her kannten, gelangten wir bis kurz vor Bologna. Als es Zeit war, in Richtung Berge zu schwenken, sagte Paolo: »Es gibt eine Abkürzung. Während du in Kestra bei Elisabetta warst, habe ich mit Charles die Gegend erkundet. Es gibt einen Hügelpfad, der an Castel Barta vorbeiführt.«

Castel Barta.

Warum regte sich bei der Nennung dieses Namens in den Tiefen meiner Erinnerung etwas?

»Castel Barta«, wiederholte ich im Stillen.

Es war, als wäre der Wind umgeschlagen und als hielte die Welt für einen kurzen Augenblick den Atem an, so wie vor dem Ausbruch eines Sturms.

In den dunkelsten Stunden der Nacht machten wir Rast.

Paolo schlief ein, kaum dass er sich hingelegt hatte. Meine Nachtruhe wurde von einem Alptraum gestört. Ich war in einen großen See gefallen. Das Wasser blubberte in meinen Mund und ich fing an zu würgen. Vor meinen Augen zuckten Blitze, die mit einem Mal zu Fackeln wurden in den Händen von Männern, die mich jagten, und dann zu Kerzenlicht mit Musik im Hintergrund. Das Wasser war verschwunden, und ich lag auf einem harten Fußboden mit maurisch gemusterten Kacheln, die sich kalt anfühlten. Die Musik verstummte und ich kämpfte wieder gegen Wasserfluten an. Ich sah mich selbst aus großer Höhe und wusste, das ich sterben würde. Ganz nah an meinem Ohr flüsterte jemand einen Namen.

Ich erwachte mit einem Schrei.

»Wer ist da?«

»Schlaf weiter, Matteo«, murmelte Paolo. »Ruh dich noch ein wenig aus.«

Aber der Name, den ich gehört hatte, war nicht mein eigener. Es war der Name eines Ortes. Eines Ortes, den meine Großmutter vor ihrem nahen Tod unbedingt aufsuchen wollte. Castel Barta.

Als Paolo aufwachte, sagte ich zu ihm: »Ich muss nach Castel Barta.«

»Es liegt nicht weit ab vom Weg«, sagte er. »Aber es ist nur noch eine Ruine.«

»Das ist mir einerlei«, erwiderte ich. »Ich muss es mit eigenen Augen sehen und vielleicht sogar herausfinden, warum es eine Ruine ist.«

Ich tat so, als sei es ein Abstecher im Gedenken an meine Großmutter, und Paolo willigte ein, am Wegesrand auf mich zu warten, während ich mich dort umsah. Um schneller voranzukommen, legte ich mein Schwert ab und ließ mein Pferd zurück.

»Halte dich nicht zu lange auf«, rief Paolo mir nach. »Wir müssen Florenz noch vor Einbruch der Dunkelheit erreichen.«

Ich stieg den Hügel hinauf zum Jagdhaus. Paolo hatte Recht, es war nur noch eine Ruine. Castel Barta hatte das gleiche Schicksal ereilt wie Perela. Als ich weiterging, löste sich ein Steinbrocken direkt über mir. Ich schaute nach oben und entdeckte einen Felsspalt. Ich wartete darauf, dass ein aufgescheutes Kaninchen davonsprang oder ein Vogel aufstieg. Aber nichts rührte sich. Schon vor langer Zeit hatte ich den Irrglauben abgelegt, dass die Erschütterungen der Erde von Zyklopen herrührten, die Feuer für den Gott Vulcanus schürten. Der Meister hatte mir erzählt, dass allein die Kräfte der Natur es bewirkten, wenn die Erde zitterte.

Ich betrat den Innenhof des Anwesens. Es standen nur noch wenige Mauern, trotzdem wollte ich mich ein wenig umsehen. Langsam überquerte ich den Hof und ging dorthin, wo früher einmal die Empfangshalle gewesen sein musste. Die Absätze meiner Stiefel klapperten auf dem gefliesten Boden. Ich schaute nach unten.

Unter mir lagen Kacheln im maurischen Stil.

Überrascht blieb ich stehen.

Die morgendlichen Sonnenstrahlen ließen das Muster klar hervortreten. Ich bückte mich und streckte die Hand aus, um den Boden zu berühren.

Da fiel ein Schatten auf mich.

Ich blickte auf.

Sandino stand vor mir.

KAPITEL 81

»Sandino!«

»Ja«, sagte er leise. »Ich bin es.«

Wir beide standen wie erstarrt. Ich war zu keiner Bewegung fähig, das Blut schien mir aus allen Adern gewichen zu sein. Er beobachtete mich gelassen. Seine Arme hingen locker herab. Ich sah auf seine Finger mit den gelblich verfärbten Fingernägeln, lang, gekrümmt und abstoßend.

»Als ich deine Spur gefunden und erfahren hatte, dass du wieder hier in dieser Gegend bist, wusste ich, dass es nur eine Frage der Zeit sein konnte, bis du hier auftauchst, Junge. Ich brauchte nur abzuwarten.«

Ich tastete mit der Hand nach dem verschnürten Beutel, der um meinen Hals hing. »Hier, nimm dieses verfluchte Medici-Siegel.«

»Im Augenblick interessiert mich das Siegel nicht«, sagte Sandino. »*Du* bist mein Lohn, und ich habe lange darauf gewartet, ihn einzufordern.«

Er machte eine Bewegung, nur eine kleine Drehung des Körpers nach vorne, doch sie genügte, um plötzlich ein langes Messer in seiner Hand aufblitzen zu lassen.

»Du willst dich an mir rächen.« Ich erhob mich vorsichtig, ohne sein Messer aus den Augen zu lassen. »Aber du wirst dich anstrengen müssen, wenn du mich töten willst.«

»Was nützt du mir, wenn du tot bist?« Er schnitt mir den Weg zur Tür ab. »Lebendig bist du mehr wert.«

»Du stehst im Dienst der Medici?«

»Ich stehe im Dienst dessen, der mich am besten bezahlt. Im Augenblick sind es die Medici. Sie haben eine Belohnung ausgesetzt für jeden, der dich an sie ausliefert.«

Ich riss den Dolch aus meinem Gürtel, aber da war er auch schon bei mir. Für einen kleinen Mann war er sehr gelenkig, und im Sprung stieß er sein Messer gegen meinen rechten Arm, mit dem ich den Dolch führte.

Ich wich ihm aus und schlug ihm mit der Faust ins Gesicht.

Sandino taumelte zurück. Darauf war er nicht gefasst gewesen. Diese Art, einen Schlag zu parieren, hatte ich von den Ferraresern gelernt: Ein Mann, der eine Waffe führt, schaut nur auf die Waffe seines Gegners und vergisst dabei, dass der die andere Hand frei hat.

Aber Sandino war ein Brigant und würde, wäre er unachtsam oder schwächlich gewesen, schon längst nicht mehr leben. Er stürzte sich wieder auf mich. Ich packte seine Füße und brachte ihn zum Stolpern, dann rollte ich mich auf dem Fußboden zur Seite. Er stürzte, sein Messer fiel zu Boden und schlitterte über die Fliesen. Wir beide rangelten, um es zu fassen zu bekommen. Ich streckte die

Hand danach aus, doch noch ehe ich es an mich nehmen konnte, hatte er mich schon fest auf den Boden gedrückt, meine Beine umklammert und mich weggezogen. Ich wehrte mich. Er lockerte seinen Griff um meine Beine und ich trat zu. Ich hörte, wie das Messer scheppernd auf die andere Seite des Hofs flog.

Aber nun hatte er seine Arme wie einen Schraubstock um meine Brust gelegt. Ich stach mit meinem Dolch nach ihm, aber er hielt mich von hinten fest, sodass ich ihn nicht empfindlich treffen konnte. Er schnappte nach Luft, als ich nach ihm trat, aber er war viel stärker als ich und ließ nicht locker. Ich spürte, wie mein Brustkorb sich unter der Gewalt seines Druckes bog. Er quetschte mich zu Tode. Als meine Kräfte nachließen, zog er seine Arme langsam höher und drückte mir die Kehle zu. Ich bekam keine Luft mehr.

Ich sackte auf dem Fußboden zusammen.

Nun packte er mich mit solcher Kraft am Schädel, dass ich glaubte, die Knochen würden zerspringen. Er drückte seine Fingerspitzen fest auf meine Augenlider.

»Er hat gesagt, er will dich lebend haben«, knurrte Sandino. »Von deinen Augen hat er nichts gesagt.«

Mir entfuhr ein Angstschrei.

Ich hörte ein dumpfes Grunzen.

Eine warme Fontäne spritzte auf mein Gesicht.

Es war Blut. Ich roch es.

KAPITEL 82

Das Blut strömte mir übers Gesicht, über meine Nase, meine Wangen.

Meine Augen! Ich konnte nichts mehr sehen. Ich presste die Hände vors Gesicht und spürte die tiefen Kratzer, die seine Fingernägel auf meiner Haut hinterlassen hatten. Ich schluchzte vor Entsetzen. Meine Augen waren weit aufgerissen, doch ich konnte nichts erkennen. Ich war blind. Er hatte mir das Augenlicht geraubt.

Auf den Fliesen neben mir hörte ich ein scharrendes Geräusch. Ich kam auf die Knie, weinte und hämmerte mit den Fäusten auf den Boden. Ich war blind. Jetzt würde Eleanora mich bestimmt nicht mehr lieben. Wie sollte ich nur weiterleben?

Ich fuhr mir mit den Fingern übers Gesicht. Ich fühlte meine Augäpfel noch, spürte, wie sie wie Kugeln in den Augenhöhlen lagen. Was war geschehen? Und warum hatte er von mir abgelassen? Ich hörte immer noch, wie er grunzte und stöhnte.

Eine Hand legte sich auf meinen Rücken.

»Steh auf, Matteo«, hörte ich eine Stimme sagen.

Es war Paolo.

Ich schrie: »Pass auf, Paolo! Hier ist ein Brigant, der hinter mir her ist. Nimm dich in Acht!«

»Er tut dir nichts mehr«, sagte Paolo.

Er kam ganz nahe zu mir und sprach beruhigend auf mich ein. »Als du nicht zurückkamst, habe ich mich auf die Suche gemacht. Ich sah, wie dieser Mann dich angriff, zog meinen Dolch und stach ihn in den Rücken.«

»Ist er tot?«

»Er ist tot.«

»Bist du sicher?«

»Ganz sicher. Er liegt in einer großen Blutlache und atmet nicht mehr. Ich habe ihn getötet.«

Ich stöhnte leise auf. Das, was ich mir am sehnlichsten gewünscht hatte, war nun in Erfüllung gegangen, und ich konnte mich nicht einmal darüber freuen. Sandino war tot, doch ich war blind.

»Warte hier auf mich«, sagte Paolo. »Ich werde mit meinem Helm etwas Wasser aus dem Fluss schöpfen.«

Bald darauf war er wieder zurück. »Hier, trinke, und ich werde deine Augen baden.«

»Paolo«, flüsterte ich. »Ich kann nichts mehr sehen.«

»Das wundert mich nicht«, erwiderte er. »Er hat deine Augen und dein ganzes Gesicht übel zugerichtet. Aber mit der Zeit kommt bestimmt ein Teil deines Augenlichts zurück.«

Als die kühle Flüssigkeit über mein Gesicht rann, sah ich Regenbogen vor mir aufblitzen, blendend und brennend wie Feuer.

»Kannst du gar nichts sehen?«, fragte Paolo.

Ich bewegte meine Augen. Die Farben waren verschwunden. Ich schüttelte den Kopf. Dann tastete ich nach Paolos Hand.

»Wir sollten gehen«, sagte er. »Ich werde einen Haufen Steine über diesem Mann aufschichten, damit er nicht die Bussarde anlockt und jemand auf ihn aufmerksam wird. Vielleicht gehört er zu einer Bande, die ihn jetzt sucht.«

Aber Sandino war allein gewesen. Was er auch im Sinn gehabt hatte, er hat es nur für sich getan.

Ich legte eine Binde über die Augen zum Schutz gegen die Sonne. Paolo führte mich zu unseren Pferden und half mir aufsitzen. Wir ritten langsam, und er führte mein Pferd am Zügel, aber wir hielten während des ganzen Tages nicht an. Abends badete er meine Augen erneut und wir legten uns für die kurze Sommernacht zur Ruhe.

Am nächsten Morgen rüttelte mich Paolo wach. Ich setzte mich und sein Gesicht tauchte verschwommen vor mir auf. Ich streckte meine Hände aus und berührte seinen Mund, seine Augen. Die Gesichtszüge waren grob und undeutlich, aber ich konnte erkennen, dass es Paolo war. Ich brach in Tränen aus.

Wir umarmten einander.

»Schon wieder hast du mir das Leben gerettet, Paolo dell'Orte.«

»Wir sind Brüder«, gab er mir zur Antwort. »Was hätte ich anderes tun können?«

KAPITEL 83

Als wir die Umgebung von Florenz erreicht hatten, konnte ich mit einem Auge schon wieder sehen, mit dem anderen Auge teilweise. Aber mein Gesicht war so verkratzt und entstellt, dass ich nicht bei Eleanoras Onkel vorstellig werden wollte.

»Du solltest ohnehin nicht mit der Tür ins Haus fallen«, riet mir Paolo. »Auch wenn Eleanora am Hof von Ferrara war, kann man nicht wissen, auf wessen Seite ihr Onkel steht. Falls er ein Parteigänger von Papst Julius ist und bemerkt, dass du an der Seite der Franzosen gekämpft hast, lässt er dich vielleicht einsperren.« Er lachte. »Wie auch immer, im Augenblick siehst du wie ein Wegelagerer aus. Man wird dich gar nicht erst zur Tür einlassen.«

Wir waren den steilen und beschwerlichen Weg in die Berggegend im Norden der Stadt hinaufgeritten, wo Eleanoras Onkel wohnte. Und nun hatten wir unsere Pferde etwas abseits des Weges angehalten und blickten auf das Landhaus der d'Alciato.

»Ich muss mit Eleanora sprechen.« Ich hatte Angst, sie könnte in den Ehevertrag einwilligen, noch bevor ich überhaupt Gelegenheit hatte, mit ihr zu reden. »Ich werde das Haus beobachten und schauen, wo ich mir Einlass verschaffen kann.«

»Dann werde ich dich hier allein zurücklassen und nach Prato weiterreisen. Je näher ich meiner Schwester komme, umso mehr weiß ich, wie sehr ich sie in den letzten Jahren vermisst habe.«

»Ich komme nach, sobald ich mit Eleanora gesprochen habe«, versprach ich ihm.

Wir umarmten uns, und er strubbelte über mein Haar, wie ein älterer Bruder es tut.

»Pass auf dich auf, Matteo«, sagte er zum Abschied.

Ich band mein Pferd an einem Baum fest und schritt zwischen Weinstöcken und Olivenhainen auf das Haus zu, das von einer hohen Mauer umgeben war.

Die Mauern rund um das Grundstück der d'Alciatos waren leichter zu überwinden als die des Klosters, in dem ich Eleanora zum ersten Mal begegnet war. Sie hatten nicht den Zweck, Menschen ein- oder auszusperren. Ich fand eine kleine Tür in der Außenmauer des Anwesens. Sie war verschlossen, was aber für mich kein großes Hindernis darstellte.

Im Garten angekommen, schaute ich mich um. An der Rückseite des Hauptgebäudes hatte man Kräuterbeete angelegt, aber der Rest des Grundstücks war verwildert und teilweise überwuchert von Blumen, Büschen und Bäumen, zwischen denen Wege verliefen. Auf einer kleinen Wiese stand ein mächtiger Baum in vollem Blätterkleid. Von seinen oberen Ästen aus musste es möglich sein, die Hintertür und die Fenster, die zum Garten führten, zu beobachten. Ich klaubte einige kleine Kieselsteine auf und steckte sie weg. Dann kletterte ich auf den Baum, versteckte mich im Geäst und wartete ab, was passieren würde.

Ich dachte an den Medici, der auf der Suche nach mir war. Er hatte dem Metzger in Ferrara befohlen, mich am Leben zu lassen, und der gleiche Befehl ging an Sandino. Es war August, dennoch lief mir ein Schauder über den Rücken. Jacopo de Medici wollte mich lebend, um mich zu foltern. Von Eleanora wusste ich, dass er den Ruf hatte, der grausamste von allen Medici zu sein. Er wollte an dem, der ihn bestohlen hatte, ein Exempel statuieren, zur Abschreckung für alle, die seine Macht missachteten.

Am Nachmittag trat eine Frau aus dem Haus, ihrer Kleidung nach zu schließen eine Amme. Sie trieb eine Schar kleiner Kinder vor sich her wie eine Gänseherde. Vier Mädchen waren es. Eleanoras Nichten.

Dann sah ich sie. Eleanora. Sie ging hinter ihnen und hielt ein Buch in der Hand. Ihr Haar trug sie offen, es hing auf ihre Schultern herab und war so schwarz, wie ihr Gesicht weiß war. Ihr Kleid war tiefrot mit einer weißen

Borte um den Halsausschnitt, die Ärmel waren weit an der Schulter und eng geschnitten am Handgelenk.

»Anna«, hörte ich sie zur Amme sagen, »du kannst gehen und dich ausruhen. Ich werde eine Weile auf die Kinder aufpassen.« Sie legte ihr Buch auf eine steinerne Bank, die auf der Wiese unweit des Baumes stand, in dem ich mich verborgen hielt, und spielte mit den Kindern.

Eine Stunde oder länger spielten sie. Wie wohl alle Mädchen stellten sie sich vor, sie seien auf einem festlichen Ball und tanzten mit vornehmen Herren und Damen. Mit den Blumen aus dem Garten banden sie sich Kränze. Eleanora half der Kleinsten von ihnen. Sie legten sich Ketten aus Fingerhutblüten um den Hals und steckten sich die kleinen Blütenkelche der Fuchsien auf die Fingernägel, damit es so aussah, als seien sie rot gefärbt. Ich fühlte Trauer in mir aufsteigen, als ich ihnen zusah, und ich wusste, sie galt den Zeiten in Perela, als Rossana und Elisabetta eine frohe Kindheit mit ebensolchen unschuldigen Spielen verbrachten.

Die Sonne war schon ein gutes Stück weitergezogen, als die Amme wieder zurückkam und die Mädchen rief.

»Es ist Zeit zum Waschen und Umziehen. Kommt Ihr jetzt auch ins Haus, Eleanora?«

Ich hielt den Atem an.

»Ich lese noch eine Weile«, gab sie zur Antwort.

Die Mädchen hüpften hinter der Amme ins Haus. Eleanora setzte sich wieder auf die Bank. Sie blickte sich um und seufzte. Dann schlug sie ihr Buch auf.

Ich nahm einen Kieselstein und warf ihn dicht neben ihre Füße.

Sie stand auf. »Ist da jemand?«, fragte sie.

Ich ließ mich aus dem Baum aufs Gras herabfallen.

»Ah!« Sie presste die Hand an ihre Brust.

Ich verbeugte mich.

»Schon wieder fallt Ihr vom Himmel herab, Messer Matteo.« Sie versuchte, gelassen zu bleiben, doch ihre Stimme bebte.

Ich trat zurück, verbarg mich in dem wild wuchernden Gebüsch und winkte sie zu mir. Sie kam zögernd näher. Dann lag sie in meinen Armen und wir hielten uns fest umschlungen.

»Ich habe schon geglaubt, ich würde Euch nie mehr wiedersehen«, flüsterte sie.

»Ich bin Euch gefolgt, so bald ich konnte«, entgegnete ich. »Ich würde Euch bis ans Ende der Welt folgen.«

Ich vergrub mein Gesicht in ihrem Haar und umarmte sie stürmisch und spürte dabei, wie ihr weicher Körper sich an mich schmiegte. Wir küssten uns. Wieder und wieder. In unserer Umarmung lag etwas Wildes, eine erregende, Furcht einflößende Leidenschaft. Ihr Herz pochte im gleichen wilden Rhythmus wie das meine. Sie wich einen Schritt zurück, doch nur, um ihren Mund wieder auf meinen zu drücken.

Als wir uns endlich aus unserer Umarmung lösten, strich sie mir mit der Hand übers Gesicht und berührte meine Verletzungen. »Was für schlimme Zeiten müsst Ihr durchgemacht haben!«

»Meine Reise hierher verlief nicht ohne Zwischenfälle«, gab ich zu. »Aber einer meiner Erzfeinde ist tot und ich fühle mich nun viel wohler in meiner Haut ...« Ich nahm ihre Hände in die meinen. »Wenngleich diese Erfahrung für mich etwas schmerzhaft war.«

Sie erzählte mir, wie es ihr ergangen war, seit wir uns das letzte Mal gesehen hatten. Im kommenden Jahr würde die älteste Tochter des Onkels ins heiratsfähige Alter kommen. Und er wünschte, dass Eleanora vorher heiratete.

»Mein Onkel hat mich zu sich kommen lassen, und obwohl die Herzogin Lucrezia sehr viel Mitleid mit mir hatte, entschied der Herzog, dass ich gehen müsste. Mein Onkel tut das nur, weil er glaubt, es sei das Beste für mich.«

»Hat er Euren Heiratsvertrag schon unterschrieben?«

»Er wollte es tun, aber wie die Dinge hier jetzt stehen, hat er damit noch gewartet.«

»Welche Dinge meint Ihr?«

»Wisst Ihr das nicht?« Sie schaute mich überrascht an. »In Florenz geht alles drunter und drüber. Die Franzosen ziehen sich über die Alpen zurück. In Mantua hat man einen Rat abgehalten, eine Versammlung aller, die zur Heiligen Liga gehören, um Italien unter den Siegern aufzuteilen. Es ist beschlossene Sache: Die Sforza werden Mailand, die Medici Florenz regieren.«

»Aber wie ist das möglich?«, fragte ich sie. »Kardinal Giovanni de Medici ist in französischer Gefangenschaft. Er wurde in Ravenna gefasst und dann nach Ferrara gebracht. Ich habe ihn dort mit eigenen Augen gesehen. Man hat ihn gut behandelt, aber er ist dennoch ein Gefangener. Und die Franzosen wollten ihn mitnehmen, wenn sie von Ferrara aus nach Norden abzögen.«

»Das haben sie auch getan, aber unterwegs wurde er befreit und konnte nach Mantua entkommen. Der Papst hat ihm eine ganze Armee versprochen, mit der er Florenz zurückerobern kann.«

Ich fragte mich, wie Piero Soderini und der Rat der

Stadt diese Nachricht aufnehmen würden. Glaubten sie immer noch, dass Machiavellis Bürgerwehr sie verteidigen könnte? Der Papst hatte die Spanier mit ihren erfahrenen Soldaten und ihren Geschützen auf seiner Seite. Was würden diese Truppen Florenz, der Perle der Toskana, antun?

Ich versuchte, mich in ihre Gedanken hineinzuversetzen. Auf welchem Weg würden sie anrücken? Ich stellte mir im Geiste die Landschaft um Florenz vor, die Berge, die die im Tal des Arno gelegene Stadt umgaben. Ich hatte die Stadt von den Bergen aus gesehen, als ich aus Melte kam, von den Hügeln um Fiesole, als ich mit dem Meister dort war, vom Pass aus, der bei Castel Barta über die Berge führt, und nun vom Haus der d'Alciatos aus. Auf welcher Straße konnte eine Armee mit vielen Soldaten und Kanonen anrücken? Ich erinnerte mich daran, wie ich mit Leonardo da Vinci die Straßen von Imola abgeschritten war, als er dort jeden Fußbreit vermaß und Zeichnungen von den Häusern und Straßen anfertigte. Am Ende hatte er eine Karte, mit der man wie ein Vogel von hoch oben auf das Land unter sich schauen konnte. Wenn ich die Gegend um Florenz in dieser Weise betrachtete, welchen Weg würde ich nehmen?

Und dann fiel es mir wie Schuppen von den Augen. Die Medici glaubten, Florenz gehöre ihnen. Sie wollten nicht, dass die Stadt durch Belagerung oder durch Kampf zu Schaden käme. Sie würden einen anderen Ort ganz in der Nähe besetzen und zerstören und so den Florentinern vor Augen führen, welches Schicksal auf sie und ihre Stadt wartete, wenn sie sich weiterhin widersetzten.

»Ich weiß, was sie tun«, sagte ich laut vor mich hin. »Sie werden Prato angreifen.«

Ich schaute Eleanora an, küsste ihr Gesicht, ihren Hals, ihre Augenlider.

»Ich habe Freunde in Prato. Ich muss gehen und sie warnen.«

»Nein!«, rief sie. »Matteo, begebt Euch nicht abermals in Gefahr.«

Sie schlang ihre Arme um mich, und ich merkte, wie mein Entschluss ins Wanken geriet. Aber dann sprach ich mit ihr, und obwohl sie begonnen hatte zu weinen, hörte sie mir zu. »Ich muss nach Prato gehen«, sagte ich. »Wenn Paolo an meiner Stelle wäre, würde er kommen und mich retten. Ich verdanke es nur seiner Geistesgegenwart und seiner Tapferkeit, dass ich jetzt in diesem Garten mit Euch sprechen kann und nicht tot auf einem Bergpass liege.«

»Ich werde Euch verlieren.« Sie weinte jetzt bitterlich. »Sie werden Euch töten. Und dann sterbe ich auch.«

»Beruhigt Euch!« Ich versuchte, ihre Tränen zu trocknen. »Ich werde zurückkommen, doch es gibt etwas, das Ihr bedenken solltet: Ich habe kein Geld.«

»Warum sagt Ihr das?«

»Unsere Zukunft hängt davon ab.«

»Was bringt Euch auf den Gedanken, ich würde nach dem Vermögen eines Mannes fragen?«, fragte sie mich.

»Es ist hilfreich, wenn man eines hat.« Ich lächelte. »Nur wer Brot hat, kann Brot essen.«

»Macht Euch nicht lustig über mich!« Ihre Augen funkelten.

»Das wollte ich nicht. Ich wollte Euch nur zum Lachen bringen.« Ich versuchte, sie in den Arm zu nehmen, aber sie stieß mich zurück. Dann sagte ich in großem Ernst: »Eleanora, ich muss sofort nach Prato aufbrechen und

Paolo und seiner Schwester Elisabetta zu Hilfe eilen. Verzeiht mir, wenn ich Euch verärgert habe, und lasst uns nicht im Streit scheiden.« Ich küsste sie zart auf den Mund. »Sobald Paolo und Elisabetta in Sicherheit sind, werde ich wieder kommen und mit Eurem Onkel sprechen. Bis dahin mögt Ihr bedenken, ob Ihr den Heiratsantrag eines mittellosen Condottiere-Leutnants annehmen wollt.«

Ich ging durch das Gartentor und beschleunigte meine Schritte, doch am Fuß des Hügels konnte ich nicht anders, ich musste mich noch einmal nach ihr umdrehen.

Ich werde nie vergessen, wie sie da stand und weinte.

Dann ging ich zu meinem Pferd, langsamer jetzt, denn auch in meinen Augen standen Tränen.

KAPITEL 84

Mitternacht war schon vorüber, als ich das Haus in Prato erreichte. Ich hatte befürchtet, dass es schwierig sein würde, in die Stadt zu kommen, doch Paolo hatte bereits mit dem Kommandanten gesprochen, deshalb erwartete man mich und ließ mich passieren.

Elisabetta und Paolo saßen im Garten beieinander und unterhielten sich leise. Elisabetta stand auf, um mich zu begrüßen und mir Essen anzubieten.

»Dafür haben wir keine Zeit«, sagte ich, nachdem wir uns zur Begrüßung umarmt hatten. »Wir müssen die Stadt auf der Stelle verlassen. Die Medici kommen, um Florenz zurückzuerobern.«

»Diese Neuigkeiten haben wir schon gehört, Matteo.«

»Hier wird es sehr bald Kämpfe geben«, sagte ich drängend.

»Das wissen wir«, entgegnete Paolo. »Machiavelli mustert schon die Bürgerwehr, und ich habe mich entschlossen, für Florenz zu kämpfen.«

Ich wandte mich an Elisabetta. »Du kannst nicht hier bleiben.«

»Ich kann nicht fortgehen«, erwiderte sie.

Ich nahm ihre Hand. »Elisabetta, hör mir zu. Ich habe die Belagerung von Städten miterlebt, und zwar auf beiden Seiten. Ich habe gesehen, was den Bürgern widerfährt. Du *musst* fortgehen.«

»Das werde ich nicht«, sagte sie entschlossen. »Donna Cosma ist zu krank, um wegzugehen. Sie und ihr Mann haben mich aufgenommen und sich um mich gesorgt, als ich völlig mittellos dastand. Ihr Mann ist inzwischen gestorben und ich werde sie nicht im Stich lassen in der Stunde der Not.«

»Paolo«, bat ich ihn inständig, »sag deiner Schwester, sie soll gehen, solange es noch möglich ist.«

»Ich habe schon auf sie eingeredet«, antwortete Paolo, »und ich konnte sie nicht umstimmen.«

»Die Zeiten, in denen ich alles tat, was mein Bruder mir befahl, sind längst vorüber«, sagte Elisabetta und lachte. »Möchtest du nun etwas essen, Matteo?«

Wir aßen und dann legten wir uns zur Ruhe, in Sorge, was der nächste Tag uns bringen würde. Paolo und ich schlugen unser Lager auf dem Boden auf. Er trug noch immer das Schwert seines Vaters, und wenn er schlief, lag es an seiner Seite. Wir lagen noch lange wach und sprachen über all die anderen Nächte vor den Schlachten, in denen wir Seite an Seite gefochten hatten. Der morgige Tag würde die Entscheidung bringen. Davon waren wir beide überzeugt. Wenn Prato fiel, dann waren die Tage der Republik Florenz gezählt und die Medici würden wieder als Herren in die Stadt einziehen.

Nach einiger Zeit schwiegen wir, jeder hing seinen eigenen Gedanken nach. Ich musste wieder an den Kampf mit Sandino denken. Die Erleichterung, die ich bei seinem Tod empfand, hatte sich inzwischen gelegt, geblieben war ein ungelöstes Rätsel. Woher kannte ich das Jagdhaus in Castel Barta? Weshalb kam mir das Muster auf den Fliesen so vertraut vor? Es waren Bilder, die aus den Tiefen meiner Erinnerung aufgestiegen waren, aber es gelang mir nicht, sie zu greifen. Und dann musste ich an Eleanora denken, wie wir uns im Garten ihres Onkels geküsst hatten, und mein Herz schöpfte Hoffnung, dass ich alle Schwierigkeiten überwinden und sie wiedersehen könnte.

Paolo musste wohl eingeschlafen sein, denn plötzlich rief er laut: »Dario!«

»Psst!«, sagte ich. »Du wirst die Frauen aufwecken.«

»Er ist da«, sagte er und setzte sich auf seiner Matratze auf.

Weil die Nacht schwül war, stand der Fensterladen offen, und im Licht des Mondes konnte ich deutlich erkennen, dass niemand außer uns im Zimmer war. Aber Paolo schien völlig außer sich, deshalb stand ich auf und ging zu ihm.

»Hier ist niemand außer uns«, sagte ich.

Er streckte seine Hand aus, so als wolle er jemanden am Arm fassen. Dann erst war es, als erwache er richtig. Er starrte mich an, wie ich vor seinem Bett kniete. Vergeblich versuchte er, über den Vorfall zu lachen, in Wahrheit aber zitterte er. Ich holte Wein und wir gingen nach draußen.

Die Sterne funkelten hell. Der Mond stand dicht und rund und geheimnisvoll am nächtlichen Himmel. War er von Wasser bedeckt, wie mein Meister vermutete? War der silbrige Schein der Abglanz großer Seen, die ihr zartes Licht zur Erde sandten? Oder war etwas ganz anderes dort oben zu finden, eine Welt aus Silber und Licht? Und was lag jenseits davon? Das Himmelreich?

»Ich kann mich noch daran erinnern, als mein Bruder Dario auf die Welt gekommen ist«, beendete Paolo mit einem Mal das Schweigen. »Damals war ich neun oder zehn Jahre alt. Bevor er geboren wurde, hatte meine Mutter mehrere Kinder verloren. Eines war tot auf die Welt gekommen, zwei andere lebten nur wenige Tage. Deshalb war mein Vater sehr besorgt, als sie erneut schwanger war, und ich war damals alt genug, um das zu verstehen.

Dann wurde Dario geboren, und er war so stark und munter, dass sie Freudentränen weinten. Ich stand in der Tür und sah ihnen zu. Plötzlich bemerkten sie mich und hatten Angst, ich würde eifersüchtig auf den neuen Bruder sein. Aber als ich Dario zum ersten Mal sah, habe ich ihn sofort ins Herz geschlossen. Jeden Tag ging ich zu seiner Wiege und sah nach ihm. Ich sehnte mich danach, dass er groß wurde. Ich wollte ihn alles lehren, was ich wusste, alles, was ein Junge wissen muss, was recht und unrecht ist und wie man sich gut beträgt...

Und auf einmal war er kein Säugling mehr. Er fing an zu laufen und zu sprechen, und mit der Zeit konnte ich mein Wissen mit ihm teilen. Er folgte mir auf Schritt und

Tritt, vom Morgen bis zum Abend, riss sich vom Rockzipfel meiner Mutter los, sobald er mich erblickte. Sie lachte dann und beklagte sich im Scherz und sagte: ›Ich habe kein kleines Kind mehr. Dario hat Paolo lieber als mich.‹«

Paolo seufzte tief. »Und dann wurde er von mir gerissen, wie es grausamer nicht hätte geschehen können.«

Paolo weinte nicht, aber ihn hatte eine tiefe Schwermut befallen. Das war keine gute Stimmung, um in einen Kampf zu ziehen. Ein Soldat sollte festen Mutes sein, denn allein seine Verfassung kann über Tod und Leben entscheiden. So wie Paolo mich in der Vergangenheit beschützt hatte, so musste ich nun auf ihn Acht geben.

»Schau dir die Sterne an«, sagte ich und lenkte seine Aufmerksamkeit auf den nächtlichen Himmel.

Ich zählte ihm die Sternbilder auf, deren Namen mir ein Freund meines Meisters, der Astronom Tomaso Reslini, beigebracht hat. Und dann kam mir eine Geschichte meiner Großmutter in den Sinn.

»Schau«, sagte ich zu Paolo. »Dort sind Castor und Pollux, die Zwillingssöhne Jupiters, des Göttervaters. Castor und Pollux waren so voller Zuneigung füreinander, dass Jupiter sie nach ihrem Tod gemeinsam an den Sternenhimmel versetzte. So leuchten sie nun am Firmament und sind beisammen bis zum Ende aller Zeiten.«

»Glaubst du, dass es für uns auch so kommen wird, wenn wir nicht mehr auf der Erde sind?«, fragte mich Paolo.

Ich wusste keine Antwort. Konnte das überhaupt jemand wissen? Hier das alte Denken, dort das neue Denken, hier der Glaube der Kirche, dort der Glaube der Alten. Wer hatte Recht?

»Jeder Mensch geht seinen eigenen Weg«, gab ich ihm zur Antwort.

»Ich erinnere mich, dass du in Perela Geschichten erzählt hast«, sagte Paolo. »Damals dachte ich, es sei nur ein Zeitvertreib. Aber jetzt verstehe ich, dass Geschichten trösten können.«

Der Morgen graute. Wir hörten, wie die Stadt langsam erwachte, wie das Rufen der Wachen und Soldaten erscholl. Machiavellis Bürgerwehr war da.

Plötzlich wurde Alarm gegeben.

Der Feind war in Sicht.

Die Schlacht um Prato hatte begonnen.

KAPITEL 85

Kardinal Giovanni de Medici und seine Befehlshaber sandten einen Unterhändler in die Stadt. Die Räte der Stadt aber behandelten ihn mit Verachtung. Sie vertrauten auf die Bürgerwehr, die sich auf dem Marktplatz sammelte und sich mit ihren glänzenden Helmen und blinkenden Brustpanzern in Reih und Glied aufstellte. Vom Glockenturm der Basilika herab sahen Paolo und ich zu, wie der Gesandte wieder davonritt, zurück zum Feind, dessen Soldaten sich jenseits der Stadtmauern bereitmachten.

»Was hältst du davon?«, fragte mich Paolo und zeigte auf die vielen Fußsoldaten und Reiter, die sich gegen uns zum Kampf aufstellten.

»Es sind weniger, als ich gedacht hatte«, sagte ich.

Paolo deutete zum Horizont, wo sich die Straße den

Fluss entlangwand. »Von dort nähert sich ein Nachschubtross, er kommt nur langsam voran.«

Ich konnte noch immer nicht gut in die Ferne sehen, deshalb erkannte ich anfangs nicht, was da auf uns zukam. Aber dann, nach einigen Minuten, sah ich sie auch. Ich hielt den Atem an.

»Geschütze?«

Er nickte. »Spanische Geschütze. Sie haben die Kanonen vom Süden heraufgebracht.«

Wir hatten gehört, dass die Spanier, die bereitwillig für den Papst Partei ergriffen hatten, nur widerstrebend für die Medici kämpften. Aber Kardinal Giovanni de Medici hatte sein ganzes Gold einschmelzen lassen und seine Juwelen verkauft und die Spanier überredet, sich in seinen Dienst zu stellen. Er führte sie nun persönlich und stachelte ihren Kampfgeist an, indem er ihnen erzählte, welcher Überfluss in Florenz auf sie wartete. Ihre besten Soldaten und ihre besten Waffen standen ihm zur Verfügung.

Paolo drehte sich zu mir um und sagte: »Ich denke, wir sollten die Frauen in der Kirche in Sicherheit bringen.«

Diesmal stritt Elisabetta nicht mit uns. Paolo und ich trugen die Matratze, auf der die alte Donna Cosma lag. Elisabetta folgte uns mit den Arzneien und mit so viel Essen und Wasser, wie sie tragen konnte. Ein paar Frauen mit ihren Kindern hatten schon den Weg hierher gefunden, und die Mönche führten sie in die Kirche.

Wir fanden an einem Seiteneingang neben den Stufen, die in die unterirdischen Gewölbe hinabführten, einen guten Platz für Elisabetta. Wenn sie fliehen musste, dann war es nicht weit zur Tür. Wenn sie ein Versteck brauchte, dann war die Krypta nahe. Wir versicherten ihr, dass einer von uns beiden jede Nacht zur Tür kommen würde, um uns zu vergewissern, dass sie genug zu essen hatten. Dann ließen wir sie in der Kirche zurück. Mehr konnten wir nicht für sie tun.

Ein zweites Mal wurde nicht verhandelt.

Stattdessen brachten sie die Kanonen an einem Ort in Stellung, den unsere Gewehrkugeln nicht erreichten. Ich gesellte mich zu einer Gruppe von Soldaten, die einen Abschnitt der Stadtmauern verteidigte. Mit den Gewehren, die wir hatten, gaben wir einen Probeschuss auf sie ab. Aber unsere Kugeln verfehlten ihr Ziel. Einer der Männer lachte und sagte: »Wenn wir sie nicht erreichen, dann erreichen sie uns auch nicht.«

Sie nahmen sich Zeit, die Kanonen zu richten. Mehr als eine Stunde lang schoben ihre Kanoniere die Lafetten hin und her, richteten sie höher und tiefer, bis sie auf die lohnendsten Ziele gerichtet waren. Dann schafften sie die Kugeln herbei und stapelten sie neben den Geschützen auf. Ungefähr neun Kugeln hatten sie für jedes Geschoss. Sechs Kanonen mit neun Kugeln. Vierundfünfzig Kugeln. Und wie viele weitere Geschütze standen noch hinter ihren Reihen?

Ich ging hinter der Mauer entlang, die wir verteidigen sollten. Wir hatten zwar einige Brustwehre errichtet, aber sie waren nicht hoch. Ich musste an die Verteidigungsanlagen von Mirandola und Ravenna denken und daran, wie sie überrannt worden waren. Auf meinem Weg traf ich Paolo. Er war derselben Meinung wie ich. Wir suchten den Befehlshaber auf, um mit ihm zu sprechen, doch er hörte uns noch nicht einmal an.

»Von dort aus, wo sie jetzt stehen, können sie uns nichts anhaben«, erklärte er uns. »Ihre Mühe ist umsonst. Sie werden ihre Kanonen wieder abbauen müssen und näher kommen. Und dann werden wir sie vernichten.«

Der Mann wusste nicht, was er sagte. Er war niemals im Krieg gewesen, hatte nie eine wirkliche Schlacht erlebt. Er hatte keine Ahnung davon, dass die Spanier das schlagkräftigste Heer der Welt hatten.

Sie warteten bis zum nächsten Tag. Nachts sahen wir ihre Lagerfeuer brennen, hörten, wie sie lachten und sangen. Paolo und ich gingen, um nach Elisabetta zu sehen. Außer Essen brachte Paolo ihr einen Dolch mit, und ich gab ihr ein Schwert, das ich neben einem schlafenden Soldaten gefunden hatte. Dass er sein Schwert abschnallen und schlafen konnte, während die Stadt belagert wurde, bewies, wie viel diese Menschen vom Krieg verstanden.

Elisabetta versteckte den Dolch unter dem Kopfkissen der alten Dame. »Meinst du, du kannst damit umgehen?«, fragte Paolo sie.

Elisabetta nickte.

Wir umarmten uns und Tränen standen in ihren Augen. »Ich werde beten«, sagte Elisabetta. »Ich werde die ganze Nacht für euch beide beten. Schöpft Vertrauen daraus.«

Ein Priester kam und segnete uns. Der letzte Priester, der mich gesegnet hatte, war Pater Albieri gewesen. Damals schwebte ich in Lebensgefahr und wusste es nicht. Aber jetzt war ich mir der Gefahr sehr wohl bewusst. Ich trug Elisabetta auf, die Tür mit einer Bank zu verbarrikadieren, sobald wir gegangen waren. Als der Morgen dämmerte, sagten wir ihr Lebewohl.

Ich begab mich zurück zu meinem Platz an der Stadtmauer. Der Befehlshaber, der gestern so überheblich gewesen war, hatte seinen Posten eingenommen. Er zitterte vor Aufregung.

»Sie werden bald schießen«, sagte er. »Wir haben sie seit Anbruch des Morgens beobachtet, sie werden bald schießen.«

Ich spähte gerade rechtzeitig über die Mauer, um zu sehen, wie der Kanonier des ersten Geschützes nach vorne ging, um mit seinem Luntenspieß das Zündkraut in Brand zu setzen.

»In Deckung!«, rief ich.

Es gab einen dumpfen Knall und ein paar Sekunden später hörte man ein Klatschen. Die Kugel war im Gras vor uns eingeschlagen. Der Schuss war zu kurz gegangen.

»Was habe ich gesagt! Was habe ich gesagt!« Der Befehlshaber machte vor Freude beinahe einen Luftsprung. »Sie können uns nichts anhaben. Ich habe es gleich gesagt. Sie können uns nichts anhaben.«

Aber ich wusste, die Kanone daneben zielte auf eine viel größere Entfernung.

»Runter!«, schrie ich. »Runter, du Dummkopf!«

Der Donner der nächsten Kanone brauste auf und die Kugel flog über unsere Köpfe hinweg. Sie schlug hinter uns ein und riss ein großes Loch ins Mauerwerk.

Nur Sekunden später feuerte auch das dritte Geschütz. Die Kugel schlug mitten in unsere Brustwehr ein, riss ein riesiges Loch und zerfetzte den tanzenden Bürgerwehrmann.

Sie hatte ihr Ziel getroffen.

KAPITEL 86

Wir hatten etwa zwanzig Minuten Gnadenfrist, in denen sie die Kanonen nachluden und ausrichteten.

Paolo und ich schrien den florentinischen Soldaten Befehle zu; ihnen war vor Schreck der Mund offen stehen geblieben, aber sie führten sie aus, so gut sie konnten. Sie hasteten los, als Paolo und ich ihnen befahlen, alle Möbelstücke aus den Häusern und Läden zusammenzutragen und mit dem Holz die Verteidigungsanlagen zu stärken.

»Das reicht nicht«, sagte Paolo aufgebracht. »Das ist bei weitem nicht genug.«

Doch mehr konnten wir in der kurzen Zeit nicht heranschaffen.

Dicker Qualm hing in der Luft und bei jeder Explosion erzitterte der Boden. Sie schossen nur auf einen einzigen Mauerabschnitt. Sie wollten nur eine Bresche freischießen, durch die sie in die Stadt einfallen konnten. Als wir dorthin eilten, um diese Stelle zu verteidigen, begegneten uns alte Leute und Frauen, die ihre Kinder trugen und zur Kirche rannten.

Plötzlich hörte das Geschützfeuer auf. Ich hatte jeden Schuss gezählt. Sie hatten ihre Munition noch nicht verschossen. Was war los? Ich wagte einen Blick. Ihre Fußsoldaten rückten auf das Loch in der Mauer zu. Die Armbrustschützen mit ihren Schildträgern kamen wie eine undurchdringliche Wand auf uns zu. Hinter ihnen gaben die Hellebardenträger den Musketieren Deckung. Sie stellten sich in einer sechseckigen Formation auf und warteten. Aber niemand von der florentinischen Bürgerwehr stürmte hinaus, um sie anzugreifen.

»Feuert unsere Kanonen ab!«, brüllte Paolo. »Feuert endlich unsere Kanonen ab!«

Keiner gab ihm Antwort.

Paolo schickte einen seiner Leute zu den Geschützstellungen. Der Mann kehrte zurück und sagte, es seien nur noch drei Kanoniere übrig geblieben und die täten, was sie könnten. Es gelang ihnen auch, eine Salve abzufeuern, aber den Vormarsch konnten sie nicht aufhalten. Der Feind rückte zügig näher. Jetzt waren die Angreifer schon in Reichweite unserer Kanonen. Aber es war zu spät, um noch einmal zu feuern.

Dann schossen ihre Armbrustschützen. Sie zielten auf unsere Kanoniere. In das bedrohliche Schwirren der Pfeile mischten sich die Todesschreie unserer Männer.

Danach kamen die Schützen mit ihren Hakenbüchsen. Sie schickten uns einen Kugelhagel, dann noch einen und noch einen.

Neben mir prallte Paolo zurück. Auf seiner Brust war ein großer Blutfleck. Wie war das möglich? Er trug einen Brustpanzer und eine Halsmanschette.

Er stand aufrecht da, mit einem erstaunten Ausdruck im Gesicht.

Dann sah ich, weshalb er blutete. Mitten in seinem Brustpanzer klaffte ein Loch.

»Du bist verwundet.« Meine Stimme zitterte. »Paolo, du bist an der Brust verwundet.«

Er schaute an sich hinab.

»Ah«, sagte er, »deshalb kann ich nicht mehr stehen.« Und im gleichen Augenblick stürzte er der Länge nach hin.

Ich bückte mich und öffnete seine Rüstung.

»Schlechtes Material«, stieß er hervor. »Ich hätte einen Brustpanzer aus Mailand kaufen sollen. Sie sind berühmt dafür, dass sie die besten Rüstungen herstellen.«

Mir war gleich klar, wie wichtig es war, den Blutfluss zu stillen. Ich nahm mein Messer, schnitt den Ärmel meines Hemds ab und verband seine Wunde.

Hinter uns herrschte ein einziges Durcheinander. Die Leute der Bürgerwehr rannten an uns vorbei, sie drängelten und rempelten und ließen im Laufen ihre Waffen fallen.

»Sie fliehen«, stöhnte Paolo. »Rette dich, Matteo. Bring dich in Sicherheit.«

Sein Blut sickerte durch den Behelfsverband, den ich ihm angelegt hatte. Paolo brauchte Hilfe und Arznei. Ich dachte an Elisabetta.

Ich hob ihn auf. Hinter mir hörte ich, wie die Angreifer durch die Bresche in die Stadt eindrangen.

Halb trug ich Paolo, halb schleifte ich ihn zur Kirche. Ich hämmerte an die Seitentür.

Von drinnen schrien sie heraus: »Achtet die heilige Stätte! Achtet den Schutz, den dieser heilige Ort gewährt!«

»Ich habe einen Verwundeten bei mir!«, rief ich. »Einen eurer eigenen Leute. Lasst uns ein!«

»Fort mit euch!«, lautete ihre Antwort. »Fort mit euch!«

Ich hämmerte mit der Faust gegen das Tor.

»Dell'Orte!«, schrie ich. »Dell'Orte!«

Elisabetta riss die Tür auf. Die Menschen im Inneren zogen sie zurück, zerrten sie an den Haaren und Kleidern. Aber sie drückte die Tür weit genug auf, dass ich Paolo durch den Spalt zwängen konnte, bevor die anderen die Tür wieder zuschlugen.

Die Frauen in der Kirche schoben die Bank wieder vor das Tor. Aus dem Hauptschiff hörte man das Klirren von Glas. Eine brennende Fackel wurde durch das geborstene Fenster geschleudert und die Kinder kreischten auf.

Wir legten Paolo auf den Fußboden. Ich untersuchte die Stelle in seiner Brust, an der ihn die Kugel durchbohrt hatte. Sie war zu nah am Herzen. Paolo lag im Sterben.

Elisabetta schaute mich an. Ich schüttelte den Kopf.

Sie befeuchtete ein Tuch und träufelte damit Wasser auf seine Lippen.

Er schlug die Augen auf und sagte: »Mein Bruder. Du bist mein Bruder.«

»Ja«, erwiderte ich. »Aber sprich nicht. Schone deine Kräfte.«

»Früher hatte ich noch einen Bruder, aber der ist gestorben.«

»Ich weiß«, sagte ich.

»Ich habe ihn getötet.«

»Das hast du nicht.«

»Doch, das habe ich. Wegen meiner Feigheit mussten sie alle sterben.«

»Nein, Paolo, das ist nicht wahr.«

»Es ist wahr.« Er packte mich an meinem Hemd und zog mich zu sich. »Ich habe dir nie etwas davon erzählt, Matteo. Aber ich habe sie gehört.«

»Wen hast du gehört? Von wem sprichst du?«

»Von meinen Schwestern. Ich habe ihre Schreie gehört.« Er bedeckte das Gesicht mit der Hand. »Ich höre sie noch immer.«

»Du hast keine Schuld an dem, was geschehen ist.«

»Hast du nicht gehört, was ich sage?« Seine Stimme klang plötzlich scharf. »Ich habe gehört, wie meine Schwestern um Gnade flehten. Meine Mutter, die mit Dario im Arm aus dem Fenster sprang, schrie auf, als sie auf dem Felsen aufschlug. Ich habe das alles gehört und nichts getan.«

Ich nahm seine Hand. »Du hattest keine Schuld«, sagte ich nochmals.

»Aber ich war ein Feigling. Ich hätte aus meinem Versteck kommen und kämpfen müssen.«

»Wenn du aus deinem Versteck gekommen wärst, dann hätte man dich und deine Schwestern ermordet«, sagte ich. »Du hättest gekämpft, aber dein Kampf wäre aussichtslos gewesen.«

»Ich werde jetzt sterben, nicht wahr, Matteo?«

Ich konnte nicht antworten, aber ich konnte auch meinen Blick nicht von ihm abwenden. In meinen Augen las er die Wahrheit.

»Es wäre besser gewesen, ich wäre damals gestorben«, sagte er.

»Dann hättest du den Befehl deines Vaters missachtet.«

Seine Augen suchten mich.

»Ein Sohn darf nicht gegen die Gebote seines Vaters verstoßen.«

»Mein Vater konnte nicht wissen, dass man seiner Familie so grausam mitspielen würde.«

»Dein Vater war Soldat«, beharrte ich. »Soldat in Diensten der Borgia. Er hat gewusst, wozu Soldaten fähig sind.«

Paolo schien über meine Worte nachzudenken.

»Wer hätte dann Elisabetta und Rossana gerettet?«, versuchte ich, ihn zu überzeugen. »Ohne dich hätten sie nicht fliehen können. Man hätte sie an dem Berghang erschlagen. Und nur du, du allein, hast Elisabetta dazu gebracht, weiterzugehen. Du hast ihr ein neues Leben bei ihrem Onkel geschenkt und nun hat sie ihr Leben in die eigene Hand genommen. Deshalb wollte dein Vater, dass du gerettet wirst. Und hättest du deinem Vater nicht gehorcht, wie könntest du im Himmel vor ihn hintreten?«

Paolo nickte. Seine Augen waren trübe.

Ich sagte ihm leise ins Ohr: »Du wirst ihn treffen, deinen Vater, oben im Himmel, und du wirst sagen können: ›Mein Vater, ich habe getan, wie mir geheißen war. Es hat mir seither großen Schmerz bereitet, aber ich habe getan, was du von mir wolltest.‹ Und dann wird er sagen: ›Willkommen, mein Sohn‹, und er wird dich bei deinem Namen rufen: ›Paolo‹. Du wirst sie alle wiedersehen: Rosanna, deine Mutter. Sie werden dich küssen. Und der kleine Dario wird dir entgegenspringen, und du wirst ihn auf deine Schultern setzen, wie du es immer getan hast.«

Meine Stimme versagte. Ich schaute Paolo ins Gesicht. Seine Augen blickten starr und blind. Ich legte einen Finger an seinen Hals. Kein Puls war zu fühlen.

»Matteo!«

Ich drehte mich um.

Tränen rannen über Elisabettas Wangen.

»Matteo!«, schluchzte sie. »Was für schöne Dinge du zu ihm gesagt hast.«

Ich legte meine Hand auf sein Gesicht und schloss seine Augen. Es würde keine Zeit für ein feierliches Begräbnis bleiben, kein Redner würde einen Nachruf auf diesen jungen Mann halten. Niemand würde eine Totenmaske von Paolo dell'Orte anfertigen. Aber ich würde sein Gesicht ohnehin nie vergessen. Paolo war mir ein wahrer Bruder gewesen. Bei Mirandola hatte er mir das Leben gerettet, und dann ein zweites Mal, als er den Briganten Sandino tötete. Es gab wenig in seinem Leben, für das er sich hätte schämen müssen. Ich, Janek, der Zigeuner, der sich auch Matteo nannte, war es, der große Schuld auf sich geladen hatte.

Ich bin der Verräter, der Verbrecher, der Feigling. Ich bin es, der Verachtung verdient. Kein Vater und keine Mutter werden mich im Paradies begrüßen. Die Familie dell'Orte wird mich nicht freundlich empfangen und mir gestatten, mit ihnen auf den Wolken zu wandeln.

Ich schlug die Hände vors Gesicht und fing an zu schluchzen.

Elisabetta hatte sich neben mir niedergekniet und sprach ein Gebet für ihren Bruder. Dann legte sie mir den Arm um die Schulter.

Ich lehnte mich an sie. »Da ist etwas, was ich dir sagen muss.«

KAPITEL 87

Ich erzählte Elisabetta die wahre Geschichte des Jungen, den sie unter dem Namen Matteo kannte.

Zuerst sagte ich ihr, dass ich Janek hieß.

Ich hatte keinen wundervollen Vater gehabt, nach dessen Tod ich bei einem verrückten Onkel untergekommen war. Ich hatte nur eine Großmutter. Sie hatte mich geliebt, oh ja, aber sie war eine Frau aus dem fahrenden Volk gewesen, eine Frau mit einem Talent fürs Heilen. Sie war gestorben und ich war allein zurückgeblieben und hatte mich mit Diebstählen über Wasser gehalten. Dann hatte ich mich mit Sandino und seinen Briganten eingelassen, die mir genug zu essen und Abenteuer auf einem Piratenschiff in Aussicht stellten, wenn ich für sie einen Auftrag erledigte. Sandino hatte mich dazu verleitet, das Große Siegel der Medici zu stehlen, das – so hatte er mir weisgemacht – aus dem Palast der Familie in der Via Larga in Florenz entwendet worden war, als man die Medici viele Jahre zuvor aus der Stadt vertrieben hatte.

Wir hatten bis nach der Hochzeit von Lucrezia Borgia mit Herzog Alfonso von Ferrara gewartet. Dann hatte mich Pater Albieri in ein Haus zu einem verschlossenen Kabinett geführt, in dem das Siegel in einer Schatulle aufbewahrt wurde. Nachdem ich das Siegel herausgeholt hatte, waren der Pater und ich damit zum vereinbarten Treffpunkt geeilt. Dort hatte der Priester Sandino erklärt, dass er ihm den wahren Schatz mitgebracht habe, woraufhin Sandino zu einem seiner Männer gesagt hatte: »Der Borgia wird uns dafür reich entlohnen.«

Pater Albieri war entsetzt gewesen, denn er hatte geglaubt, Sandino stünde im Dienst der Medici. Sandino hatte den Priester totgeschlagen und ich war davongelaufen.

Aber Sandino hatte mich verfolgt und ich war in den Fluss gefallen und von den Gefährten Leonardo da Vincis gerettet worden. Als ich wieder das Bewusstsein erlangt hatte, wollten sie meinen Namen wissen. Zufällig war mein Blick auf das Pilgerabzeichen an Felipes Umhang gefallen, auf dem der Heilige Matthäus abgebildet war. Da ich meinen richtigen Namen nicht nennen wollte, hatte ich mich kurzerhand für Matteo entschieden.

Als Matteo war ich nach Perela gekommen. Ich war froh gewesen, bei der Familie dell'Orte zu sein. Ich hatte sie lieb gewonnen und scheute mich, ihnen die Wahrheit zu sagen, aus Angst, verstoßen zu werden. Ich reiste in dem Glauben ab, dass Sandino meine Spur verloren hatte. Aber in Senigallia belauschte ich ein Gespräch, in dem die Rede von einem Angriff auf Perela war. Ich war so schnell geritten, wie ich nur konnte, um die dell'Ortes zu warnen. Aber ich war zu spät gekommen. Ich trug an ihrem Unglück Schuld und verdiente es nicht, dass Paolo und sie mich Bruder nannten. Ich hatte ihnen ihre Güte sehr schlecht vergolten.

»Die Briganten suchten nicht Paolo, als sie Perela überfielen«, erklärte ich ihr. »Sie suchten mich.«

»Das eine oder andere wusste ich bereits, Matteo«, sagte Elisabetta.

Ich starrte sie an. »Wie ist das möglich?«

»Ich hatte jahrelang Zeit, darüber nachzudenken. Der Überfall auf Perela war rätselhaft. Als Paolo und ich nach Mailand gingen, konnte ich noch keinen klaren Gedanken fassen, aber auf dem Hof meines Onkels fing ich an zu überlegen. Ich grübelte über den Fragen, die der Mönch in Averno uns gestellt hatte. Zusammen mit den Hinweisen in seinem späteren Brief ergab nacheinander alles einen Sinn. Die Männer, die Perela überfielen, hatten nicht nach Paolo gefragt, sondern nur nach einem Jungen. Daher kam ich zu dem Schluss, dass du gemeint warst. Außerdem ...« Sie zögerte kurz. »Außerdem habe ich die Papiere deiner Großmutter gelesen, die sich zusammen mit dem Arzneibuch in der Kiste befanden.«

»Ihre Papiere?«

»Ja«, sagte Elisabetta. »Deine Großmutter –«

Sie wurde von einem ohrenbetäubenden Hämmern am Eingangstor unterbrochen.

»Öffnet das Tor! Macht sofort auf!«

»Achtet die heilige Stätte!«, riefen die Menschen um uns herum furchtsam.

Der dumpfe Aufprall eines Rammbocks ließ das Tor erzittern. Wir hörten, wie das Holz splitterte.

Eine ältere Frau zog sich an einem Fenster hoch und sah nach draußen. »Das ist eine Kirche, in der Frauen und Kinder Schutz gesucht haben. Geht weg. Nehmt euch, was ihr wollt, aber lasst uns in Frieden.«

»Es sind Soldaten bei euch«, rief eine laute Stimme. »Wir haben sie hineingehen sehen.«

Die Frau sah mich an, dann rief sie nach draußen: »Die Soldaten waren verwundet und sind gestorben. Hier sind nur noch Frauen und Kinder.«

Ein alter Mann, der neben Elisabetta kauerte, stand auf. »Du!« Er zeigte auf mich. »Geh hinaus und kämpfe. Du bringst uns alle in Gefahr.«

Wieder krachte der Rammbock gegen das Tor.

»Ich werde gehen«, sagte ich.

»Nein«, widersprach mir Elisabetta. »Es ist nur eine Finte, damit wir das Tor öffnen.«

»Ich werde über den Glockenturm nach draußen klettern«, sagte ich, und als sie weitere Einwände vorbringen wollte, fügte ich hinzu: »Es klingt eher nach aufgebrachtem Pöbel als nach richtigen Soldaten. Vielleicht kann ich sie von hier weglocken.«

»Wenn du hinausgehst, Matteo, wirst du sterben.«

»Ja«, sagte ich. »Aber vielleicht bleibst du am Leben.«

»Du sollst nicht deshalb hinausgehen.«

»Nicht nur aus diesem Grund, Elisabetta. Sieh sie dir an.« Ich deutete auf die Kinder, die sich an ihre Mütter schmiegten, und auf die alten Leute. Die meisten von ihnen waren Bauern oder einfache Handwerker, arm und unbewaffnet. »Ich tue es für sie alle.«

Wir gingen in den Glockenturm und stiegen die Holzleiter hinauf. Ich zog ein Glockenseil zu mir hoch. »Ich werde das Seil durchs Fenster hinablassen und hinunterklettern. Sobald ich unten bin, ziehst du es wieder hoch oder schneidest es ab.«

Sie nahm mein Gesicht in beide Hände und küsste mich. »Ich möchte, dass du eines nie vergisst«, sagte sie. »Du bist mein Bruder, und ganz gleich, was du gesagt oder getan hast, ich werde nicht schlecht von dir denken.«

Ich wandte mich hastig ab, um uns beiden die Tränen zu ersparen. Dann ließ ich das Seil hinab und kletterte daran hinunter.

Als ich etwa zehn Fuß über dem Boden angelangt war, schaute ich nach unten. Die Gebäude um die Piazza herum standen in Flammen. Soldaten rannten in Scharen durch die Straßen und schleppten Kriegsbeute davon. Der Pöbel vor der Kirche hatte aufgehört, das Tor zu rammen. Aber sie hatten mich noch nicht gesehen, sonst wären sie bestimmt auf mich losgegangen. Ich glitt das restliche Stück hinab, so schnell ich konnte, dann zog ich fest an dem Seil, um Elisabetta ein Zeichen zu geben.

Mit gezücktem Schwert rannte ich zum Vordereingang der Kirche. Sofort wurde mir klar, warum der Lärm aufgehört hatte. Auf den Eingangsstufen, mit dem Rücken zur Kirchtür, standen zwei Männer.

Der eine, ganz in Rot gekleidet, war Kardinal de Medici. Der andere, mit einem Schwert in der Hand, war Jacopo de Medici.

Als er mich erspähte, zog er eine Pistole aus seinem Gürtel.

KAPITEL 88

Ich stand da und rührte mich nicht. Auf diese Entfernung war ein Schwert nutzlos.

»Hier«, sagte er. »Nimm sie und steh uns zur Seite.«

Ich starrte ihn ungläubig an.

»Komm her, Matteo, oder wie immer du dich nennst! Sofort!«

Ich rannte zu ihm und nahm die Waffe in die Hand. Keinen Augenblick zu früh, denn die aufgebrachte Menge drängte bereits wieder vorwärts.

Kardinal de Medici war sehr dick und in seiner roten Robe war er ein weithin sichtbarer riesiger Fleck vor der Kirchentür. »Halt!«, schrie er. »Im Namen unseres Herrn wie auch im Namen unseres Papstes in Rom befehle ich euch, von diesem Haus Gottes wegzugehen.«

Aber ein Drache, der von seiner Kette gelassen wurde, kennt kein Halten mehr. Diese Menschen brannten vor Mordgier und hatten nur Gold, Beute, Frauen und Tod im Sinn. Es war ein sinnloses Unterfangen, mit ihnen zu verhandeln.

»Hört mir zu!«, donnerte er weiter. »Jeder, der über diese Schwelle tritt, wird den Zorn der Medici zu spüren bekommen!«

Das schüchterte sie ein, jedoch nur für kurze Zeit. Bald würden sie uns packen und in Stücke reißen.

Aber statt zurückzuweichen, trat Jacopo de Medici auf die Menschenmenge zu und sprach die Männer in der vordersten Reihe an.

»Wie heißt du?« Er deutete auf den Mann in der Mitte.

Der Mann verweigerte eine Antwort, aber aus der Menge rief jemand: »Luca! Sein Name ist Luca!«

»Matteo!«, sagte Jacopo im Befehlston. »Richte deine Pistole aus. Wenn sich auch nur einer bewegt, egal wer, erschießt du diesen Mann.«

Gehorsam legte ich die Pistole an und stützte sie mit dem anderen Arm, damit meine Hand nicht zitterte.

Der Mann, der sich Luca nannte, wich entsetzt zurück.

»Der Kardinal und ich werden die beiden rechts und links von Luca erschießen«, fügte Jacopo mit einem boshaften Lächeln hinzu.

Die genannten Männer sahen einander verwirrt an. Dann wichen auch sie zurück.

»Schieß ihnen in den Bauch!«, riet Jacopo laut, sodass sie es hören konnten. »Den kannst du nicht verfehlen und es beschert ihnen einen jämmerlichen Tod.«

»Lasst uns lieber tiefer zielen«, schlug der Kardinal vor. »Falls sie überleben sollten, sind sie zu nichts mehr nütze.«

Er hatte kaum ausgesprochen, als auch schon einer der drei zwischen den Leuten verschwand. Luca und sein Kumpan sahen einander ratlos an.

»Hier gibt es überall Beute«, sagte schließlich der eine. »Lass uns woanders hingehen.«

»Ja.« Luca drehte sich zu den Leuten um. Er hob die

Hand hoch über den Kopf. »Zum Ratssaal!«, rief er. »Zum Ratssaal!«

Es gab ein Geschiebe und Gedränge, als alle kehrtmachten.

Aber Kardinal Giovanni de Medici war noch nicht fertig. »Merk dir das eine, Luca«, rief er dem Mann hinterher. »Wenn in dieser Kirche das Geringste passiert, werde ich dich aufspüren, und die Rache des Himmels und der Erde wird über dich kommen.«

Meine Beine gaben unter mir nach und ich lehnte mich gegen die Tür.

Jacopo de Medici packte mich unsanft, drehte mich um, presste meinen Kopf gegen das Holz und fuhr mit den Fingern über meinen Nacken. Dann nahm er mir die Waffe ab.

»Ich bin kein geübter Pistolenschütze«, gestand ich ihm. »Ich bezweifle, dass ich getroffen hätte.«

»Das hätte keinen Unterschied gemacht«, erwiderte er. »Die Waffe ist nicht geladen.«

KAPITEL 89

Während Kardinal Giovanni de Medici Soldaten zum Schutz der Kirche herbeirief, bat ich Jacopo de Medici, für die Sicherheit von Elisabetta und Donna Cosma zu sorgen, und um ein anständiges Begräbnis für Paolo dell' Orte.

Jacopo de Medici willigte ein unter der Bedingung, dass ich keinen Fluchtversuch mehr unternahm. Er kommandierte bewaffnete Männer ab, die mich so lange auf Schritt und Tritt begleiteten.

Ein Priester wurde gerufen, damit er für Paolo eine Bestattungszeremonie abhielt, ehe Paolo, mein Bruder im Geiste, in der Krypta der Basilika zur Ruhe gebettet wurde. Dann brachten bewaffnete Männer Donna Cosma in einer Sänfte in ihr Haus zurück und ich ging Elisabetta zur Hand.

»Ich muss dich jetzt verlassen und sehen, was für ein Schicksal dieser Medici für mich bereithält«, sagte ich schließlich zu ihr.

»Bevor du gehst, musst du etwas erfahren.«

Sie schlug das Bündel auseinander, in dem sie einige Dinge zur Kirche mitgenommen hatte. »Bei dem Arzneibuch deiner Großmutter waren diese Papiere, Matteo. Du hast sie nie gelesen, nicht wahr?«

»Nein«, sagte ich. »Als Kind konnte ich gar nicht lesen.«

»Aber deine Großmutter konnte es, sonst hätte sie nicht diese Rezepturen zusammengestellt. Hast du dich niemals gefragt, warum sie dir nie Lesen und Schreiben beigebracht hat?«

»Ich habe nicht darüber nachgedacht.«

»Ich denke, ich kenne den Grund. Diese Papiere betreffen dich. Sie wollte nicht, dass du sie liest. Wenn du über den Inhalt Bescheid gewusst hättest, damals, als Kind, hättest du möglicherweise darüber geredet und dich in Gefahr gebracht.«

»In welche Gefahr?«

»Zum Beispiel in die Gefahr, entführt oder ermordet zu werden.«

»Ich verstehe nicht, was du meinst. Zeig mir die Papiere.«

»Es befanden sich verschiedene Dinge in der Kiste,

Briefe und andere Dokumente, aber das Wichtigste ist das hier.« Sie reichte mir ein Pergament.

Es war eine Taufbescheinigung, versehen mit dem Datum 1492. Der Name des Kindes war *Jacomo*.

»Was hat das alles mit mir zu tun?«

»Es ist deine Taufurkunde, Matteo.«

»Das kann nicht sein«, sagte ich. »Ich bin Janek. Mit diesem Namen hat meine Großmutter mich gerufen.«

»Ja, weil sie dich schützen wollte.«

Ich sah auf die Urkunde. Ein Priester hatte sie unterzeichnet: *Albieri d'Interdo.*

Albieri d'Interdo. Derselbe Priester, der mir in Ferrara die Schatulle mit dem Siegel gegeben hatte.

»Auch alle anderen Dokumente lassen keinen Zweifel aufkommen, Matteo«, fuhr Elisabetta fort. »Du bist dieses Kind.«

Ich schaute erneut auf die Taufurkunde und diesmal las ich sie genauer.

Am heutigen Tag in der neunten Stunde taufte ich das neu geborene Kind von Donna Melissa und Jacopo de Medici.

Ich las den Namen noch einmal.

Jacopo de Medici.

Mein Vater.

KAPITEL 90

Medici.

Ich bin ein Medici.

Die Medici: selbstsüchtig, hochmütig, stolz, unersättlich, rücksichtslos, gewalttätig.

Die Medici: klug, kunstverständig, großmütig, imposant, freigebig, mitfühlend.

Zwei Tage lang wüteten die Eroberer in Prato. Männer, die jede Hemmung verloren hatten, töteten, plünderten, legten Feuer, zerstörten die Stadt und brachten mehr als tausend Menschen um.

Schließlich gab Florenz sich geschlagen. Kardinal Giovanni de Medici, sein Bruder und seine Vettern ritten in die Stadt ein. Piero Soderini war bereits geflohen und Niccolò Machiavelli wurde in die Verbannung geschickt. So kehrten die Nachfahren von Cosimo und Lorenzo *il Magnifico* nach Florenz zurück.

Jacopo de Medici ließ mich zu sich kommen. Er hatte ein Haus in der Nähe seines früheren Palastes in der Via Larga bezogen. Meine Bewacher brachten mich zu ihm in einen Raum in den oberen Stockwerken, wo er hinter einem wuchtigen Schreibtisch saß.

»Ich habe in den vergangenen Jahren viel Zeit und Mühe darauf verwendet, dich zu suchen«, begrüßte er mich. »Und du hast viel Geschick darin bewiesen, dich meinen Häschern zu entziehen.«

»Ich musste davon ausgehen, dass Ihr mir nach dem Leben trachtet«, sagte ich. »Erst vor kurzem habe ich von unserem verwandtschaftlichen Verhältnis erfahren.«

»Verwandtschaftliches Verhältnis trifft es nicht ganz«, sagte er brüsk. »Ich bin dein Vater.«

Ich begegnete seinem zornigen Blick mit ebenso großer Wut. »Während Ihr Euer eigenes Leben lebtet, füllten andere diese Rolle aus.«

Er sah mich finster an. Dann entspannten sich seine Züge. »Ich werde dich über die Umstände deiner Geburt in Kenntnis setzen, danach urteile selbst.«

Er war, so erfuhr ich, etwa in meinem Alter, als ich gezeugt wurde. Die Medici nutzten Castel Barta als Jagdhaus, und meine Mutter war die Tochter der Haushälterin, die dort nach dem Rechten sah. Diese Haushälterin war eine kluge und ehrliche Frau, mit einem Teil Zigeunerblut in den Adern, sehr erdverbunden und mit einem umfassenden Wissen über das Wesen der Natur. Melissa, ihre Tochter – meine Mutter – war erst fünfzehn, als sie und Jacopo de Medici sich ineinander verliebten.

»Ich liebte deine Mutter über alles«, sagte Jacopo. »Und du warst die Frucht dieser Liebe. Aber meine Familie hatte bereits eine andere Ehefrau für mich auserkoren, daher konnte ich dich nicht öffentlich anerkennen. So bliebst du bei deiner Mutter und Großmutter, und ich besuchte euch, so oft ich konnte. Im Sommer 1494 starb deine Mutter, als du etwa zwei Jahre alt warst. Es waren wirre Zeiten. Wenige Monate später kam es zu Aufständen und meine Familie musste Florenz verlassen. Unsere Feinde hätten uns sonst alle getötet. Zu deiner eigenen Sicherheit musstest du verschwinden. Wir beschafften einen Zigeunerwagen und deine Großmutter ging mit dir fort. Ungefähr zu dieser Zeit wurde das Große Siegel der Medici in die Hände eines Vertrauten der Familie gegeben, Pater Albieri aus der Kirchengemeinde von Castel Barta.

Unsere Familie wurde enteignet und ich zog von Fürstenhof zu Fürstenhof auf der Suche nach Unterstützung. Ich war ein gejagter Mann und wagte es nicht, deiner Großmutter Geld zu schicken, um niemanden auf eure Spur zu bringen. Irgendwann verlor ich euch aus den Augen. Deine Großmutter war bis nach Venedig gezogen, um dich in Sicherheit zu bringen, aber dann wütete dort die Pest. Ich musste annehmen, dass du und deine Großmutter an dieser Krankheit gestorben seid.

Was Sandino angeht, so war er ursprünglich ein Spitzel der Familie meiner Frau. Sie war nicht verrückt, nur sehr, sehr eifersüchtig. Eine Frau spürt es, wenn sie nicht geliebt wird. Die Jahre vergingen, aber wir blieben kinderlos. Sie bekam Wutanfälle und warf mir vor, dass ich keine Kinder zeugen könnte. In einem unbedachten Moment sagte ich ihr, dass ich sehr wohl dazu fähig sei, einen Sohn zu zeugen, ja es bereits unter Beweis gestellt hätte.

Sie sagte kein Wort.

Lautlose Wut sollte man mehr als alles andere fürchten. Zorn, der überquillt, ist eine Gefahr, der man begegnen kann; stille Niedertracht hingegen ist ein tödlicher Feind.

Meine Frau fand heraus, dass du in Castel Barta auf die Welt gekommen bist, und beauftragte Sandino, dich aufzuspüren und zu töten.

Anfangs hatte Sandino wenig Erfolg. Doch dann fiel Cesare Borgia in die Romagna ein und Sandino wurde einer seiner vielen Handlanger. Zu dieser Zeit hatte der Brigant bereits Hinweise zu deinem Verbleib von einem gedungenen Mörder erhalten. Dieser Mann hatte Gift von einer alten Zigeunerin gekauft, die einen jungen Knaben in ihrem Wagen versteckt hielt.«

»Ah, ich erinnere mich an ihn!«, rief ich erstaunt. »Er zwang meine Großmutter, Mohnsaft herzustellen. Sie hatte große Angst, und nachdem er fort war, zogen wir noch in der gleichen Nacht in die Berge.«

»Das war sehr umsichtig von ihr«, sagte Jacopo. »Trotzdem war Sandino euch von da an auf den Fersen. Allerdings musste er erst noch den Nachweis haben, dass es sich bei dir auch um den richtigen Jungen handelte. Er wusste, wo du auf die Welt gekommen warst, also ging er in die Kirchengemeinde von Castel Barta zu Pater Albieri und gab vor, in meinen Diensten zu stehen. Er behauptete, ich würde dich suchen, um dir Geld zukommen zu lassen und um dich endlich als meinen Sohn anzuerkennen. Pater Albieri wusste zwar nicht, wo du warst, versicherte aber, er würde dich wiedererkennen.«

»Wie kam er darauf?«, fragte ich. »Er hatte mich doch seit meinen ersten Jahren nicht mehr gesehen. Meine Großmutter hat es erst wieder in die Nähe von Castel Barta gezogen, als sie sich dem Tode nahe fühlte.«

Jacopo de Medici erhob sich und kam hinter seinem Schreibtisch hervor. Er drehte meinen Kopf, wie er es schon an der Kirchentür in Prato getan hatte. »An deinem Haaransatz im Nacken hast du auf beiden Seiten ein Mal.«

Die Finger der Hebamme, so hatte es Giulio, der Kammerherr in Averno genannt, als er mir einen Haarschnitt empfahl.

»Pater Albieri war ein ehrenwerter Mann, aber sehr gutgläubig«, fuhr Jacopo fort. »Er sagte zu Sandino, wenn er dich tatsächlich fände, wärst du der rechtmäßige Besitzer des Siegels, das ihm anvertraut worden war.«

Sandino erkannte sofort, welchen Gewinn er daraus schlagen konnte. Mit dem Siegel konnte man beispielsweise Dokumente, Bankwechsel, ja Verschwörerbriefe fälschen, um den Sturz des florentinischen Rats herbeizuführen. Er wusste, dass Cesare Borgia ihn für diesen Schatz reich entlohnen würde. Also heckte er einen Plan aus, mit dem er sowohl dich als auch das Siegel in die Hände bekäme.

Pater Albieri hatte das Siegel im Garten seines Vetters in Ferrara versteckt. Das sagte er Sandino zwar nicht, teilte ihm jedoch mit, dass er nach Ferrara reisen würde, um die Hochzeit von Lucrezia Borgia und Herzog Alfonso mitzuerleben. Sandino sollte dich unter einem Vorwand dorthin bringen, und falls es sich bei dir tatsächlich um Jacomo handelte, würde er dich und das Siegel zu einem verabredeten Treffpunkt bringen. Er tat dies in dem Glauben, dass Sandino dich wohlbehalten zu deiner Familie zurückbringen wollte.«

»Aber bei unserer Begegnung erwähnte er mit keinem Wort meine wahre Herkunft«, sagte ich.

»Du warst noch sehr jung. Vermutlich hielt er es für klüger, das Geheimnis zu wahren, weil du es von mir, deinem Vater, erfahren solltest.«

»Der Priester bestand darauf, dass ich das Siegel an mich nehme«, sagte ich. »Auf diese Weise wollte er Sandino zu verstehen geben, wer ich war. Als wir Sandino gegenüberstanden, legte Pater Albieri die Hand auf meine Schulter und sagte: ›Ich habe Euch das gebracht, was Ihr suchtet.‹«

»Und mit diesen Worten hatte er sein eigenes Schicksal besiegelt«, sagte Jacopo ausdruckslos. »Sandino hatte keine Verwendung mehr für ihn.«

»Ich hätte Verdacht schöpfen müssen, denn das Schloss, das ich aufbrechen sollte, war sehr schlicht. Ich dachte mir nichts dabei, als ich mich vor Pater Albieri hinknien sollte und er das Haar in meinem Nacken zurückstrich. Ich glaubte, er wolle mir die Absolution erteilen für die

Sünde des Diebstahls, tatsächlich aber wollte er sich versichern, dass ich Euer Sohn bin.«

»Bei der Taufe waren ihm die beiden Male aufgefallen«, erwiderte Jacopo. »Allerdings hätte jeder, der unsere Familie gut kennt, allein an der Form deiner Augen sehen können, dass Medici-Blut in deinen Adern fließt.«

Ich berührte mit der Hand mein Gesicht.

Jacopo bemerkte es und sagte: »Für mich ist es offenkundig. Du bist Jacomo, mein Sohn.«

Die Form meiner Augen.

Es gab einen Mann, der sich für meine Augen interessiert hatte. Leonardo da Vinci. Im Leichenhaus in Mailand hatte er mit seinem Finger ihre Konturen nachgezogen. Damals hatte er gesagt: »Du wirst deine eigene Wahrheit finden, Matteo.« Jetzt hatte ich sie gefunden, oder besser gesagt, sie hatte mich gefunden. Und sie war verwirrend, aufregend und sehr beunruhigend.

»Pater Albieri hat wegen mir sein Leben verloren«, sagte ich bedrückt.

»Er ließ mir mitteilen, dass er meinen Spion Sandino treffen würde, der dich und das Siegel zu mir brächte. Da wusste ich, dass sein Leben in Gefahr war, denn ich hatte keinen Spion namens Sandino in meinen Diensten, der nach dir suchen sollte, da ich ja annahm, du seist tot.«

»Sandino hat den Priester ermordet. Er hat ihn erschlagen.«

Jacopo nickte. »Ja. Er musste verhindern, dass Pater Albieri sich mit mir in Verbindung setzte.«

»Ich habe alles mit angesehen. Deshalb bin ich weggerannt.«

»Das war gut so. Sandino hätte dich ohne mit der Wimper zu zucken getötet, wenn es in seine Pläne gepasst hätte. Als ich hörte, dass Pater Albieri spurlos verschwunden war, bestätigte sich meine Vermutung. Den schlauen Fuchs fängt man am besten mit einer List. Ich ließ verlauten, dass ich Sandino das Doppelte zahlen würde, wenn er dich mir lebend auslieferte.«

»Das hat mir das Leben gerettet«, sagte ich.

»Ich bin froh, dass ich dir ein klein wenig von Nutzen sein konnte«, erwiderte er trocken, woraufhin ich zustimmend nickte. »Sandino sollte mich ständig auf dem Laufenden halten«, fuhr er fort. »Und ich ließ eine Beschreibung von dir unter den Zigeunern verbreiten.«

»Jetzt verstehe ich, warum Ihr mir im Wald von Lodi aufgelauert habt.«

»Ich möchte zu gerne wissen, wie du mir damals entwischen konntest.«

»Es hat etwas mit der Stofffülle eines Nonnenhabits zu tun.« Ich dachte daran, wie ich mich hinter und unter Eleanoras Röcken versteckt hatte. Und wie ich zuvor bei Paolo und Elisabetta in Kestra gewesen war und an all die anderen Ereignisse, die mein Leben untrennbar mit der Familie dell'Orte verbanden.

»Wie ich sehe, brauchst du Zeit zum Nachdenken«, sagte Jacopo de Medici und sah mich forschend an.

»Auf meiner Flucht habe ich Unglück über diejenigen gebracht, die mir halfen«, erklärte ich ihm. »Es gibt Menschen, in deren Schuld ich stehe.«

»Dann ist es deine Pflicht, diese Schuld so gut es geht abzutragen«, antwortete er. »Und als dein Vater werde ich dich dabei unterstützen.«

Ein letztes Mal nahm ich den Riemen mit dem Beutel

von meinem Hals, legte das abgetragene Ledersäckchen auf den Tisch und öffnete es. Ich nahm das Große Siegel der Medici heraus und reichte es meinem Vater.

Er hielt es hoch. Die Sonnenstrahlen, die durch die Schlitze der geschlossenen Fensterläden fielen, ließen das Gold glänzen. »Du hast gut darauf aufgepasst.«

Ich wusste nicht recht, ob ich mich über sein Lob freuen sollte oder nicht.

Er fuhr mit dem Finger die Konturen seines Familienwappens nach. »Mein Vetter, der Kardinal, wird besonders erfreut über die Rückkehr des Siegels sein. Er wird es unter seine erste päpstliche Proklamation setzen.«

»Er ist ein Kardinal«, sagte ich verwundert. »Ich kann mir nicht vorstellen, dass unser jetziger Papst das Siegel eines anderen auf seine päpstlichen Bullen prägen lässt.«

»Papst Julius liegt im Sterben«, erklärte Jacopo. »Nicht mehr lange und im Vatikan residiert ein Medici.«

Er ließ das Siegel in den Beutel zurückgleiten und hängte ihn sich um den Hals. Dann packte er mich bei den Schultern und sah mich an.

»Mein Sohn«, sagte er leise. »Ehe du deinen Verpflichtungen nachkommst, möchte ich, dass du wenigstens einmal Vater zu mir sagst.«

»Vater«, sagte ich zögernd. Es ging mir nicht leicht von den Lippen.

KAPITEL 91

Es gab einen Mann, den ich als meinen eigentlichen Vater ansah.

Auf meinem Weg zu Elisabetta dachte ich darüber nach, wie ich Meister Leonardo die Güte vergelten konnte, die er mir in den verworrensten Zeiten meines Lebens geschenkt hatte. Vor allem ihm schuldete ich sehr viel. Ohne ihn und seine beiden Gefährten wäre ich am Wasserfall ertrunken. Mit seinem Atem hatte er mich von den Toten zurückgeholt. Auf meinem Weg vom naiven Jungen bis zum Mann hatte ich stets auf ihn vertrauen können, auf seinen wohlmeinenden Rat, seinen klugen Verstand und seine Großmut.

Elisabetta war in das Haus in Prato zurückgekehrt. Als eine Art Wiedergutmachung hatten die Medici die Dächer der Häuser, die noch standen, ausbessern lassen. Für Donna Cosma hatte man ein Krankenlager im Erdgeschoss hergerichtet. Es war offenkundig, dass sie im Sterben lag.

Ich setzte mich mit Elisabetta in den Garten und legte einen Beutel mit Münzen, den Jacopo mir gegeben hatte, vor sie auf den Tisch.

»Dieses Geld gehört von Rechts wegen dir«, sagte ich. »Es soll das ersetzen, was du verloren hast. Damit kannst du dein Geschäft mit den Heilkräutern weiter betreiben und dein Auskommen sichern.«

»Matteo«, sagte sie. »Ich gehe zurück nach Kestra.«

»Nach Kestra? Dort ist nichts mehr.«

»Baldassare ist dort.«

»Baldassare?«, wiederholte ich verblüfft. Dann fiel mir

der Mann ein, der stets da war, wenn ich sie und Paolo besucht hatte. »Der Nachbar deines Onkels?«

»Ja«, bestätigte Elisabetta. »Das ist er.«

»Er ist viel älter als du.«

»Ich weiß, und das ist einer der Gründe, warum ich seinen Heiratsantrag angenommen habe. Er ist verlässlich und wird mir Sicherheit geben.«

»Liebst du ihn?«

»Ich empfinde große Zuneigung für ihn, so wie er auch für mich, und ich respektiere ihn.« Auf ihrem Gesicht lag ein zufriedener Ausdruck. »Ich bin überzeugt, das reicht für eine gute Ehe. In den vergangenen Jahren hat er mehr als einmal gefragt, ob ich seine Frau werden will. Ich lehnte stets ab, weil ich den Hof aufgeben musste und nichts mit in die Ehe hätte bringen können. Aber darum ging es ihm gar nicht. Es ging ihm um mich. Jetzt habe ich die Rezepturen deiner Großmutter und kann viele Arzneien herstellen. Dieses Wissen soll nun meine Aussteuer sein.«

»So wie auch dieses Geld.« Ich zeigte auf den Beutel. »Es ist mein Geschenk als dein Bruder – unter der Bedingung, dass ich zur Hochzeit eingeladen werde.«

Ich schrieb Eleanora einen langen Brief.

Darin offenbarte ich ihr meine wahre Herkunft und sprach von den Ereignissen, die sich zugetragen hatten, bevor wir uns kennen lernten. Ich beschrieb ihr die Zwänge, unter denen ich gestanden hatte, und bat um ihr Verständnis.

Dann sprach ich von meinen Plänen für die Zukunft. Ich wollte die Medizinschule in Bologna besuchen, um Arzt zu werden.

Ich betonte, dass ich mich glücklich schätzen würde, wenn sie dieses Leben mit mir teilen wollte. Ich erwähnte ihre Vorliebe für die Arbeiten einflussreicher Denker und Schriftsteller. Mein elterliches Erbe, so stellte ich ihr in Aussicht, würde es ihr ermöglichen, sich diesen Dingen ausgiebig zu widmen.

Und ich sagte ihr, dass ich sie liebe.

KAPITEL 92

Nach angemessener Zeit wurde ich in die Villa d'Alciato eingeladen, weil man einen Ehevertrag zwischen mir und Eleanora aushandeln wollte.

Jacopo de Medici stellte mir einen Sekretär zur Seite, um die Formalitäten zu regeln. Eleanoras Onkel war ein beleibter Kaufmann mit einem rosigen Gesicht. Wir zogen uns in sein Arbeitszimmer zurück, und er ging jeden Punkt des Vertrags einzeln durch, bestand auf Änderungen, strich einzelne Sätze oder fügte neue hinzu. Draußen vor dem Fenster zwitscherten Singvögel im Wettstreit miteinander. Bei meinem letzten Treffen mit Eleanora waren wir im Garten gewesen und hatten uns geküsst. Heute war es sehr heiß, daher hielt man die Fensterläden geschlossen. Sie würde sich wohl kaum im Freien aufhalten. Ich fragte mich, wo in diesem Haus sie wohl steckte.

Ich dachte daran, wie wir auf der Piazza in Ferrara miteinander getanzt hatten. Wie sie mir ihr Gesicht entgegengestreckt hatte.

Unvermittelt stand ich auf. »Bitte entschuldigt mich.«

Eleanoras Onkel blickte hoch, nickte und widmete sich sofort wieder den Dokumenten.

Ich öffnete die Tür hinaus in den Gang – und hörte das Rascheln von Röcken. Ich rannte ihr nach und packte sie am Handgelenk.

»Ihr habt an der Tür gelauscht«, sagte ich lachend.

Sie versuchte, meine Hände abzuschütteln, und funkelte mich an. Ich sah, dass sie verärgert war. »Selbstverständlich habe ich gelauscht«, erwiderte sie patzig. »Glaubt Ihr, ich sehe tatenlos zu, während man um mich feilscht wie um ein Stück Fleisch auf dem Marktplatz?«

Ich zog die Augenbrauen hoch. »Ich dachte, meine Einladung hierher sei mit Eurem Einverständnis erfolgt?«

»Nun, dann habt Ihr Euch geirrt, mein Herr«, gab sie schnippisch zurück. »Ich wurde in dieser Angelegenheit nicht gefragt. Mein Onkel las den Brief und erklärte, dass man so ein Angebot nicht ausschlagen könne. Alles Weitere nahm er selbst in die Hand. Er sagte, die Medici hätten genug Geld, dass es für uns alle reicht.«

»Geld!«, rief ich aus. »Es geht hier nicht um Geld, Eleanora.«

»Doch, genau darum geht es. Und um Angst.«

»Angst?«, wiederholte ich erstaunt.

»Wie könnte mein Onkel ein Angebot der Medici ausschlagen? Sich gegen diese Familie zu stellen, dazu hätte er viel zu viel Angst.«

»Und Ihr? Habt Ihr etwa auch Angst?«, fragte ich und konnte mich des Gedankens nicht erwehren, dass es gar nicht so schlecht war, wenn diese temperamentvolle, schlagfertige Eleanora d'Alciato sich ein ganz klein wenig vor mir fürchtete.

Ihre Antwort war das smaragdgrüne Feuer in ihren Augen. »Ich gebe mich niemandem um Gold oder aus Angst hin.«

Ich ließ ihr Handgelenk los. »Ich dachte, Ihr liebt mich, Eleanora«, sagte ich steif. »Aber da habe ich mich wohl geirrt. Ich werde gehen und den Sekretär anweisen, die Verhandlungen abzubrechen.«

»Ja, tut das!«, rief sie. Und als ich mich abwandte, schrie sie mir zornig hinterher: »Jacomo de Medici.«

»Wie?« Ich drehte mich um und merkte, wie auch in mir die Wut hochstieg. »Warum sprecht Ihr meinen Namen so abfällig aus?«

»Aber genau so heißt Ihr doch, oder nicht?« Sie zog meinen Brief aus ihrem Ärmel. »Mit diesem Namen habt Ihr unterschrieben.« Sie stach mit dem Finger auf das Blatt Papier.

»Ja, und? Soll ich meinen rechtmäßigen Namen verleugnen?«

»Ich kenne keinen Jacomo de Medici!«, rief sie, den Tränen nahe. »Der Mann, den ich liebe, heißt Matteo.«

Ich nahm ihr den Brief aus der Hand und ließ ihn fallen. Dann packte ich sie um die Taille und zog sie an mich. Und plötzlich küssten wir uns, bis wir beide um Atem rangen. Ich hielt sie ganz fest und sagte: »Für dich werde ich immer Matteo bleiben.«

KAPITEL 93

»Ich werde dich weiterhin Matteo nennen.«

Der Meister umfasste mit beiden Händen mein Gesicht und küsste mich. Dann nahm er mich in die Arme.

Auf seinem Weg nach Rom hatte er in Florenz Halt gemacht. Jacopo de Medici hatte Recht behalten. Papst Julius war gestorben und Kardinal Giovanni de Medici saß nun als Leo der Zehnte auf dem Heiligen Stuhl. Auf meine Bitte hin hatte er Leonardo da Vinci einen Auftrag angeboten und ihn zu sich nach Rom eingeladen.

»Matteo«, wiederholte er noch einmal. Er legte den Arm um mich und wir setzten uns auf eine Bank.

Seine Begrüßung machte mich froh. Zwar hatte ich ihm einen Brief geschrieben und ihm alles gebeichtet, dennoch war ich unsicher, wie er auf meinen Betrug reagieren würde.

»Gleich bei unserer ersten Begegnung habe ich Euch angelogen«, gestand ich ihm.

»Natürlich!«, sagte er lachend. »Du hast dir den erstbesten fremden Namen zugelegt.«

»Ihr wusstet es von Anfang an?«

»Ich habe es zumindest vermutet. Mir war dein Blick auf das Pilgerabzeichen an Felipes Umhang aufgefallen.«

Es hätte mich nicht überraschen sollen. Ich kannte ja sein Erinnerungsvermögen. Der Meister konnte aus dem Gedächtnis jede einzelne Bewegung eines Vogelflugs skizzieren.

»Ich war fasziniert von deinem Verhalten«, sagte er. »Und als die Tage vergingen, kamen noch weitere Rätsel hinzu:

deine Sprache, dein umfangreiches Wissen, dein Wesen an sich.«

»Erst sehr viel später beschlich mich der Verdacht, Ihr könntet etwas ahnen«, sagte ich. »Es war in Mailand. Wir standen vor dem Fresko des Letzten Abendmahls.«

»Ah, ja«, erinnerte er sich. »Du hattest Sorge, ich würde es dir nachtragen, dass du nicht an die Universität gegangen bist. Damals ließen dich die Gesichtszüge von Judas Ischariot nicht los.«

Ich dachte daran, wie er meine Aufmerksamkeit weg von Judas und hin auf das Gesicht des Apostels Matthäus gelenkt hatte, um mich aus meinen düsteren Grübeleien zu befreien.

»Deine Augen kamen mir von Anfang an seltsam vertraut vor. Damals im Refektorium des Klosters musste ich an Lorenzo de Medici denken, den ich als junger Mann kennen gelernt hatte.«

»Wenn er noch lebte, wäre er mein Großvater. Er scheint ein ehrenwerter Mann gewesen zu sein.«

»*Du* hast dich stets bemüht, ehrenwert zu sein, Matteo. In allem, was du getan hast, lag eine besondere Art von Wahrhaftigkeit, trotz all deiner Lügen.«

Ich senkte den Kopf. »Ich möchte mich für den Ärger, den ich Euch und Euren Freunden bereitet habe, entschuldigen.«

Er lächelte. »Den hast du mit deinem aufgeschlossenen Sinn und deinem Humor mehr als wettgemacht. Vielleicht freut es dich, wenn ich dir sage, dass Graziano auf seinem Sterbebett von dir gesprochen hat. Er malte sich aus, dass Lucrezia Borgia sich über dein Tanztalent wunderte und du ihr gegenüber seinen Namen erwähntest als den Namen des besten Tanzlehrers, den man sich vorstellen könne. Daher, so brüstete er sich, könne er mit Fug und Recht behaupten, sein Name sei selbst einer so bewunderten und berüchtigten Frau ein Begriff.«

Bei dieser Vorstellung musste ich lächeln.

»Du siehst also, Matteo, du warst immer in unseren Gedanken gegenwärtig. Graziano hat oft von dir gesprochen, und Felipe hat alle Hebel in Bewegung gesetzt, damit du eine anständige Ausbildung erhalten konntest. Und ich ...« Er sprach nicht weiter.

Ich sah ihn an. Seine Augen waren auf einer Höhe mit meinen.

»Wir alle lieben dich, Matteo.«

Obwohl er es nicht wollte, kniete ich mich bei unserem Abschied vor ihm hin.

»Dir ist alles vergeben«, sagte er. »Ein Junge muss seinen Weg gehen, um ein Mann zu werden. Und du bist jetzt ein Mann, Matteo.«

Er streckte die Hand aus und zog mich hoch. Dann umarmten wir uns.

»Es ist schwierig, zu sich selbst zu finden. Und auch wenn du der Wahrheit mitunter ausgewichen bist, so hat sie dich doch stets begleitet. Jetzt musst du ihr gerecht werden – als ein aufrichtiger Mann.«

So war es mit ihm, dem Meister Leonardo da Vinci. Seine Erwartungen und der feste Glaube, den er in die Menschen setzte, führten dazu, dass man danach strebte, sein Vertrauen nicht zu enttäuschen.

Daher war ich fest entschlossen, ein guter Arzt und ein aufrichtiger Mann zu werden.

MEIN AUFRICHTIGER DANK GEHT AN

Mairi Aitken, Künstlerin,
Margot Aked,
Professor Susan Black,
Rosey Boyle,
das British Institute, Florenz,
Laura Cecil,
Sue Cook,
Annie Eaton,
Dr. Lucio Fregonese, Universität Pavia,
Joe Kearney, Künstler,
Sophie Nelson,
Hugh Rae,
Lucy Walker,
das Verlagsteam Random House,
meine Familie
und für immer und ewig an Tom.

Ulrike Schweikert

Die Maske der Verräter

480 Seiten ISBN 978-3-570-12967-8

Würzburg im Jahr 1453: Zu später Stunde preschen drei maskierte Reiter in höchster Eile in die Schmiede von Meister Buchner. Ein Mordanschlag wird geplant. Der Lehrling Jos gerät in eine lebensgefährliche Verschwörung, als er zufällig die Unterredung der drei belauscht. Doch wem gilt der Anschlag? Und was haben der unheimliche Henker der Stadt und seine schöne junge Frau Rebecca mit den Morden zu tun?